Robert Ludlum's

# DE BOURNE BELOFTE

Eric van Lustbader



Uitgeverij Luitingh

Uitgeverij Luitingh en Drukkerij HooibergHaasbeek vinden het belangrijk om op milieuvriendelijke en verantwoorde wijze met natuurlijke bronnen om te gaan.


Oorspronkelijke titel: *The Bourne Dominion*
Vertaling: Fons Oltheten
Omslagontwerp: Blacksheep Design
Omslagfotografie: Arcangel Images/Hollandse Hoogte

ISBN 978 90 245 3345 9
ISBN e-book 978 90 245 3346 6
NUR 332

www.boekenwereld.com
www.uitgeverijluitingh.nl
www.watleesjij.nu

*Met dank aan Sam Gold en Ken Dorph*

*Ter nagedachtenis aan Barbara Skydel*

# Proloog

*Phuket, Thailand*
Jason Bourne baande zich een weg door de menigte. De oorverdovende muziek die uit de driemeterhoge boxen kwam die aan beide kanten van de enorme dansvloer opgesteld stonden, dreunde door in al zijn ledematen en was bijna van hartaanvalniveau. Boven de deinende hoofden van de dansers versmolten de talloze lichtjes als een soort noorderlicht om vervolgens tegen het gewelfde plafond uiteen te spatten in een waterval van kometen en vallende sterren.

Voor hem, aan de andere kant van de kolkende zee van lichamen, probeerde de vrouw met het dikke, zwarte haar zich zo snel mogelijk tussen de stelletjes die in alle mogelijke samenstellingen aan het rondtollen waren, heen te wurmen. Bourne probeerde haar in te halen, maar het was net alsof hij zich door een zachte matras heen werkte. De hitte was bijna tastbaar. De sneeuw op de bontkraag van zijn dikke jas was al weggesmolten. Zijn haar plakte op zijn hoofd. De vrouw werd keer op keer gevangen door het licht als een vis onder het zonovergoten, glinsterende wateroppervlak van een meer. Door de snelle lichtwisselingen leken haar bewegingen schokkerig. Bourne achtervolgde haar terwijl de overversterkte bas- en drumgeluiden het ritme van zijn hartslag bepaalden.

Hij kreeg in de gaten dat ze op weg was naar het damestoilet en aangezien hij een kortere weg zag, brak hij de directe achtervolging af en ploegde zich via een nieuwe route door de mêlee van mensen. Hij bereikte de deur net nadat zij naar binnen gegaan was. Door de iets geopende deur rook hij een mengeling van joints, seks en zweet.

Hij wachtte totdat een paar meisjes in een wolk van parfum en gegiechel naar buiten gekomen waren en glipte naar binnen. Drie vrouwen met wild, lang haar en opzichtige, rinkelende sieraden om stonden naast elkaar bij de wasbakken en gingen helemaal op in het snuiven van coke, zodat ze hem niet zagen. Hij bukte zich en keek snel onder de deuren van de wc-hokjes. Er was er maar één bezet. Hij trok zijn Glock en schroefde de geluiddemper op de loop. Hij trapte de deur open en terwijl die tegen het tussenpaneel sloeg, richtte de vrouw met ijsblauwe ogen en lang, blond haar een kleine met zilver beslagen .22 Beretta op hem. De eerste kogel trof haar in haar hart, de tweede in haar rechteroog.

Hij was al verdwenen nog voordat haar hoofd de vloertegels raakte...

Bourne opende zijn ogen in de verblindende schittering van de tropische zon. Hij keek uit over de azuurblauwe Andamanzee en naar de zeil- en motorboten die vlak voor de kust voor anker lagen. Hij huiverde alsof hij nog steeds verstrikt was in flarden herinnering in plaats van dat hij op het strand van Patong in Phuket lag. Waar was die disco? Wanneer had hij die vrouw gedood? En wie was zij? Een doelwit dat hem door Alex Conklin toebedeeld was voordat hij gewond was geraakt waardoor hij met een zware hersenschudding in de Middellandse Zee gedonderd was. Dat was het enige wat hij zeker wist. Waarom had Treadstone haar op de korrel genomen? Hij pijnigde zijn hersens in een poging om alle brokstukjes van zijn droom samen te voegen, maar ze stroomden als rook door zijn vingers. Hij herinnerde zich dat de bontkraag van zijn jas en zijn haren nat van de sneeuw waren. Maar wat nog meer? Het gezicht van de vrouw? Dat verscheen en verdween met de flikkerende weerspiegelingen van het licht. Even voelde hij het dreunen van de muziek, maar dat vervaagde als de laatste stralen van de ondergaande zon.

Wat had de herinnering opgeroepen?

Hij kwam overeind. Toen hij zich omdraaide zag hij de silhouetten van Moira en Berengária Moreno Skydel afsteken tegen de diepblauwe lucht, de verblindend witte wolken en de bruine en groene heuveltoppen. Moira had hem uitgenodigd om naar Berengária's *estancia* in Sonora te komen, maar dat was hem te dicht bij de beschaafde wereld. Daarom hadden ze afgesproken in dit resort aan de westkust van Thailand en hier waren ze de afgelopen drie dagen en nachten geweest. Moira had hem uitgelegd waarom zij bij de zuster van de onlangs overleden drugsbaron Gustavo Moreno in Sonora was. Beide vrouwen hadden hem om zijn hulp gevraagd en hij had ingestemd. Moira zei dat tijd van het grootste belang was en nadat hij alle bijzonderheden gehoord had, had hij toegezegd morgen naar Colombia te vertrekken.

Toen hij zich weer omdraaide, zag hij hoe een vrouw in een kleine, oranje bikini met hoog opgetrokken benen als een paard door de golven stapte. Haar lange, lichtblonde haar glansde in het zonlicht. Bourne volgde haar, gedreven door de echo van zijn herinnering. Hij staarde naar haar bruine rug en zag hoe de spieren tussen haar schouderbladen bewogen. Toen ze zich iets omdraaide, zag hij hoe zij de rook van een joint naar binnen zoog. Even werd de typische zeelucht verzoet. Hij zag hoe zij plotseling verstrakte en de joint in de golven liet vallen. Hij volgde haar blik.

Drie politiemannen kwamen over het strand aanlopen. Ze droegen pakken, maar het was duidelijk wat ze waren. Ze liep weg omdat ze dacht dat ze haar moesten hebben, maar dat was niet zo. Ze hadden het op Bourne gemunt.

Zonder aarzelen liep hij de golven in. Hij wilde ze uit de buurt hebben van Moira en Berengária omdat Moira hem zeker te hulp zou schieten en hij wilde niet dat zij erbij betrokken raakte. Vlak voordat hij in een aanrollende golf dook, zag hij dat een van de politiemannen zijn hand hief alsof hij salueerde. Toen hij ver achter de branding weer opdook, zag hij dat het een of ander signaal was geweest. Twee WaveRunner FZR's naderden hem. Op elke zaten twee mannen, de bestuurder en iemand achter hem die in scuba-uitrusting gekleed was. Ze dekten alle vluchtwegen af.

Toen hij koers zette naar de *Parole*, een kleine zeilboot in de buurt, maakten zijn hersens overuren. Door de coördinatie en de nauwgezette aanpak wist hij dat dit geen actie van de Thaise politie was, omdat zij om geen van beide bekendstond. Ze werden door iemand anders aangestuurd en hij had wel een idee door wie. De kans dat Severus Domna op zoek was naar vergelding voor wat hij de geheime organisatie had aangedaan, lag altijd op de loer. Maar verdere speculaties moesten wachten; hij moest eerst uit deze val zien te ontsnappen en weg zien te komen om zijn belofte aan Moira dat hij Berengária's veiligheid zou waarborgen, te kunnen houden.

Met een tiental krachtige slagen bereikte hij de *Parole*. Nadat hij zich over de rand getrokken had, wilde hij net opstaan toen een kogelregen de boot alle kanten op deed deinen. Hij begon naar het midden van de boot te kruipen en greep een tros nylon touw. Hij graaide naar het dolboord. Toen het tweede salvo afgevuurd werd, waren de WaveRunners al dichterbij. De woeste golven die zij veroorzaakten, gooiden de boot zo onstuimig heen en weer, dat het voor hem een koud kunstje was om de boot te laten kapseizen. Hij liet zich alsof hij geraakt was met molenwiekende armen achterover over de rand vallen.

De twee WaveRunners voeren kriskras rond op de plek waar de boot omgeslagen was en loerden of er ergens een hoofd opdook. Toen dat niet gebeurde, zetten de twee scubaduikers hun duikbril op en toen de bestuurders langzamer gingen varen, lieten ze zich in het water vallen, terwijl ze met één hand hun duikbril vasthielden.

Onzichtbaar voor hen lag Bourne onder de omgeslagen boot te watertrappen. Hij maakte gebruik van de luchtbel onder de boot. Maar dat was van korte duur. Hij zag de luchtbelkolommen in het doorschijnende water toen de duikers de boot van beide kanten naderden.

Hij knoopte snel één eind van het nylon touw aan de stuurboordkikker. Toen de eerste duiker hem van onderen naderde, dook hij naar beneden, wikkelde het touw om de nek van de duiker en trok het strak aan. De duiker liet zijn harpoengeweer los om Bournes aanval af te weren. Bourne rukte de duikbril van diens hoofd, waardoor hij verblind werd. Daarna greep hij het harpoengeweer, dat vrij in het water zweefde, draaide zich om en schoot de tweede duiker door de borst.

Een dikke bloedgolf wolkte naar de oppervlakte. Bourne wist dat het niet slim was om hier in dit water waarin bloed gevloeid was te blijven. Zijn longen knapten bijna. Hij steeg en kwam onder de omgeslagen boot boven water. Hij dook vrijwel meteen weer onder water om de eerste duiker te zoeken. Het water was donker en wazig door het gutsende bloed. De dode duiker hing met gespreide armen in een wolk bloed, terwijl zijn zwemvliezen naar de donkere diepte wezen. Bourne was nog bezig zich om te draaien toen het nylon touw rond zijn nek gelust werd en strak aangetrokken. De eerste duiker zette zijn knieën in Bournes rug terwijl hij het touw aan beide kanten aantrok. Bourne probeerde de duiker te grijpen, maar hij zwom achterwaarts van hem weg. Het touw zat muurvast. Uit Bournes mondhoek ontsnapte een dunne sliert luchtbelletjes. Het touw sneed in zijn luchtpijp en hield hem onder water.

Hij onderdrukte de neiging te vechten omdat hij wist dat daardoor het touw strakker zou komen te zitten en hij uitgeput zou raken. In plaats daarvan hing hij even bewegingloos in het water, net als de duiker nog geen meter bij hem vandaan. Hij was een speelbal van de stroming en hield zich dood. De duiker trok hem naar zich toe terwijl hij zijn mes trok om hem de genadeslag toe te brengen.

Bourne graaide naar achteren en drukte de purgeknop op de luchtregelaar in. De lucht ontsnapte met zo'n kracht dat de duiker zijn mondstuk verloor. Terwijl een golf luchtbelletjes uit zijn mond stroomde, rukte Bourne aan de luchtregelaar, waardoor deze losschoot. Het touw rond zijn nek ging losser zitten. Bourne bevrijdde zich door gebruik te maken van de verrassing van de duiker. Hij draaide zich om en probeerde de armen van de duiker vast te binden, maar zijn tegenstander stak met het mes naar zijn borst. Bourne sloeg het weg, maar terwijl hij dat deed, sloeg de duiker zijn armen om Bournes lichaam, zodat hij niet naar boven kon om adem te halen.

Bourne deed de octopus – de tweede luchtregelaar – in zijn mond en zoog lucht in zijn longen, die op knappen stonden. De duiker klauwde naar zijn regelaar, maar Bourne voorkwam dat hij die te pakken kreeg. Het gezicht van de man was wit en benauwd. Keer op keer probeerde hij tevergeefs het mes zo te manoeuvreren dat hij Bourne of de octopus zou kunnen raken. Hij knipperde enkele keren hevig met zijn ogen, die wegdraaiden alsof al het leven uit hem wegstroomde. Bourne wilde het mes, maar de duiker liet het los. Het spiraalde de diepte in.

Hoewel Bourne nu normaal kon ademen door de octopus, wist hij dat er niet veel lucht meer in de duikflessen zat. De benen van de duiker zaten als een bankschroef om hem heen geslagen. En bovendien waren ze nu als een soort cocon in het nylon touw verstrengeld geraakt. Hij was bezig zichzelf te bevrijden toen hij een sterke beweging voelde. Een koude rilling trok door zijn hele lichaam. Er verscheen een haai in zijn blikveld. Hij was misschien een kleine vier meter lang, zwart met een zilverglans en feilloos op weg naar Bourne en de twee dode duikers. Hij had bloed geroken van de gehavende lichamen in het water en had de trillingen onderkend dat er een stervende vis was, misschien zelfs meer dan één, die als een feestmaal op hem wachtte. Bourne draaide zich met grote moeite om terwijl hij de duiker meesleepte. Hij gespte de duikflessen van de tweede duiker los en duwde ze weg. In een donkere wolk bloed zakte het lichaam onmiddellijk weg. De haai veranderde van koers en zwom direct naar het dodelijk gewonde lichaam. Hij sperde zijn bek open en nam een enorme hap uit de duiker. Bourne had zichzelf iets respijt gegeven, maar waarschijnlijk niet voor lang. Elk moment zouden meer haaien zich kunnen gaan mengen in de waanzinnige schranspartij; hij moest zorgen dat hij voor die tijd uit het water was.

Hij maakte de loodgordel van de duiker los en trok vervolgens de duikflessen van diens rug. Daarna zette hij de duikbril op. Hij haalde nog één keer adem en liet de duikflessen los – ze waren toch al leeg. Ze begonnen samen in een macabere omhelzing naar de oppervlakte te stijgen. Terwijl ze dat deden, probeerde Bourne hen van het touw te bevrijden. Maar de benen van de duiker hielden zijn heupen nog steeds in een ijzeren greep. Wat hij ook probeerde, het lukte hem niet om zich daaruit los te maken.

Hij kwam aan de oppervlakte en zag een van de WaveRunners vlak bij zich over het water stuiteren. Hij zwaaide. Hij hoopte dat de bestuurder hem met de duikbril op voor een van de duikers zou houden. De WaveRunner nam gas terug toen hij hem naderde. Op dat moment was het Bourne net gelukt om zich van het touw te bevrijden. Terwijl de WaveRunner rondjes draaide, greep hij de achterkant ervan vast. Toen hij de bestuurder op de knie tikte, ging de WaveRunner ervandoor. Bourne hing nog steeds half in het water. De snelheid van het vaartuig zorgde ervoor dat de dodelijke omklemming door de duiker verslapte. Bourne sloeg met al zijn kracht op de knieën van de duiker, hoorde een bot breken en was vrij.

Hij trok zich op de WaveRunner en brak de nek van de bestuurder. Voordat hij hem in het water gooide, haakte hij het harpoengeweer van zijn riem los. De bestuurder van de tweede WaveRunner zag wat er gebeurde en was nog bezig te keren toen Bourne recht op hem afvoer. De bestuurder maakte de verkeerde keuze. Hij trok een pistool, vuurde twee schoten af, maar doordat het vaartuig alle kanten op sprong was het onmogelijk om goed te mikken. Tegen die tijd was Bourne al dicht genoeg genaderd om de sprong te wagen. Hij sloeg met het harpoengeweer de bestuurder van de WaveRunner van het vaartuig af en nam zelf de controle over.

Bourne, nu alleen op het azuurblauwe water, spoot weg.

# Deel een

*Eén week later*

# Een

'Ze zetten ons volkomen voor schut.'

De president van de Verenigde Staten keek het Oval Office rond. Hij keek naar de mannen om zich heen, die bijna in de houding stonden. Buiten was het die middag helder en zonnig, maar binnen was de spanning zo drukkend dat het net leek alsof de particuliere onweersbui van de president zojuist was losgebarsten.

'Hoe heeft deze waardeloze toestand kunnen ontstaan?'

'De Chinezen liggen al jaren op ons voor,' zei Christopher Hendricks, de nieuwbakken minister van Defensie. 'Ze zijn nucleaire reactoren gaan bouwen om zich minder afhankelijk te maken van olie en steenkool en nu blijkt dat ze zesennegentig procent van de wereldproductie van Rare Earths in handen hebben.'

'Rare Earths,' donderde de president. 'Wat zijn in godsnaam Rare Earths?'

Generaal Marshall, de stafchef van het Pentagon, wipte van zijn ene voet op de andere en voelde zich duidelijk niet op zijn gemak. 'Dat zijn mineralen die...'

'Met alle respect, generaal,' zei Hendricks, 'maar Rare Earths zijn elementen.'

Mike Holmes, de nationale veiligheidsadviseur, richtte zich tot Hendricks. 'Wat is het verschil en wie maakt dat verdomme wat uit?'

'Elk Rare Earth-oxide heeft zijn eigen unieke kenmerken,' zei

Hendricks. 'Rare Earths zijn essentieel voor een massa nieuwe technologieën waaronder elektrische auto's, mobiele telefoons, windmolens, lasers, supergeleiders, hightech magneten en, voor velen in dit vertrek – speciaal voor u, generaal – het allerbelangrijkste, militair wapentuig voor alle gebieden die belangrijk zijn voor onze continue veiligheid: elektronisch, optisch en magnetisch. Neem bijvoorbeeld het onbemande vliegtuig Predator of een van onze toekomstige, lasergestuurde precisiewapens en satelliet communicatiesystemen. Ze zijn allemaal afhankelijk van Rare Earths die we uit China importeren.'

'Waarom weten we daar verdomme niets van?' fulmineerde Holmes.

De president pakte enkele papieren van zijn bureau en hield ze wapperend omhoog als wasgoed aan een lijn. 'Hier hebben we het eerste bewijsstuk. Zes memo's van de afgelopen drieëntwintig maanden van Chris aan uw staf, generaal, waarin sprake is van dezelfde punten als die Chris hier nu naar voren brengt.' De president draaide een van de memo's om en las: 'Is iemand in het Pentagon zich ervan bewust dat je twee ton Rare Earth-oxide nodig hebt om één enkele windmolen te maken en dat de windmolens die wij gebruiken, uit China geïmporteerd zijn?' Hij keek generaal Marshall vragend aan.

'Ik heb die memo's nooit gezien,' zei Marshall koppig. 'Ik weet daar niets van.'

'Maar op zijn minst iemand van uw staf moet ervanaf geweten hebben,' onderbrak de president hem, 'wat in elk geval betekent, generaal, dat uw communicatielijnen verkloot zijn.' De president gebruikte bijna nooit grove taal en ze veroorzaakte dan ook een geschrokken stilte. 'In het slechtste geval,' ging de president verder, 'is hier sprake van flagrante onachtzaamheid.'

'Flagrante onachtzaamheid?' Marshall ontweek de blik van de president. 'Ik begrijp het niet.'

De president zuchtte. 'Vertel het hem, Chris.'

'Vijf dagen geleden hebben de Chinezen hun exportquota van Rare Earth-oxides drastisch verlaagd, met zeventig procent. Ze zijn Rare Earths voor hun eigen gebruik aan het opslaan en dat is precies wat ik in mijn tweede Pentagon-memo van dertien maanden geleden heb voorspeld.'

'En omdat we geen actie hebben ondernomen,' zei de president, 'zijn we nu de lul.'

'Tomahawk-kruisraketten, de XM982 Excalibur Precision Guided Extended Range Artillery Projectile, de GBU-28 Bunker Buster Smart Bomb,' telde Hendricks het wapenarsenaal op zijn vingers. '*Fiber optics*, nachtkijkertechnologie, het Multipurpose Integrated Chemical Agent Alarm MICAD dat gebruikt wordt om chemische gifstoffen te ontdekken, Saint-Gobain Crystals voor het ontdekken van verhoogde straling, sonar en radaromzetters.' Hij maakte een uitdagende beweging met zijn hoofd. 'Moet ik nog verdergaan?'

De generaal staarde hem aan maar hield wijselijk zijn dodelijke gedachten voor zich.

'Dus.' De president trommelde met zijn vingers op zijn bureau. 'Hoe komen we uit deze puinhoop?' Hij wilde geen antwoord en drukte op een knop van zijn intercom en zei: 'Stuur hem binnen.'

Even later haastte een kleine, dikke, kalende man zich het Oval Office binnen. Als hij al onder de indruk was van alle hotemetoten in het vertrek, dan liet hij dat niet merken. In plaats daarvan neigde hij licht met het hoofd zoals je een Europese monarch zou begroeten. 'Mr. president, Christopher.'

De president glimlachte. 'Heren, ik wil u graag voorstellen aan Roy FitzWilliams. Hij heeft de leiding over Indigo Ridge. Heeft iemand behalve Chris wel eens gehoord van Indigo Ridge? Ik dacht het niet.' Hij knikte. 'Fitz, ga je gang.'

'Zeker, sir.' FitzWilliams wiebelde met zijn hoofd. 'In 1978 kocht Unocal Indigo Ridge, een gebied in Californië waar zich de grootste voorraad Rare Earths bevindt buiten China. De oliegigant wilde deze voorraad exploiteren, maar door wat voor oorzaak dan ook kwamen ze daar niet aan toe. In 2005 bracht een Chinees bedrijf een bod uit op Unocal, maar dat ging niet door omdat het Congres daar uit veiligheidsoverwegingen een stokje voor stak.' Hij schraapte zijn keel. Het Congres maakte zich zorgen over het feit dat de olieraffinering in Chinese handen zou komen; het had nog nooit van Indigo Ridge, laat staan van Rare Earths gehoord.'

'Dus,' zei de president, 'hebben we bij de gratie Gods de controle over Indigo Ridge behouden.'

'En dat brengt ons bij het heden,' zei Fitz. 'Door uw inspanningen, Mr. president, en door die van meneer Hendricks, hebben we een bedrijf genaamd NeoDyme opgericht. Daar is zoveel geld voor nodig dat morgen de beursintroductie van NeoDyme plaatsvindt. Natuurlijk is een deel van wat ik u verteld heb voor iedereen beschikbaar. De belangstelling voor Rare Earths is door de Chinese aankondiging snel toegenomen. We hebben veel ruchtbaarheid gegeven aan het NeoDyme-verhaal en hebben met belangrijke aandelenanalisten gesproken in de hoop dat zij de aandelen aan hun klanten zullen aanbevelen. NeoDyme gaat niet alleen Indigo Ridge ontginnen, wat al decennia geleden gebeurd had moeten zijn, maar stelt ook de toekomst van het land veilig.' Hij haalde een aantekening tevoorschijn. 'Tot nu toe hebben we in het Indigo Ridge-gebied dertien Rare Earth-elementen geïdentificeerd, inclusief de vitale zware Rare Earths. Zal ik ze opnoemen?'

Hij keek op. 'Ach, misschien ook beter van niet.' Hij schraapte opnieuw zijn keel. 'Precies deze week kwamen onze geologen met nog beter nieuws. De laatste testboringen hebben aanwijzingen opgeleverd dat er ook een aantal zogenoemde groene Rare Earths aanwezig is. Dat is een ongelofelijk belangrijke vondst voor de toekomst, omdat deze metalen zelfs niet in de Chinese mijnen gevonden zijn.'

De president rolde met zijn schouders, wat hij altijd deed als hij bij de kern van de zaak kwam. 'Waar het op neerkomt, heren, is dat NeoDyme een van de belangrijkste bedrijven in Amerika wordt, en misschien wel, en ik verzeker u dat ik niet overdrijf, in de hele wereld.' Terwijl hij dat zei, keek hij iedere aanwezige in het vertrek even doordringend aan. 'Het zal duidelijk zijn dat de beveiliging van Indigo Ridge nu en in de nabije toekomst onze hoogste prioriteit heeft.'

Hij wendde zich tot Hendricks. 'Daarom formeer ik een ultrageheime speciale eenheid met de codenaam "Samaritan". Zij zal onder leiding staan van Christopher. Hij zal met ieder van jullie contact onderhouden en als hij dat nodig vindt gebruikmaken van alles wat hij van jullie kan gebruiken. Jullie moeten hem alle ondersteuning geven die hij nodig heeft.'

De president ging staan. 'Heren, ik wil hier geen onduidelijkheid over. Omdat de veiligheid van Amerika – zijn toekomst – op het spel staat, kunnen we ons niet één fout, communicatiestoornis of stommiteit veroorloven.' Zijn ogen haakten in die van generaal Marshall. 'Mijn houding ten opzichte van machtsstrijd, achterklap of onderlinge jaloezie zal zero tolerance zijn. Iedereen die Samaritan inlichtingen of personele ondersteuning onthoudt, kan een zware disciplinaire straf tegemoet zien. U bent gewaarschuwd. En nu opgedonderd.'

Boris Illyich Karpov brak de arm van de ene man en ramde zijn elleboog tegen de oogkas van de tweede. Bloed spoot alle kanten op en hoofden hingen. De twee gevangenen stonken naar zweet en dierlijke angst. Ze waren vastgebonden op metalen stoelen die in de ruwe betonnen vloer verankerd waren. Tussen hen in liep een onheilspellend grote afvoer.

'Vertel jullie verhalen nog een keer,' zei Karpov. 'Nu.'

Als pas aangesteld hoofd van de FSB-2 maakte Karpov schoon schip. De FSB-2 was een tak van de Russische geheime politie die door Viktor Cherkesov gevormd was uit een antidrugseenheid als tegenhanger van de Russische FSB, de erfgenaam van de KGB. Karpov had dit al jaren geleden willen doen, maar pas nu, door een strikt vertrouwelijke deal, had Cherkesov hem de kans gegeven.

Karpov boog zich naar voren en sloeg hen beiden. Volgens de normale procedure moesten de verdachten geïsoleerd worden om op die manier de verschillen in hun antwoorden boven tafel te krijgen, maar dit was anders. Karpov kende de antwoorden al; Cherkesov had hem niet alleen alles verteld wat hij moest weten over de rotte appels in de FSB-2 – degenen die steekpenningen ontvingen van bepaalde *grupperovka*-families of van de oligarchen die na de strafexpedities van het Kremlin van de afgelopen jaren nog overgebleven waren – maar ook over de officieren die Karpovs authoriteit probeerden te ondermijnen.

Niemand zei wat, dus Karpov stond op en verliet de gevangeniscel. Hij was alleen in de kelder onder het souterrain van het gele stenen gebouw dat aan de weg stond die naar Lubyanka Plein liep, waar de rivaliserende FSB nog steeds zijn hoofdkwartier had. Dat was al zo sinds de tijd dat de FSB onder toezicht stond van de verschrikkelijke Lavrenty Beria.

Karpov schudde een sigaret uit een pakje en stak hem aan. Hij leunde tegen de vochtige muur en rookte, een eenling, opgesloten in zijn gedachten over hoe hij de FSB-2 nieuw leven zou inblazen. Hoe hij hem zou kunnen hervormen tot een kracht die zou kunnen rekenen op de permanente gunst van president Imov.

Toen hij zijn vingers brandde, liet hij de peuk vallen, drukte hem met zijn hak uit en liep de naastgelegen cel binnen, waar een vervloekte officier van de FSB-2 geknakt op de grond zat. Karpov trok hem overeind en sleurde hem naar de cel met de twee officieren. Door het gestommel keken ze op en staarden naar de nieuwe gevangene.

Zonder een woord te zeggen trok Karpov zijn Makarov en schoot de man die hij vasthield in zijn achterhoofd. De inslag was zo krachtig dat de kogel het hoofd aan de voorkant verliet, waardoor de twee mannen die vastgebonden op hun stoelen zaten, besproeid werden door bloed en stukjes hersens. Het lichaam sloeg naar voren en kwam als een vormeloze hoop tussen hen in te liggen.

Karpov riep, waarna twee bewakers verschenen. De een droeg een grote, versterkte zwarte plastic afvalzak, de ander een kettingzaag, die hij op bevel van Karpov aanzette. Een blauw rookwolkje ontsnapte aan het apparaat. De twee mannen gingen aan het werk met het lichaam. Eerst onthoofdden ze het en daarna zaagden ze het in stukken. De twee officieren keken vanaf hun plaats op het gruwelijke schouwspel neer, niet in staat om hun blik af te wenden. Toen Karpovs mannen klaar waren, graaiden ze de stukken bij elkaar en deden ze in de afvalzak. Daarna gingen ze weg.

'Hij weigerde antwoorden te geven.' Karpov keek de officieren om de beurt meedogenloos aan. 'Dit staat jullie ongetwijfeld ook te wachten, tenzij...' Hij liet zijn stem wegsterven, als rook die van een smeulend vuurtje omhoogsliert.

'Tenzij wat?' zei Anton, een van de officieren.

'Hou verdomme je kop dicht!' snauwde Georgy, de andere officier.

'Tenzij jullie het onvermijdelijke accepteren.' Karpov stond voor hen allebei, maar richtte zich tot Anton. 'Dit bureau gaat veranderen – met of zonder jullie. Bekijk het op deze manier. Jullie hebben een eenmalige mogelijkheid gekregen om deel uit te maken van mijn kring van vertrouwelingen, om mij allebei jullie steun en vertrouwen te geven. In ruil daarvoor blijven jullie niet alleen in leven, maar gedijen er hoogstwaarschijnlijk ook nog bij. Maar dat gebeurt alleen als jullie loyaliteit mij en mij alleen geldt. Als daar ook maar de minste twijfel over is, zal jullie familie nooit te weten komen wat er met jullie gebeurd is. Er zal zelfs geen lichaam zijn om te begraven om jullie geliefden te troosten. In feite komt het erop neer dat er niets zal zijn wat aan jullie leven zal herinneren.'

'Generaal Karpov, ik zweer dat ik u eeuwig trouw zal zijn, daar kunt u op rekenen.'

Georgy spuwde de woorden bijna uit: 'Verrader! Ik snij je aan stukken.'

Karpov negeerde de uitbarsting. 'Dat zijn maar woorden, Anton Fedarovitsj,' zei hij.

'Wat moet ik dan doen om u te overtuigen?'

Karpov haalde zijn schouders op. 'Als ik je dat voor moet kauwen, heeft het toch geen enkele zin?'

Anton dacht even na. 'Maak me dan los.'

'En als ik je losmaak, wat dan?'

'Dan,' zei Anton, 'zullen we ter zake komen.'

'Meteen?'

'Zeker.'

Karpov knikte, ging achter Anton staan en maakte zijn polsen en enkels los. Anton stond op. Hij zorgde er wel voor dat hij met zijn rauwe polsen nergens langs schuurde. Hij stak zijn rechterhand uit. Karpov keek hem even strak aan en bood hem toen zijn Makarov met de kolf naar voren aan.

'Schiet hem neer!' schreeuwde Georgy. 'Schiet hém neer, mij niet, stomme idioot!'

Anton pakte het pistool aan en schoot Georgy twee kogels in het gezicht.

Karpov keek emotieloos toe. 'En wat doen we nu met het lichaam?' Hij zei dat alsof het een mondeling examen was, een eindexamen, het hoogtepunt, of misschien de eerste stap van de indoctrinatie.

Anton dacht na en formuleerde zijn antwoord zorgvuldig. 'De kettingzaag was voor de ander. Deze kerel... deze kerel verdient niets, minder dan niets.' Hij keek naar de afvoer, die eruitzag als de muil van een monster. 'Ik vraag me af,' zei hij, 'hebt u misschien een of ander sterk zuur?'

Veertig minuten later was Karpov in de stralende zon en onder een strakblauwe lucht op weg om president Imov over zijn vorderingen in te lichten, toen hij een ultrakort sms'je kreeg. 'Grens.'

'Ramenskoye,' zei Karpov tegen zijn chauffeur. Dat was het grootste militaire vliegveld van Moskou, waar een vliegtuig, volgetankt en met volledige bemanning, altijd tot zijn beschikking stond. Zodra het verkeer het toestond, maakte de chauffeur een U-bocht en trapte 'm op zijn staart.

Toen Karpov zijn legitimatiebewijs aan de militaire immigratieambtenaar toonde, kwam een man die zo tenger was dat Karpov hem voor een tiener aanzag, uit de schaduw tevoorschijn. Hij droeg een effen zwart pak, een slecht zittende das en versleten, bestofte schoenen. Hij had geen greintje vet; het was net alsof zijn spieren versmolten waren tot een soepele machine, alsof hij zijn lichaam als wapen gebruikte.

'Generaal Karpov.' Dat was zijn enige vorm van begroeting. 'Mijn naam is Zachek.' Hij noemde noch een voornaam noch een familienaam.

'Wat zegt u?' zei Karpov. 'Zoals Paladin?'

Zacheks lange, messcherpe gezicht vertoonde geen reactie. 'Wie is Paladin?' Hij griste Karpovs paspoort uit de handen van de soldaat. 'Volgt u me alstublieft, generaal.'

Hij draaide zich om en liep weg en omdat hij Karpovs paspoort had, moest Boris, die langzaam witheet werd, hem wel volgen. Zachek ging hem voor door een schaars verlichte gang die naar gekookte kool en carbolzuur rook, door een deur zonder merktekens naar een kleine verhoorkamer zonder ramen. Er stond een tafel die aan de vloer was vastgeklonken, en twee blauwe, met plastic beklede vouwstoelen. Er stond volkomen misplaatst een schitterende, koperen samowaar op de tafel, naast twee glazen, lepeltjes en een klein koperen schaaltje met witte en bruine suikerklontjes.

'Neemt u alstublieft plaats,' zei Zachek. 'Doe alsof u thuis bent.'

Karpov negeerde hem. 'Ik ben hoofd van de FSB-2.'

'Ik weet wie u bent, generaal.'

'En wie bent u, verdomme?'

Zachek haalde een geplastificeerd mapje uit de borstzak van zijn jasje en opende het. Karpov moest enkele passen naderbij komen om te kunnen lezen wat erop stond. Sluzhba Vneshney Razvedki. Hij deinsde terug. Deze man was hoofd van de antioproerafdeling van de SVR, de Russische tegenhanger van de Amerikaanse Centrale Veiligheidsdienst. Strikt genomen hielden de FSB en de FSB-2 zich bezig met binnenlandse zaken, hoewel Cherkesov het mandaat van zijn bureau wat opgerekt had tot buitenlandse aangelegenheden zonder daarover ruggespraak te houden. Ging dit gesprek daarover, de FSB-2 die op SVR-terrein kwam? Karpov had er nu spijt van dat hij deze kwestie niet met Cherkesov besproken had, voordat hij de leiding overgenomen had.

Karpov toverde een flinterdunne glimlach op zijn gezicht. 'Wat kan ik voor u doen?'

'Het is eerder wat ik – of preciezer gezegd – wat de SVR voor u kan doen.'

'Dat betwijfel ik ten zeerste.'

Toen Zachek zijn identiteitspapier weg wilde stoppen, graaide Karpov, die vlak bij hem stond, het uit zijn handen. Hij zwaaide ermee alsof het een oorlogsvlag op een slagveld was. In gedachten hoorde hij sabelgekletter.

Zachek hield Karpovs paspoort omhoog en de twee mannen ruilden de buitgemaakte papieren.

Toen Karpov zijn paspoort weer veilig opgeborgen had, zei hij: 'Ik moet een vliegtuig halen.'

'De piloot heeft instructies dat hij moet wachten tot ons gesprek afgelopen is.' Zachek liep naar de samowaar. 'Thee?'

'Nee, bedankt.'

Zachek draaide zich om terwijl hij een glas thee inschonk. 'Daar krijgt u zeker spijt van, generaal. Dit is de allerbeste Russische zwarte thee van Caravan. Wat deze bijzondere melange van Oolong, Keemon en Lapsang Souchong zo speciaal maakt, is het feit dat ze van de verschillende plantages in Mongolië en Siberië gehaald zijn op dezelfde manier als in de achttiende eeuw toen de kamelenkaravanen ze uit China, India en Ceylon brachten.' Hij pakte het gevulde glas tussen zijn vingertoppen, bracht het naar zijn neus en inhaleerde diep. 'Het koude, droge klimaat geeft de thee net genoeg vocht als hij 's nachts op de met sneeuw bedekte steppes gezet wordt.'

Hij nam een slok, wachtte even en nam nog een slok. Daarna keek hij Karpov aan. 'Weet u het zeker?'

'Heel zeker.'

'Zoals u wilt, generaal.' Zachek zuchtte toen hij het glas neerzette. 'Het is ons opgevallen –'

'Óns...?'

'De SVR. Is dat beter?' Zachek wapperde met zijn vingers. 'In elk geval hebt u de nieuwsgierigheid van de SVR geprikkeld.'

'Op wat voor manier?'

Zachek legde zijn handen op zijn rug. Hij zag eruit als een cadet op het exercitieterrein. 'Weet u, generaal, ik benijd een man als u.'

Karpov besloot dat hij hem niet meer zou onderbreken. Hij wilde dat dit vreemde gesprek zo snel mogelijk achter de rug was.

'U bent iemand van de oude school, u hebt het niet cadeau gekregen en u hebt voor elke promotie moeten vechten en iedereen die minder was dan u, als oud vuil achter u gelaten.' Hij wees op zichzelf. 'Terwijl ik het daarentegen veel makkelijker heb gehad. Het lijkt me dat ik van iemand als u nog veel zou kunnen leren.' Hij wachtte op een reactie van Karpov, maar toen die uitbleef, ging hij verder.

'Generaal, hoe zou u het vinden om mijn mentor te worden?'

'U bent hetzelfde als al die jonge technocraten die videogames spelen en denken dat dat het opdoen van praktijkervaring in het veld kan vervangen.'

'Ik heb belangrijkere dingen te doen dan het spelen van videogames.'

'Het loont als u uzelf vertrouwd maakt met waar uw tegenstanders mee bezig zijn.' Boris gebaarde. 'Kom ter zake. Ik heb niet de hele dag de tijd.'

Zachek knikte nadenkend. 'We willen er alleen zeker van zijn dat de deal die we met uw voorganger gemaakt hebben, onder uw gezag nog steeds geldt.'

'Welke deal?'

'Nee maar! U bedoelt dat Cherkesov 'm gesmeerd is zonder u in te lichten?'

'Ik weet niets van een deal,' zei Karpov. 'Als u uw werk goed gedaan had, weet u dat ik nooit deals sluit.' Wat hem betreft was het gesprek ten einde. Hij liep naar de deur.

'Ik dacht,' zei Zachek rustig, 'dat u in dit geval een uitzondering zou willen maken.'

Karpov telde tot tien voordat hij zich omdraaide. 'Dit gesprek met u is erg vermoeiend.'

'Excuses,' zei Zachek, hoewel zijn blik iets totaal anders liet zien. 'De deal, generaal, heeft met geld te maken – we kunnen makkelijk tot een maandelijks bedrag komen – en inlichtingen. We willen weten wat u weet.'

'Dat is geen deal,' zei Karpov, 'dat is afpersing.'

'We kunnen hier de hele dag staan te kissebissen, generaal, maar zoals u zelf al aangaf, u moet een vliegtuig halen.' Zijn stem verhardde zich. 'We sluiten deze deal – zoals we dat met uw voorganger gedaan hebben – en u en uw collega's zijn vrij om te gaan en staan waar u wilt, tot ver buiten de reikwijdte van het "charter van de FSB-"2".'

'Viktor Cherkesov heeft ons charter geschreven.' Karpov deed de deurknop naar beneden.

'Wees ervan verzekerd, generaal, dat wij uw leven tot een hel kunnen maken.'

Boris deed de deur open en liep naar buiten.

Van Ramenskoye naar Uralsk Airport in West-Kazachstan was het iets meer dan 665 mijl vliegen over een vlak, akelig stuk land: kaal, bruin en dor.

Viktor Deljagovitsj Cherkesov wachtte hem op. Hij leunde tegen een stoffig militair voertuig en rookte een zwarte Turkse sigaret. Hij was een lange man met dik, golvend haar dat aan de slapen begon te grijzen. Zijn ogen waren donker als koffie en ondoorgrondelijk; hij had te veel wreedheden gezien, te veel bevelen gegeven en zelf te vaak aan misdaden deelgenomen.

Karpov liep enigszins zenuwachtig op hem af. Onderdeel van zijn deal met deze duivel was dat hij hem als tegenprestatie voor het overdragen van de leiding over de FSB-2 van tijd tot tijd gunsten zou verlenen. Hij had niet gevraagd wat dat voor gunsten waren; Cherkesov zou het hem ook niet verteld hebben. Maar nu was hij voor het eerst opgeroepen en Karpov wist dat zijn schuld aan het voormalig hoofd van de FSB-2 ingelost moest worden. Niet ingaan op zijn verzoek was geen optie.

Cherkesov bood hem een sigaret aan, Karpov accepteerde, boog zich voorover en hield hem in de vlam van Cherkesovs aansteker. Hij walgde van de scherpe Turkse tabak, maar hij kon zijn vroegere baas niets weigeren.

'Je ziet er goed uit,' zei Cherkesov. 'Het ruïneren van andermans levens doet je goed.'

'Macht doet me goed.' Cherkesov gooide zijn sigaret op de grond. Het gloeiende uiteinde stak vurig af tegen het tarmac. 'Dat doet ons allebei goed.'

'Waar ben je geweest sinds je bij ons weg bent gegaan?'

Cherkesov glimlachte. 'München. Saai.'

'München ís saai,' beaamde Karpov. 'Wat mij betreft zie ik die stad nooit meer.'

Cherkesov pakte een nieuwe sigaret en stak hem aan. 'Ik ken je, Boris Illyich. Er zit je wat dwars.'

'De SVR,' zei Karpov. Hij was er de hele vlucht kwaad over geweest. 'Ik wil het met je hebben over de deal die je ermee gesloten hebt.'

Cherkesov knipperde met zijn ogen. 'Welke deal?'

Op dat moment viel alles op zijn plaats. Zachek had gebluft in de hoop dat hij het feit dat Boris nog maar een maand in functie was, uit kon buiten. Hij vertelde zijn vroegere baas van het absurde gesprek op Ramenskoye en liet geen detail onvermeld. Van Zacheks verschijning bij de immigratie tot de laatste zin toen Boris de deur van het raamloze vertrek uit liep.

Tijdens zijn relaas zoog Cherkesov peinzend op de binnenkant van zijn wang. 'Ik zou graag willen zeggen dat ik verrast ben,' zei hij, 'maar dat ben ik niet.'

'Ken je die Zachek? Hij heeft iets zalvends over zich.'

'Alle strooplikkers hebben iets zalvends. Zachek voert Beria's bevelen uit. Hij is de man voor wie je op je hoede moet zijn.' Konstantin L. Beria was het huidige hoofd van de SVR en net als zijn beruchte voorzaat had hij zich een reputatie verworven op het gebied van geweld, grootheidswaanzin en boosaardig bedrog. Konstantin was net zo gevreesd en veracht als Lavrenty Beria geweest was.

'Beria durfde niet bij mij in de buurt te komen,' zei Cherkesov. 'Hij stuurde Zachek om uit te vissen of jij gestrikt kon worden.'

'Naar de hel met Beria.'

Cherkesovs ogen vernauwden zich. 'Hou je in, vriend. Dit is iemand die je bloedserieus moet nemen.'

'Ik zal eraan denken.'

Cherkesov knikte afgemeten. 'Neem contact met me op als de betrekkingen verslechteren.' Hij klikte zijn aansteker onafgebroken open en dicht. Het was net alsof een insect zich door een grasveld worstelde. 'Maar nu de zaak waarvoor ik je liet komen. Ik heb een opdracht voor je.'

Karpov keek de ander aan op zoek naar aanwijzingen van wat zou volgen. Hij ontdekte niets. Zo was Cherkesov. Zijn gezicht was gesloten als een bankkluis. Op het tarmac stonden militaire vliegtuigen klaar om elk moment in actie te kunnen komen. Af en toe verscheen er een monteur, maar niemand kwam bij de twee Russen in de buurt.

Cherkesov plukte een stukje tabak van zijn lip en verpulverde het tussen zijn vingers. 'Je moet iemand voor mij vermoorden.'

Karpov liet zijn adem ontsnappen. Hij was zich er niet van bewust geweest dat hij zijn adem had ingehouden. Was dat alles? Een golf van opluchting ging door hem heen. Hij knikte. 'Geef me de bijzonderheden en het komt voor elkaar.'

'Meteen.'

Karpov knikte opnieuw. 'Natuurlijk. Meteen.' Hij nam een trek van zijn sigaret, met één oog dichtgeknepen tegen de rook. 'Ik neem aan dat je een foto hebt van het slachtoffer.'

Cherkesov glimlachte zelfgenoegzaam, haalde een foto uit zijn borstzak en overhandigde die. Hij keek nieuwsgierig en gretig toe, terwijl het bloed uit Karpovs gezicht wegtrok.

Hij keek Karpov met een veelbetekenende grijns aan. 'Je hebt geen keuze. Geen enkele.' Hij knikte uitdagend met zijn hoofd. 'Wat? Is de prijs van je succes te hoog?'

Karpov probeerde wat te zeggen, maar het voelde net alsof Cherkesov hem verstikte.

Cherkesovs glimlach werd breder. 'Nee, dat dacht ik wel.'

# TWEE

Jason Bourne werd in een hotel aan de rand van de Colombiaanse jungle in het donker wakker. Hij deed zijn ogen niet open. Hij bleef even op de dunne, bobbelige matras liggen, nog steeds verstrikt in het vreemde web van zijn droom. Hij was in een huis met veel kamers geweest, met gangen die naar plekken leken te leiden waar hij blind was. Net als zijn verleden. Het huis stond in brand en overal was rook. Hij was niet alleen in het huis. Er was nog iemand anders, die zich onopvallend als een vos voortbewoog, iemand die naar hem op zoek was, iemand met moorddadige bedoelingen die vlak bij hem in de buurt was, hoewel hij door de dikke, verstikkende rook volstrekt onzichtbaar was.

Op welk moment de droom werkelijkheid werd, kon hij niet zeggen. Hij rook een brandlucht; daardoor was hij wakker geworden. Toen hij uit bed stapte, omwolkte de rook hem, en weer drong de droom zich aan hem op. Hij liep naar de deur en stopte.

Aan de andere kant van de deur wachtte iemand op hem. Een gewapend iemand. Iemand met moorddadige bedoelingen.

Bourne week achteruit en greep een gammele houten stoel die al vlam gevat had. Hij deed de deur open en slingerde de stoel door de deuropening. Toen hij de daaropvolgende schoten hoorde, sprong hij door het deurgat.

Hij raakte de pols van de schutter met zo'n kracht dat een bot brak. De vingers die het wapen vasthielden, waren krachteloos, maar de schutter was nog niet uitgeschakeld. Hij trapte Bourne in zijn zij, waardoor hij tegen de tegenoverliggende muur sloeg. De schutter, die zich hierdoor een beetje ruimte had gegeven, bewoog zich als een geestverschijning door de rook. Hij sloeg in het wilde weg met de kolf van het pistool, dat hij nu met zijn andere hand vasthield, en raakte daarbij de zijkant van Bournes hoofd.

Bourne viel op de grond en bleef daar liggen. De rook werd dikker en hij kon de hitte voelen toen de vlammen dichterbij kwamen. Laag bij de grond was het zicht beter. Het bracht hem iets in het voordeel. Iets wat zijn tegenstander nog niet in de gaten had. Hij trapte naar Bourne, die de schoen midden in zijn vlucht vastgreep en hem zo draaide dat de enkel knakte. De schutter schreeuwde van de pijn. Bourne zat op zijn knieën en sloeg hem hard op de nieren en toen het lichaam ineenklapte, greep hij hem bij zijn achterhoofd en sloeg het hoofd met de kin op zijn knie.

Rook stroomde de hal in. De vlammen hadden de bovenkant van de trap bereikt en dreigden de tweede verdieping in een inferno te veranderen. Bourne greep het wapen van de schutter en trok zich terug in zijn kamer. Terwijl hij naar het raam sprintte, hield hij zijn armen gekruist voor zijn gezicht. Hij sprong en donderde met veel geweld door het glas en het hout van het raam.

Aan de andere kant stonden ze hem op te wachten. Ze waren met z'n drieën. Ze wierpen zich op hem, nadat hij in een hagel van versplinterd glas door het raam van de tweede verdieping op de grond gestort was. De eerste sloeg hij met de loop van zijn pistool in het gezicht, waardoor er een bloedrode voor op de wang van de man getrokken werd. De tweede stompte hij hard in de maag, waardoor deze dubbelsloeg. Daarna voelde hij hoe er een pistool hard in zijn nek gedrukt werd.

Bourne stak zijn armen in de lucht. De man met de jaap in zijn wang rukte het pistool uit zijn hand en sloeg hem ermee op zijn kaak.

'*Basta!*' beval de man die achter Bourne stond. '*Él no quiere ser lastimado.'* Hij mag niet gewond raken.

Bourne schatte zijn kansen in om de drie uit te schakelen, maar hij bewoog zich niet. Deze mannen wilden hem niet doden. Zij hadden de brand gesticht. Degene die buiten zijn kamer op de loer had gelegen, had hem makkelijk kunnen neerschieten, maar dat had hij niet gedaan. De brand was bedoeld om hem in te sluiten, net als de schoten die in het halletje afgevuurd waren. Het was niet de bedoeling geweest dat hij daar met de schutter geconfronteerd zou worden.

Bourne had een sterk vermoeden door wie deze mannen gestuurd waren. Daarom verzette hij zich niet toen ze zijn handen achter zijn rug vastbonden en hem een jutezak over zijn hoofd trokken. Hij werd in een heet, benauwd voertuig geduwd, dat stonk naar benzine, zweet en stookolie. Ze rammelden de jungle in. Doordat hij bijna geen schokken voelde, wist hij dat ze in een oud legervoertuig zaten. Bourne telde de bochten om zo een idee te krijgen hoe ver ze waren. Ondertussen probeerde hij het touw dat om zijn polsen zat, aan een scherpe, metalen rand door te zagen.

Na ongeveer twintig minuten stopten ze. Er gebeurde een tijdje niets. Wel hoorde hij dat er op scherpe, bijtende toon in het Spaans gesproken werd. Hij probeerde te volgen wat er gezegd werd, maar de dikke jute en de vreemde akoestiek in het voertuig maakten dat vrijwel onmogelijk. Hij werd plotseling naar buiten getrokken en voelde de koelte van de schaduw. Vliegen en muggen zoemden. Een blad streek langs de rug van zijn hand toen hij vooruitgeduwd werd. Hij rook de scherpe stank van een latrine, die al snel vermengd werd met de geur van wapenolie, cordiet en een zurige zweetlucht. Hij werd neergepoot op wat aanvoelde als het ruwe canvas van een klapstoeltje. Daar zat hij zeker een halfuur en luisterde. Hij hoorde bewegingen, maar niemand zei een woord, een teken van ijzeren discipline.

Toen werd de jutezak plotseling van zijn hoofd getrokken en keek hij met knipperende ogen in het schemerige licht van het bos. Toen hij om zich heen keek, zag hij dat hij in een tijdelijk kamp was. Hij telde dertien mannen, maar dat waren alleen de mannen die hij kon zien.

Er kwam een man op hem af die geflankeerd werd door twee mannen in uniform. Ze waren bewapend met semiautomatische revolvers en munitiegordels. Bourne herkende Roberto Corellos van Moira's gedetailleerde beschrijving. Hij was op een ruwe, gespierde manier aantrekkelijk. En door zijn donkere, smeulende ogen en uiterst mannelijke verschijning bezat hij een zeker charisma, dat deze mannen zeker aansprak.

'Dus...' Hij haalde een sigaar uit de borstzak van zijn schitterend geborduurde *guayabera*-shirt, beet het puntje ervan af en stak hem aan met een grote Zippo-aansteker. 'Daar zijn we dan, jager en prooi.' Hij blies een wolk geurende rook uit. 'Maar ik vraag me af wie wie is?'

Bourne keek hem doordringend aan. 'Grappig,' zei hij, 'je ziet er helemaal niet als een gevangene uit.'

Corellos grijnsde en maakte een weids gebaar. 'Dat, mijn vriend, komt omdat mijn FARC-vrienden zo aardig waren om mij uit El Modelo te bevrijden.'

Bourne wist dat FARC stond voor de Revolutionaire Strijdkrachten van Colombia, de linkse guerrillabeweging.

'Interessant,' zei hij, 'je bent een van de machtigste drugsbaronnen van Latijns-Amerika.'

'Van de wereld!' corrigeerde Corellos, terwijl hij met zijn sigaar in de lucht priemde.

Bourne schudde zijn hoofd. 'Linkse guerrilla's en rechtse kapitalisten, ik begrijp dat niet.'

Corellos haalde zijn schouders op. 'Wat valt er te begrijpen? De FARC haat de regering, en dat doe ik ook. We hebben een deal. Om de zoveel tijd doen we elkaar een plezier, met als gevolg dat de regeringshufters lijden. En voor de rest laten we elkaar met rust.' Hij blies een nieuwe, zoete rookwolk uit. 'Het zijn zaken en heeft niets met ideologie te maken. Ik verdien geld. Ik geef geen snars om ideologie. Maar laten we ter zake komen.' Corellos boog zich voorover, met zijn handen op zijn knieën en met zijn gezicht op ooghoogte van Bourne. 'Wie heeft opdracht gegeven om mij te vermoorden, señor? Wie van mijn vijanden?'

Deze man was een gevaar voor Moira en haar vriendin Berengária. Moira had hem in Phuket gevraagd om Corellos op te sporen en met hem af te rekenen. Moira had hem nooit eerder om iets gevraagd, dus hij wist dat het extreem belangrijk was, waarschijnlijk zelfs een zaak van leven of dood.

'Hoe heb je ontdekt dat ik op zoek naar je was om jou te vermoorden?' zei Bourne.

'Dit is Colombia, mijn vriend. Hier gebeurt niets wat ik niet weet.'

Maar er was een andere reden waarom hij niet geaarzeld had. Zijn heroïsche ontmoeting met Leonid Arkadin had hem iets over zichzelf geleerd. Hij was niet gelukkig in de tussenperioden, de donkere, eenzame, actieloze momenten als de wereld tot stilstand kwam en hij, een buitenstaander, niets anders kon doen dan het observeren en gevoelloos blijven bij huwelijken, diploma-uitreikingen en herdenkingsdiensten. Hij leefde voor de tijden dat hij in actie kon komen, als zowel zijn geest als zijn lichaam op volle toeren draaiden en op het snijvlak van leven en dood balanceerden.

'Nou?' Corellos en Bourne stonden bijna met de neuzen tegen elkaar. 'Wat heb je mij te zeggen?'

Bourne sloeg met zijn voorhoofd tegen Corellos' neus. Hij hoorde het voldoening schenkende geluid van versplinterend kraakbeen, toen hij zijn handen bevrijdde van de touwen die hij heimelijk doorgezaagd had. Hij greep Corellos, draaide hem voor zich en klemde zijn arm om de keel van de drugsbaron.

Geweren werden in de aanslag gebracht, maar niemand bewoog. Een andere man betrad het strijdtoneel.

'Dat is geen goed idee,' zei hij tegen Bourne.

Bourne verstevigde zijn greep. 'Dat is het zeker niet voor señor Corellos.'

De man was groot en goedgebouwd. Zijn huid had de kleur van een walnoot en zijn ogen waren samengeknepen en zwart als het binnenste van een put. Hij had een donkere bos haar, krullen, en een lange baard, dik en kroezend als de baard van een oude Iraniër. Hij straalde een bepaalde energie uit die zelfs Bourne beïnvloedde. Hoewel hij nu veel ouder was, herkende Bourne hem van de foto die hij vele jaren daarvoor gezien had.

'Jalal Essai,' zei Bourne. 'Ik vraag me af wat je hier in het gezelschap van deze drugsbaron doet. Zit Severus Domna nu in de heroïne en cocaïne?'

'We moeten praten, jij en ik.'

'Ik denk niet dat dat gaat gebeuren.'

'Meneer Bourne,' zei Essai langzaam en omzichtig. 'Ik heb Frederick Willard vermoord.'

'Waarom vertel je me dat?'

'Was je een bondgenoot van Willard? Ik denk het niet. Niet nadat hij zoveel tijd en moeite besteedde om jou tegen Leonid Arkadin uit te spelen.' Hij maakte een handbeweging. 'Maar hoe dan ook, ik heb Willard om een heel speciale reden vermoord: hij sloot een deal met Benjamin El-Arian, het hoofd van de Domna.'

'Dat is moeilijk te geloven.'

'Toch is het zo, want weet je, Willard wilde Solomons goud net zo graag als jouw oude baas bij Treadstone, Alexander Conklin. Hij verkocht zijn ziel en zaligheid aan El-Arian om een deel ervan te krijgen.'

Bourne schudde zijn hoofd. 'Komt dit van een lid van de Domna?'

Essais gezicht liet een flauwe glimlach zien. 'Ik was dat toen Conklin jou erop uitstuurde om in mijn huis in te breken,' zei hij. 'Maar dat is al lang geleden.'

'En nu...'

'Nu zijn Benjamin El-Arian en de Domna gezworen vijanden van mij.' Zijn glimlach kreeg iets samenzweerderigs. 'Dus je ziet dat we toch heel wat hebben om over te praten.'

'Vriendschap,' zei Ivan Volkin, terwijl hij twee waterglazen pakte en ze met wodka vulde. 'Vriendschap wordt hogelijk overschat.' Hij gaf Boris Karpov een glas en hield het andere omhoog om te toosten. 'Tenzij het tussen Russen is. Vriendschap moet je niet te licht bekijken. Van alle mensen op de wereld zijn wij de enige die weten wat het betekent vrienden te zijn. *Nastrovja!*'

Volkin was oud en grijs. Hij had een verschrompeld gezicht, maar zijn blauwe ogen sprankelden nog steeds. Dat was het bewijs, als dat al nodig was, dat hij zelfs na zijn pensionering nog beschikte over de uitzonderlijk scherpe geest die hem gemaakt had tot de invloedrijkste onderhandelaar tussen de leiders van de grupperovka, de Russische maffia.

Boris schonk zichzelf nog eens in. 'Ivan Ivanovitsj, hoe lang kennen we elkaar nu?'

Volkin smakte met zijn leverkleurige lippen en hield zijn lege glas op. Hij had grote handen. De aders lagen als blauwzwarte kabels op de handruggen, waardoor ze er morbide uitzagen. 'Voor zover mijn geheugen mij niet in de steek laat, hebben we in dezelfde tijd in onze luiers geplast.' Daarna lachte hij, een rochelend geluid dat uit de krochten van zijn keel omhoogborrelde.

Boris knikte. Zijn mondhoeken krulden zich tot een weemoedige glimlach. 'Bijna, bijna.'

De twee mannen stonden in de kleine, volgestouwde woonkamer van het appartement in het centrum van Moskou waar Volkin de afgelopen vijftig jaar gewoond had. Dat was een opmerkelijk feit, dacht Boris. Met al het geld dat Ivan door de jaren heen vergaard had, had hij elk appartement kunnen kiezen, ongeacht de grootte, grandeur of duurte, maar toch verkoos hij in dit bekrompen museum van hem te blijven met zijn honderden boeken en zijn met allerlei souvenirs van over de hele wereld volgepakte planken – kostbare geschenken die dankbare klanten aan hem gegeven hadden.

Volkin wees met zijn arm. 'Ga zitten, mijn vriend. Ga zitten en maak het je gemakkelijk. Het komt niet alle dagen voor dat ik bezoek krijg van de grote generaal Karpov, hoofd van de FSB-2.'

Hij ging zitten op zijn eigen plek, een gestoffeerde oorfauteuil die al jarenlang op een opknapbeurt wachtte. De wijnrode bekleding was vervaagd tot een kleurloos geheel. Boris zat tegenover hem op de met chintz beklede sofa, beschimmeld en gehavend alsof hij uit een scheepswrak gered was.

Hij was geschokt door hoe mager Ivan was geworden, hoe gekromd, gebogen als een boom die tientallen jaren door stormen, hagelbuien en droogte gegeseld was. *Hoeveel jaar geleden is het nu dat we elkaar voor het laatst gezien hebben?* vroeg hij zich af. Hij was verbijsterd over het feit dat hij het zich niet kon herinneren.

'Op de generaal! En op zijn vijanden, dat zij op een gruwelijke manier aan hun einde zullen komen!' kraaide Ivan.

'Ivan, doe nou niet!'

'Toost, Boris, toost! Geniet van het moment! Hoeveel personen hebben tijdens hun leven hetzelfde bereikt als jij? Jij bent het toppunt van succes.' Hij haalde zijn iele schouders op. 'Wat? Ben je niet trots op wat je bereikt hebt?'

'Natuurlijk wel,' zei Boris. 'Het is alleen dat...' Zijn stem stierf weg.

'Alleen wat?' Ivan ging rechtop zitten. 'Waar pieker je over, oude vriend? Toe, we hebben samen te veel meegemaakt om nu zo terughoudend te zijn.'

Boris haalde diep adem en nam nog een slok van de brandende wodka. 'Ivan, na al deze jaren zit ik voor het eerst in de val en ik weet niet hoe ik me aan de tentakels ervan moet ontworstelen.'

Volkin gromde: 'Er is altijd een uitweg, mijn vriend. Ga door.'

Toen Boris vertelde over de deal die hij met zijn vroegere baas gesloten had en over wat Cherkesov hem gevraagd had, kregen Volkins ogen een gele, bijna dierlijke kleur, zijn aangeboren sluwheid worstelde zich als een diepzeemonster naar de oppervlakte.

Uiteindelijk ging hij achteroverzitten en sloeg de benen over elkaar. 'Volgens mij, Boris Illyich, bestaat die val alleen in je hoofd. Het probleem is jouw relatie met die Bourne. Ik heb hem verscheidene keren ontmoet. Ik heb hem zelfs geholpen. Maar hij is Amerikaan. En erger nog, hij is een spion. Kun je hem vertrouwen?'

'Hij heeft mijn leven gered.'

'Ah, nu komen we bij de kern van het probleem.' Volkin knikte bedachtzaam. 'Dat betekent dat je in je hart een gevoelsmens bent. Je beschouwt Bourne als je vriend. Misschien is hij dat wel, maar misschien ook niet, maar ben je bereid om alles waar je in de laatste dertig jaar zo hard voor gewerkt hebt, te vergooien om zijn huid te redden.' Volkin tikte tegen de zijkant van zijn neus. 'Bedenk dat dit misschien helemaal geen val is, maar een test van je wilskracht, je vastberadenheid, je toewijding. Alle belangrijke zaken vereisen offers. In essentie onderscheidt dit hen van de alledaagse. Dat maakt ze groot, buiten het bereik van de gewone burgers, haalbaar voor slechts een enkeling, personen die bereid en in staat zijn om zo'n offer te brengen.' Hij boog zich naar voren. 'Jij bent zo'n persoon, Boris Illyich.'

De stilte viel als een deken over hen heen. Een goudbronzen klok tikte de minuten weg als het slaan van het hart dat uit de borst van een slachtoffer gerukt was. Boris' blik viel op een oud tsaristenzwaard dat hij vele jaren geleden aan Volkin gegeven had. Het zag er nog schitterend uit, goed ingevet, prachtig gepoetst, waardoor het staal glansde in het lamplicht.

'Vertel me eens, Ivan Ivanovitsj,' zei hij, 'hoe zou het zijn als Cherkesov mij de opdracht had gegeven om jou te vermoorden?'

Volkins ogen waren nu bijna volmaakt gele, mysterieuze kattenogen die alle gedachten verborgen hielden. 'Een test is een test, mijn vriend. Een offer is een offer. Ik denk dat je weet wat dat betekent.'

La Defense verrees als een postmoderne vreemdeling aan de uiterste westkant van Parijs. Maar toch was het verbannen van het hightech zakenkwartier van de stad naar La Defense een veel betere oplossing dan dat je moderne gebouwen de adembenemende Parijse architectuur laat vervuilen. Het glanzende, groenglazen bankgebouw van Île de France stond midden op het Place de l'Iris, dat als een aorta door het hart van La Defense liep. Op de bovenste verdieping zaten vijftien mannen aan een gepoetste, marmeren tafel. Zij droegen elegante, op maat gemaakte pakken, witte overhemden en klassieke stropdassen, zelfs de moslims. De Domna eiste dat, net als een gouden ring om de middelvinger van de rechterhand. De Domna was waarschijnlijk de enige bestaande groepering waarin de twee belangrijkste moslimgemeenschappen, soennieten en sjiieten, vreedzaam naast elkaar bestonden en elkaar zelfs hielpen als de situatie daarom vroeg.

De zestiende man zat aan het hoofd van de tafel. Hij had een wrede mond, een haviksneus, doordringende blauwe ogen en een honingkleurige huid. Links achter hem zat de enige vrouw van het gezelschap met een laptop op haar schoot. Zij was jonger dan de mannen, althans dat leek zo, met haar lange, rode haar, porseleinen huid en wijd uiteenstaande ogen, doorschijnend als zeewater. Af en toe, als de man aan het hoofd van de tafel zijn linkerhand uitstak, overhandigde ze hem een blad papier, op de professionele manier van een verpleegster die de chirurg een scalpel aanreikt. Hij noemde haar Skara en zij hem sir.

Als de man aan het hoofd van de tafel voorlas, luisterde iedereen in het vertrek, misschien met uitzondering van Skara, die de volledige inhoud van haar voortdurend geüpdatete laptop uit haar hoofd had geleerd, omdat zij die veel te gevoelig vond voor digitalisering.

De zeventien personen zaten in een vertrek dat gemaakt was van beton en glas waarin allerlei elektronica verwerkt was die de meest geperfectioneerde afluisterpogingen zou verijdelen.

De raad van commissarissen van Severus Domna was vanuit alle hoeken van de wereld bijeengeroepen – Shanghai, Tokio, Berlijn, Beijing, Sanaa, Londen, Washington D.C., New York, Riaad, Bogotá, Moskou, New Delhi, Lagos, Parijs en Teheran.

Benjamin El-Arian, de man aan het hoofd van de tafel, eindigde zijn toespraak tot de mannen aan de tafel. 'Eerlijk gezegd is Amerika altijd al een doorn in ons oog geweest. Tot nu.' Hij balde zijn hand tot een vuist. 'Ons doel is binnen ons bereik. We hebben een andere manier gevonden.'

Daarna ging El-Arian in op elk detail van het nieuwe plan. 'Dit zal mezelf en de andere Amerikaanse leden opzettelijk onder druk zetten, maar ik heb er alle vertrouwen in dat dit nieuwe plan ons meer zal brengen dan het geval zou zijn geweest voordat Jason Bourne het heeft laten ontsporen.' Hij vatte alles nog eens samen en schorste vervolgens de vergadering.

Terwijl de anderen achter elkaar het vertrek verlieten, riep El-Arian via de intercom Marlon Etana op, de beste en daarom invloedrijkste agent.

'Ik veronderstel dat u op het punt staat iemand aan te wijzen om Bourne uit de weg te ruimen,' zei Etana, toen hij op zijn baas toeliep. 'Hij heeft onze mensen in Tineghir vermoord, inclusief Idir Syphax, die bij ieder van ons geliefd was.'

El-Arian lachte met ontblote tanden. 'Vergeet Jason Bourne. Jouw opdracht is Jalal Essai. Sinds hij ons vertrouwen beschaamd heeft, bezorgt hij ons veel ongemak. Ik wil dat je hem opspoort en met hem afrekent.'

'Maar door inmenging van Bourne hebben we onze kans op Solomons goud verspeeld.'

El-Arian keek afkeurend. 'Waarom herinner je mij aan iets wat ik al weet?'

Etana balde een vuist. 'Ik wil hem vermoorden.'

'En Essai ongemoeid laten, waardoor hij ons nog meer schade kan berokkenen?' Hij legde een hand op de schouder van de ander. 'Vertrouw op deze beslissingen, Marlon. Volbreng je opdracht. Denk aan de belofte. De Domna rekent op je.'

Etana knikte, draaide zich om en verliet zonder om te kijken het vertrek.

De stilte was absoluut totdat Skara binnenkwam. 'Nog vijf minuten,' zei ze zonder op haar horloge te kijken.

El-Arian knikte en liep naar het raam dat naar het noorden uitkeek. Hij keek neer op de brede weg en de piepkleine mensen. Hij was een wetenschapper, een professor in de archeologie en oude beschavingen, een formele man met een bijna vorstelijke uitstraling.

'Dit gaat lukken,' zei hij bijna tegen zichzelf.

'Dit lúkt,' zei Skara, terwijl zij naast hem kwam staan.

'Welke kleur?'

'Zwart. Een Citroën.' Haar adem streek langs zijn schouder. Haar geur was opmerkelijk: kaneel met iets bitters, geroosterde amandelen, misschien. 'Over drie minuten zal niemand het zich nog herinneren.'

El-Arian knikte opnieuw, bijna afwezig. Haar vertrouwde nabijheid gaf hem een ongemakkelijk gevoel. Hij dacht vluchtig aan zijn vrouw en kinderen, die weliswaar veilig waren, beschermd door vele beveiligingslagen, maar o zo ver weg.

'Wie zal ik morgen zijn?'

Hij draaide zich om. Zij stak haar sierlijke hand uit. Hij haalde een dik pakketje uit de borstzak van zijn jas.

Skara opende het. Er zat een paspoort in, haar nieuwe legenda, een eersteklas vliegtuigticket met een open retour, creditcards en drieduizend Amerikaanse dollars. 'Margaret Penrod,' las ze in het paspoort.

'Maggie,' zei El-Arian. 'Je moet jezelf Maggie noemen.' Hij boog zijn hoofd lichtjes om weer op de straat onder zich te kijken. 'Het staat allemaal in de legenda.'

Skara knikte tevreden. 'Ik zal het vannacht in het vliegtuig uit mijn hoofd leren.'

'Daar is Laurent,' zei El-Arian, en wees naar een man in een donker pak die het gebouw verliet. Hij kon niet voorkomen dat er opwinding in zijn stem doorklonk.

Skara haalde een mobieltje tevoorschijn en toetste Laurents mobiele nummer in. Meteen werd er een voorgeprogrammeerde code verzonden. El-Arian begon zich al mentaal voor te bereiden. Laurent huiverde even, haalde zijn mobieltje tevoorschijn en keek op het scherm.

'Wat doet hij?' zei El-Arian.

'Niets,' verzekerde Skara hem. 'Hij moet de trilling gevoeld hebben, dat is alles.'

El-Arian keek bedenkelijk. 'Hij zou niets gevoeld moeten hebben.'

Skara haalde haar schouders op.

'Kan hij er iets aan doen?'

'Helemaal niets.'

Vijftien seconden voor het uur U zag hij vanuit zijn ooghoeken iets verschijnen. Hij richtte zijn blik op de naderende zwarte Citroën.

El-Arian strekte zijn hals uit. 'Belt hij met iemand?'

Skara haalde haar goedgevormde schouders op. 'Er is geen reden tot ongerustheid.'

Het volgende moment begreep El-Arian waarom ze zo zeker was. De Citroën raakte Laurent zo hard dat hij wel drie meter de lucht in vloog. Hij smakte op de grond, bleef enkele seconden liggen, waarna hij verbazingwekkend genoeg begon te bewegen en naar de stoeprand terug probeerde te kruipen. De auto draaide en verpletterde zijn hoofd met zijn rechterwielen. Daarna spoot hij er zo snel vandoor dat hij tegen de tijd dat omstanders zich de straat op wilden spoedden, verdwenen was.

# DRIE

Corellos begon ongedurig te worden. Bourne voelde hoe zijn lichaam verstrakte in afwachting van het moment dat hij dacht dat hij Bourne zou kunnen overrompelen.

'Dit is het moment,' zei Bourne. 'Er komt geen ander meer.'

Jalal Essai knikte, maar Bourne kon de haat in zijn ogen zien branden. Jaren geleden was Bourne erop uitgestuurd om bij Essai in te breken om een laptop terug te halen. Voor een man als Essai was er geen grotere inbreuk mogelijk dan het binnendringen van zijn huis waar zijn familie at en sliep. Dit was het cruciale dilemma: Essai kon het Bourne niet vergeven, maar hij was toch gedwongen zijn bittere haatgevoelens opzij te zetten om te krijgen wat hij nu wilde. Bourne zou nooit in die vervloekte positie willen verkeren.

De mannen die om Bourne heen stonden, deden allemaal hun wapen omlaag.

'*Hombre*, weet je wel waarmee je bezig bent?' Corellos' stem klonk gespannen als de pees van een boog.

'Ik doe wat gedaan moet worden,' zei Essai.

'Je kunt deze klootzak niet vertrouwen. Hij was hiernaartoe gestuurd om me te vermoorden.'

'De situatie is veranderd. Meneer Bourne beseft nu dat het vermoorden van jou contraproductief is.' Hij maakte een vragende beweging met zijn hoofd. 'Heb ik gelijk, meneer Bourne?'

Bourne liet zijn waakzaamheid ten opzichte van Roberto Corellos varen. Die zette een aarzelende stap maar stopte door Essais strakke blik, trillend van nauwelijks onderdrukte emoties. Uit een neusgat druppelde bloed. Corellos liep naar een van zijn mannen, tilde zijn arm op en veegde zijn neus af aan de mouw van zijn shirt. De man maakte de fout door naar Corellos' neus te staren. Corellos rukte hem de AK-50 uit zijn handen en sloeg hem met de kolf tegen de grond.

Bourne probeerde de betrekkingen tussen de twee mannen te doorgronden. Voor deze confrontatie zou hij nooit geloofd hebben dat Corellos van iemand anders bevelen zou accepteren. Zijn leiderschap over zijn domein was onbetwist; niemand durfde hem uit te dagen. Ook de nieuwe opkomende groepen: de Russische, Albanese en Chinese gangs. Zijn duidelijke ondergeschiktheid aan Jalal Essai was zowel raadselachtig als intrigerend. *Hij betrad een nieuw en groter strijdperk*, dacht Bourne. *Essai had hem de invloedssfeer van de Domna ingetrokken.* En vervolgens dacht hij: *Welke prijs heeft Essai hem geboden?* En de allerbelangrijkste vraag: *Wat is Essai van plan?*

Dat hij zichzelf gevangen had laten nemen, betaalde zich nu uit. Hij had gedacht dat de mannen door Corellos gestuurd waren, maar Essais schokkende verschijning had hem in een andere werkelijkheid gebracht, een werkelijkheid waarin hij veel meer geïnteresseerd was.

Essai spreidde zijn handen in een allesomvattend gebaar van vriendschap. 'Onder die boom daar staan klapstoelen. Laten we allemaal gaan zitten, samen eten, theedrinken, en praten.'

'Pak jullie vervloekte wapens, *maricóns*,' snauwde Corellos, terwijl hij van de een naar de ander keek. En met een bruuske hoofdbeweging schreeuwde hij daarna naar een van zijn andere mannen: 'Breng tequila, veel.' Daarmee tartte hij Essai, die als moslim geen alcohol mocht drinken.

Toen ze gingen zitten, glimlachte Essai geheimzinnig. In zijn ogen smeulde een vuurtje, alsof hij al een passende straf bedacht had voor Corellos' gebrek aan respect. Niet voor nu, of morgen of overmorgen. Geduld was een van de zeven officieuze zuilen van de islam, terwijl Corellos, gezien de plotselinge geweldsuitbarstingen, heetgebakerd was. In feite wist Bourne wel dat de opmerking een poging was van de drugsbaron om iets van zijn aanzien onder zijn mannen terug te winnen. Niet dat dat de ergernis in Essais ogen zou verminderen. Deze mannen waren dan misschien partners, maar ze mochten elkaar, naar wat hij zag, overduidelijk niet, een situatie die voor hem in de toekomst wellicht nuttig zou kunnen zijn.

Essai keek naar Bourne en negeerde daarbij Corellos volkomen toen de drugsbaas vooroverboog en een volle fles tequila aan zijn mond zette. Hij dronk met lange, gulzige slokken, terwijl de woede uit zijn ogen spatte. Een mengsel van bloed en drank droop langs zijn kin. Essai was zo gaan zitten dat hij tegenover Bourne zat. Het was daardoor zonneklaar dat Corellos slechts toeschouwer van het gesprek zou zijn en geen deelnemer.

'De Domna heeft jou in de smiezen,' zei Essai.

'Ze hebben me in Thailand al proberen te vermoorden.' Bourne ging achteroverzitten. 'Dus nu is het andersom.'

Essai, Bourne en Corellos kregen in een terracotta kom *pozole*, samen met een houten lepel. Corellos spuugde in die van hem en sloeg hem met de rug van zijn hand van zich af, waardoor hij tollend op de grond viel. Hij beperkte zich tot zijn tequila. Toen hij de fles naar zijn mond bracht, glinsterde deze in een straal zonlicht.

Essai knikte. 'Dat is mogelijk. Hoe dan ook, je hebt hen ernstig geschoffeerd en ik verzeker je dat ze niet zullen ophouden voordat jij dood bent.'

'Dat idee is wederzijds.'

Essai staarde hem emotieloos aan. 'Ik geloof dat je dat meent.' Hij zuchtte, zette zijn kom neer en legde zijn handen op zijn schoot.

Bourne probeerde uit te maken of Essai tevreden was of zich erbij neerlegde. Waarschijnlijk was beide het geval.

'Ik weet dat je me niet vertrouwt.' Hij haalde zijn schouders op. 'Eerlijk gezegd zou ik in jouw plaats hetzelfde voelen.' Hij ging vooroverzitten, met zijn ellebogen op zijn knieën. 'Maar ik zal je wat zeggen: jij hebt de Domna gigantisch belazerd. Het plan was om de voorraad goud van Solomon te gebruiken om een nieuwe gouden standaard te creëren om daarmee de Amerikaanse munt te ondermijnen. Nu heb jij dat onmogelijk gemaakt. Ontzaglijk veel tijd en moeite is daarmee verloren gegaan.' Hij applaudisseerde. 'Heel goed gedaan!'

Voor zover Bourne dat kon beoordelen, was in zijn stem geen greintje sarcasme te horen.

Plotseling versomberde Essais blik. 'Als het daar nou maar bij bleef. Maar jammerlijk genoeg voor ons allebei is dit slechts het begin.'

'Ik neem aan dat plan B dezelfde onheilspellende gevolgen heeft.'

'Misschien, maar de gevolgen kunnen ook erger zijn.' Hij haalde zijn schouders op.

Er volgde een wurgende stilte, die uiteindelijk door Bourne doorbroken werd. 'Zeg je me nu hiermee dat je niet weet wat plan B is?'

'Ik weet niet meer dan dat de omvang en uitgestrektheid van het domein van de Domna uitgebreid wordt tot in de Verenigde Staten.' Hij verpletterde een muskiet op zijn onderarm en veegde het bloederige resultaat weg. 'Ik kan de teleurstelling op je gezicht zien.'

'Teleurstelling is zacht uitgedrukt. Ik begrijp niet waarom je met mij wilt praten.'

Terwijl hij ging staan, zei Essai: 'De Domna heeft een prijs op je hoofd gezet.'

'Dat is niet voor het eerst, en het zal ook niet voor het laatst zijn,' zei Bourne, weinig onder de indruk. 'Ik overleef het wel.'

'Nee, je begrijpt het niet.' Essai stond nu ook op. 'In de wereld van de Domna moet je zo'n vergeldingsmaatregel nooit te licht opvatten. Voor zo'n opdracht wordt niet zomaar iemand gevraagd. Het is een heilige opdracht.'

Bourne keek Essai kalm aan. 'En dat betekent?'

'Dat betekent dat de dood zich aandient op een tijd en een plaats die zelfs jij verrassend zult vinden.' Hij priemde een wijsvinger in de lucht. 'En het zal door iemand ten uitvoer gebracht worden door...'

'Ja?'

Essai haalde diep adem. 'De waarheid, meneer Bourne, is dat ik je nodig heb.'

Bourne wist ternauwernood zijn lachen in te houden. Hij schudde wel met zijn hoofd.

'Ik weet het, het is moeilijk te bevatten – geloof me, dat is het voor mij ook.' Hij deed een stap richting Bourne. 'Maar het is waar wat ze zeggen: de realiteit zorgt voor vreemde vrienden, en eerlijk gezegd kan ik me geen vreemdere vrienden voorstellen dan wij.' Hij haalde zijn schouders op. 'Hoe dan ook...'

Bourne wachtte. Hij was niet van plan om het Essai makkelijk te maken door dit opmerkelijke gesprek gaande te houden. Maar de waarheid was dat hij geen hekel had aan Essai, en hij had zijn oorspronkelijke opdracht om in zijn huis binnen te dringen niet prettig gevonden. Deze enorme schending kon hij niet afwentelen op Alex Conklin, hoewel het bevel wel van zijn vroegere baas kwam. Of Conklin had geen flauw idee gehad wat de gevolgen waren van Bournes opdracht, of het maakte hem niets uit. Maar het maakte Bourne wel uit – hij wist hoe een moslim zou reageren als iemand zijn huis binnendrong –, maar toch had hij gehoorzaamd. Het feit wilde dat hij Essai iets schuldig was. En het was deze schuld die zorgde dat hij bleef.

'Hoe lang kies je al partij tegen de Domna?' Dit was een cruciale vraag.

'Al vele jaren,' zei Essai zonder aarzeling. 'Maar het was pas afgelopen jaar dat ik openlijk met hen gebroken heb.'

'Wat was je van plan met de informatie die op de laptop stond, die ik jaren geleden uit je huis gestolen heb?'

'Ik wilde de informatie meenemen en een poging wagen te ontkomen,' zei Essai, 'maar jij hebt dat plan doorkruist.'

De stilte die hen nu overviel, was zo intens dat het er zelfs op leek dat het gezoem van de insecten en de klagelijke vogelgeluiden erdoor overstemd werden.

Essai spreidde zijn handen met de palmen omhoog. 'Dus hier

zitten we nu, in deze nietsontziende jungle, en worden levend opgegeten door muskieten en steekvliegen.'

Hij liep weg van Corellos, die nu zo zat als een tor was en zich vastklampte aan de bijna lege tequilafles alsof deze een goedkope hoer was. Bourne liep achter hem aan door het dichte struikgewas. Enkele mannen van Corellos keken hen met nauwelijks verholen minachting na, spuugden verveeld op de grond en liepen naar de koelemmer om een biertje te pakken.

'Colombianen,' zei Essai op die samenzweerderige toon die hij bij de minste aanleiding aan kon slaan. Meer zei hij niet alsof dat ene woord boekdelen sprak, en dat was ook zo. Bourne voelde dat Essai vond dat hij beter was dan die mensen, en misschien had hij daar wel gelijk in. Hij was in elk geval beter geschoold, zich meer bewust van wat zich in de wereld afspeelde, maar misschien ging het daar niet om. Deze Colombianen, zelfs de minst opgeleide, bezaten een energie die in een vloek en een zucht als een wervelwind dood en verderf kon zaaien. De dood hield geen rekening met opleiding of zelfbewustzijn; hij maakte iedereen gelijk.

Er was iets wat Bourne verrekte graag wilde weten. 'Ik verkeerde in de veronderstelling dat jij, toen je eenmaal bij Severus Domna zat, er je hele leven bij zou blijven. Wat heeft ervoor gezorgd dat je ermee gebroken hebt?'

'De Domna stond ooit voor iets oorspronkelijks – een ontmoeting van de denkers uit het Oosten en Westen. Het was een bewonderenswaardige onderneming, een moedige opzet, maar het bleek niet meer dan een poging om olie en water te mengen. Geleidelijk, zo langzaam dat bijna niemand zich er bewust van was, veranderde de Domna.' Hij haalde zijn schouders op. 'Misschien kwam dat door de dominantie van Benjamin El-Arian, maar hoewel ik de man veracht, zou dat een simplificering van het veranderingsproces zijn. El-Arian was en is zonder twijfel de bliksemafleider, maar het virus waarmee de Domna is geïnfecteerd, is wijdverbreid. Het is al te ver om het te kunnen stoppen.'

'Over welk virus heb je het?'

Essai draaide zich naar hem om. 'Ik weet het een en ander over jou, meneer Bourne, dus ik weet dat je bekend bent met het Black Legion.'

Hij had het over de groep vijandige etnische moslims die tijdens de Tweede Wereldoorlog door de nazi's uit de Sovjet-Unie mee teruggenomen was. De moslims, die Stalin haatten als de pest, werden door de SS getraind, in eenheden samengevoegd en naar het oostfront gestuurd, waar zij met ongekende felheid vochten tegen de troepen van hun voormalige vaderland. Het Black Legion had in de nazihiërarchie enkele machtige vrienden. Tijdens de laatste oorlogsdagen werden de soldaten van het oostfront teruggetrokken en naar veilige plekken gebracht waar de geallieerden hen niet te pakken konden krijgen. Dus ze zaten nu verspreid, maar ze vergaten niet. Tientallen jaren later hergroepeerden zij zich rond een moskee in München, die nu wijd en zijd gezien wordt als een van de brandpunten van islamitisch fundamentalisch terrorisme.

'Ik heb met het Black Legion te maken gehad,' zei Bourne. 'Maar de afgelopen twee jaar hoor ik er nog maar weinig van – geen manifesten en geen aanvallen die aan hen toegeschreven worden. Het is net alsof ze niet meer bestaan.'

'Dat is Allahs wil,' zei Essai. 'Ik voel het.' Hij veegde met de rug van zijn hand over zijn voorhoofd. Hij was gewend aan extreme hitte, maar door de vochtigheid raakten zijn kleren doorweekt. 'In elk geval heeft het Black Legion, of in elk geval een van hen, na enkele mislukkingen, door jou zijn aandacht, laten we zeggen, naar binnen gericht.'

Hij keek om zich heen alsof hij de positie van Corellos en zijn mannen taxeerde. 'Tientallen jaren hebben hooggeplaatste personen in de Münchense moskee de Domna in de gaten gehouden. Zij zagen de doelen van de Domna als een directe bedreiging omdat, zoals je weet, de islamitische overheersing van het Westen het ultieme doel was van de Moskee. De Moskee zat zowel achter de gestage toevloed van moslims in West-Europa als achter de acties voor meer rechten, macht en invloed binnen de lokale overheden.

De Moskee had ooit twee of drie van haar mensen binnen de Domna. Nu vormt zij de meerderheid, inclusief Benjamin El-Arian. Nu vormt de Domna, omdat haar macht groter is dan de Moskee ooit bezeten heeft, de grootste bedreiging ooit voor de wereldvrede.'

Bourne dacht hier even over na. 'Je bent een familieman, Essai. Je speelt een te gevaarlijk spel.'

'Jij weet bij uitstek hoe gevaarlijk.' Essais gezicht vertoonde een flauwe glimlach. 'Maar de teerling is geworpen, de beslissing is genomen. Ik kan niet leven met mezelf en aan de zijlijn blijven staan en niets doen om de Domna te stoppen.' In zijn ogen brandde een onheilspellend vuur. 'De Domna moet uitgeroeid worden, meneer Bourne. Ik zie voor mezelf geen andere mogelijkheid, noch voor u of voor uw land.'

Bourne zag de haat in Essais ogen en hoorde hem in zijn stem. Deze man was een man met starre principes, een onverzettelijk karakter, onverwoestbaar en scherpzinnig. Bourne voelde voor het eerst iets van respect voor de man. Hij dacht weer aan hoe hij in zijn huis had ingebroken, voornamelijk omdat hij zeker wist dat Essai hem nooit zou vergeven.

'Mijn gevoel zegt me dat we niet veel tijd hebben om uit te vinden wat het nieuwe plan van de Domna is,' zei Essai.

Weer viel er een stilte. Alleen het gegons van de insecten, het gekwaak van boomkikkers en het leerachtige geluid van vleermuizen waren in de boomtoppen te horen.

Essai stond op en liep een stukje weg van het kamp. Even later voegde Bourne zich bij hem.

Essai staarde tussen de bomen. 'Ik heb vier kinderen,' zei hij na een lange pauze. 'Nee, nu drie, om precies te zijn. Mijn dochter is dood.'

'Dat spijt me.'

'Dat was jaren geleden. Het voelt als in een ander leven.' Essai beet op zijn lip alsof hij erover nadacht of hij door zou gaan of niet. 'Ze was eigenzinnig – geen goede karaktertrek voor een moslim, zoals je je wel kunt voorstellen. Toen ze nog kind was, kon ik haar nog wel in toom houden, maar er kwam een moment dat ze in opstand kwam. Ze is drie keer weggelopen. De eerste twee keer kon ik haar nog wel naar huis terughalen – ze was pas veertien. Maar vier jaar later liep ze weg met een Iraanse jongen. Kun je het je voorstellen?'

'Ik kan me voorstellen dat het ook nog erger had kunnen uitpakken,' zei Bourne.

'Nee,' zei Essai, 'dat had niet gekund.' Hij begon de schors van een boom af te scheuren en groef daarbij diep in de stam met zijn lange, scherpe nagels. 'De jongen was verloofd en stom genoeg nam hij haar mee naar Iran. Vraag me niet waarom, maar tot de dag van vandaag heb ik geen idee.'

'Misschien dat hij echt van haar hield.'

Essai schudde zijn hoofd. 'De dingen die mensen doen...'

Zijn stem stierf even weg, maar zijn nagels bleven onophoudelijk bezig met het ontschorsen van de stam. Hij haalde diep adem en toen hij de lucht liet ontsnappen, volgden de woorden als een waterval. 'Natuurlijk gebeurde het onvermijdelijke. Mijn dochter werd bij hem weggehaald en in de gevangenis gegooid. Ze wilden haar stenigen, kun je je dat voorstellen! Iraniërs, wat een barbaren!'

Hij bedoelde natuurlijk soennieten, want hoewel Iraniërs geen Arabieren als hij waren, ze waren toch moslims. Soennieten, eerder dan sjiieten, zoals hijzelf. De haat die bestaat tussen de twee belangrijkste richtingen binnen de islam was net zo giftig als onherstelbaar.

'Vervloekte beesten zijn het.'

Dit was voor het eerst dat hij vloekte, en Bourne kon zien hoeveel het hem deed, maar met dezelfde felheid probeerde hij de verwensing als iets negatiefs uit zijn systeem te bannen.

'Dus ik ben er zelf naartoe gegaan – ikzelf. Ik heb haar uit de gevangenis gekregen, uit Teheran en uiteindelijk uit Iran. Ik was met haar op de terugweg, op een schip op de Middellandse Zee, toen de Domna op het tapijt verscheen. Hij keek Bourne opeens aan. 'Zes man. Zes! Zoveel dachten ze er nodig te hebben. De Domna had me gewaarschuwd om niet naar Iran te gaan, om me er niet mee te bemoeien. In de Hoge Raad moest de rust bewaard worden. Om dat te bereiken, zeiden ze, moesten soennieten en sjiieten elkaars tradities respecteren. "Maar het gaat om mijn dochter," zei ik. "Mijn eigen vlees en bloed." Anders zou er volgens hen een sektarische oorlog uitbreken binnen de Domna en dan zouden we geen haar beter zijn dan degenen die we in onze macht willen houden. Ik betwijfel of ze me hoorden, en als dat wel zo was, maakte het hun niets uit. "Denk aan de belofte," zeiden ze. "Niets is belangrijker."'

Hij draaide zich weer om. Onder zijn nagels zat schors en vuil. Een mier kroop over een vinger, verdwaald, verloren.

'Daarna heb ik mijn dochter niet meer gezien. Meer was er niet gezegd. Ik deed niets omdat... omdat ik toen bij de Domna was en er was niets wat ik kon inbrengen tegen hun wil. Ik had veel bloed verloren en verrekte van de pijn.' Hij deed zijn rechterhand omhoog, waardoor Bourne de lelijke, witte verdikking kon zien, het litteken in het midden van zijn handpalm. 'Ik had geen kracht meer, hield ik mezelf voor, en ik was loyaal. Maar toen ik thuiskwam en mijn vrouws gezicht zag, verdwenen de leugens die ik mezelf verteld had als sneeuw voor de zon.' Hij zocht Bournes ogen. 'Alles werd anders, begrijp je dat?'

'Je bent de Rubicon overgetrokken.'

Essai liet die opmerking even bezinken en knikte toen. 'Toen ik thuiskwam was ik een andere man geworden, een vechter, een man met een zwart hart. Mijn collega's – degenen die ik als vrienden beschouwde – hadden me verraden. Toen ik even niet oplette, waren ze verdwenen. Zij behoorden niet meer tot de Domna – althans de Domna die ik ooit bewonderde. Dit was een nieuwe Domna, beheerst door de Moskee en zijn verschrikkelijke Black Legion.

Nu kan ik alleen nog maar aan wraak denken. De informatie op de laptop die je gestolen hebt, moest die wraak worden. Ik stond op het punt het goud onder de neus van de Domna vandaan te stelen, maar dat is nu niet meer mogelijk.'

Bourne wilde net antwoord geven, toen Essai zijn woorden al wegwuifde. 'Maar Allah is groot, Allah is goed want uiteindelijk ben je teruggekomen, jij, het instrument van mijn wraak.'

Er viel weer een stilte. Boven hen maakten nachtdieren kabaal en Corellos lag met de ogen gesloten en de kin op zijn borst te snurken als een varken.

Essai lachte droog en schraapte vervolgens zijn keel. 'Ik heb je deskundigheid nodig, meneer Bourne. Je bent de enige in wie ik vertrouwen heb, die te weten kan komen wat het nieuwe plan van de Domna is, zodat we ze samen kunnen tegenhouden.'

'Ik werk alleen.'

'Is het niet vreemd?' Of hij had Bourne niet gehoord, of als dat wel zo was, negeerde hij hem.

'Om het woord "vertrouwen" in de mond te nemen.'

'We zijn toch allebei mannen van ons woord?'

Bourne knikte.

Essai kneep zijn ogen iets samen. 'In dat geval stel ik het volgende voor...'

'Ik weet wel wat je van me wilt,' zei Bourne.

'Ik wil niet meer dan wat je zelf al van plan was. Maar nu met mijn hulp.'

'Ik wil je hulp niet.'

'Met alle respect, meneer Bourne, maar in dit geval heb je die zeker wel nodig. De Domna is zowel groot als machtig, en zijn tentakels reiken tot in alle uithoeken van de aarde.' Hij zwaaide met zijn wijsvinger naar Bourne. 'Je denkt misschien dat ik nu overdreven doe, maar ik verzeker je dat dat niet zo is.'

'Ik doe wat ik van plan was te doen.'

Essai knikte, bijna gretig. 'Begrepen. Als tegendienst wil ik je vertellen wie de Domna achter je aan gestuurd heeft om je te vermoorden.'

Bourne haalde zijn schouders op. 'Daar kom ik uiteindelijk toch wel achter. Ik ken alle manieren en alle gegadigden.'

'Maar deze ken je niet. Zoals ik je al eerder heb gezegd, is de Domna begonnen met een heilige missie. Je zult zonder mijn hulp heel waarschijnlijk gedood worden.'

'En ik neem aan dat je mij deze informatie onthoudt totdat ik jou de informatie over de Domna heb gegeven die jij wilt.'

'Helemaal niet, meneer Bourne. Ik wil dat je in leven blijft! Trouwens, ik heb je gezegd dat wij beiden mannen van ons woord zijn. Ik ga je de naam nu geven.' Hij deed een stap dichterbij en zei met zachte stem: 'Tenzij je hém tegenhoudt, maar anders zal je vriend Boris Karpov jou vermoorden.'

# Vier

'Minister, u bent meer dan eerlijk tegen ons geweest.'

'Peter, ik heb je gevraagd mij Christopher te noemen,' zei defensieminister Hendricks.

Peter Marks, die naast zijn mededirecteur Soraya Moore zat, mompelde instemmend.

'Ik heb ideeën voor het herrezen Treadstone,' ging Hendricks verder, 'maar voordat ik ze op tafel leg, wil ik van jullie horen hoe jullie denken dat Treadstone verder kan.'

De drie zaten in de zitkamer van Hendricks' huis in Georgetown, waar ze voor een strategiebespreking bij elkaar waren. Hoewel Hendricks' familie uit de bovenlaag van Washington kwam, was zij niet erg vermogend. Dat betekende dat hij ondanks zijn blauwe bloed een blauweboordenmentaliteit had. Hij was een streber en volgens sommigen zelfs iemand die de aan hem gestelde verwachtingen overtrof.

Hij was lang en slank en had de kaarsrechte houding van een militair. In feite had hij zelfs kort in Korea gediend, was plichtshalve gewond geraakt en voordat hij terugkeerde naar de publieke sector prompt door de president zelf onderscheiden. Tot een jaar geleden was hij de nationale veiligheidsadviseur geweest. Nu hij eindelijk gebeiteld zat, was hij vastbesloten om een aantal initiatieven, waar hij al jaren op gebroed had, ten uitvoer te brengen. Het eerste, en eerlijk gezegd belangrijkste, was het opnemen van het herrezen Treadstone in zijn eigen organisatie, waarbij de CI, de NSA en het Congres hem niets in de weg konden leggen.

Hendricks wilde de wet liever niet ontduiken. Toch had hij gemerkt dat het van tijd tot tijd nodig was voor een groep – klein, hecht en ongelofelijk loyaal naar elkaar en naar Amerika – om in gebieden te werken waar degenen die blootgesteld zijn aan supervisie en onderzoek, niet naartoe kunnen. Nu het land belaagd werd door verschillende extremistische terroristische groeperingen, zowel van buitenaf als van binnenuit, was het zo'n moment.

Daarom had Hendricks Soraya Moore en Peter Marks ingehuurd. Moore had aan het hoofd gestaan van Black Ops-groep van de CI, Typhon, totdat ze op staande voet ontslagen was door M. Errol Danziger, het monomane nieuwe hoofd van de CI, en Peter Marks was bevriend geweest met de vroegere hoofden van de CI. Ze kenden elkaar goed, hadden gelijkgestemde temperamenten, en stonden open voor frisse, nieuwe zienswijzen, en dat was volgens Hendricks precies wat nodig was in deze nieuwe oorlog waarin ze zich bevonden tegen onnoemelijk veel splintergroeperingen. En als klap op de vuurpijl was Soraya Moore moslim en half Egyptisch en had ze een onmetelijke kennis, deskundigheid en praktijkervaring in het Midden-Oosten en ver daarbuiten. Kort gezegd waren deze twee mensen de absolute tegenpolen van de verharde generaals en carrièrepolitici die de Amerikaanse inlichtingengemeenschap als vogelpoep hadden bevuild.

Marks en Moore zaten tegenover hem op een leren bank, die identiek was aan de bank waarop hij zat. Zijn assistente, Jolene, stond achter hem met een Bluetooth-oordopje dat verbonden was met haar mobieltje. De ochtendzon sijpelde tussen de dikke gordijnen door. Door het stukje raam dat te zien was, waren nog net de schaduwen van de Nationale Garde-eenheid van de minister te zien. Op de lage tafel tussen hen in stonden ontbijtresten. Cleo, zijn schitterende, goudkleurige boxer zat bewegingloos tegen zijn been. Haar bek hing half open en zij hield haar kop iets schuin en keek de twee gasten van haar baas nieuwsgierig aan alsof zij zich afvroeg waarom het zo lang stil was.

Soraya en Marks wisselden een snelle blik, daarna schraapte ze haar keel. Haar grote, diepblauwe ogen en haar prominente neus waren de opvallendste punten van een krachtig, Arabisch, kaneelkleurig gezicht. Ze was een indrukwekkende verschijning, waar Hendricks zeer van onder de indruk was. Wat hij echter het prettigst vond, was dat zij niet meisjesachtig was – ook had ze geen kille, mannelijke uitstraling zoals zoveel vrouwen die in een door mannen gedomineerde omgeving werkten. Ze was oorspronkelijk, wat hij zowel verfrissend als op een vreemde manier troostend vond. Daarom luisterde hij goed naar wat zij zei, zoals hij dat ook deed bij Marks.

'Peter en ik willen een tip natrekken die vanmorgen vroeg binnenkwam,' zei Soraya uiteindelijk.

'Wat voor soort tip?'

'Minister, neemt u me niet kwalijk,' kwam Jolene tussenbeide, 'ik heb Brad Findlay voor u aan de lijn.'

Hendricks keek om. 'Jolene, ik heb je gezegd dat ik tijdens deze bijeenkomst niet gestoord wil worden.'

Jolene zette onwillekeurig een stap achteruit. 'Neemt u me niet kwalijk, sir, maar toen ik zag dat het het hoofd van de Binnenlandse Veiligheidsdienst was, dacht ik...'

'Je moet niet denken,' snauwde hij. 'Ga naar de keuken. Je weet hoe je Findlay moet behandelen.'

'Ja, meneer.' Met vuurrode wangen haastte zij zich uit het vertrek.

Marks en Soraya wisselden opnieuw blikken met elkaar.

Soraya schraapte haar keel opnieuw. 'Dat is moeilijk te zeggen.'

'Het is niet wat je noemt een normale tip,' zei Marks.

Hendricks trok zijn wenkbrauwen op. 'En dat betekent?' Hij had Jolene, het telefoontje en zijn nijdige reactie compleet vergeten.

'Hij kwam niet van een van de gebruikelijke tipgevers: ontevreden mollahs, opiumkrijgsheren, de Russische, Albanese of Chinese maffia's.' Soraya stond op en liep het vertrek door, en raakte bij het passeren dingen aan: hier een bronzen sculptuur, daar een hoek van een fotolijstje. Cleo volgde haar met zijn grote, vochtige ogen.

Soraya stopte abrupt, draaide zich om en keek Hendricks aan. 'Dat zijn allemaal bekende bronnen. Deze speciale tip kwam van het onbekende...'

De wenkbrauwen van de minister gingen nog verder omhoog. 'Ik begrijp het niet. Terrorisme...'

'Nee, geen terrorisme,' zei Soraya. 'Althans, niet zoals we het tot dusver hebben gedefinieerd. Het gaat hier om één persoon die contact met mij heeft opgenomen.'

'Waarom heeft hij dat gedaan? Wat is zijn motivatie?'

'Dat moet nog onderzocht worden.'

'Oké, maar wie je informant ook is, haal hem voor ondervraging hiernaartoe,' zei Hendricks. 'Ik hou niet zo van geheimzinnigheid.'

'Dat zou natuurlijk de normale gang van zaken zijn,' zei Marks, 'maar hij is helaas dood.'

'Vermoord?'

'Overreden, en de dader is doorgereden,' zei Marks.

'Het punt is dat we het niet weten.' Soraya pakte de rugleuning van een gestoffeerde stoel vast. 'We willen naar Parijs gaan om het ter plekke te onderzoeken.'

'Vergeet hem. Er zijn belangrijkere zaken waar jullie je mee bezig moeten houden. Trouwens, misschien was hij wel niet betrouwbaar.'

'Hij had mij al op voorhand wat informatie gegeven over een groepering genaamd Severus Domna.'

'Nooit van gehoord, en daarbij klinkt de naam vals,' zei Hendricks. 'Volgens mij speelt dit contact een spelletje met jou.'

Soraya liet zich niet van de wijs brengen. 'Ik deel die mening niet.'

Hendricks stond op en liep naar een van de ramen. Toen hij Soraya Moore voor het eerst ontmoette, had hij zich afgevraagd of zij lesbisch was. Zij had iets – een evenwicht, een openheid, een wil om de complexiteit van mensen te accepteren – wat veel hetero vrouwen veelal niet hadden. Daarna was hij dieper in haar leven gedoken en had ontdekt dat Amun Chalthoum haar minnaar was. Hij was hoofd van Al Mokhabarat, de Egyptische geheime dienst. Hij had Chalthoum gebeld en een interessant gesprek van zo'n twintig minuten met hem gehad. Danziger had haar affaire met Chalthoum als excuus gebruikt om haar te ontslaan. Deze actie stond hoog op de lijst van stommiteiten die M. Errol Danziger sinds zijn komst naar Typhon begaan had. Typhons onschatbare contacten en geheim agenten waren alleen aan haar loyaal. Toen Hendricks haar benoemd had tot mededirecteur van Treadstone, was iedereen met haar meegegaan. Dat had hem wel enig idee gegeven van hoe bijzonder zij was.

'Oké,' zei hij. 'Onderzoek het maar.' Daarna draaide hij zich weer naar hen om. 'Maar, Peter, ik wil dat jij hier blijft. Treadstone staat nog in de kinderschoenen en ik wil dat het een bureau wordt dat in staat is de gigantische chaos waarin onze inlichtingendiensten na 11 september beland zijn, op te ruimen en te controleren. Tot dit moment zijn er sinds 2001 263 inlichtingendiensten gevormd of gereorganiseerd, en het worden er nog steeds meer. En dan tel ik de honderden particuliere inlichtingenfirma's die je in kunt huren, nog niet eens mee. Enkele daarvan opereren hier in de Verenigde Staten op dezelfde manier als ze in oorlogsgebieden zouden doen, maar onttrekken zich aan onze controlemogelijkheden. Weet je dat er op dit moment 850.000 Amerikanen zijn met een strikt geheime betrouwbaarheidsverklaring? Dat is al veel te veel, terwijl het aantal alleen nog maar verder groeit.' Hij schudde krachtig met zijn hoofd. 'Het is voor mij onacceptabel dat mijn beide directeuren hier op hetzelfde moment weg zijn.'

Marks deed een stap in zijn richting. 'Maar...'

'Peter.' Hendricks glimlachte. 'Soraya heeft praktijkervaring, dus zij krijgt deze opdracht. Zo simpel is het.' Toen ze weggingen, zei hij: 'Trouwens, ik heb ervoor gezorgd dat de Treadstone-servers toegang hebben tot alle geheime databases.'

Nadat ze vertrokken waren, dacht Hendricks na over Samaritan. Hij had met opzet zijn bestaan voor Peter verzwegen, want hij wist dat Peter, zodra hij er weet van had, betrokken zou willen zijn bij de beveiliging van Indigo Ridge. Ondanks de duidelijke waarschuwing van de president, wilde Hendricks Peter bij Treadstone houden, dat nu zijn kindje was, een lang gekoesterde wens die hij niet op wilde geven, zelfs niet voor Samaritan. Hij wist verdomde goed dat hij een risico nam. Als iemand anders die bij de bijeenkomst in het Oval Office aanwezig was geweest, vooral generaal Marshall, zou vermoeden dat hij belangrijke mensen voor zijn eigen besognes achterhield, zou hij in een onhoudbare positie komen.

Ach, dacht hij, wat is een leven zonder risico?

Hij liep weg bij het raam. Zijn rozen stonden er verlept en troosteloos bij. Hij keek ongeduldig op zijn horloge. Waar bleef die vervloekte rozenspecialist die hij gehuurd had?

Het was rustig in het huis, dat ver verwijderd lag van de drukte van de binnenstad. Normaal gesproken vond hij dat prettig; het gaf hem de mogelijkheid na te denken. Maar deze ochtend was het anders. Hij was wakker geworden met het knagende gevoel dat hij iets vergeten was. Hij was al twee keer getrouwd geweest en twee keer gescheiden toen hij zijn beminde Amanda ontmoette, met haar trouwde, en haar vervolgens moest begraven. Hij had één zoon bij zijn tweede vrouw, die nu bij de militaire inlichtingendienst van de marine zat en in Afghanistan gelegerd was. Hij zou zich zorgen moeten maken om hem, maar de waarheid was dat hij bijna niet aan hem dacht. Hij had weinig te maken gehad met zijn opvoeding; eerlijk gezegd zou hij voor hetzelfde geld de zoon van iemand anders kunnen zijn. Zonder Amanda had hij geen banden met iemand, geen familiegevoel, alleen de plek was voor hem belangrijk. Hij stelde, net als Europeanen, bezit boven geld. Op een bepaalde manier was het huis alles wat hij had, alles wat hij nodig had. Hij vroeg zich af waarom dat was. Was er iets fout met hem? In restaurants, tijdens officiële gelegenheden of in het theater kwam hij collega's tegen met hun vrouwen, soms vergezeld van hun volwassen kinderen. Hij was altijd alleen, hoewel hij soms een of andere vrouw aan zijn arm had – weduwes die als de dood waren dat ze zouden vergroeien met de sociale incrowd van de binnenstad.

Hij voelde niets voor hen, deze vrouwen van een bepaalde leeftijd met strakke, rimpelloze gezichten en gelifte borsten die bijna tot de zorgvuldig gemodelleerde kin opgetrokken waren, en gekleed in lange jurken die gemaakt waren om indruk te maken. Vaak droegen ze handschoenen om de ouderdomsvlekken te verbergen.

Hij werd uit zijn overpeinzingen gerukt door het scherpe geluid van de bel. Toen hij de voordeur opende, zag hij een vrouw van achter in de dertig. Ze had een hartvormig gezicht en een onstuimige paardenstaart. Ze droeg een ronde bril met metalen montuur, een overall van spijkerstof over een mannenshirt met Schotse ruiten, kikkergroene klompen en een slappe canvaszonnehoed.

Ze stelde zich voor als Maggie Penrod en toonde haar papieren, net zoals ze dat aan de bodyguards gedaan had die de ingang van het terrein bewaakten. Hendricks bestudeerde ze. Ze was opgeleid aan de Sorbonne en aan Trinity in Oxford. Haar vader (overleden) was sociaal werker geweest, haar Zweedse moeder (ook overleden) was taalleraar geweest in het Bethesda-schooldistrict. Er was niets opvallends aan haar, behalve dan toen ze zich vooroverboog om haar legitimatiebewijs aan te nemen. Ze had een uitgesproken geur om zich hangen. Hendricks vroeg zich af waar ze naar rook. Hij snoof zo onopvallend mogelijk. Ah, ja. Kaneel en iets bitters, geroosterde amandelen misschien.

Toen hij haar voorging naar het triest uitziende rozenbed, zei hij: 'Wat doet een student kunstgeschiedenis...'

'Op een plek als deze?'

Ze lachte met een zacht, aangenaam geluid, dat iets in hem naar boven bracht wat lang verborgen was gebleven.

'Kunstgeschiedenis was een volkomen onbegrijpelijke keuze. Trouwens, ik gedij niet zo in de academische wereld – veel te veel gekonkel en achterbaksheid.'

Ze had een licht accent, ongetwijfeld was haar Zweedse moeder daarvoor verantwoordelijk, dacht Hendricks.

Ze bleef op de hoek van het rozenbed met haar handen op

haar heupen staan. 'En ik ben graag eigen baas. Ik hoef me alleen ten opzichte van mezelf te verantwoorden.'

Toen hij beter luisterde, viel het hem op dat haar accent haar woorden verzachtte, waardoor ze onmiskenbaar een sensuele lading kregen.

Ze knielde. Haar zachte, sterke vingers trokken de dode bloemen weg, waarvan de randen gekarteld en bruin waren. Ze kreeg bloederige schrammen op haar handen, maar ze leek geen acht te slaan op de doornen.

'De rozen zijn verlept en de bladeren zijn aangevreten.' Ze stond op en draaide zich naar hem om. 'U geeft ze in elk geval te veel water. En u moet ze ook één keer per week besproeien. Geen zorg, ik gebruik alleen maar natuurlijke middelen.' Ze glimlachte naar hem. Haar wangen gloeiden in het zonlicht. 'Het zal enkele weken in beslag nemen, maar ik denk dat ik ze wel weer kan opkalefateren.'

Hendricks gebaarde. 'Doe maar wat nodig is.'

Het zonlicht gleed als olie over haar onderarmen en verlichtten de witgouden haartjes, die onder zijn blik leken te bewegen. Hendricks adem brandde in zijn keel.

Toen zei hij in een opwelling: 'Heb je geen zin om even binnen te komen om wat te drinken?'

Ze glimlachte vriendelijk naar hem, met de zon in haar ogen. 'Vandaag niet.'

'Ik geloof het niet,' zei Bourne. 'Dat is gewoonweg onmogelijk.'

'Alles is mogelijk,' zei Essai. 'Echt, alles is mogelijk.'

'Nee,' zei Bourne resoluut, 'dat is niet zo.'

Essai glimlachte raadselachtig. 'Meneer Bourne, je bent nu op het terrein van Severus Domna. Alstublieft, geloof mij wat dit betreft.'

Bourne keek in het vuur. De duisternis was ingevallen en de zware geur van het smeltende vet van een wild varken dat Corellos' mannen hadden gevangen, van zijn haren ontdaan en geroosterd, verspreidde zich door het kamp. Essai en hij zaten bij het vuur te praten.

Op een afstandje stond Corellos te smiespelen met zijn luitenant. 'Onbeduidende overwinningen,' zei Essai, terwijl hij naar hen keek.

Bourne keek hem vragend aan.

'Je ziet hoe het is. Hij weet dat ik geen varkensvlees mag eten en toch staat dit op het menu. Als je hem ernaar vraagt, zal hij zeggen dat het een feestmaal voor zijn mannen is.'

'Laten we het weer over Boris Karpov hebben.'

De raadselachtige glimlach verscheen weer rond Essais mond. 'Benjamin El-Arian, onze vijand, is een grootmeester in het schaken. Hij denkt vele zetten vooruit. Hij houdt er rekening mee dat jij ervoor kunt zorgen dat de Domna Solomons goudschat niet vindt.' Hij draaide zijn hoofd om waardoor het licht van het vuur gereflecteerd werd in zijn ogen. 'Je kent Viktor Cherkesov toch wel?'

'Tot een aantal jaren geleden was hij hoofd van de FSB-2. Hij heeft om mysterieuze redenen plaatsgemaakt voor Boris. Boris heeft me het allemaal verteld. Het zuiveren van de FSB-2 was een lang gekoesterde droom van hem.'

'Je vriend Boris is een goede kerel. Heeft hij je verteld waarom Cherkesov afstand heeft gedaan van de troon?'

'Om mysterieuze redenen,' herhaalde Bourne.

'Voor mij zijn ze niet zo mysterieus. Benjamin El-Arian benaderde Cherkesov via de juiste tussenpersoon en deed hem een voorstel dat hij niet kon weigeren.'

Bourne voelde hoe zijn spieren verstrakten. 'Hoort Cherkesov nu bij de Domna?'

Essai knikte. 'Ik kan aan de uitdrukking op je gezicht zien dat je de rest geraden hebt. Cherkesov stelde je vriend Boris een deal voor: hij zou hem de FSB-2 geven in ruil voor toekomstige diensten.'

'En mij doden is de eerste.'

Essai zag dat Corellos, die klaar was met het geven van bevelen, hun kant op kwam. Hij boog zich voorover, liet zijn stem zakken, en zei met enige aandrang: 'Je ziet wel wat voor slimme vogel Benjamin El-Arian is. De Domna is geen doodordinaire coterie. Nu snap je misschien de volle omvang van waar we het tegen moeten opnemen.'

Toen Corellos een klapstoel pakte, zei Bourne: 'We hebben het nog niet gehad over de reden waarom ik hier eigenlijk naartoe ben gekomen.'

Corellos keek hem met staalharde ogen aan. Boven hem hingen takken van een boom, waarvan de schors als repen vel omlaag hing. Het schemerde en in de lucht dansten de muskieten.

'Beloftes,' zei Bourne. Het was duidelijk dat hij het tegen zowel Essai als tegen de drugsbaas had.

Corellos lachte zonder geluid te maken, ontblootte zijn tanden en deed zijn kaken op elkaar als een boef in een Tarantino-film. 'De zuster van mijn dode partner is paranoïde. Ik wil haar geen kwaad doen, dat verzeker ik je.'

'De business was van jou en Gustavo,' zei Bourne. 'Nu is hij alleen van jou.'

'Heeft ze je dat wijsgemaakt?'

'Ze wil geen bloedgeld dat van drugs komt.'

Corellos spreidde zijn armen. 'Maar waarom wilde hij dan dat zij het overnam?'

'Familie. Maar zij is niet als hij.'

'Jij kent haar niet.'

Bourne reageerde niet. Iets in de drugsbaas riep bij hem onbewust een gevoel van afkeer op, zoals bij het zien van een schorpioen of een zwarte weduwe. Het beest bedreigt je nu misschien niet, maar hoe is dat in de toekomst? Bourne bestudeerde hem. Hij was de tegenpool van Gustavo Moreno, die Bourne jaren terug ontmoet had. Wat hij verder ook mocht zijn geweest, Moreno was een heer – als hij zijn woord gaf, betekende dat iets. Bij Corellos had Bourne dat gevoel niet. Hij begreep waarom Berengária bang voor hem was.

Tijdens deze gonzende stilte zat Corellos ontspannen achterover op zijn stoel, die daardoor kraakte als de botten van een oude man. 'En wat wil de *puta*?'

'Berengária wil alleen maar met rust gelaten worden.'

Corellos wierp lachend zijn hoofd in zijn nek. Bourne kon

de dikke, rode striem zien op de plek waar hij begonnen was hem te verwurgen.

'*Bueno*. Oké, dan de volgende vraag. Hoeveel wil ze hebben?'

'Dat zei ik al,' zei Bourne kalm, 'niets.'

'Nu weet ik zeker dat je me in de maling neemt. Kom op, zeg het.'

Een koele windvlaag verstoorde de muskietenwolk. In de jungle klonk het immense koor van insecten, boomkikkers en kleine nachtdieren. Bourne wilde niets liever dan Corellos op zijn bek slaan. Nu hij hem ontmoet had, verdacht hij Moreno ervan dat hij zijn helft van de business aan zijn zuster had nagelaten om zijn partner te treiteren. Zij konden volgens hem nooit bevriend zijn geweest.

'Jij kunt die teef misschien geloven,' zei Corellos, 'maar ik geloof haar niet.'

'Laat haar gewoon met rust en dan eindigt het hier.'

Corellos schudde zijn hoofd. 'Zij heeft al mijn contacten.'

'Dit is direct van haar harde schijf gehaald.' Bourne gaf hem de printeruitdraai die Berengária hem had gegeven voordat hij weg was gegaan van Phuket.

Corellos ging met zijn dikke, vereelte wijsvinger de lijst langs. 'Het zijn ze allemaal.' Hij keek op en haalde zijn schouders op. 'Dit is een kopie.' Hij zwaaide de uitdraai door de lucht. 'Dit is waardeloos.'

Bourne gaf hem de harde schijf van Berengária's laptop.

Corellos bekeek hem even. 'Verrek.' Lachend schudde hij zijn hoofd. 'Deal.'

'Als je toch achter haar aan gaat...' Bourne liet het onuitgesproken dreigement in de vochtige lucht hangen.

Corellos verstijfde even. Toen spreidde hij zijn armen wijd open. 'Als ik achter de teef aan ga, dan zal ik dat verdomme zelf weten.'

# VIJF

'Verdomme!' Peter Marks sloeg met zijn vuist op het stuur toen hij even voor het rode licht moest wachten.

'Rustig jongen,' zei Soraya. 'Waarom vreet je je zo op?'

'Hij liegt.' Peter drukte de claxon in met de muis van zijn hand. 'Er is iets gaande en Hendricks vertelt ons niet wat.'

Soraya keek hem ondeugend aan. 'En hoe weet jij dat?'

'Door dat gelul waarom ik hier zou moeten blijven. Hij heeft Treadstone nieuw leven ingeblazen door jouw buitenlandse netwerk, en zie wat er gebeurt. Wij zijn goed om de andere geheime diensten in de gaten te houden. Dat is verdomd nutteloos werk. Daar is geen zak aan.' Hij schudde zijn hoofd. 'Uh uh, er speelt iets, maar hij wil niet dat wij er iets van weten.'

Soraya onderdrukte een pittig antwoord en dacht in plaats daarvan even na over Peters vermoeden. Peter en zij hadden jarenlang samengewerkt binnen de CI. Ze hadden een onbegrensd vertrouwen in elkaar gekregen. Dat was niet niets. En hun wederzijdse vertrouwen was voor een groot deel gestoeld op intuïtie. Wat had Peter gezien of aangevoeld, dat haar ontgaan was? Eerlijk gezegd was zij zo opgetogen geweest over het feit dat zij naar Parijs mocht om de dode na te trekken, dat zij nog maar weinig belangstelling had gehad voor wat daarna gebeurde. Ze liet zich door niets tegenhouden.

'Hé, doe een beetje rustig, cowboy!' riep ze toen hij voorbij een truck schoot. 'Ik wil nog lang niet dood.'

'Sorry,' mompelde Peter binnensmonds.

Toen ze zag dat hij echt ontdaan was, zei ze: 'Hoe kan ik je helpen?'

'Ga naar Parijs, begin je onderzoek naar je vermoorde bron en probeer uit te vinden wie hem verdomme vermoord heeft.'

Ze keek hem sceptisch aan. 'Ik wil je liever niet in deze toestand achterlaten.'

'Het maakt niet uit wat je liever wilt.'

Ze raakte zijn arm aan. 'Peter, ik maak me zorgen over het feit dat je iets stoms gaat doen.'

Hij keek haar kwaad aan.

'Of in elk geval iets gevaarlijks.'

Hij haalde diep adem. 'Denk je nu echt dat jouw aanwezigheid hier daar ook maar iets aan verandert?'

Ze keek hem bedenkelijk aan. 'Nee, maar...'

'Neem dan het eerste vliegtuig naar Parijs.'

'Je bent op iets aan het broeden.'

'Helemaal niet.'

'Verdomme, ik ken die blik.'

Hij beet op zijn wang. 'En bel Amun voordat je weggaat.'

Ze steigerde meteen, omdat ze dacht dat hij haar aan het stangen was. Maar toen ze doordacht, zag ze de wijsheid van zijn suggestie in. 'Misschien heb je gelijk. Amun zou best een andere kijk kunnen hebben op deze mysterieuze groep.'

Ze pakte haar mobiel en sms'te: `Aank Parijs vanm re: moord. Kun je?`

Ze voelde haar hart sneller slaan. Ze had Amun langer dan een jaar niet gezien, maar het was pas nu ze hem probeerde te bereiken dat ze merkte hoezeer ze hem gemist had – zijn brede glimlach, zijn zekere aanrakingen en zijn scherpe geest.

Ze keek nadenkend. Hoe laat was het nu in Caïro? Bijna 22.30 uur.

Terwijl ze aan het rekenen was, zoemde haar mobiel: `Aank Parijs 11.34 loc t, morgen.`

Soraya voelde zich warm worden. Ze wapperde met haar vingers.

'Wat is er?' vroeg Peter.

'Mijn vingertoppen tintelen.'

Peter barstte in lachen uit.

Essai reed Bourne weg uit Corellos' kamp. De koplampen waren aan en beschenen het modderige spoor door de dichte jungle van Bosque de Niebla de Chicaque. Door het bladerdak sijpelde al roze-blauw licht en vormde schaduwen op de grond. Vogelgeluiden, die in het holst van de nacht niet te horen waren geweest, weergalmden boven hun hoofden.

'We rijden naar het westen in plaats van naar het oosten,' zei Bourne, 'terug naar Bogotá.'

'We gaan naar het regionale vliegveld bij Perales,' zei Essai, 'waar ik het vliegtuig naar Bogotá neem. Jij neemt de wagen. Jij moet verder naar het westen, naar Ibagué. Dat ligt in de bergen, ongeveer honderd kilometer ten zuidwesten van El Colegio.'

'En waarom zou ik daarnaartoe willen?'

'In Ibagué zoek je een man op genaamd Estevan Vegas. Hij is lid van de Domna – een zwakke schakel, zo zeg je dat toch in het Engels? Ik was van plan met hem te praten over overlopen, maar nu jij hier bent, denk ik dat jij een betere kans hebt dan ik.'

'Verklaar je nader, Essai.'

'Met alle plezier.'

Nu ze uit Corellos' kamp weg waren, leek Essai meer ontspannen, bijna joviaal zelfs, alsof dit woord van toepassing zou kunnen zijn op deze gesloten, door wraak geobsedeerde man.

'Echt, het is simpel. Ik ben binnen de Domna een bekende persoon: een paria, een verrader. Zelfs bij een man als Vega met een wankele loyaliteit jegens de Domna, zou mijn aanwezigheid wel eens problematisch kunnen zijn. Sterker nog, het zou een averechtse uitwerking kunnen hebben, omdat het hem een reden zou kunnen geven om eigenzinnig te worden en in de verdediging te gaan.'

'Terwijl ik een onbekende ben,' zei Bourne. 'Vegas zal eerder geneigd zijn om naar mij te luisteren.'

'Dat zal helemaal afhangen van jouw overredingskracht. Van wat ik van je weet, is dat nog een uitstekende reden om mijn plaats in te nemen.'

Bourne dacht even na. 'En als hij wil overlopen?'

'Dan krijg je de meest actuele inlichtingen van binnenuit. Helaas sta ik in dezen al een tijdlang buitenspel. Over hun complotten en plannen krijg ik niets meer te horen.'

'Vegas woont in the middle of nowhere,' zei Bourne.

'Om te beginnen is de omschrijving "in the middle of nowhere" niet op de Domna van toepassing,' zei Essai. 'Hij ziet en hoort alles.' Ze kwamen bij een verhard stuk weg, maar toch moesten ze langzamer rijden doordat de weg in deplorabele staat was en bezaaid was met kuilen en gaten die zo diep waren dat een wiel erin zou kunnen verdwijnen. 'En misschien dat Vegas niet alles weet wat voor ons van belang is, maar hij kent waarschijnlijk wel iemand die dat wel weet. Het is jouw opdracht om die persoon te vinden en hem de informatie te ontfutselen. Als dat gelukt is, neem je een vlucht uit Perales. De ticket zal daar voor je klaarliggen.'

'En wat doe jij, als ik een beetje in de onderwereld van de Domna zit te poken?'

'Een afleidingsmanoeuvre opzetten om jou te dekken.'

'Wat precies?'

'Geloof me, het is beter dat je dat niet weet.' Essai slingerde ruw langs twee verbijsterend diepe gaten in de weg. 'In het handschoenenkastje ligt een extra satelliettelefoon, opgeladen en klaar voor gebruik. En ook een gedetailleerde kaart van het gebied. Ibagué is duidelijk gemarkeerd, en ook het olieveld dat Vegas exploiteert.'

Bourne boog zich voorover, opende het handschoenenkastje en onderzocht de inhoud.

'Mijn *sat*-nummer is voorgeprogrammeerd,' ging Essai verder. 'Op die manier kunnen we ongeacht waar we zijn met elkaar in contact komen.'

Ze denderden door een kloof met loodrechte rotswanden en een kilometer of drie verder stortte een gigantische waterval zich met een tomeloze kracht van een bloedrode klif. Het bomendak werd opeens minder dik en liet een flikkerend licht door; een morseboodschap door het web van takken.

Ze lieten aan de westkant de jungle achter zich. Een koloniale stenen muur was uitbundig begroeid met bougainville, die huiverend in de eerste, aarzelende zonnestralen de ochtenddauw van zich afschudde.

Bourne keek uit over het landschap. In het westen lag een indrukwekkende bergketen, die overwoekerd was door een dichte jungle. Over een paar uur zou hij in die richting verdergaan.

'Wat kun je me over die Vegas vertellen?'

'Hij is humeurig, zoekt ruzie en is vaak eigenzinnig.'

'Geweldig.'

Essai negeerde Bournes sarcasme. 'Maar hij heeft ook een andere kant. Hij zit zijn hele leven al in de olie. Hij houdt al bijna twintig jaar toezicht op de hele handel. Ik denk dat nu onderhand wel olie door zijn aderen zal stromen. In elk geval houdt hij van aanpakken: hij houdt van hard werken, zelfs op zijn leeftijd. Hij moet onderhand wel zestig zijn, misschien wel ouder. Hij drinkt stevig, heeft twee vrouwen verloren. Een dochter is verleid door een Braziliaan die haar weggelokt heeft. Hij heeft haar in meer dan dertig jaar niet meer gezien of gesproken.'

'Zonen?'

Essai schudde zijn hoofd. 'Hij leeft nu met een jonge indiaanse vrouw. Maar naar mijn weten is zij nooit zwanger geweest. Meer weet ik niet over haar.'

'Waar houdt hij niet van?'

Essai wierp hem een snelle blik toe. 'Je bedoelt, waar houdt hij van?'

'Het is belangrijk om te weten wat ik beter niet kan zeggen of doen,' zei Bourne.

'Ik begrijp het.' Essai knikte bedachtzaam. 'Hij haat communisten en fascisten in gelijke mate.'

'En hoe zit dat met drugsbazen?'

Essai wierp hem opnieuw een vluchtige blik toe alsof hij uit probeerde te vinden waar deze vragen naartoe leidden. Hij was slim genoeg om er niet naar te vragen. 'Je bent daar op jezelf aangewezen.'

Bourne dacht even na. 'Wat ik interessant vind, is dat hij twee kinderen verloren heeft en nu hij in de ideale positie is om er meer te krijgen, gebeurt dat niet.'

Essai haalde zijn schouders op. 'Te veel verdriet. Ik kan me dat voorstellen.'

'Maar zou je...?'

'Mijn vrouw is te oud.'

'Precies. Zijn vrouw niet.'

Peter Marks keek hoe de tuinierster in haar SUV stapte en wegreed bij Hendricks' huis. Hij had haar geobserveerd toen ze de rozen bemestte en ze vervolgens besproeide. Ze werkte langzaam, methodisch, voorzichtig en prevelde tegen de rozen alsof ze die het hof maakte. Ze reed weg zonder het beveiligingspersoneel een blik waardig te keuren.

De vier mannen die de minister beveiligden, waren een bron van grote zorg voor hem. Als hij Hendricks wilde schaduwen in een poging te ontdekken wat hij achterhield, moest hij buiten hun gezichtsveld blijven. Dat voelde voor hem meer als een uitdaging dan als een probleem.

Peter was uitdagingen nooit uit de weg gegaan – hij pakte ze altijd aan met een hartstocht die het felst was toen hij nog jong was. Pastoor Benedict was daar voor een goed deel verantwoordelijk voor. De pastoor nam jongetjes mee achter de sacristie voor heilige wijn en seks, maar anders dan de andere jongens vertelde Peter het aan zijn vader. Toen dit speelde was hij tien, maar hij was een vroegwijze jongen en wilde de pastoor tijdens de volgende zondagsmis publiekelijk aan de kaak stellen.

Zijn vader verbood hem dat te doen. '*Dat zal voor jou veel slechter uitpakken dan voor hem*,' zei hij tegen zijn zoon. '*Iedereen zal het weten en je zult voor de rest van je leven gebrandmerkt zijn*.' De waarschuwing in zijn vaders stem was niet te negeren. Peter had zijn vaders tomeloze woede aan den lijve meegemaakt, en hij wilde die liever niet nogmaals losmaken.

Die zondag deed een andere priester, die Peter nog nooit eerder gezien had, de mis. Hij vroeg zich af waar pastoor Benedict was. Na de mis hoorde hij mensen in het late ochtendlicht op de kerktrappen met elkaar praten. Pastoor Benedict was de nacht ervoor op zijn weg van de kerk naar huis aangevallen. 'Tot moes geslagen' was de meest gebruikte omschrijving. Hij lag nu in kritieke toestand in het Sisters of Mercy Hospital, acht blokken verder. Peter bezocht hem niet, en pastoor Benedict keerde niet terug naar zijn parochie, hoewel hij zes weken later uit het Sisters of Mercy ontslagen was. In de tussenliggende jaren had hij er met zijn vader nooit over gesproken, maar hij vermoedde dat de priester zijn vaders toorn had moeten incasseren. Nu kon hij het niet meer vragen – zijn vader was elf jaar geleden gestorven.

Peter keek op. Hendricks was uit zijn huis gekomen. Een zwarte Lincoln Town Car was voorgereden en de chauffeur stapte uit om het portier voor de minister open te houden, die instapte gevolgd door een van de veiligheidsagenten. De twee andere stapten in hun onopvallende Ford en de twee wagens reden gelijktijdig weg. Peter vermeed de blik van de man die achtergebleven was. Hij begon met schaduwen en sleepte zijn herinneringen achter zich aan.

Op de middelbare school en op de universiteit had hij geëxperimenteerd met gelijkgezinde jongens van zijn leeftijd. Hij was altijd voorzichtig omdat dat in zijn aard lag. Maar toen raakte hij geïnteresseerd in de geheime diensten en begon met het volgen van de juiste vakken. Toen hij dat deed, kreeg hij een andere studiebegeleider. Hij had hem nog nooit eerder gezien of van hem gehoord. Sterker nog, hij kon hem zelfs niet in de universiteitsadministratie vinden. Op een dag riep de begeleider hem bij zich voor een gesprek. Het gesprek kwam erop neer dat Peter, als hij echt carrière wilde maken bij de geheime dienst, 'zijn bek moest houden', zoals zijn begeleider het formuleerde.

Het onderwerp was nooit meer ter sprake gekomen, maar Peter had het advies ter harte genomen en 'hield zijn bek' terwijl hij las over zaak na zaak waarin spionnen of personen in kwetsbare posities in opspraak kwamen door hun seksuele neigingen. Hij hoopte hartgrondig dat hij niet een van die schandelijke personen zou worden. De herinnering aan wat er met pastoor Benedict gebeurd was, stond hem nog levendig voor de geest. Dus hij werd een betere celibatair dan Benedict ooit geweest was.

Hij hield van Soraya als van de zus die hij nooit gehad had, maar hij was zeker nooit verliefd op haar geweest, geen wonder dat hij jaloers was geweest op haar gevoelens voor Bourne. Daar moest hij nu om lachen. Hoe had hij ooit jaloers kunnen zijn op Jason Bourne? Hij zou het niet kunnen verdragen als hij het schimmige leven van die man zou moeten leiden.

De wagens reden over de driebaanswegen van Georgetown in westelijke richting naar het centrum van Washington. Het begon schemerig te worden, en met de schemering kwamen de nevel en de onzekerheid. Hij keek op zijn autoklokje. Elk moment zou Soraya kunnen vertrekken op haar vlucht over de Atlantische Oceaan naar Parijs en haar rendez-vous met Amun Chalthoum. Hij belde zijn vriend, Jacques Robbinet, om hem de bijzonderheden van haar bezoek door te geven. Robbinet, die hij ontmoet had via Jason Bourne, was de Franse cultuurminister. Robbinet was ook een van de nieuwe leidende figuren van het Quai d'Orsay, de Franse tegenhanger van de Centrale Veiligheidsdienst, en bezat daardoor een enorme macht in en buiten Frankrijk. Robbinet had Peter verzekerd dat hij Soraya op alle mogelijke manieren ter wille zou zijn bij het ontwarren van de gordiaanse knoop van de Franse bureaucratische rompslomp.

De twee wagens minderden vaart toen ze East Capitol Hill naderden. Ze passeerden 2nd Street SE en stopten voor de Folger Shakespeare Library, een van de opmerkelijkste instituten van de hoofdstad. Henry Clay Folger was voorzitter geweest van Standard Oil, nu ExxonMobil. Hij kwam uit dezelfde hoek als de grote industriëlen/boeven John D. Rockefeller, J.P. Morgan en Henry E. Huntington. Hoe dan ook, Folger besteedde het grootste deel van zijn laatste jaren aan het bijeenbrengen van een imponerende verzameling First Folio's van Shakespeares toneelstukken. Bovendien bezat de bibliotheek alle belangrijke delen over Shakespeare in de oorspronkelijke editie die vanaf de uitvinding van de boekdrukkunst tot het eind van de zeventiende eeuw verschenen waren, inclusief een exemplaar van elk boek over geschiedenis, mythologie en reizen die te maken hebben met de toneelschrijver. In werkelijkheid bezat de bibliotheek vijfenvijftig procent van alle bekende boeken die voor 1640 in de Engelse taal verschenen zijn. Maar het kroonjuweel van de collectie waren de First Folio's, de enige tekstuele bron van meer dan de helft van Shakespeares toneelstukken.

Terwijl Peter keek hoe Hendricks uit zijn kogelvrije auto stapte, vroeg hij zich af wat de minister in het Folger ging doen. Het was ongetwijfeld niet om een dissertatie te schrijven over Shakespeare of het Engeland van de Tudors en de Stuarts.

Nog raadselachtiger was dat zijn bodyguards niet met hem meeliepen. Peter keek op zijn horloge en zag dat het iets na vieren was, wat betekende dat het gebouw voor de rest van de dag gesloten was voor het publiek.

Peter kende het gebouw. Er was een zijingang die door het personeel gebruikt werd, en soms door studenten en onderzoekers die hier voor een bepaalde tijd resideerden. Hij reed de hoek om, parkeerde en liep naar de zijingang, die discreet weggestopt was achter een houten scherm.

De zware, solide deur was gemaakt van dik eikenhout en beslagen met rondkoppige bronzen nagels. Hij deed Peter denken aan de deur van een middeleeuwse kasteeltoren. Hij haalde een loper uit zijn binnenzak. Hij had er altijd een paar bij zich, die hij zelf gevijld had, sinds hij zichzelf thuis vijf jaar geleden een keer buitengesloten had.

Binnen dertig seconden was hij binnen en liep door een nauwelijks verlichte gang die rook naar gefilterde lucht en oude boeken. De geur was zowel plezierig als vertrouwd en deed hem terugdenken aan zijn jeugd toen hij uren achtereen tweedehandsboekwinkels afstruinde, boeken doorbladerde, stukken las of soms zelfs hele hoofdstukken. Het voelen van het gewicht van een boek in zijn handen, terwijl hij zichzelf voorstelde midden in een bibliotheek die hij zelf bij elkaar verzameld had, was soms al genoeg.

Hij keek of er personeel of beveiligers te bekennen waren, maar zag niemand. Hij liep zo stil mogelijk door gelambriseerde gangen en vertrekken die afgeladen waren met boeken achter glas en beschermd werden door een wirwar aan beveiligingsdraden.

Op een gegeven moment hoorde hij stemmen en liep in de richting waar het geluid vandaan kwam. Toen hij dichterbij kwam, herkende hij een van de stemmen: Hendricks. De andere stem was ook van een man, alleen iets hoger. Toen hij nog verder liep, kwam de stem hem enigszins bekend voor. De hoogte, intonatie, de lange zinnen zonder pauzes. Toen hij het vertrek doorgelopen was, werden de stemmen zo duidelijk, dat hij zeker wist dat het geluid uit de deuropening naar het aangrenzende vertrek kwam. Een bepaalde zinswending deed hem ter plekke verstijven.

De man met wie Hendricks praatte was M. Errol Danzinger, het vampierachtige, huidige hoofd van de CI. Hij had Soraya ontslagen, een van de redenen waarom Peter ontslag genomen had – hij had haar val aan zien komen. En nu was Danziger bezig om de trotse organisatie te ontmantelen die de Ouwe Baas opgebouwd had uit de overblijfselen die hij geërfd had van degenen die de OSS, die uit de oorlogstijd stamde, hadden omgevormd.

Peter sloop naar de deuropening. *Als Hendricks iets met Danziger aan het bekokstoven is*, dacht hij, *dan is het niet zo verwonderlijk dat hij dat voor ons verborgen wil houden.*

Hij kon hen nu duidelijk horen.

'...is dat zo?' zei Hendricks.

'Dat kan ik niet zeggen,' antwoordde Danziger.

'U bedoelt dat u dat niet wilt zeggen.'

Er klonk een diepe zucht, waarschijnlijk van de directeur van de CI.

'Ik begrijp deze kinderachtige geheimzinnigheid en achterbaksheid niet. Waarom moeten we elkaar hier ontmoeten? Mijn kantoor...'

'We zouden elkaar nooit in uw kantoor treffen,' zei Hendricks, 'om precies dezelfde reden waarom u niet uitgenodigd was voor de bijeenkomst in het Oval Office.'

Er volgde een dodelijke stilte.

'Minister, wat wilt u van mij?' Danzigers stem was zo emotieloos dat hij bijna robotachtig klonk.

'Samenwerking,' zei Hendricks. 'Dat is wat wij allemaal willen, en met "wij" bedoel ik de president. Inzake Samaritan praat ik namens hem. Is dat begrepen?'

'Helemaal,' zei Danziger. Maar zelfs vanwaar hij stond, kon Peter van dat ene woordje het venijn af horen druipen.

'Mooi,' zei Hendricks. Peter kon onmogelijk zeggen of hij de verbittering in de stem van de directeur had gehoord, of dat hij het simpelweg negeerde. 'Want ik zeg wat ik te zeggen heb maar één keer.' Er was een zacht geritsel te horen. 'Op Samaritan rust absolute geheimhouding. Dat wil zeggen dat zelfs de mensen die u uitkiest pas iets te horen krijgen nadat zij bij Indigo Ridge aangekomen zijn. Samaritan krijgt van de president de hoogste prioriteit en dat betekent dat het vanaf nu ook onze hoogste prioriteit krijgt. Dit zijn uw orders. Zorg dat uw mensen over precies achtenveertig uur op het rendez-vouspunt zijn in Indigo Ridge, waar ze de anderen zullen treffen.'

'Achtenveertig uur?' herhaalde Danziger. 'Hoe denkt u – ik bedoel, in godsnaam, kijk naar deze lijst. Wat u vraagt is onmogelijk in die tijd gedaan te krijgen.'

'Directeuren zijn getraind om het onmogelijke voor elkaar te krijgen.' Hendricks' onuitgesproken dreigement was duidelijk genoeg. 'Dat is alles, Meneer Danziger.'

Peter hoorde eerst de voetstappen van één persoon op de plankenvloer, even later gevolgd door die van de andere. De geluiden vervaagden.

Peter ging met zijn rug tegen de muur staan. Samaritan, Indigo Ridge – twee sporen die hij moest volgen. *Samaritan krijgt van de president de hoogste prioriteit*, dacht hij. *Waarom had Hendricks Soraya naar Parijs laten gaan? Waarom had hij hen niet bij Samaritan betrokken?* Peter wist dat hij op deze vragen de antwoorden moest zien te vinden, en hoe eerder hoe beter. Hij wilde Soraya graag een sms'je sturen om haar in te lichten over wat hij net ontdekt had en haar vragen terug naar Washington te komen, maar zijn vertrouwen in haar weerhield hem. Als zij dacht dat dat sterfgeval belangrijk genoeg was om het persoonlijk te onderzoeken, dan was dat voor hem genoeg. Hij had geleerd dat haar intuïtie feilloos was.

Zijn gedachten namen een gelukkigere wending. Het zag ernaar uit dat Danziger aan de rand van de afgrond stond. Peter voelde zich opgetogen, vooral omdat het informatie van binnenuit was. Alles wat hij kon doen om Danzigers aandeel in Samaritan te saboteren – wat dat ook mocht zijn – zou een immense stap betekenen in het vernietigen van zijn carrière en het onmogelijk maken van zijn positie bij de CI.

*Zijn kop eraf!* Peters onderdrukte schreeuw wervelde door zijn hoofd, en won met elke werveling aan kracht.

Nadat hij Essai bij het vliegveld had afgezet, stopte Bourne bij een cantina in een buitenwijk aan de westkant van Perales. Hij had honger, maar ook tijd nodig om na te denken. Het café was smerig. De kleur van de muren zat ergens tussen een mosterd- en kleikleur in. Het neonlicht flikkerde en het geluid van de oude drankkoelkast die tegen een muur stond, klonk onregelmatig. Er waren twee kelners, allebei jong, mager en met een gekwelde uitdrukking op het gezicht. Terwijl hij de menukaart bestudeerde, nam hij de gezichten, blikken en lichaamshoudingen van de andere aanwezigen in zich op: oude mannen met een verweerde huid die de plaatselijke krant lazen, koffiedronken, over politiek praatten of schaakten, een vermoeid uitziende prostituee die haar beste tijd gehad had en een boer die een enorm bord eten naar binnen aan het werken was. Iemand die op zijn hoede was, had een heel andere lichaamstaal dan zomaar iemand. Er was altijd een bepaalde spanning in de rug, nek en schouders te zien die hem verraadde. Hij bekeek ook iedereen die in- en uitliep.

Toen hij niets verdachts zag, bestelde hij wat te drinken en *bandeja paisa* met *arepas*. Toen de *aguapanela* – suikerrietwater gemengd met frisse limoen – gebracht werd, dronk hij meteen de helft ervan op en ging toen achteroverzitten.

*In het handschoenenkastje ligt een extra satelliettelefoon, opgeladen en klaar voor gebruik*, had Essai gezegd. *En ook een gedetailleerde kaart van het gebied. Ibagué is duidelijk gemarkeerd, en ook het olieveld dat Vegas exploiteert.* Dat kon hij allemaal nog wel geloven, maar Essai maakte een fout toen hij eraan toevoegde: *mijn sat-nummer is voorgeprogrammeerd.* Het was heel goed mogelijk – zelfs verstandig – dat Essai een extra satelliettelefoon had, en dat hij de kaart had, lag voor de hand. Maar het feit dat hij het nummer van zijn satelliettelefoon in de extra telefoon voorgeprogrammeerd had, bewees volgens Bourne dat het helemaal geen extra telefoon was. Bourne vroeg zich af of het mogelijk was dat Essai geweten had dat hij erop uitgestuurd was om Corellos te vinden en te vermoorden. Misschien dat Corellos het hem zelf verteld had, maar als dat zo was, dan zou Essai nog steeds veel te weinig tijd hebben gehad om een tweede satelliettelefoon te kopen. Alles bij elkaar genomen betekende dit dat het zeer waarschijnlijk was dat Essai loog toen hij zei dat hij niet langer een ingang had om aan inlichtingen van de Domna te komen. Als hij gelijk had dan was het zeer waarschijnlijk dat hij iemand binnen de Domna had, iemand die trouw aan hem was gebleven.

Op geen enkel moment was Bourne volledig overtuigd geweest van Essais eerlijkheid, maar hij twijfelde geen moment aan zijn verlangen om Severus Domna te vernietigen. Op dit punt zaten Essai en hij op dezelfde lijn – ze hadden elkaar nodig. Het was ook nodig dat ze elkaar konden vertrouwen, maar het vertrouwen stond onder druk omdat het alleen betrekking had op de machtswisseling bij de Domna. Daarna lag alles weer open.

Het eten dat dampend werd opgediend rook heerlijk. Bourne voelde zich plotseling uitgehongerd en viel aan. Hij gebruikte de arepas als een soort vork en lepel om de saus op de zuigen en naar binnen te werken. Onder het eten ratelden zijn gedachten verder. Dan was er nog de kwestie dat de Domna Boris had opgedragen hem te vermoorden. Het verhaal was zo ongehoord dat hij geneigd was geweest om het naast zich neer te leggen. Totdat Essai vertelde over de valstrik die Benjamin El-Arian voor zijn vriend had gezet. Hij wist dat Boris meer dan wat ook hoofd van de FSB-2 wilde zijn. In zekere zin had hij zijn hele volwassen leven daarop gericht. Als hij had moeten kiezen tussen zijn vurigste wens en Bourne beschermen, wat zou hij dan doen? Het verwarde hem dat hij dat niet zeker wist. Het was waar dat Boris een vriend was, en hij had Boris' leven gered in het oorlogsgebied in het noordoosten van Iran, maar Boris was in hart en ziel een Rus. Zijn ethos was anders, wat het voorspellen van zijn keuzes moeilijk maakte, zo niet onmogelijk.

Het idee dat Boris zelfs op dat moment op zoek was naar hem bezorgde hem koude rillingen die zelfs niet in de verzengende hitte van Perales verdreven werden. Hij haalde de satelliettelefoon tevoorschijn, zette hem op tafel en staarde er een tijdje naar. Hij weerstond de drang om Boris te bellen om hem op de man af te vragen wat er gebeurd was en wat zijn standpunt was. Maar dat zou een onvergefelijke fout zijn. Als Boris van niets wist, zou hij dodelijk beledigd zijn – Bourne dacht, nu hij de zaak overpeinsde, dat hij ook dodelijk beledigd zou reageren als hij wel schuldig zou zijn. En als Essai wel de waarheid sprak, zou Boris gewaarschuwd zijn, en Bourne zou zijn belangrijke voordeel kwijt zijn.

Hij sloeg de satelliettelefoon van tafel alsof het een schaakstuk was. Nee, dacht hij, het beste was dat hij stap voor stap het ongewisse tegemoet zou treden. Hij was daaraan gewend. Hij was van het donker van een onbekend leven in deze schaduwwereld gestapt waarin alles wat voor hem lag zwart als de nacht was. Hij droeg al zo lang een pijn met zich mee – de folterende pijn van het niet weten – dat hij vaak vergat dat hij er zat. En toch werd hij er soms door overspoeld met de kracht van een sneltrein. Niets uit zijn verleden was echt, niets van wat hij ooit gedaan of bereikt had, niets wat hij gevoeld had, niemand die hij gekend had of van wie hij gehouden had. Alles was uitgewist door zijn val in de leegte. Hij bleef zoeken naar de dingen die hij nu onmogelijk nog kon vinden. De incidentele flarden herinnering die af en toe opdoemden, verhevigden zijn eenzame en hulpeloze gevoel. Ze verwarden hem alleen maar.

Hij zag weer het gezicht voor zich van de vrouw in de wc van de noordse disco. Haar gezicht glom van het zweet. Ze glimlachte sardonisch terwijl ze een pistool op hem richtte. Wat was er gebeurd? Hij probeerde het zich wanhopig te herinneren, maar het enige wat hij zag, was haar gezicht, verwrongen van angst, of was het berusting? Hij voelde de bontkraag tegen zijn wangen. Haar mond, haar rode lippen waren van elkaar gegaan. Ze had vlak voordat hij haar vermoordde iets tegen hem gezegd. Maar wat? Wat had ze gezegd? Hij had de indruk dat het iets belangrijks was, maar hij kon onmogelijk zeggen waarom hij dat dacht. En toen was het beeld weggezakt, terug in de duisternis van het verleden, dat voelde alsof het van iemand anders was.

Om alles te verliezen – je eigen leven – was een onbeschrijfelijke kwelling. Hij dwaalde door een onbekend land. De sterren boven hem vormden onbekende hemellichamen, en de zon kwam nooit op. Hij was alleen. De ondoordringbare duisternis was zijn enige metgezel.

De duisternis, en natuurlijk de pijn.

# Zes

Soraya kwam vroeg in de ochtend van een grijze, regenachtige dag aan in Parijs. Het deerde haar niet. Parijs was een van de weinige steden waarvan ze ook als het regende hield. De glanzende straten en de melancholische stemming verhoogden op een mysterieuze manier de schoonheid en de romantiek van de stad, de moderne buitenkant werd weggespoeld en openbaarde de historische façades die als de bladzijden van een boek omgeslagen werden. Bovendien zou ze over een paar uur Amun zien. In de eersteklas lounge nam ze een douche en trok andere kleren aan. Daarna besteedde ze een kwartier aan het aanbrengen van make-up. Onderwijl dronk ze een kop smerige koffie en at een croissant die naar karton smaakte.

Normaal gesproken maakte ze zich, op een beetje lipstick van een neutrale kleur na, bijna niet op, maar nu wilde ze indruk maken op Jacques Robbinet, die ze vandaag ook zou ontmoeten. Ze werd buiten echter niet door de cultuurminister opgewacht, maar door een man die zich voorstelde als Aaron Lipkin-Renais. Op zijn identiteitskaart stond dat hij een inspecteur was van het Quai d'Orsay.

Hij was lang, graatmager en had een typische Franse neus die als de boeg van een piratenschip uit zijn gezicht naar voren stak. Hij droeg zijn op maat gemaakte pak op een manier zoals alleen Fransen dat kunnen. Een heer, dacht ze, omdat hij haar een hand gaf en licht naar voren boog.

'De minister laat zich verontschuldigen,' zei hij zacht in een soort brabbel-Engels, 'maar omdat hij een vergadering op het Élysée heeft, kan hij u niet zelf komen begroeten.' Het Élysée-paleis was de residentie en het kantoor van de Franse president. De ministerraad kwam daar bij elkaar. Hij glimlachte gemaakt triest. 'Ik ben bang dat u met mij tevreden moet zijn.'

'Dat vind ik helemaal niet erg.' antwoordde ze met een perfect Parijs accent.

Aarons langgerekte paardengezicht kreeg een brede grijns. 'Ah, goed, nu wordt alles duidelijk.'

Hij nam haar handbagage van haar over en terwijl ze samen door de aankomsthal liepen, kon Soraya hem wat beter bekijken. Ze schatte hem midden dertig, en voor een Fransman zag hij er goed uit. Hoewel ze hem niet knap zou willen noemen, had hij wel iets aantrekkelijks. Ze zag iets jongensachtigs in zijn grijze ogen en manier van doen wat de onvermijdelijke deken van cynisme die door het inlichtingenwerk gevormd was, tenietdeed. Volgens haar zouden ze wel met elkaar op kunnen schieten.

Buiten was de regen overgegaan in een lichte mist. De lucht leek open te willen breken. Het was uitzonderlijk zacht. Een briesje verwarde haar haar. Aaron ging haar voor naar een donkere Peugeot die aan de trottoirrand stond. Toen de chauffeur hen zag, stapte hij uit, nam Soraya's handbagage over van zijn baas en legde die in de kofferbak. Aaron opende het achterportier voor haar en ze stapte in. Zodra hij naast haar zat, reden ze weg richting de uitgang van het vliegveld.

'Monsieur Robbinet heeft een kamer voor u geboekt in het Astor Saint-Honoré. Het ligt centraal en vlak bij het Élysée-paleis. Wilt u daar misschien eerst even naartoe om u op te frissen?'

'Nee, dank u,' zei Soraya. 'Ik wil Laurents lichaam zien en het forensisch rapport.'

Hij haalde een dossier uit het opbergvak aan de achterkant van de bestuurdersstoel en gaf het haar. 'U bent toch voor de helft Egyptisch?'

'Is dat een probleem?' Ze keek hem aan en zocht in zijn grijze ogen naar een teken van vooroordeel.

'Voor mij niet. Voor u wel?'

'Helemaal niet.'

Ze voelde haar irritatie zakken. Ze snapte het. Aaron was Joods. Door de recente massale instroom van moslims hadden de Joden het in Frankrijk, en speciaal in Parijs, veel moeilijker gekregen. Op scholen waren met name Joodse kinderen het doelwit. Bijna elke dag was er wel een bericht dat een Joods kind in elkaar geslagen was door een bende moslimkinderen. Onlangs had ze een alarmerend verslag gelezen over het feit dat Joodse families uit Frankrijk weggingen omdat zij de geladen atmosfeer onveilig voor hun kinderen vonden.

Hij glimlachte naar haar. Hij herkende haar duidelijk in zichzelf – Arabieren en Joden deelden het Semitische erfgoed, maar dat was tragisch genoeg een gedachte die door beide kanten moeilijk te verteren was.

Ze glimlachte terug en hoopte dat hij hetzelfde zag. Toen opende ze het dossier en bladerde het door. Er zaten verscheidene foto's in van Laurent die ter plaatse genomen waren. Ze boden geen prettige aanblik.

Ze haalde diep adem. 'Het ziet er volgens mij naar uit dat de auto hem eerst heeft aangereden en dat hij daarna over hem heen is gereden.'

Aaron knikte. 'Daar ziet het inderdaad naar uit. De twee soorten verwondingen laten zich niet op een andere manier verklaren – de verwondingen aan zijn borstbeen en ribbenkast, en die aan zijn hoofd.'

'Die zouden nooit door een en dezelfde klap veroorzaakt kunnen zijn.'

'Nee,' bevestigde hij. 'Onze lijkschouwer heeft dat uitgesloten.' Hij tikte op een van de foto's. 'Iemand haatte deze man verschrikkelijk.'

'Of wilde niet dat hij zou praten.'

Aaron keek haar scherp aan. 'Ah, dat verklaart veel. Daarom interesseert deze moord u zo. Hij heeft internationale implicaties.'

'Ik zeg niets.'
'Dat hoeft ook niet.' Weer die jongensachtige grijns.
Soraya schrok. Ze was toch niet met hem aan het flirten?
Ze reden op de Périphérique, de weg rond de stad, en reden Parijs binnen via de Porte de Bercy. Op het moment dat de Peugeot de stad binnenreed, voelde Soraya de aangename warmte van de stad. De vertrouwde straten leken naar haar te lonken, te glimlachen.
Soraya rukte haar blik los van de oude mansardedaken en las verder. Het lichaam vertoonde geen andere tekenen dan die toegeschreven konden worden aan de aanrijding. Alle resultaten van het bloedonderzoek waren nog niet binnen, maar de voorlopige resultaten lieten zien dat er geen alcohol of andere vreemde stoffen in het bloed zaten. Ze pakte de foto's weer en keek nu nauwkeuriger naar de foto's die een overzicht gaven van de plaats delict.
Ze wees naar een kleine, vage langwerpige vlek rechts onder aan de derde foto. 'Wat is dit?'
'Een mobieltje,' zei Aaron. 'We denken dat het van het slachtoffer was, maar de schade eraan maakte het onmogelijk om het telefoonboek te openen.'
'En hoe zit dat met de simkaart?'
'Beschadigd,' zei Aaron, 'maar ik heb hem zelf naar een van onze beste IT'ers gebracht. Hij probeert de informatie eraf te halen.'
Soraya dacht even na. 'Verandering van plan. Breng me naar die IT'er, en daarna wil ik de plek zien waar de moord is gepleegd.'
Aaron pakte zijn mobieltje, toetste een nummer in en praatte even. 'De technicus heeft meer tijd nodig,' zei hij terwijl hij de telefoon weer wegstopte.
'Heeft hij wat gevonden?'
'Hij weet het nog niet zeker, maar ik ken hem – je kunt hem het beste alle tijd geven die hij nodig heeft.'
'Oké.' Soraya knikte met tegenzin. 'Laten we dan naar de plaats delict gaan.'

'Zoals u wilt, mademoiselle.'
Ze grimaste. 'Alstublieft, noem me Soraya.'
'Alleen als u me Aaron noemt.'
'Akkoord.'

'*Documentos de identidad, por favor.*'
Bourne gaf zijn paspoort aan de bewapende soldaat. De man keek Bourne strak aan terwijl hij het paspoort opende. Dit was het tweede roadblock waar Bourne op stuitte. De FARC was de afgelopen zes maanden tot grote ergernis van de Colombiaanse president buitengewoon actief geweest. Daarbij kwam de aanval op de La Modelo-gevangenis, waardoor Roberto Corellos had weten te ontsnappen. In een nijdige bui liet El Presidente nu zijn militaire spierballen zien. Bourne was er zeker van dat de *federales* elke FARC-rebel die ze vonden, ter plekke zouden executeren.

De soldaat gaf Bourne zonder een woord te zeggen zijn paspoort terug en liet hem met een armgebaar doorgaan. Bourne zette de auto in de versnelling en reed achter de karavaan trucks met oplegger aan die voor hem reed. Hij reed al lange tijd en was nu hoog in de bergen.

Ibagué lag aan de Nationale Route 40 die van Bogotá naar Cali liep en verder door naar de kust aan de Grote Oceaan. Het lag op een hoogvlakte die 1400 meter boven zeeniveau lag in de oostelijke uitlopers van de Cordillera Central, de bergketen in het midden van het Andesgebergte.

Het was een weg met ontelbaar veel hachelijke haarspeldbochten. Hij liep langs honderd meter diepe ravijnen. In de diepte waren de toppen van pijnbomen of de overblijfselen van gigantische aardverschuivingen te zien. Af en toe zag hij grote, verkoolde plekken in het bos, die wezen op blikseminslagen. De lucht was overweldigend, een caleidoscoop van snel voorbijschietende wolkenformaties en verblindend zonlicht. De combinatie van hoogte en de zuiderzon gaf alles een verbijsterende helderheid, messcherp en intens. Boven hem zweefden de condors, die zich mee lieten voeren op de warme luchtstromen.

Volgens Jalal Essai zou hij spoedig La Línea bereiken – de langste tunnel van Latijns-Amerika. Hij liep door de berg Alta de La Línea en was bedoeld om de drukke hoofdweg naar de havenstad Buenaventura te ontlasten. De tunnel was zo nieuw dat hij nog niet op zijn kaart stond die op de stoel naast hem lag. Essai had hem gewaarschuwd dat mobiele telefoons er geen bereik hadden, en zijn satelliettelefoon had geen gps-functie.

Het was erg druk met vrachtwagens. De karavaan van trucks met oplegger reed met gelijke snelheid in een lange stroom achter elkaar en volgde de hoogtelijnen van de berg. En toen opeens, na een bocht, gaapte de mond van La Línea, een zwart gat waarin de verkeersslang verdween en aan de oostkant weer tevoorschijn kwam.

Bourne reed de tunnel in, een lange, gladde buis die recht door de berg liep. Aan beide kanten werd hij verlicht door een ris lampen, waarvan het koele, blauwachtige licht weerkaatst werd door de daken van de tegemoetkomende voertuigen.

Het verkeer ging langzamer rijden, wat normaal was in tunnels, maar het vorderde gestaag. Hij passeerde het teken dat ze op driekwart waren en zag in de verte al een glimp daglicht, toen de trucks voor hem plotseling langzamer gingen rijden. Hij zag een zee aan remlichten en het verkeer kwam tot stilstand.

Was er een ongeluk gebeurd? Was er weer een roadblock? Bourne strekte zijn hals en probeerde wat te zien. Hij zag geen knipperlichten, geen zaagbokken die de militairen gebruikten om een roadblock mee op te zetten.

Hij stapte uit de auto. Even later zag hij een groep mannen die tussen de auto's door op hem afkwam. Ze waren zwaarbewapend met machinepistolen, maar ze droegen geen uniformen van het Colombiaanse leger. Een groep FARC-rebellen had het verkeer tot stilstand gebracht. Waarom?

Hij zag de leider, een breedgeschouderde man met een volle baard en koffiekleurige ogen die zelfs door de felle lampen niet verkleurden. Naast elke wagen stopte iemand die aan iedere chauffeur een gefaxte foto liet zien, terwijl anderen de achterbank en kofferbank doorzochten. De trucks namen langer in beslag omdat ze de chauffeurs, vaak onder bedreiging van het wapen, dwongen de achterklep te openen zodat ze de inhoud konden controleren. Behoedzaam liep Bourne naar voren en passeerde daarbij andere chauffeurs die uitgestapt waren en zenuwachtig met elkaar praatten. Opeens zag hij de fax heel duidelijk. Hij zag zichzelf. De rebellen waren op zoek naar hem. Hij had geen tijd om zich af te vragen waarom. Hij draaide zich snel om en liep terug naar zijn wagen en doorzocht het handschoenenkastje. Dat leverde twee bruikbare wapens op: een schroevendraaier en een moersleutel.

Hij dook in elkaar en trok zich terug, kroop onder een oplegger en verder door naar achteren. Hij kwam drie voertuigen achter zich vanonder een open oplegger tevoorschijn. Hij greep de nylon koorden waarmee het canvas-dekzeil vast zat en klom erbovenop. Vanaf die voordelige positie zag hij van achteren meer FARC-soldaten naderen. Voor hem en achter hem was er geen uitweg.

Hij knoopte een stuk canvas los en kroop eronder. Op de jutezakken stond de naam van een bekende plantage. Hij gebruikte de schroevendraaier om een zak open te maken. De truck vervoerde groene koffiebonen. Hij liet de dingen die hij uit de auto meegenomen had liggen en keek vanonder het canvas om zich heen. De FARC-rebellen kwamen dichterbij. Ze waren bijna bij zijn wagen. Als ze zagen dat hij leeg was, wisten ze dat hun prooi in de buurt moest zijn. Voor dat moment moest hij al weg zien te komen.

Ongemerkt liet hij zich van de oplegger op de weg glijden. Hij kroop langs de truck. De chauffeur stond een truck verder zenuwachtig te praten met een andere man, waarschijnlijk de chauffeur van die truck of zijn bijrijder. Het portier van de cabine stond open en Bourne glipte naar binnen. Terwijl Bourne toekeek, pakte de chauffeur een pakje sigaretten, nam er een uit en stak hem tussen zijn lippen. Hij zocht in zijn zak naar een aansteker maar kon die niet vinden. Hij draaide zich om en begon naar de cabine van zijn truck terug te lopen.

Bourne verstijfde.

Aaron stond op straat op het Place de l'Iris. 'Dit is de plek waar monsieur Laurent is aangereden,' zei hij.

'Is er iets bekend over de auto die hem geraakt heeft?'

'Niet veel. De ooggetuigen verschillen van mening over het merk. BMW, Fiat, Citroën.'

'Die merken lijken helemaal niet op elkaar.'

'Ooggetuigen,' klaagde hij. 'Maar er zat zwarte lak op het slachtoffer.'

Soraya bestudeerde het wegdek. 'Hier is ook niets te zien.'

Aaron hurkte naast haar. 'Dezelfde ooggetuigen beweerden dat hij net van het trottoir gestapt was.'

'Hij deed dat zonder uit te kijken?' Soraya keek bedenkelijk.

Aaron haalde zijn schouders op. 'Hij was misschien afgeleid. Misschien werd hij net gebeld, misschien schoot hem net te binnen dat hij nog naar de stomerij moest.' Hij schokschouderde op die typisch Franse manier. 'Wie weet?'

'Iemand weet het,' zei ze. 'De persoon die hem vermoord heeft.' Ze ging plotseling staan, omdat haar iets te binnen schoot. 'Waar lag zijn mobiele telefoon?'

Aaron liet haar de plek zien. Ze ging enkele passen naar achteren, waardoor ze weer op het trottoir stond. 'Luister, als ik zo de straat op stap, dan ren je op me af.'

'Wat?'

'Je hebt me wel gehoord,' zei ze een beetje ongeduldig. 'Doe het nu maar.'

Ze haalde haar mobieltje tevoorschijn en hield het aan haar oor. Vervolgens liep ze met gezwinde pas naar de trottoirrand en zo de weg op, waar Aaron tegen haar aan rende. Haar rechterarm sloeg diagonaal naar achteren en als ze haar telefoon niet vastgehouden had, zou hij min of meer op dezelfde plek zijn terechtgekomen waar Laurents telefoon had gelegen.

Langzaam verscheen er een glimlach op haar gezicht. 'Hij had iemand aan de telefoon toen hij geraakt werd.'

'Nou en? Zakenmensen hebben altijd iemand aan de telefoon.' Aaron leek niet onder de indruk. 'Het was toeval.'

'Misschien,' zei Soraya, 'maar misschien ook niet.' Ze liep

naar zijn auto. 'Laten we met jouw technicus gaan praten en zien of hij iets uit de telefoon of van zijn simkaart heeft kunnen toveren.'

Terwijl ze naar Aarons auto liepen, stopte ze en draaide zich om. Ze keek naar het gebouw dat aan het trottoir lag waarvoor de aanrijding had plaatsgehad. Haar blik gleed langs de façade van glanzend, groen glas en roestvrij staal.

'Wat voor gebouw is dat?' vroeg ze.

Aaron kneep zijn ogen halfdicht tegen de ondergaande middagzon. 'Dat is het bankgebouw van Île de France. Waarom?'

'Het is mogelijk dat Laurent daarvandaan kwam.'

'Ik zou niet weten waarom,' zei Aaron, terwijl hij zijn aantekeningen doorkeek. 'Het slachtoffer werkte voor de Monition Club.'

Dat was weer een bijzonderheid die Soraya niet van haar informant in spé wist.

'Dat is een archeologische vereniging met kantoren in Washington D.C., Caïro, Riaad en hier.'

'Als je hier zegt, bedoel je dan La Defense?'

'Nee, het achtste arrondissement, in de Rue Vernet nr. 5.'

'Wat had hij verdomme dan hier te zoeken? Wilde hij soms een lening afsluiten?'

'De Monition Club is behoorlijk rijk,' zei Aaron, terwijl hij weer in zijn aantekeningen neusde. 'In elk geval heb ik bij Île de France gecheckt. Hij had met niemand van de bank een afspraak. Hij was geen klant en ze hadden nog nooit van hem gehoord.'

'Maar waarom was hij dan hier op een drukke werkdag?'

Aaron spreidde zijn armen. 'Mijn mensen zijn daar nog steeds mee bezig.'

'Misschien had hij hier een vriend. Heb je met zijn collega's van de Monition Club gepraat?'

'Niemand weet wat van hem. Hij was kennelijk erg op zichzelf. Hij rapporteerde direct aan zijn chef, dus niemand wist wat hij bij La Defense deed. Laurents chef is tot vanavond de stad uit. Ik heb morgenochtend een afspraak met hem.'

Soraya keek hem aan. 'Je bent erg grondig te werk gegaan.'

'Dank je.' De inspecteur kon zijn glimlach niet onderdrukken.

Soraya liep naar zijn auto, maar voordat ze instapte, keek ze nog een laatste keer naar het gebouw van Île de France. Er was iets aan het gebouw wat haar zowel trok als afstootte.

De truckchauffeur riep zijn maat. De man draaide zich om en liep terug naar de plek waar de andere chauffeur met een mapje lucifers stond te zwaaien. De chauffeur van de open vrachtwagen leunde naar voren terwijl de ander hem een vuurtje gaf. Hij rechtte zijn rug en inhaleerde diep. De chauffeur van de vrachtwagencombinatie keek zenuwachtig over zijn schouder en peilde de voortgang van de FARC-rebellen.

Bourne onderzocht snel de zitting en het handschoenenkastje. Niets. Toen zag hij in de spleet van de passagiersstoel een goedkope plastic aansteker. Deze was waarschijnlijk uit de zak van de chauffeur gevallen toen hij uitstapte. Hij pakte hem. Hij liet zich uit de cabine glijden en liep verder langs de rij vrachtwagens tot hij op een groepje chauffeurs stuitte.

'Weet jij wat er aan de hand is?' vroeg een van hen.

'FARC-guerrilla's,' zei Bourne, wat de opwinding vergrootte.

'*¡Ai de mi!*' schreeuwde er een.

'*Escuchamé,*' zei Bourne. 'Heeft iemand van jullie een jerrycan met benzine; de tank is bijna leeg. Als de rebellen mij bevelen door te rijden en ik kan dat niet, dan schieten ze me dood.'

Drie mannen knikten ter bevestiging van deze grimmige inschatting. Een van hen liep weg en keerde even later met een jerrycan benzine terug, die hij aan Bourne gaf.

Bourne bedankte hem uitvoerig en liep weg. Toen hij er zeker van was dat niemand naar hem keek, klom hij weer op de truck met koffiebonen en verdween onder het canvas.

Onder het canvas gebruikte hij de schroevendraaier om een gat in de bodem van de jerrycan te maken zodat de benzine langzaam over een aantal zakken lekte. Toen stak hij ze aan. Ze vatten vlam en er ontstond een dikke, bijtende rookwolk.

Bourne hield zijn adem in en wist weg te komen voordat er meer benzine gelekt had en de vuurzee zich verspreidde. Zijn ogen begonnen al te tranen. De rook stroomde door het gat in het canvas. Bourne klom van de wagen op het moment dat het canvas zelf vlam vatte. Het vuur laaide op en de rookontwikkeling werd steeds heviger toen de rest van de jutezakken vlam vatten. De rook bereikte al snel het gewelfde plafond van de tunnel en begon zich zijwaarts te verspreiden.

Het duurde maar even voordat het zicht in dat deel van de tunnel danig belemmerd werd. Mensen begonnen te hoesten en te hijgen. Hun ogen traanden zo erg dat ze bijna niets meer zagen. De soldaten die voorop liepen, begonnen te schreeuwen. Toen klonk de zware stem van de commandant, die zijn mannen beval zich terug te trekken. Maar de rook was te dik en de soldaten stonden voorovergebogen naar adem te happen.

Bourne maakte van deze chaos gebruik en rende op zijn vlucht zowel soldaten als chauffeurs van de sokken. Hij had de moersleutel in zijn rechterhand. Een FARC-rebel doemde plotseling op uit de rook en blokkeerde hem met zijn lichaam en machinepistool. Bourne raakte hem met de moersleutel vol op zijn wang en trapte hem in zijn kruis, en terwijl de rebel dubbelklapte, glipte hij langs hem heen. Een andere rebel wierp zich nu op hem. Bourne kon de commandant zien; hij mocht geen tijd verliezen. Hij incasseerde twee dreunen op zijn lichaam, voordat hij de schroevendraaier tussen twee ribben wist te steken, waardoor de rebel tegen de vlakte ging.

Bourne naderde de commandant vanuit een andere rijbaan. Hij gleed over de motorkap van een wagen, greep de man beet, ontwapende hem en trok hem struikelend met zich mee naar het licht aan het eind van de tunnel.

De commandant hapte naar adem en probeerde de rook uit te hoesten. Uit zijn bloeddoorlopen ogen bleven de tranen over zijn pokdalige wangen stromen. Hij sloeg blind om zich heen. Hij was erg sterk. Bourne moest hem een geweldige klap op zijn keel geven om hem te kalmeren.

Bourne trok hem zo snel als hij kon met zich mee en negeerde de verstikte vloeken van de commandant. Hij was buiten het zicht van de naderbij komende rebellen. Voor zich kon hij de geïmproviseerde blokkade van FARC-voertuigen zien: vier jeeps en een dieplader die de FARC gebruikte voor het vervoer van voorraden, wapens en munitie. Twee chauffeurs die hadden staan roken, hadden hun pistolen gegrepen en richtten hun wapens nu op Bourne. Toen zagen ze hun commandant met zijn eigen Makarov tegen zijn slaap.

'*¡Ponga sus armas hacia abajo*!' schreeuwde Bourne terwijl hij de commandant voor zich uit duwde.

Toen zij aarzelden, sloeg hij de commandant met de loop van het pistool op het zachte plekje achter zijn rechteroor. Het bloed spoot uit de wond en de commandant schreeuwde het uit. De rebellen legden hun pistolen op de motorkap van de dieplader.

'*¡Ahora se aljan de los jeeps!*'

'*¡Haz lo que dice!*' De commandant schreeuwde tussen een hoestbui door.

De mannen liepen weg van de jeeps en Bourne duwde de commandant in een van de jeeps en klom naast hem. Een van de rebellen deed een uitval naar zijn pistool maar Bourne schoot hem in de schouder. Terwijl hij tollend op de grond viel, zei Bourne: 'Jouw beurt?' De andere rebel stak zijn handen omhoog en verroerde zich niet.

'Als jullie achter ons aan komen, vermoord ik hem,' riep Bourne naar de mannen terwijl hij de motor van de jeep startte en in de versnelling zette.

Hij trapte het gaspedaal in en ze spoten weg van de rokende tunnel.

# Zeven

Meteen nadat Peter terug was in het hoofdkwartier van Treadstone, zette hij zijn computer aan, toetste zijn wachtwoord in en zocht alle databases van alle geheime diensten af op het woord Samaritan. Het verraste hem niet dat hij niets vond. Even zat hij naar het lege scherm te staren, en vulde toen 'Indigo Ridge' in.

Deze keer had hij meteen een hit. Hij las de regeringsbeoordeling met stijgende interesse. Indigo Ridge, een gebied in Californië, was de belangrijkste vindplaats van Rare Earths. Hij las dat Rare Earths essentieel waren voor oplaadbare nikkelhydridebatterijen – hij gebruikte die elke dag, maar wist dit niet. De officiële naam was Lanthanium Nikkel Hydride – een Rare Earth. Rare Earths werden gebruikt in elk laserapparaat, bij elke elektronische oorlogsvoering, in stoorzenders, de elektromagnetische railgun, het Long Range Acoustic Device en het Area Denial System die in de Stryker gebruikt werden. De lijst met supermoderne wapens was onthutsend.

De volgende paragrafen gingen over NeoDyne, het bedrijf dat opgericht was om de Rare Earths in Indigo Ridge te winnen. NeoDyne was net in de publiciteit getreden, maar het werd gesteund door de Amerikaanse regering. Peter begreep onmiddellijk wat het strategisch belang was van NeoDyne en Indigo Ridge. In dat geval was Samaritan op de een of andere manier verbonden met de Rare Earth-mijn. Maar wat was zijn doel?

Peter stond op en rekte zich uit. Toen hij uit zijn kantoor kwam, gebaarde hij Ann, zijn secretaresse, dat ze niet hoefde te komen, schonk zichzelf een mok koffie in en pakte een muffe donut. Hij deed suiker en halfvolle melk in zijn mok en nam alles mee terug naar zijn kantoor om na te denken.

Suiker was voor hem altijd al een belangrijke stimulator geweest van creatief denken. Terwijl hij met moeite de donut wegkauwde, dacht hij na over de ontmoeting tussen Hendricks en Danziger. Toen drong de gedachte zich op: wat als Samaritan een initiatief was van twee bureaus? Dat zou het inderdaad gigantisch maken. Weer voelde Peter de scherpe steek van buitengesloten te worden. Als Hendricks hem niet vertrouwde, waarom had hij Peter dan aan het hoofd geplaatst van Treadstone? Hij begreep dat niet. Peter hield niet van raadsels, zeker niet als ze zich op zijn terrein voordeden. En toen dacht hij aan wat anders, waardoor hij rechtovereind ging zitten. In zijn poging om iets over Samaritan te vinden, had hij de databases van alle geheime diensten kunnen raadplegen. Hendricks had hem dat bijna terloops gezegd. Vreemd gezien het feit dat dat, voor zover Peter wist, een ongekende prestatie was. De verschillende diensten waren berucht om hun ijver met betrekking tot de bescherming van hun eigen gegevens, zelfs nog na de geruchtmakende hervorming na 11 september. Peter wist als insider dat het hervormingsplan slechts voor publiciteitsdoeleinden was omdat het Amerikaanse publiek gekalmeerd en gerustgesteld moest worden. Maar het was een feit dat er, als het aankwam op het delen van informatie tussen bureaus, niets veranderd was. De geheimedienstgemeenschap was nog steeds een feodale nachtmerrie van afzonderlijke koninkrijkjes, bestuurd door politiek gerichte bureaucraten die hun ellebogen gebruikten om de fondsgelden van het Congres binnen te slepen, terwijl ze wanhopig probeerden de bezuinigingen en ontslagen die voortvloeiden uit de economische situatie af te wentelen.

Hij veegde zijn vingers af, nam een slok koffie en dook weer in de zeer geheime soep die hij met dank aan zijn baas in handen had. Hij vroeg zich wel af of Hendricks misschien een bijbedoeling had gehad met het geven van deze toegangsmogelijkheden aan Treadstone.

Hij kon het niet helpen dat hij zich afvroeg waarom Hendricks hem dit zo terloops verteld had. Hij was getraind in het hebben van argwaan, in het zien van bijbedoelingen en het doorzien van de achterliggende bedoeling van wat iemand zegt en doet. Had Hendricks hem een subtiele aanwijzing gegeven om de databasesoep te onderzoeken? Maar waarom?

Wat als het met Hendricks zelf te maken had? Hij ging naar de computer van Hendricks en zat een tijdje naar het oplichtende kader te kijken waarin gevraagd werd naar het wachtwoord. Hij dacht aan woorden die zijn baas misschien gebruikt zou kunnen hebben. Hij ging met de ogen dicht achteroverzitten en dacht na over de bijeenkomst die ochtend bij Hendricks thuis. Hij liet alles wat gezegd was, elke beweging die de minister had gemaakt, de revue passeren.

Hij herhaalde voor zichzelf Hendricks' vreemde afscheidszin: '*Trouwens, ik heb ervoor gezorgd dat Treadstone toegang heeft tot alle geheime databases.*' Hij fronste zijn wenkbrauwen. Nee, dat was het niet precies. Zijn frons werd dieper toen hij zich precies probeerde te herinneren wat de minister gezegd had.

'Neem me niet kwalijk, chef.'

Hij keek op naar Ann, die in de deuropening stond. 'Wat is er?' snauwde hij.

Ze kromp ineen. Ze was nog niet zo gewend aan de stemmingen van haar baas. 'Neemt u me niet kwalijk dat ik u stoor, maar er is op school wat aan de hand met mijn zoon en ik heb een paar uur vrij nodig.'

'Natuurlijk,' zei hij, terwijl hij een vaag armgebaar maakte. 'Ga je gang.' In zijn hoofd was hij alweer terug bij zijn gedachtegang.

Ann wilde net weggaan, toen ze op haar schreden terugkeerde. 'O, dat ben ik bijna vergeten. Voordat ze wegging vroeg directeur Moore om een extra server die aan die van haar gekoppeld moest...'

'Waar vroeg ze om?'

Peter had zich naar haar omgedraaid en was half uit zijn stoel gekomen. Ze trok wit weg. Ze was zich duidelijk half doodgeschrokken. Ondanks zijn stijgende opwinding, zag hij haar reactie. Hij liet zijn stem tot een normaler niveau zakken. 'Ann, zei je dat Soraya om een andere server had gevraagd?'

'Ja. Hij wordt vanavond geïnstalleerd, dus mocht u vanavond doorwerken...'

'Dank je wel, Ann,' Hij dwong zichzelf tot een glimlach. 'Wat betreft je zoon, neem alle tijd die je nodig hebt.'

'Dank u wel, chef.' Enigszins uit het lood geslagen draaide ze zich om, pakte haar jas en handtas en ging weg.

Peter draaide zich weer naar het computerscherm en dacht lang en diep na over Hendricks' exacte woorden. Toen schoten ze hem te binnen: '*Trouwens, ik heb ervoor gezorgd dat de Treadstone-servers toegang hebben tot alle geheime databases.*'

Servers. Peter begreep het opeens. Waarom had hij dat in hemelsnaam gezegd als de servers niets te maken hebben met het krijgen van toegang? De Treadstone-servers stonden waar de eigen data waren opgeslagen. Hij staarde naar het oplichtende kader met zijn raadselachtige vraag in het midden van het scherm. *Jezus Christus*, dacht hij, *kan het nog simpeler?*

Zijn vingers beefden iets toen hij het woord intypte: servers.

Onmiddellijk werd het kader vervangen door een lijst met bestanden. Peter staarde er vol ongeloof naar. Hij was in Hendricks' computer. Hij was er absoluut zeker van dat de minister dat ook wilde. Hij had Peter een bericht in code gegeven. Waarom had hij dat niet gewoon rechtstreeks kunnen doen?

Peters eerste gedachte was dat Hendricks bang was dat in zijn huis afluisterapparatuur geplaatst was, maar hij liet die gedachte meteen weer varen. Het huis en de kantoren van de minister werden twee keer per dag elektronisch gecontroleerd. Dus was Hendricks bang voor iets anders. Was het een insider, een van zijn eigen mensen?

Peter keek naar het scherm. Hij vermoedde dat hij het antwoord ergens in de bestandenlijst van de minister zou vinden. Hij boog zich voorover en ging koortsachtig aan het werk.

'Dit is pure waanzin,' zei de FARC-commandant, toen Bourne

in de gestolen jeep over de Nationale Route scheurde.

'Hoe wist je dat ik in de tunnel was?' zei Bourne.

'Je zult achtervolgd worden tot het einde van de wereld.' Hij heette Suarez. Zonder terughoudendheid had hij Bourne zijn naam verteld en het feit dat hij zeker wist dat Bourne op een vreselijke manier zou sterven.

Bourne glimlachte. 'Geen van jouw mannen komt ooit Colombia uit.'

Suarez lachte, zelfs ondanks het feit dat het hem pijn achter zijn rechteroor deed. 'Denk je nu echt dat de FARC mijn enige connectie is?'

Bourne keek hem aan. Op dat moment viel hem pas de gouden ring op die glimmend om de dikke wijsvinger van zijn rechterhand zat.

'Je bent lid van Severus Domna.'

'En jij bent ten dode opgeschreven,' zei de commandant vlak.

Plotseling greep hij het stuur. Bourne sloeg met de loop van de Makarov op de rug van zijn hand. Suarez loeide als een waanzinnige stier. Hij trok zijn hand terug en wiegde hem met zijn andere.

'Verdomme, verdomme, verdomme!' krijste hij. 'Je hebt hem gebroken.'

'Rustig.' Bourne neuriede in zichzelf terwijl ze voortjakkerden. Behendig stuurde hij de jeep langs voortkruipende trucks en volgepakte diepladers.

Suarez schudde heen en weer van de pijn. 'Waar ben je verdomme zo tevreden over, maricón?'

Bourne beperkte zich een tijdlang tot het voorbijscheuren van voertuigen. Toen zei hij: 'Ik weet hoe je wist waar ik was.'

'Nee,' zei Suarez, 'dat kan niet.'

Iemand heeft mij bij het laatste roadblock voor de tunnel herkend en jou geseind, iemand die ook bij de Domna hoort.'

'Dat klopt, maar ik volg geen bevelen op. Jouw dood is een geschenk aan een vriend van mij, een vijand van jou.'

Zijn gezicht was grauw van de pijn. Het zweet brak hem aan alle kanten uit. Hij staarde recht voor zich uit, totdat zijn blik afdwaalde naar de buitenspiegel. Er vloog een glimlach over zijn gezicht. Bourne, die ongeveer elke minuut in zijn achteruitkijkspiegel keek, zag hoe twee motoren het verkeer achter hem passeerden.

'Roberto Corellos heeft er kennelijk een lief ding voor over om je naar de andere wereld te helpen.'

Corellos nam dus wraak voor het gezichtsverlies dat Bourne hem had laten lijden. Nu waren ze dodelijke vijanden.

'Je kunt beter je veiligheidsgordel omdoen,' zei Bourne.

Hij wachtte totdat de motoren al het verkeer voorbij waren en versnelde toen. Ook de motoren versnelden en kwamen rap dichterbij.

Toen ze op topsnelheid reden, trapte Bourne zo hard mogelijk op de rem, waardoor er een laag rubber op het wegdek achterbleef. De jeep slingerde wild van links naar rechts toen hij de versnelling in de vrij zette. De versnellingsbak had het net zo zwaar te verduren als de banden, die wanhopig probeerden grip op de weg te krijgen.

De motoren schoten langs hem heen, remden uit alle macht en maakten een wijde bocht. Bourne trapte het gaspedaal weer diep in en joeg de jeep door de versnellingen. De jeep schoot vooruit en ramde de rechter motor in de flank, waardoor deze van de weg gedrukt werd. Suarez' voorhoofd knalde bijna tegen de voorruit. De motor slipte. De motorrijder probeerde wanhopig de controle terug te krijgen terwijl hij over de weg zeilde. Een seconde later gleed hij over de rand en verdween in de diepte.

Een kogel versplinterde de voorruit van de jeep. Bourne ramde de jeep in de achteruit. De jeep tolde rond totdat hij recht tegenover de tweede motor stond. De motorrijder richtte zijn pistool opnieuw. De motor stond tussen de jeep en de berghelling met haar duizelingwekkende tientallen meters diepe ravijn. Dankzij het roadblock van de FARC was het tegemoetkomende verkeer tot stilstand gekomen. Motorrijders probeerden hun weg in de chaos te vinden.

Bourne reed recht op de motorrijder af, die zijn pistool op hem richtte.

'*Dios mio*, wat doe je, verdomme?' schreeuwde Suarez. 'Je jaagt ons allebei de dood in.'

'Als het nodig is,' zei Bourne.

'De rapporten over jou zijn waar.' De commandant staarde hem aan. 'Je bent gek.'

De motorrijder moest hetzelfde gedacht hebben, want nadat hij lukraak wat schoten had afgevuurd, scheurde hij weg in een wolk steenslag. Bourne remde en waagde met links een schot. De armen van de motorrijder vlogen de lucht in en hij viel van de motor. Deze boorde zich in een stilstaande auto, die op zijn beurt tegen de voor hem staande truck botste.

Bourne reed verder op de weg, die nu dankzij zowel de FARC-blokkade als het vuur in de tunnel volkomen verlaten was.

# Acht

Tienduizend meter boven de grond zat Boris Karpov in het straalvliegtuig en keek door het raampje naar de grijze wolken die voorbijschoten. Zoals altijd had hij gemengde gevoelens bij het verlaten van Rusland. Een Rus, mijmerde hij, voelde zich nooit echt op zijn gemak buiten het vaderland. Dat viel te verwachten. Het Russische volk was speciaal – uitzonderlijk, zeker als je de verschrikkingen in aanmerking nam die het eerst onder de tsaren en kozakken, en later onder Stalin en Beria te verduren had gehad, een donkere dreiging die zijn prachtige land constant achtervolgde. Onbaatzuchtigheid was geen algemeen geldende Russische karaktertrek – zelfbehoud was door de vele ontberingen al zo lang de drijvende kracht in de Russische geest dat het er wel in vastgeroest leek – maar in dit opzicht verschilde Boris van zijn vrienden. Zijn liefde voor Rusland motiveerde hem tot het nastreven van een beter leven, niet alleen voor zichzelf maar ook voor de mensen die voortdurend een doel najoegen dat ze nooit zouden bereiken.

De stewardess van de eerste klas kwam vragen of hij iets nodig had.

'We bakken chocoladekoekjes,' zei ze, terwijl ze zich met een glimlach tot hem wendde. Ze was blond en had blauwe ogen – Scandinavisch giste hij – en een licht accent. 'We serveren ze bij melk, chocolademelk, koffie, thee of een tiental likeuren.'

*Koekjes en melk*, dacht Karpov met een zuur glimlachje, *hoe typisch Amerikaans*. 'Doe de klassieke combinatie maar,' zei hij, waardoor de stewardess zacht moest lachen.

'Jullie Amerikanen zijn onverbeterlijk,' zei ze hartelijk. Met een zacht ruisen van haar kleren liep ze weg door het gangpad.

Karpov verzonk weer in zijn mijmeringen. Natuurlijk was het lot de Amerikanen gunstig gezind geweest, daardoor konden zij zich superieur voelen aan alle anderen. Maar wat kon je anders verwachten van zo'n bevoorrecht volk? Karpov wist niet wat hij moest denken van het feit dat hij voor een van hen aangezien werd. Hij wachtte op de reactie en toen die kwam realiseerde hij zich dat hij zich enigszins gekrenkt voelde, alsof hij een boerenpummel was die op een wonderbaarlijke manier tijdelijk aangezien werd voor een Yale-student. Door de fout van de stewardess voelde hij zich gekleineerd op een manier waar hij niet echt greep op kon krijgen. Alsof hem een spiegel voorgehouden werd, waarin hij alles kon zien waarin hij vanaf zijn geboorte tekortgeschoten was.

Zijn ouders hadden weinig tijd voor hem gehad, omdat ze gevangenzaten in een grimmige, stille strijd om uit te vinden wie van beiden de meeste affaires had gehad tijdens hun huwelijk. Scheiden was geen optie; dat zou de regels van het spel tenietdoen. Bijgevolg hadden ze weinig aandacht voor Karpovs zuster, Alix, die aan een uit de hand gelopen hersenvliesontsteking stierf. Karpov had haar verzorgd tijdens haar verschrikkelijke, slopende ziekte, eerst na schooltijd en vervolgens, nadat hij met school gestopt was, continu. Toen zij naar het ziekenhuis gebracht werd, ging hij met haar mee. Hij had sterk het idee dat zijn ouders opgelucht waren dat hun beide kinderen weg waren.

'Zo triest,' mopperde zijn moeder altijd als ze het ontbijt maakte. 'Zo verdomd triest.'

Maar de meeste ochtenden verscheen ze helemaal niet. Karpov begreep dat ze 's nachts helemaal niet thuisgekomen was.

'Ik kan er niet tegen,' was het enige wat zijn vader de ochtenden dat hij verscheen uitbracht. Hij kon de aanblik van Alix niet verdragen, laat staan dat hij haar kamer binnenging. 'Wat voor nut heeft dat?' antwoordde hij op een ochtend dat Karpov hem ernaar vroeg. 'Ze weet niet eens dat ik er ben.'

Integendeel, Karpov wist dat Alix wist als er iemand bij haar was. Ze kneep vaak in zijn hand als hij bij haar aan het bed zat. Hij las haar verhalen voor uit de boeken die hij gekocht had. Andere keren las hij hardop de lessen uit de schoolboeken die hij belangrijk genoeg vond om te leren. Door deze leessessies met zijn zus ontdekte hij bij zichzelf een liefde voor geschiedenis. Hij hield er het meest van om haar verhalen voor te lezen over verschillende perioden uit de veelbezongen geschiedenis van Rusland, hoewel hij moest toegeven dat sommige ervan deprimerend en moeilijk te verteren waren.

Karpov was bij haar in het ziekenhuis toen ze stierf. Nadat de dokter de dood had vastgesteld, vulde het vertrek zich met een verstikkende stilte. Het was net alsof de wereld tot stilstand kwam, zelfs zijn hart. Zijn borst voelde alsof hij elk moment uit elkaar kon barsten. De geur van ontsmettingsmiddelen deed hem bijna overgeven. Hij boog zich over Alix' wasachtige gezicht en kuste haar koele voorhoofd. Aan haar was totaal niet te zien dat in haar hoofd een enorm wrede strijd had gewoed.

'Kan ik iets voor u doen?' had de verpleegster die aanwezig was geweest gevraagd toen hij het vertrek verliet.

Hij schudde zijn hoofd; hij was zo door emoties overmand dat hij geen woord kon uitbrengen. Toen hij door de gangen liep, hoorde hij de echo's van de martelende, onverstaanbare geluiden van de zieken en stervenden. Buiten was de gloeiende Moskouse schemering gevuld met sneeuw. Overal liepen mensen te praten, roken, ja, zelfs te lachen. Een jonge man en een jonge vrouw staken de straat over. Ze hadden hun hoofden dicht bij elkaar en fluisterden. Een moeder trok haar zoontje mee en zong zacht voor hem. Karpov keek naar deze alledaagse dingen als een gevangene die naar de wolken kijkt die aan zijn kleine, getraliede raam voorbijdrijven. Deze dingen hoorden niet langer bij hem. Hij was van ze gescheiden als een zieke tak die van een boom gevallen was.

In Karpovs hart zat nu een gat waar Alix zo lang gezeten had. De tranen liepen over zijn wangen terwijl hij doelloos rondliep, de sneeuw zich ophoopte en hij luisterde naar de gedempte, doffe klokken van St. Basil. Hij huilde om haar, maar ook om zichzelf, omdat hij nu echt alleen was.

'Sir?'

De stewardess bracht zijn melk en koekjes en Karpov schudde zich uit als een hond die uit de regen kwam.

'Sorry,' zei ze. 'Zal ik later terugkomen?'

Hij schudde zijn hoofd. Zij deed het blad naar beneden en zette er het schaaltje met koekjes en het glas melk op.

'Het is nog warm,' zei ze. 'Kan ik nog iets voor u doen?'

Karpov glimlachte naar haar, maar de triestheid lag erin besloten. 'Je zou even naast me kunnen komen zitten.'

Haar zachte, zilveren lachje golfde als een koele bries over hem heen. 'Wat bent u een flirt,' zei ze. Ze schudde haar hoofd en liet hem alleen.

Karpov staarde naar het schaaltje met koekjes, maar zag niets. Hij dacht aan Jason Bourne, hij dacht aan wat hij van plan was, hij dacht aan wat zijn beslissing niet alleen voor dit moment maar ook voor de rest van zijn leven betekende.

Niets zou meer hetzelfde zijn. Die wetenschap boezemde hem geen angst in – hij was daarvoor te zeer vertrouwd met het onbekende. Maar hij had in zijn maag het misselijkmakende gevoel alsof daar een zwerm motten stuurloos rondvloog, wachtend op het onvermijdelijke dat zou gebeuren.

Het zou niet lang meer duren. Dat was het enige waarvan hij zeker was.

Marcel Probst, de IT'er van het Quai d'Orsay aan wie inspecteur Lipkin-Renais Laurents mobiele telefoon en de simkaart gegeven had, was een van die Fransen voor wie wijn, kaas en arrogante spot de belangrijkste zaken waren in het leven.

Probst maakte kort nadat zij met Aaron binnengekomen was al door een norse, bijna geërgerde blik duidelijk dat hij Soraya niet mocht. Zij kon niet zeggen of het nu kwam omdat ze moslim was of een vrouw, of beide. Maar hij leek ook niet helemaal gecharmeerd van Aaron, dus wie zal het zeggen. In elk geval had hij het gezicht van een azijnpisser en toonde het zijn vooroordelen als een waarschuwingslicht op een snelweg.

Probst was eind veertig, goed gekleed en zag er knap uit. Met andere woorden, het absoluut tegenovergestelde van de Amerikaanse IT-techneuten die Soraya kende. *Liberté, égalité, fraternité*, dacht ze, toen ze naar zijn werktafel liep. Er stonden onder meer een laptop en een oscilloscoop op met daarnaast een paar dure luidsprekers.

'Wat heb je voor ons?' zei Aaron.

Probst zoog zijn onderlip naar binnen, waardoor zijn mond leek op de tuit van een theepot. 'Met het mobieltje kan zelfs ik niets beginnen,' zei hij, 'en de simkaart is een puinhoop.'

Ogenschijnlijk probeerde hij alle medeklinkers in te slikken. *Misschien smaken ze naar brie*, dacht Soraya.

Probst trok een wenkbrauw omhoog. 'Kan het zijn dat er tijdens het vervoer roekeloos mee omgesprongen is?'

'Absoluut niet,' zei Aaron. En vervolgens ietwat geïrriteerd: 'Heb je nu iets gevonden of niet? Schiet eens op, alsjeblieft.'

Probst gromde: 'Het vreemde is dat voor zover ik kan vaststellen alle informatie van de simkaart afgehaald is.'

Soraya schrok. 'Door de schade?'

'Welnu, mademoiselle, dat hangt ervan af. Kijk, aan deze simkaart zijn twee soorten schade toegebracht. Een schade, zoals ik al eerder zei, is materieel.' Hij tikte op de trillende, puntige lijn op de oscilloscoop. 'De andere was elektronisch.'

'Wat bedoel je?' zei Aaron.

'Ik ben niet honderd procent zeker,' zei Probst, 'maar er is een sterke aanwijzing dat de kaart onderhevig is geweest aan een elektronische impuls die alles uitgewist heeft.' Hij schraapte zijn keel. 'Althans, bijna. Ik heb één ding kunnen redden,' zei hij. 'Het is zeker dat het na de elektronische impuls op de kaart is gekomen, maar voordat de telefoon onbruikbaar werd.'

'Je bedoelt op het moment voordat Laurent aangereden werd,' zei Soraya. Ze had onmiddellijk spijt van haar interruptie.

Probst keek haar aan alsof zij een rat was die zijn heilige der heiligen binnengekropen was. 'Volgens mij zei ik dat net,' zei hij afgemeten.

'Ga door,' zei Aaron enthousiast, 'Laten we verdergaan met wat je gered hebt.'

Probst snoof als een personage uit *Les Misérables* van Victor Hugo. 'Het is maar goed dat u hiermee bij mij bent gekomen, inspecteur. Ik betwijfel ten zeerste of iemand anders nog zoveel kilobyte aan informatie boven tafel had weten te krijgen.'

Voor het eerst krulde zich een glimlach, dun als de jas van een vrek, om de bloedeloze lippen van Probst. Het was voor hem duidelijk dat hij de indringers op hun plaats had gezet. 'Dit is wat op de simkaart is gezet in de laatste seconde van het leven van het slachtoffer.'

Op het scherm van de laptop verscheen één cryptisch woord: dinoig.

Aaron schudde zijn hoofd en keek naar Soraya. 'Weet jij wat dat betekent?'

Soraya keek hem aan en zei: 'Ik sterf van de honger. Wat is je favoriete restaurant?'

Kilometers van La Línea reed Bourne de weg af een dicht kreupelbos in. Hij stapte uit en liep naar de andere kant van de jeep en trok Suarez met geweld van zijn plaats.

'Wat doe je?' zei Suarez. 'Waar gaan we heen?'

Hij was er slecht aan toe. De rechterkant van zijn hoofd was bloederig, een enorme buil sierde zijn voorhoofd en hij ondersteunde zijn gekneusde en gezwollen hand.

Bourne sleepte hem mee en hees hem weer op zijn benen als hij af en toe struikelde. Toen ze van de weg niet meer te zien waren, duwde hij Suarez tegen een boom.

'Vertel me wat je bij Severus Domna doet?'

'Dat zal je niet helpen.'

Toen Bourne hem aanviel, weerde Suarez hem met zijn goede hand af. 'Oké, oké! Maar ik zeg je dat je er niets mee opschiet. De Domna is compleet opgedeeld. Ik vervoer goederen voor de Domna als me dat gevraagd wordt, maar verder weet ik niets.'

'Wat voor goederen?'

'De kratten zijn verzegeld,' zei Suarez. 'Ik weet het niet en ik wil het ook niet weten.'

'Waarvan zijn de kratten gemaakt?' vroeg Bourne.

Suarez haalde zijn schouders op. 'Hout. Soms van roestvrij staal.'

Bourne dacht even na. 'Van wie krijg je je orders?'

'Een man. Een stem door de telefoon. Ik heb hem nooit ontmoet. Ik weet zelfs zijn naam niet.'

Bourne knipte met zijn vingers. 'Telefoon.'

Suarez greep onbeholpen met zijn linkerhand in zijn zak en haalde de telefoon tevoorschijn.

'Bel je contact.'

Suarez maakte spastische bewegingen met zijn hoofd. 'Dat kan ik niet doen. Dan vermoordt hij me.'

Bourne pakte Suarez' gezwollen rechterhand in de zijne en brak zijn pink. Suarez gilde het uit en probeerde tevergeefs zijn hand terug te trekken. Bourne schudde zijn hoofd en pakte de volgende vinger beet.

'Vijf seconden.'

Het zweet droop van Suarez' gezicht en bezoedelde zijn kraag. '*Dios*, nee.'

'Twee seconden.'

Suarez opende zijn mond, maar er kwam geen geluid uit. Bourne brak de tweede vinger en de commandant ging bijna tegen de vlakte. Zijn knieën begaven het en hij gleed langs de stam naar beneden. Bourne sloeg hem in het gezicht. Suarez' ogen traanden. Hij draaide zich kotsend om.

Bourne omklemde zijn middelvinger. 'Vijf seconden.'

'*¡Basta!*' schreeuwde Suarez. '*¡Basta!*'

Alle kleur was uit zijn gezicht getrokken en hij schokte van de pijn. Hij keek naar zijn telefoon, die hij krampachtig in zijn zweterige linkerhand hield. Toen, alsof hij plotseling uit een trance ontwaakte, keek hij Bourne aan.

'Wat... wat wil je dat ik zeg, hombre?'

'Ik wil zijn naam weten,' zei Bourne.

'Die zal hij me nooit geven.'

Bourne verstevigde zijn greep op de middelvinger van Suarez' verminkte rechterhand. 'Bedenk maar een manier, hombre, of we gaan verder waar we gebleven waren.'

Suarez streek met zijn tong langs zijn lippen en knikte. Hij drukte een knop in en er verscheen een nummer op het schermpje.

'Wacht!' zei Bourne. Hij boog voorover en verbrak de verbinding.

'Wat?' zei Suarez met de enigszins verdoofde stem waarmee hij sprak sinds zijn vingers gebroken waren. 'Wat is er? Ik deed wat je vroeg. Wil je niet meer dat ik hem bel?'

Bourne ging op zijn hurken zitten en dacht na. Hij wist wie Suarez' contact was. Hij had het nummer herkend. Suarez belde Jalal Essais satelliettelefoon.

# Negen

Chez Georges, het restaurant waar Aaron Soraya mee naartoe nam, lag één straat verwijderd van de beurs – de Parijse aandelenmarkt. Daarom zaten er rond lunchtijd vooral pakkendragers die praatten over aandelen, obligaties, opties, derivate producten en termijnzaken. Toch heerste hier nog de sfeer van het Parijs van voor de EU, de euro en het langzame verval van de Franse cultuur.

'Eerst waren het de Duitsers,' zei Aaron. 'En nu worden we omringd door grote hoeveelheden vluchtelingen uit Noord-Afrika die hier geen toekomstperspectief hebben, niet integreren of hier een baan kunnen vinden. Het is geen wonder dat zij Parijs tot de grond toe willen afbranden.'

Ze zaten tegenover elkaar en aten biefstuk met de beroemde frites van het huis.

'De Franse homogeniteit staat onder druk.'

Aaron keek haar een moment aan. 'Dit is de manier waarop we dingen regelen.' Hij zei het zoals Amerikaanse agenten het zeggen. Ze lachte zo hard dat ze haar hand voor haar mond moest houden om te zorgen dat ze het eten niet om zich heen sproeide.

Toen hij glimlachte, verschenen er rond zijn ogen rimpeltjes. Ondanks dat zorgde de glimlach dat hij er jonger uitzag, als een kleine jongen wiens blijdschap nog onaangetast is door de verantwoordelijkheden en zorgen van het leven.

'Goed.' Hij legde zijn bestek neer en vouwde zijn handen.

'Dinoig?' Hij hief vragend zijn armen op. 'Heb jij een verklaring?'

'Zeker.' Soraya likte het zout van haar vingertoppen. 'Het woord is een anagram.'

Aaron keek haar een moment strak aan. 'Een code?'

Soraya knikte. 'Weliswaar een onbeholpen code. Maar hij was bedoeld als een garantie. In het geval mijn contact in de problemen zou komen.'

'Dodelijke problemen.' Aaron nam een slok van zijn mineraalwater; hij had zeer inlevend afgezien van het bestellen van wijn.

Soraya zocht in haar handtas, haalde een pen en een blocnote tevoorschijn en schreef het woord dinoig op. Ze keek er een tijdje naar voordat ze zei: 'Laten we omdat het anagram met een medeklinker begint, aannemen dat het woord begint met een klinker. Twee i's en een o. Er zijn maar zes letters, dus de kans dat er twee keer een i in het midden staat is praktisch nihil.' Onder dinoig schreef ze 'I'. 'Nu wordt het eenvoudiger omdat de 'n' als volgende letter het waarschijnlijkst lijkt.'

Op de tweede regel stond nu: In.

'Kijk.' Ze keek naar Aaron en draaide de blocnote om zodat hij het kon zien. Toen gaf ze hem de pen. 'Maak jij het maar af.'

Aaron keek even peinzend, schreef vervolgens de volgende vier letters en draaide de blocnote weer om.

'Indigo,' las Soraya hardop.

Peter verging van de pijn in zijn rug. Hij was non-stop bezig geweest met Hendricks' bestanden. Hij opende ze stuk voor stuk omdat ze slechts door cijfercombinaties aangegeven werden: 001, 002, 003, enzovoort. De bestanden bevatten memo's, lijstjes met wat gedaan moest worden, zelfs herinneringen aan verjaardagen en feestdagen. De bestanden bevatten opvallend genoeg totaal niets interessants. Hij stond op, zette zijn handen in zijn rug en rekte achterover. Toen liep hij weg om zijn pijnlijke blaas te legen. Peter dacht graag na als hij plaste. Sterker nog, hij had sommige van zijn beste ideeën gekregen terwijl hij zijn blaas leegde. Het leek erop dat het gevoel van opluchting zijn hersens op vruchtbare gedachten bracht.

Hij staarde naar de muur. Zij blik ging langs de grote hoeveelheid kleine barstjes in het pleisterwerk. Hij zag er grillige vormen in die deden denken aan wolken die langs de hemel joegen. Behalve dan dat deze vormen blijvend waren. Dat mocht zo zijn, maar sommige vormen waren al in elkaar opgegaan. Daar zag hij de Brullende Leeuw, de Jongen Die Ballonnen Vasthield, de Boksende Kangoeroe, de Oude Man Met De Hangende Oorlellen. En daar zag hij Houdini, de man met wat volgens Peter leek op een slot om zijn middel.

'Mijn hemel!' riep Peter opeens.

Hij schudde af en deed zijn gulp dicht. Haastig waste hij zijn handen en rende bijna terug naar zijn computer. In plaats van bestand na bestand na te zoeken, scrolde hij nu door de lijst, op zoek naar een bestand dat beveiligd was met een elektronische sleutel.

Onder aan de lijst vond hij er een. Toen er naar een wachtwoord gevraagd werd typte hij 'servers' in. Er gebeurde niets, maar dat verbaasde hem niet. Het zou wel heel stom van Hendricks geweest zijn als hij twee keer hetzelfde wachtwoord had gebruikt.

Peter speelde met een pen tussen zijn tanden, ging achteroverzitten en overwoog zijn volgende stap. Welk wachtwoord zou Hendricks gebruikt hebben om dit bestand te beveiligen? Hij probeerde Hendricks' geboortedatum, de datum dat hij defensieminister was geworden, zijn adres. Nada.

Hij zat daar zo lang zonder de cursor te bewegen dat Hendricks screensaver op het scherm verscheen. Hij zag een prachtige vrouw met groene ogen, hoge jukbeenderen en een open, lachend gezicht. Vijftien seconden later vervaagde het beeld en verscheen er een andere foto van dezelfde vrouw. Op deze foto stond ze naast Hendricks. Ze stonden hand in hand op een brug in Venetië. De vrouw was Amanda, Hendricks' derde vrouw. Ze was vijf jaar geleden overleden na een verschrikkelijke, slopende ziekte. Het beeld veranderde weer. Nu stond Amanda in een avondjurk op het terras van een enorm groot herenhuis.

*Idioot*! dacht Peter terwijl hij met de palm van zijn hand tegen zijn voorhoofd sloeg. Hij typte: Amanda.

Sesam open u. Hij was binnen.

Het bestand bevatte twee lange paragrafen en een kort addendum. De lange paragrafen waren zo te zien aantekeningen die Hendricks gemaakt had na een recente bijeenkomst in het Oval Office met de president, generaal Marshall, de stafchef van het Pentagon, Mike Holmes, de nationale veiligheidsadviseur, en iemand met de naam Roy FitzWilliams. Peter dacht meteen terug aan het gesprek tussen Hendricks en Danziger in het Folger dat hij gedeeltelijk gehoord had. '*We zouden elkaar nooit in uw kantoor treffen*,' had zijn baas gezegd, '*om precies dezelfde reden waarom u niet uitgenodigd was voor de bijeenkomst in het Oval Office*.'

Uit wat Peter las, maakte hij op dat de bijeenkomst over het buitengewoon strategische belang van Rare Earth-metalen ging. De president had besloten een taskforce samen te stellen waar verschillende bureaus bij betrokken zouden worden, met de codenaam Samaritan, om de exploitatie van de Indigo Ridge-mijn in Californië te beschermen. Klaarblijkelijk had de president Hendricks de leiding gegeven over Samaritan en het de hoogste prioriteit gegeven.

Peter was aan het eind van de tweede paragraaf en hij vroeg zich opnieuw af waarom zijn baas hem en Soraya niet ingelicht had over Samaritan, toen zijn oog viel op het korte addendum. Met een schok die door zijn hele lichaam trok, zag hij dat de paragraaf aan hem gericht was: 'Peter, ik weet dat je dit leest; jouw nieuwsgierigheid kent immers geen grenzen. Iets aan die FitzWilliams-figuur verontrust me. Ik weet niet wat. Daarom wil ik dat jij hem natrekt. Heel onopvallend en buiten werktijd. De president heeft ons flink de les gelezen over het niet willen samenwerken met Samaritan. Wat ik je vraag te doen valt zeker in die categorie, dus ik vraag je met klem om voorzichtig te zijn. Ik weet dat je dat zult zijn. Als je je afvraagt waarom ik jou vraag, dan is dat omdat jij de enige bent die ik dit toevertrouw. Gebruik GEEN van de gebruikelijke kanalen om mij je vorderingen te vertellen. Plaats je bevindingen ALLEEN hier. Ik kan niet genoeg benadrukken hoe belangrijk je conclusies kunnen zijn. Succes.'

'Estevan Vegas.'

Bourne concludeerde, nadat hij op de kaart had gekeken, dat ze zo'n acht kilometer van Vegas' huis waren. Hij moest beslissen of hij hem thuis zou zoeken of bij het olieveld. De lange, stoffige middag liep ten einde. Het sepia licht leek op dat op een oude foto. Hij wilde hem in elk geval benaderen in het bijzijn van zijn indiaanse geliefde.

'Wie?' zei commandant Suarez met een stem die door de pijn, angst en wrange nasleep van adrenaline danig verzwakt was. 'Moet ik die man kennen?'

'Hij is lid van Severus Domna.'

'Nou en?' Suarez kon zelfs zijn schouders niet ophalen zonder van pijn ineen te krimpen. 'Ik zei je toch dat alles binnen de Domna opgedeeld is.' Hij smakte met zijn lippen. 'Ik snak naar bier. Ik wed dat jij er ook wel eentje zou lusten.'

Bourne negeerde hem en scheurde verder. De weg voerde nog steeds omhoog door de Cordillerabergen. Hij had zijn raampje omlaag gedraaid. De wind verkoelde het stinkende interieur van de jeep; Suarez zweette en stonk als een varken.

'Als je me nog eenmaal zegt dat je Estevan Vegas niet kent,' zei Bourne, 'dan stamp ik hier op de rem en flikker je van deze berg.'

'Oké, Oké.' Suarez zweette uitbundig. 'Nou goed, ik ken Vegas. Iedereen in dit gebied kent hem. Hij is een rare snoeshaan. Dus verdomme. Wat dan nog?'

'Vertel me wat je weet van de vrouw met wie hij leeft.'

'Ik weet niets van haar.'

Bourne reed de weg af, zette de jeep in de vrij, draaide zich om en sloeg Suarez hard tegen zijn linkeroor. Suarez' hoofd klapte terug en hij kreunde van de pijn. De doordringende geuren van planten en vochtige aarde drongen de jeep binnen.

'Je hebt alles al uit me geslagen,' zei Suarez. 'Wat wil je verdomme nog meer van mij, hombre?'

'Je maakt het jezelf alleen maar lastig.' Bourne sloeg hem opnieuw, en de commandant moest kokhalzen. Hij boog zich voorover met zijn hoofd tussen zijn benen. Bourne trok hem aan de kraag van zijn bezwete shirt terug. 'Zullen we verdergaan?'

'Ze heet Rosalita – Vegas noemt haar Rosie.' Hij veegde met de rug van zijn goede hand het bloed en de kots van zijn lippen. 'Ze woont volgens mij nu zo'n vijf jaar bij hem.'

'Waarom?'

Suarez' ogen flakkerden op. 'Hoe kan ik dat verdomme...' Zijn stem stierf weg. 'Wat ik gehoord heb, is dat hij haar uit de klauwen van een margay gered heeft – een vrouwtje dat net jonkies gekregen had. Rosie had de pech dat ze op zijn leger stuitte. Ze kon niet meer wegkomen. De margay had haar behoorlijk toegetakeld, voordat Vegas haar geschreeuw hoorde en het dier neerschoot. Hij heeft haar naar zijn woning gebracht en haar verzorgd. Sindsdien heeft zij hem verzorgd.'

'Heb je haar ooit ontmoet?'

'Wie, Rosie? Nee, nooit. Waarom?'

'Ik vraag me af hoe het komt dat ze nooit zwanger is geraakt.'

Suarez was even stil. Voor hen doemden dikke paarse en gele donderwolken op. Het waren precies de kleuren van de bloeduitstortingen in zijn gezicht. Er was zwaar weer op komst. Eensklaps werd de stilte verscheurd door een dubbele donderklap, op de hielen gevolgd door een blauw-witte lichtflits als een trouwe hond die zijn baasje volgt.

'Dit wordt een smerige onweersbui,' zei Suarez. Hij deed zijn hoofd naar achteren en sloot zijn ogen.

Even later spatten de eerste dikke regendruppels tegen de voorruit. Meteen daarna roffelde de regen op het dak van de jeep.

'Mijn vraag heeft een antwoord,' zei Bourne. 'Antwoord!'

Suarez sloeg zijn ogen open en hij keek Bourne aan. 'Ik heb

gehoord dat achter hun huis een graf ligt. Een erg klein graf.'

Bourne greep met beide handen het stuur vast. 'Hoe lang heeft de baby geleefd?'

'Naar ik gehoord heb, negen dagen.'

'Jongen of meisje?'

'Ik begreep een jongen.'

Bourne bedacht hoe vluchtig het leven voor sommigen was. Negen dagen was niet echt een leven. Maar voor Estevan Vegas en Rosie moest het alles geweest zijn. Dat moest wel, want meer kregen ze niet.

Hij zette de jeep in de versnelling en reed terug naar de weg, waar de regen overheen joeg. Ze waren vlak bij Vegas' huis. Hij reed zo snel hij met dit slechte zicht durfde.

Toen Amanda nog leefde, keek Hendricks altijd uit naar het moment dat hij na een lange dag hard werken thuiskwam. In die tijd ging hij altijd in Rock Green Park joggen. Hij deed dat elke dag en jogde altijd hetzelfde vijf kilometer lange parcours. Hij hield ervan om laat in de middag te joggen, als het licht moe was van de inspanningen van die dag en met zijn laatste krachten het kronkelige pad bescheen waarover hij rende, waardoor het net een rivier leek van gesmolten goud; hij vond dat prachtig. Hij hield ook van de herhaling. Het rennen langs steeds dezelfde bomen en bochten gaf hem een heerlijk gevoel. Natuurlijk waren ze nooit precies hetzelfde; daar zorgden de seizoenen voor. Hij hield het meest van het joggen in de sneeuw, van de wolk bevroren adem voor zich en van de rijp in zijn neusgaten en op zijn wimpers.

Cleo liep altijd met hem mee. Haar beweeglijke, goudkleurige lichaam, haar zwarte snuit, vochtig van het speeksel dat van haar bungelende, roze tong spatte. Ze keek met haar waterige, vochtige ogen naar hem op. Ze wilde hem behagen en op hetzelfde moment, zo stelde hij zich dat voor, wilde ze niets liever dan ronddartelen. Soms vroeg hij zich af hoe het zou zijn als hij haar was, om op vier poten rond te springen, puur plezier te voelen en onwetend te zijn van je naderende dood.

Natuurlijk waren Hendricks en Cleo daar niet alleen – zijn National Guard-eenheid zorgde dat het pad voor en achter hem veilig was. In deze situatie haatte hij hun aanwezigheid, op deze plek van serene schoonheid wilde hij niets liever dan alleen zijn met zijn gedachten.

Op een bepaalde manier zorgden zijn beveiligers daarvoor, toch voelde hij het zo. Iedereen die tijdens zijn ren in de buurt was, werd terzijde genomen en aan een kruisverhoor onderworpen. Daarna werden ze bijna als gevangenen onder bewaking gesteld totdat hij zijn vijf kilometer lange rondje voltooid had.

Vandaag werden er, toen hij voorbij rende, opvallend weinig mensen in het veiligheidsnet gevangen gehouden. Cleo rende uitgelaten naast hem. Maar de aanblik van één persoon deed hem stoppen en zich omdraaien.

Toen hij de groep naderde, werd hij door een van de beveiligers tegengehouden. Hij vroeg hem of hij zo vriendelijk wilde zijn om omwille van de veiligheid afstand te bewaren.

'Nee, wacht even, ik ken haar,' zei Hendricks terwijl hij langs hem heen keek.

Hendricks liep langs de beveiliger naar de jonge vrouw in joggingoutfit en met Nike-hardloopschoenen.

'Maggie,' zei hij. 'Wat doe jij hier?'

'Goedemiddag,' zei de vrouw die hij kende als Margaret Penrod. 'Hetzelfde als u, denk ik, rennen.'

Hendricks glimlachte. 'Mijn verstand zegt rennen, maar mijn knieën houden vol dat ik jog.'

'Moet ik hier onder bewaking blijven staan?'

'Natuurlijk niet,' Hij maakte een handgebaar. 'Je kunt met me mee joggen. Tenminste, als je mijn langzame tempo niet vervelend vindt.'

Maggie keek om zich heen naar de grimmige gezichten van de beveiligers. 'Alleen als uw waakhonden me laten gaan.'

'Mijn waakhonden zijn gehoorzaam.' Hij keek naar zijn eenheid.

'We hebben al een bodyscan bij haar gedaan, sir,' zei een van hen.

Hendricks kon de afkeuring op zijn gezicht zien. Als hij wilde joggen met iemand die niet weken van tevoren toestemming had gekregen, was dat tegen het protocol. *Naar de hel met hun protocol*, dacht Hendricks. *Dit is mijn vrije tijd.*

Cleo was ondertussen terug komen lopen en snuffelde nu aan Maggies schoenen.

'Ruik je iets interessants?' vroeg Maggie.

Cleo keek naar haar op. Maggie hurkte naast haar neer en krabbelde de boxer achter een oor. Cleo leunde tegen haar aan en hijgde opgewonden.

'Ze vindt me aardig.'

Hendricks lachte. 'Cleo wordt verliefd op iedereen die haar achter de oren krabt.'

Maggie keek naar hem op. Haar gezicht werd door de laagstaande zon verlicht en haar ogen leken te glanzen. 'En hoe zit dat met u?'

Hendricks voelde zich rood worden. 'Ik...'

Maggie kwam overeind. 'Ik maakte een grapje. Gewoon een grapje.'

'Kom.' Hendricks ging op zijn tenen staan. 'Laten we gaan.'

Ze begonnen te lopen. Maggie paste haar tempo zo goed mogelijk aan dat van hem aan. Cleo liep met grote sprongen naast hem of tussen hen in en botste af en toe uit pure baldadigheid tegen zijn benen. De beveiligers volgden hen op de voet. Hij kon hun spanning voelen en hij stelde zich voor dat hun ogen zich in Maggies rug boorden, alert op een teken van vijandigheid. Hij veronderstelde dat ze bezorgd waren dat Maggie zich plotseling op hem zou werpen en zijn nek zou breken als een dode tak.

Af en toe keek Cleo naar haar alsof zij zich afvroeg wat er gaande was. Hendricks vroeg zich hetzelfde af. Terwijl ze over het vertrouwde pad renden met zijn bomen voor en achter zich en met hun takken wuivend in de wind alsof ze een saluut brachten, realiseerde hij zich dat alles er anders uitzag – de vormen scherper, de kleuren levendiger. Hij zag bijzonderheden die hij nog niet eerder gezien had.

Hij jogde met Maggie naast zich. Het gebeurde omdat hij wilde dat het gebeurde, en, eerlijk gezegd verbaasde hem dat omdat hij hier heel lang niet voor open had gestaan, waarschijnlijk vijf jaar, niet sinds Amanda's dood. Hij had vanaf dat moment het gezelschap van vrouwen afgehouden. Hij had Jolene en de andere vrouwen die zijn leven in en uit fladderden, onheus behandeld. Als zij iets zeiden of deden wat hem aan Amanda deed denken, maakte hem dat wanhopig. Erger nog, als ze iets zeiden of deden wat afweek van de manier waarop Amanda iets zei of deed, dan bracht hem dat tot razernij.

Zijn woede was een smeulend vuur dat steeds zichtbaarder werd en zorgde voor een verkoeling in de houding van de vrouwen. Hij voelde zich alsof het leven hem tegemoet sprong en voor zijn ogen weer inhoud kreeg, en hij dacht, *wat heb ik mezelf aangedaan?* Hij voelde zich beschaamd om zijn gedrag; dit was niet de manier waarop Amanda wilde dat hij leefde.

En nu, terwijl ze naast elkaar renden en hij haar warmte voelde en haar bijzondere geur van kaneel en het bittere van geroosterde amandelen rook, deed hij iets wat hij niet eerder had kunnen doen. Hij keek terug op de afgelopen vijf jaar. Hij had rondgedwaald in een woestijn. Misschien was het een woestijn die hijzelf opgeroepen had, dacht hij, maar hij was daardoor niet minder reëel. En nu was hij eindelijk zover, dacht hij, om die dorre plek te verlaten en de wereld weer in te stappen waarin Amanda en hij hadden gelachen en liefgehad en gepraat en gewoon van elkaar genoten op dezelfde pure manier als waarop Cleo genoot van haar renpartijen.

Hendricks voelde zich opgelucht en merkte dat hij genoot van het joggen. Hij genoot ervan dat hij niet alleen was. Maggie zei iets tegen hem en hij zei iets terug. Even later kon hij zich niet herinneren wat ze gezegd hadden, en wat nog belangrijker was, het maakte niet uit. Hij was haar niet uit de weg gegaan, voelde zich niet gegeneerd en voelde geen drang om weg te rennen. Sterker nog, hij wilde dat het parcours geen vijf kilometer was, maar veel langer. Toen ze bij het einde kwamen, draaide hij zich daarom naar haar om en zei alsof het de normaalste zaak van de wereld was: 'Heb je zin om vanavond wat met mij te gaan eten?'

Ze moest hetzelfde gevoeld hebben, want deze keer zei ze: 'Dat lijkt me erg leuk.'

Estevan keek hoe de onweersbui over de toppen van de Cordilleras aan kwam rollen, terwijl Rosie het eten klaarmaakte. Ze werkte, zoals ze dat altijd deed, langzaam en methodisch. Ze had sterke handen en bewerkte het vlees heel doelgericht. Ze kruidde het en legde het in een pan met hete olie.

Toen het begon te regenen, geselden de regenvlagen de ramen en losliggende dakpannen die hij beloofd had te maken, wat er nooit van gekomen was. Ze keek op en glimlachte. De vertrouwde geluiden verzekerden haar dat alles was zoals het hoorde te zijn. Het werd aardedonker. Even zag hij haar weerspiegeling in de spiegel, de lijkbleke littekens die de margay aan beide kanten van haar nek veroorzaakt had. Buiten, op de plek onder de tamarinde die haar favoriete plek was sinds hij haar gillend en zwaargewond naar zijn huis gebracht had, lichtte het witte kruis op, dat Estevan van hardhout gemaakt had. Het zag eruit als een verbleekt bot.

Ze keerde zich van het raam af. Ze betastte haar bovenlichaam, waar gelijksoortige littekens als witte striemen te zien waren, boog haar hoofd en huilde zacht. Hij snelde naar haar toe.

'Rustig maar, Rosie,' fluisterde hij. 'Het is goed.'

'Hij is daarbuiten,' zei ze,' in de regen.'

'Nee,' zei Estevan. 'Ons kind is in de hemel, veilig en beschermd in Gods licht.'

Ze zouden nooit een ander kind kunnen krijgen, hadden de doktoren hun verteld. Estevan wist dat zij verwacht had dat hij haar de deur uit zou zetten, omdat zij ervan overtuigd was dat de dood van het kind aan haar lag. In plaats daarvan had hij haar met nog meer vriendelijkheid behandeld. Als ze 's nachts huilde, had hij haar in zijn armen genomen, haar gewiegd en haar gezegd dat ze moest vergeten wat de doktoren gezegd hadden, dat ze zouden blijven proberen en dat bij Gods genade en die van Jezus Christus, zijn zoon, een wonder zou geschieden. Dat was drie jaar geleden geweest, maar sindsdien was er niets in haar gegroeid.

Ze was net bezig om het vlees in de kookpot met gesneden aardappelen, uien en pepers te doen, toen ze het alarm hoorden. Hij voelde hoe ze verstijfde.

'Maak je geen zorgen,' zei hij terwijl hij de keuken uit liep. Hij rommelde in de huiskamer en trof zijn voorbereidingen.

'Zijn zij het?' vroeg ze. 'Zijn ze eindelijk gekomen?'

Toen Vegas in de keuken terugkwam, had hij een geweer in zijn handen. 'Kijk nou naar dat rotweer.' Hij woelde met zijn vingers door zijn volle baard. 'Wie kunnen het anders zijn? Als ik hen was, zou ik nu ook in actie komen.'

Vegas stond naast haar met een sterke arm om haar heen en trok haar dichter tegen zich aan. Hij kuste haar wang, haar slaap, haar ogen, en ze voelde het vertrouwde gekriebel van zijn snor.

'Alles is klaar. Ze kunnen ons niet raken. We zijn veilig, hoor je me? Veilig,' zei hij in haar oor.

Hij liet haar los om de laatste, noodzakelijke voorbereidingen te treffen. Zij deed het deksel op de pot, veegde haar handen af aan haar schort en liep naar het kamertje waar Estevan geknield zat bij de apparatuur waar hij maandenlang mee bezig was geweest totdat alles het naar zijn volledige tevredenheid deed.

'Zie je ze, mijn lief?'

'Het is een jeep.' Estevan Vegas wees naar het groen-zwarte infraroodbeeld op het kleine scherm links van hem. Rechts van hem stond een laptop die verbonden was met het scherm. Vegas had software geïnstalleerd die de infraroodbeelden kon identificeren. Nu was er een dichte jeep te zien. 'Ze zijn het,' zei hij. 'Geen twijfel mogelijk.'

'Hoe ver?'

Vegas keek naar de meter boven op de infraroodprojector. 'Tweehonderdvijftig meter,' zei hij. 'Ze zijn heel dichtbij.'

Rosie legde haar handen op zijn brede schouders.

‘Dit is het einde.’

‘Het einde, voor hen ja.’

Vegas’ vingers flitsten over het toetsenbord en het beeld op het scherm werd leeg om vervangen te worden door beelden van de videocamera’s die hij rondom het perceel geïnstalleerd had.

Even zagen ze alleen de grauwe regenvlagen, maar opeens zagen ze een schim – de jeep ploegde op de weg naar Vegas’ huis hortend en stotend door de regen. Rosie voelde hoe de spanning zich in Estevans spieren opbouwde en boog zich verder over hem heen. Ze rook de lucht van ruwe olie, waarvan hij zo doordrongen was dat niets de geur meer kon laten verdwijnen.

‘Dichtbij,’ zei hij zacht, bijna tegen zichzelf. ‘Heel dichtbij.’

‘Zal het werken?’ fluisterde ze.

‘Ja,’ zei hij. ‘Het zal werken.’

Even later was het resultaat van zijn werk te zien. Ze zagen de explosie iets eerder dan ze haar hoorden. De explosieven die hij onder de weg had aangebracht, ontploften door de trillingen die door de jeep veroorzaakt werden.

Het voertuig vloog de lucht in en was even buiten het bereik van de camera’s. Toen het weer in beeld kwam en op de grond sloeg was het in stukken, total loss, brandend, rokend, verwrongen, bijna onherkenbaar.

Bijna.

Estevan slaakte een zucht van opluchting. ‘Het is gelukt.’

Het wrak van de jeep stond smeulend in de stromende regen.

‘Dat is het einde van hen. Maar gewoon om er zeker van te zijn.’ Vegas was er de man niet naar om iets aan het toeval over te laten. Zo had hij altijd in het leven gestaan; die opvatting had voor hem altijd goed uitgepakt. Hij was er een rijk man door geworden.

Hij stond op, pakte zijn geweer en liep naar de voordeur. ‘Doe de deur achter mij op slot,’ zei hij zonder zich om te draaien, en Rosie deed wat haar gevraagd werd.

Hij liep naar buiten en beende door de gutsende regen om te zien wat hij had aangericht.

# Deel twee

# Tien

Boris Karpov had voldoende redenen om München niet leuk te vinden. Zoals bijna alle Russen minachtte hij de Duitsers. Het was onmogelijk de bittere smaak van de Tweede Wereldoorlog kwijt te raken; het Russische gevoel van verontwaardiging en wraak zat net zo diep in hem verankerd als zijn liefde voor wodka. Trouwens, ondanks het nieuwe motto van de stad, 'München mag Dich' (München houdt van u), was het voor Boris niet moeilijk om een hekel aan München te hebben. Het was bijvoorbeeld gesticht door een religieuze orde – de benedictijnen –, vandaar de naam die ontleend was aan het Duitse woord voor monnik. Boris had een op zijn atheïsme gestoeld wantrouwen tegen georganiseerde geloofsvormen van welke soort ook. Een andere reden was dat het midden in Beieren lag, en dat was de thuisbasis van het rechts-conservatisme waarop Adolf Hitler zijn gehate nationaalsocialisme had gestoeld. In feite was het zo dat Hitler en zijn trawanten in 1923 in München in een bierhal de beruchte putsch op touw zetten om de Weimarrepubliek omver te werpen en de macht over te nemen. Dat dat niet lukte, had het onvermijdelijke alleen maar vertraagd. Tien jaar later werd München eindelijk de machtsbasis van de nationaalsocialisten, die, naast andere gruwelijke misdaden, Dachau gebouwd hadden, het eerste concentratiekamp van de nazi's, vijftien kilometer ten noordwesten van de stad.

Dus hier was veel om een afkeer van te hebben, dacht Boris, terwijl hij zijn taxichauffeur instrueerde om hem af te zetten aan de Briennerstrasse, aan het begin van het Kunstareal, de museumwijk van München. Van daaruit liep hij kwiek naar de Neue Pinakothek, het museum dat zich richtte op de Europese kunst van de achttiende en negentiende eeuw. Binnen liep hij naar de informatiebalie voor een plattegrond, en liep vervolgens door naar de zaal waar *Pavo Muerto* van Francisco Goya hing. Geen belangwekkend werk, dacht Boris, terwijl hij ernaartoe liep.

Een groep stond naar het schilderij te kijken, terwijl een gids ernaast stond te oreren. Boris wachtte aan de zijkant tevergeefs op het moment dat ze zou vertellen dat *Plucked Turkey* een schilderij was dat wel of niet door de nazi's gestolen was. Hij dacht intussen na over zijn verantwoordelijkheden. Voordat hij uit Moskou weg was gegaan, had hij Anton Fedarovitsj orders gegeven en de dagelijkse leiding over de FSB-2 aan hem overgedragen. Maar per definitie was dat slechts tijdelijk, omdat Boris nog steeds bezig was met het hervormen van de organisatie naar zijn wensen en hij de rotte appelen nog niet allemaal verwijderd had. Van meet af aan had hij zichzelf ten hoogste vijf dagen gegeven om Cherkesovs opdracht ten uitvoer te brengen. Hij kon er niet van op aan dat de FSB-2 langer zonder hem op een goede manier gerund kon worden.

De groep liep door. Een man bleef staan kijken naar de Goya. Hij zag er volkomen onopvallend uit: van gemiddelde grootte, van middelbare leeftijd, met grijzend haar en een kale plek op zijn kruin. Hij had zijn handen diep in de zakken van zijn overjas gestoken. Hij had zijn schouders iets opgetrokken alsof hij een onzichtbaar gewicht ondersteunde.

'Goedemorgen,' zei Boris in redelijk Duits terwijl hij naast de man ging staan. 'Onze neef kon helaas niet zelf komen.' Deze manier van contact leggen was een van de duizenden die de laatste tientallen jaren door Ivan Volkin ontwikkeld waren. Als zodanig werkte het perfect.

'Hoe is het met de oude heer?' zei de man in redelijk Russisch.

'Lichtgeraakt als altijd.'

Na deze code-uitwisseling slenterden de mannen samen door de zaal en stopten voor elk schilderij.

'Wat kan ik voor u doen?' zei de man zacht.

Hij heette Wagner. Hoogstwaarschijnlijk was dat een undercovernaam en niet zijn echte. Boris vond dat prima; hij hoefde Wagners echte naam ook niet te weten. Ivan stond voor hem in – dat was voor hem genoeg.

'Ik ben op zoek naar connecties,' zei Boris.

Wagner glimlachte flauwtjes. 'Iedereen die bij mij komt, is op zoek naar connecties.'

Ze waren verder gelopen en stonden nu voor het schilderij *Die heilige Familie unter dem Porticus* van Friedrich Wilhelm von Schadow, in Boris' optiek een volstrekt laakbaar onderwerp, zoals alle religieuze thema's, maar hij had wel waardering voor de helderheid van stijl.

'Met betrekking tot Viktor Cherkesov?'

Wagner bestudeerde het schilderij even heel intensief. 'Von Schadow was eerst soldaat,' zei hij uiteindelijk. 'Daarna vond hij God, ging naar Rome en werd een van de leiders van de zogenaamde Nazarener-beweging, die zich wijdde aan het brengen van de ware spiritualiteit in de christelijke kunst.'

'Mij best.'

'Dat geloof ik graag.'

Wagner zei dat op een manier waardoor Karpov zich net een cultuurbarbaar voelde.

'Wat betreft Cherkesov,' drong Boris aan.

Wagner liep door. Hij zuchtte. 'Wat wilt u precies weten?'

'Hij was kortgeleden in München. Is hij hier ook geweest?'

'Hij is naar de Moskee gegaan,' zei Wagner. 'Dat is alles wat ik weet.'

Boris verborg zijn ontsteltenis. 'Dat is niet genoeg,' zei hij neutraal.

'De geheimen van de Moskee worden goed bewaakt.'

'Dat begrijp ik.' Maar Boris begreep niet wat voor mogelijke betrokkenheid Cherkesovs nieuwe baas met de Moskee had. Viktor leek wel de laatste persoon die naar die slangenkuil gestuurd zou worden. Cherkesov haatte moslims misschien nog wel meer dan hij Duitsers haatte. Hij had de langste tijd dat hij bij FSB-2 gezeten had, besteed aan het opsporen van Tsjetsjeense moslimterroristen.

'Het wordt steeds gevaarlijker om je met zaken van de Moskee te bemoeien.'

'Ook dat weet ik.' Boris was zich er zeer bewust van dat de Moskee in München het epicentrum was voor veel van de extremistische moslimgroeperingen van over de hele wereld. De Moskee indoctrineerde ontevreden jonge mannen en vrouwen, voedde hun hopeloosheid, en kanaliseerde hun frustratie in woede. Daarna trainden en bewapenden ze hen, en financierden hun daaropvolgende geweldsuitbarstingen.

Wagner dacht even na. 'Ik ken iemand die u misschien kan helpen.' Hij beet op zijn lip. 'Hij heet Hermann Bolger. Hij is horlogemaker. Maar hij kijkt ook naar wat zich in en rond de Moskee afspeelt.' Zijn lippen krulden zich in een glimlach. 'Grappig, hè?'

'Nee,' zei Boris vlak. 'Waar kan ik de heer Bolger vinden?'

Wagner vertelde hem het adres en Boris leerde het vanbuiten. Voor de show bekeken ze nog twee schilderijen. Meteen daarna ging Wagner weg. Boris keek op zijn plattegrond en dwaalde de volgende twintig minuten door de rest van de zalen.

Daarna ging hij op zoek naar Hermann Bolger.

De regen viel neer als geschreeuwde woorden, als bevelen aan de troepen uit de klassieke oudheid die verwikkeld waren in helse man-tegen-mangevechten. Bourne stond in de nietsontziende regen naast een grote pijnboom waarvan de bladeren zwiepten in de wind.

Vanaf dit punt keek hij toe hoe de jeep door de explosie opengereten werd. De stukken vielen brandend op de grond, waar de vlammen bijna onmiddellijk door de stortbui gedoofd werden. Verwrongen brokstukken vlogen alle kanten op. Twee stukken kwamen neer op nog geen meter vanwaar hij zich verborgen hield: het geblakerde stuur en Suarez' hoofd, stinkend en nog narokend alsof het net van de barbecue gehaald was. De lippen, neus en oren van Suarez waren weggebrand. Wat er nog van zijn ogen over was, smeulde alsof hij een monster uit de hel was.

Bourne zag dat Vegas zijn huis uit kwam en stapte terug in de donkere schaduw van de pijnboom. Vanuit zijn positie leek het alsof hij ouderwetse spijkerschoenen droeg. Bourne zag het geweer dat hij bij zich had, maar dat was niet het meest beangstigende. Vegas' ogen gloeiden vol vuur. Zijn bloeddorstige houding herinnerde Bourne aan een grizzly die hij ooit in Montana gezien had terwijl zij haar welpen beschermde tegen een bergleeuw die op jacht was. Hij vroeg zich af tegen wie Vegas zichzelf en Rosie beschermde. Het moest hem weken hebben gekost deze elektronische val te construeren; hij was in elk geval niet voor Bourne bedoeld.

Maar voor wie dan wel?

'Je bent gek,' had Suarez gezegd toen Bourne de jeep zo'n kilometer voor Vegas' huis stopte. 'Ik doe dat niet.'

'Het is de enige manier waarop je iets van medische hulp kunt krijgen,' had Bourne geantwoord.

'Wat houdt me tegen, als je eenmaal uitgestapt bent, om de jeep te keren en hier met een rotvaart weg te scheuren?'

'De enige uitweg is terug de berg af,' zei Bourne. De regen was zo woest en onstuimig dat het net leek alsof je onder een waterval zat. 'Je kunt maar met één hand sturen. Hoe je jezelf om zeep helpt, maakt me geen snars uit.'

Suarez keek hem met een dodelijke blik aan, maar even later zag hij er mistroostig uit. 'Onder welk onheilspellend gesternte ben ik geboren, dat ik jou nu ben tegengekomen?'

Bourne opende het portier en de jeep vulde zich met een gebulder alsof het einde der tijden was aangebroken. 'Hou je aan het plan, en alles zal goed komen. Jij neemt de directe weg. Vegas kent jou. Ik nader van de achterkant. Is alles duidelijk?'

Suarez knikte gelaten. 'Ik verga van de pijn in mijn hand. Ik voel de vingers die je gebroken hebt niet meer.'

'Dan heb je geluk gehad,' zei Bourne. 'Stel je eens voor hoe erg de pijn geweest zou zijn als je ze wel voelde.'

Toen hij uit de jeep glipte, was hij binnen een paar seconden tot op het bot nat. Hij keek toe hoe Suarez onbeholpen achter het stuur ging zitten en wegreed richting het huis.

Bourne had de eerste infraroodcamera gezien en was onmiddellijk gestopt, maar hij had Suarez niet verteld waarom hij stopte. De camera was verwerkt in een kilometerpaal. Hij herkende de apparatuur omdat hij jaren daarvoor in een villa in de bergen van Roemenië hetzelfde gezien had. Het was een zeer geavanceerd systeem, ultramodern, maar uiteindelijk had Bourne het onschadelijk weten te maken en in de villa weten te komen. Zelfs al had Suarez de kilometerpaal gezien, dan nog betwijfelde Bourne of hij de infraroodcamera opgemerkt had.

De infraroodval was een verrassing. Omdat Bourne geen trek had in nog zo'n verrassing, had hij besloten om Suarez de rest van het stuk in de jeep te laten rijden, terwijl hij Vegas' land te voet verkende.

Het bewijs van Bournes voorzichtigheid staarde hem op dit moment met lege oogkassen aan. Hij voelde zich niet schuldig over het feit dat hij Suarez de dood in had gestuurd. De commandant was een ijskoude moordenaar, en als hij ook maar de minste kans had gehad, zou hij Bourne naar de verdoemenis geschoten hebben.

Hij zag hoe Vegas behoedzaam rond het wrak liep en hier en daar met de loop van het geweer ertegenaan stootte. Toen hij een van Suarez' armen vond, knielde hij neer en onderzocht deze nauwkeurig. Vanaf dat moment zocht hij naar meer lichaamsdelen. Langzaam en systematisch doorzocht hij het gebied in concentrische cirkels. Hij verwijderde zich steeds verder van de plek van de ontploffing en kwam zo steeds dichter in de buurt van de plek waar Bourne onder de pijnboom stond.

Het regende gestaag door. De hemel werd doorsneden door donderende bliksemstralen. Bournes blik werd vertroebeld door een flard herinnering die steeds duidelijker werd. Bourne was door een sneeuwstorm geploeterd om in de disco te komen waar Alex Conklin hem naartoe gestuurd had om het doel onschadelijk te maken. Op zijn bontkraag smolten de sneeuwresten snel weg. Hij zocht zijn weg door de drukke club. In het damestoilet had hij de geluiddemper op het pistool geschroefd en de deur opengetrapt.

Het ijzige gezicht van de blonde vrouw was strak, bijna berustend. Hoewel ze gewapend was, koesterde ze geen illusies over wat er komen ging. Had ze daarom haar mond geopend? Had ze daarom iets tegen hem gezegd voordat hij haar doodschoot?

Wat had zij gezegd? Hij probeerde zich wanhopig haar stem te herinneren. In Colombia, in de gigantische stortbui, hoorde hij boven de donder uit een vrouw schreeuwen, en nu hoorde hij de stem van de ijzige, blonde vrouw, met dezelfde hoge, wanhopige lading.

*'Er is geen...'*

*Wat is er niet?* vroeg Bourne zich af. Wat had zij hem proberen te zeggen? Hij probeerde het antwoord in de herinneringsflard te vinden, maar deze smolt weg als een ijsschots in de zomer, de beelden vervaagden, werden wazig en onduidelijk.

Een geluid vlakbij deed hem schrikken en bracht hem terug in de werkelijkheid. Vegas had een van Suarez' benen gevonden. Nadat hij het nauwkeurig bekeken had, stond hij op en keek onderzoekend rond. Hij zag Suarez' hoofd liggen en begon er met gefronste wenkbrauwen naartoe te lopen. Bourne vroeg zich af of hij het zwaar verbrande en verminkte gezicht zou herkennen.

Hij hoefde niet lang te wachten. Vegas bereikte Suarez' hoofd. Hij gebruikte de loop van zijn geweer om het ding om te keren zodat hij het gezicht kon zien. Hij deinsde achteruit en met het geweer in de aanslag trok hij zich terug. Hij staarde met een onheilspellende blik in zijn ogen door het regengordijn.

Meer had Bourne niet nodig. Vegas had Suarez herkend en was niet verrast geweest door zijn aanwezigheid in de jeep. Als Essai de waarheid verteld had, was het mogelijk dat Vegas zich voorbereid had op een aanval van de Domna. Als Bourne de situatie goed inschatte, dan had Vegas met de Domna gebroken en zich voorbereid op een gewelddadig antwoord van hun kant. Dit verklaarde waarom hij en Rosie niet de benen genomen hadden. Hij kon nergens heen waar de Domna hem niet zou kunnen vinden. Hij was hier in elk geval op vertrouwd terrein; hij kende het beter dan wie ze ook zouden sturen. En hij was voorbereid.

Vegas was iemand voor wie Bourne wel respect zou kunnen opbrengen. Hij was zijn eigen heer en meester. Hij moest een moeilijke en duidelijk gevaarlijke beslissing nemen en was er niet voor weggelopen.

'Estevan,' zei hij, terwijl hij uit de schaduw van de pijnboom stapte.

Vegas richtte zijn geweer op hem en Bourne deed zijn handen met de palmen naar buiten gekeerd omhoog.

'Rustig,' zei Bourne, terwijl hij doodstil bleef staan. 'Ik ben een vriend. Ik ben gekomen om je te helpen.'

'Mij helpen? Je bedoelt dat je mij in mijn graf wil helpen.'

Het geluid van de regen was zo luid dat de twee mannen moesten schreeuwen om zich verstaanbaar te maken, alsof ze in een stadion vol joelende fans stonden.

'Jij en ik hebben iets gemeen,' zei Bourne. 'Severus Domna.'

Als antwoord rochelde Vegas en spuugde bijna precies tussen hen in.

'Ja,' zei Bourne.

Vegas keek hem even aan. Op dat moment verscheen Rosie tussen de pijnbomen. Ze had een Glock in haar hand. Haar arm was gestrekt, recht als een pijl, en wees op Bourne.

Vegas sperde zijn ogen open. 'Rosie...!'

Maar zijn waarschuwing kwam te laat. Ze had zich te dicht in Bournes buurt gewaagd. Hij greep haar gestrekte arm, draaide haar om, en hield haar, nadat hij haar ontwapend had, dicht tegen zich aan.

'Estevan,' zei Bourne. 'Laat je geweer zakken.'

Bourne kon in de ogen van de oudere man zijn liefde voor Rosie zien, en voelde een scheut afgunst.

Toen Vegas zijn geweer liet zakken, liet Bourne Rosie los, die gelijk naar haar man rende. Vegas sloeg een arm om haar heen.

'Ik had gezegd dat je binnen moest blijven.' Vegas' stem klonk nors door de bezorgdheid. 'Waarom heb je niet naar me geluisterd?'

'Ik was bezorgd om jou. Wie weet hoeveel mannen ze hadden gestuurd?'

Vegas moest daar het antwoord op schuldig blijven. Hij keerde zich naar Bourne en de Glock die hij nu in bezit had. 'Wat nu?'

Bourne liep naar hem toe. Hij zag dat Vegas verstrakte. Hij pakte de Glock bij de loop vast. 'Ik geef je je pistool terug.' Hij reikte hem aan. 'Ik heb hem niet nodig.'

'Jij en Suarez waren alleen?'

Bourne knikte.

'Waarom was je met hem?'

'Ik stuitte op een roadblock van de FARC en heb hem gevangengenomen,' zei Bourne.

Vegas leek onder de indruk.

'We werden niet gevolgd,' voegde Bourne eraan toe. 'Daar heb ik voor gezorgd.'

Vegas keek naar de Glock en toen naar Bournes gezicht. De verrassing had plaatsgemaakt voor een glimp nieuwsgierigheid. Hij nam de Glock aan en zei: 'Ik ben deze regen zat. Ik denk dat we hem allemaal zat zijn.'

Hendricks herkende Maggie bijna niet toen ze elkaar troffen in het restaurant dat hij had uitgezocht. Ze droeg een indigo jurk en zwarte schoenen met hoge hakken. Maar ze droeg geen sieraden, alleen een goedkoop, maar functioneel horloge. Ze droeg haar haar los. Het leek langer dan mogelijk scheen toen ze een pet droeg. In haar vormeloze overall had ze eruitgezien als een wildebras, maar de jurk deed dat beeld uiteenspatten. Haar lange benen liepen geleidelijk uit in slanke enkels. Hendricks dacht dat wie de hoge hakken had uitgevonden, verliefd moest zijn geweest op de vrouwelijke vormen. Amanda had ze niet zo vaak gedragen en klaagde over hoe oncomfortabel ze zaten. Toen hij haar erop wees dat haar vriendin Micki altijd hoge hakken droeg, vertelde Amanda hem dat Micki ze al zo lang droeg dat ze niet langer meer op platte schoenen kon lopen omdat door de hoge hakken de pezen in haar voetholte waren verkort. '*Als ze op blote voeten loopt, loopt ze altijd op haar tenen*,' had Amanda hem verteld.

Hendricks vroeg zich af hoe Maggie eruit zou zien als ze blootsvoets was.

Hij wilde net de sleutels van zijn auto aan de bediende geven, toen Maggie de jongen gebaarde dat hij weg moest gaan. Ze ging op de passagiersstoel zitten en zei: 'Ik eet liever in Vermillion, dus ik heb daar gereserveerd. Ken je het?'

'In Alexandria?'

Ze knikte. '1220 King Street.'

Hij zette de auto in de versnelling.

'Ben je er eerder geweest?'

'Eén keer.' Hij dacht aan de eerste keer dat Amanda en hij hun trouwdag vierden. Wat een wonderbaarlijke avond was dat geweest. De avond begon in Vermillion en eindigde ermee dat ze tegen zonsopgang soezend in elkaars armen lagen.

'Ik hoop niet dat je denkt dat ik eigenzinnig ben.'

Hij glimlachte. 'Daarvoor ken ik je niet lang genoeg.'

Ze ging achterover in de stoel zitten toen hij optrok en wegreed in de richting van de Key Bridge en Alexandria. Haar handen lagen bewegingloos op haar schoot. 'Het feit wil dat ik een dessertaholic ben – is dat een woord?'

'Nu wel.'

'Haar lach was laag en melodieus. Hij snoof haar geur op alsof het het bouquet was van een Schotse *single* malt whisky. Zijn neusgaten sperden zich open en hij voelde de opwinding in zijn binnenste.

'Hoe dan ook, ze hebben een dessert bij Vermillion – zoute soesjes – dat is mijn lievelingsdessert. Ik heb ze al lang niet meer gehad.'

'Je krijgt ze vanavond.' Hendricks manoeuvreerde door het

verkeer, met de auto met zijn eenheid voor de avond in zijn kielzog. 'Twee porties als je wilt.'

Ze keek hem aan. De tegemoetkomende koplampen gaven haar ogen een schittering.

'Dat lijkt me wel wat,' zei ze zacht. 'Een man die me in een veelvraat wil veranderen.'

Ze reden nu op de brug. De verlichte stadsmonumenten gaven de avondlucht een donkere, gouden gloed.

'Ik kan me je niet als een veelvraat voorstellen.'

Maggie zuchtte. 'Soms,' zei ze, 'is het heerlijk om je eens helemaal te laten gaan.'

Hij keek verbaasd. 'Ik weet niet of ik...'

'Als iets niet goed is, is het juist leuk. Begrijp je wat ik bedoel?'

Hendricks begreep het niet, maar hij zou bijna willen dat hij het wel begreep.

'Heb je nooit iets gedaan wat niet mocht?'

In Vermillion, een sfeervol herenhuis, keek Maggie hem met een martini in de hand van over de tafel aan. Hun tafel stond naast een raam en vanaf hun plek op de tweede verdieping konden ze de avondparade van jongeren zien – toeristen en bewoners door elkaar – terwijl ze op het trottoir onder hen voorbijliep.

'Je bent altijd braaf geweest.'

Hendricks was zowel een beetje geïrriteerd als gefascineerd door het feit dat zij zijn zwakke plek al zo snel blootgelegd had. 'Waarom zeg je dat?'

Ze nam een slokje. Het leek net alsof in het midden van het glas sprankelende lichtjes dreven. 'Je ruikt alsof je een braaf iemand bent.'

Hij glimlachte onzeker. 'Ik ben bang dat ik je niet begrijp.'

Ze zette haar glas neer, boog zich naar voren en pakte zijn vrije hand. Ze draaide hem om en opende hem zodat ze zijn palm kon bestuderen. Op het moment dat ze hem aanraakte, voelde Hendricks een soort elektrische schok door zijn arm via zijn borst naar zijn maag trekken. Hij voelde zich alsof hij in een badkuip met warm water gestapt was.

Haar ogen haakten in de zijne. Hij kreeg duidelijk het gevoel dat zij precies wist wat hij voelde. Ze begon te glimlachen, maar het was een glimlach zonder ironie of valsheid.

'Je bent de oudste van een gezin of anders enig kind. In beide gevallen ben je de eerstgeborene.'

'Dat klopt,' zei hij, na een korte aarzeling.

'Daarom heb je zo'n sterk plichtsbesef en verantwoordelijkheidsgevoel. Dat hebben eerstgeborenen altijd. Het lijkt erop dat ze dat al voor hun geboorte meekrijgen.'

Langzaam en sensueel volgde ze met haar wijsvinger de lijnen in zijn handpalm. 'Jij was de goede zoon, de goede man.'

'Ik was niet zo'n goede echtgenoot – althans in het begin niet. En ik was zeker geen goede vader.'

'Je werk en je land kwamen op de eerste plaats.' Haar ogen leken hem te verzwelgen. 'Dat is altijd zo geweest, of niet soms?'

'Ja,' zei Hendricks. Hij zei dat met een onverklaarbaar schorre stem.

Hij schraapte zijn keel, trok zijn hand terug en nam een flinke slok whisky. Door deze heftige actie schoten hem de tranen in de ogen en stikte hij bijna.

'Voorzichtig,' zei Maggie. 'Zo meteen komen je babysitters aangerend.'

Hendricks knikte, terwijl hij paars aanliep. Hij droogde zijn ogen met zijn zakdoek en schraapte nogmaals zijn keel.

'Beter,' zei Maggie.

Hij wist niet zeker of het een vraag was want als dat zo was, moest hij antwoorden. Hij liet het maar gaan en dronk het laatste beetje whisky op.

'Hoeveel talen spreek je nu eigenlijk?'

Ze haalde haar schouders op. 'Zeven. Maakt dat wat uit?'

'Ik ben gewoon nieuwsgierig.'

Maar het was meer dan dat. Een deel van hem, het verliefde deel, zat met de ogen dicht achterover, maar het andere deel, de altijd waakzame, goede man, zoals Maggie het zelf verwoord had, wilde haar op zijn eigen manier doorlichten. Het was niet zo dat hij het onderzoeksproces van de organisatie niet vertrouwde – hoewel hij verschillende gevallen kon noemen waarbij vitale zaken over het hoofd gezien waren –, maar hij vertrouwde liever op zijn eigen gevoel.

Hij gaf haar een menukaart en opende zijn eigen. 'Waar heb je zin in? Of wil je graag eerst de soesjes?'

Ze keek op van het menu en glimlachte. 'Je bent zo verdrietig. Komt dat door mij? Wil je liever dat we dit een andere keer doen, of misschien helemaal niet? Want dat is...'

'Nee, nee.' Hendricks merkte dat hij harder ging praten om zo te zorgen dat ze niet verderging. 'Alsjeblieft, Maggie. Alleen...' Hij liet zijn ogen wegdwalen.

Alsof ze zijn stemmingswisseling aanvoelde, tikte ze op het menu. 'Weet je wat ik hier erg lekker vind? Het broodje met blauwe krab.'

Zijn blik gleed weer naar haar, en hij glimlachte. 'Geen soesjes?'

Ze beantwoordde zijn glimlach. 'Ik wil, nu ik erover nadenk, vanavond misschien wel een ander soort dessert.'

# Elf

Nadat Jalal Essai afscheid had genomen van Bourne, nam hij, zoals hij Bourne gezegd had, een vlucht naar Bogotá om daar over te stappen op een intercontinentale vlucht. Wat daarna volgde was echter een ander verhaal.

Hij vloog naar Madrid en van daaruit door naar Sevilla, waar hij een auto huurde en doorreed naar Cadiz aan de zuidwestkust van Spanje. Cadiz kende een veelbewogen geschiedenis. Afhankelijk van wie je wilde geloven, was Cadiz gesticht door ofwel de Feniciërs, ofwel, als je de Griekse legende volgde, door Hercules. De Feniciërs noemden de plaats Gadir, de Ommuurde Stad. De Grieken noemden de plaats Gadira. Volgens de legende bouwde Hercules de stad nadat hij het driekoppige monster Geryon gedood had en daarmee zijn tiende werk had volbracht. Hoe dan ook, Cadiz was de oudste stad in West-Europa die continu bewoond was geweest. De stad was in handen geweest van veel legendarische veroveraars – de Carthagers, Hannibal, de Romeinen, de Visigoten, en de Moren die Qãdis tussen 711 en 1262 bestuurden. De moderne naam Cadiz is ontleend aan het Arabisch.

Tijdens de meer dan honderd kilometer lange rit van het vliegveld van Sevilla naar de zanderige landtong waarop Cadiz was gebouwd, had Essai ruim de tijd om over deze geschiedenis na te denken. De Moren waren het langst in Cadiz geweest en dat kon je nog steeds zien. Door de zandgrond was er geen hoogbouw in Cadiz, zodat de aanblik van de stad nog min of meer hetzelfde was als in de middeleeuwen. Hoewel de stad in Spanje lag, heerste er toch een duidelijk Noord-Afrikaanse sfeer.

Hij gebruikte de in zijn hoofd opgeslagen plattegrond om de Casco Antiguo, de oude stad, binnen te rijden. Het crèmekleurige huis dat aan de Avenida de Duque de Nájera lag, keek uit op het Playita de las Mujeres, een van de mooiste stranden van de stad. Vanuit de ramen op de tweede verdieping aan de achterkant van het huis keek je uit op de Casco Antiguo en kon je de geschiedenis van Zuid-Spanje herkennen.

Essai had opgebeld vanaf het vliegveld van Sevilla. Don Fernando Hererra verwachtte hem dus. Meteen nadat Essai de motor van de auto uitgezet had, opende hij de massieve, middeleeuwse houten deur.

Don Fernando, die in Sevilla woonde maar dit tweede huis aanhield als een tijdelijk toevluchtsoord, droeg een onberispelijk linnen zomerpak dat precies dezelfde kleur had als de buitenkant van zijn huis. Hij was begin zeventig, maar hij was nog mager als een lat, alsof hij uit twee dimensies bestond en niet uit drie. De levendige blauwe ogen staken duidelijk af bij zijn leerachtige huid, donker, en door zon en wind gebruind en verweerd. Op zijn ogen na, zou hij makkelijk voor een Moor gehouden kunnen worden.

Essai stapte uit, rekte zich uit en de twee mannen omarmden elkaar op de Europese manier.

Toen fronste Hererra zijn wenkbrauwen. 'Waar is Estevan?'

'Maak je over Estevan geen zorgen. Hij wordt beschermd,' zei Essai. 'Het is een lang verhaal.'

Hererra knikte en ging Essai voor het koele huis binnen. Zijn bezorgde blik verdween echter niet.

Het huis was in Moorse stijl gebouwd, met middenin een open ruimte die verkoeld werd door fonteinen en het bladerdak van ranke dadelpalmen, die zacht in de zeewind bewogen.

Hererra had voor eten en drinken gezorgd. Alles stond op een blad van geklopt koper dat op een houten klaptafel stond. Nadat Essai zich opgefrist had, gingen de mannen in de schaduw zitten, terwijl het muzikale geluid van de fonteinen op de achtergrond klonk. Ze aten de typische gerechten van de woestijnbedoeïenen en gebruikten daarbij alleen hun rechterhand, zoals de Arabieren dat doen.

Hererra pakte een sinaasappel van een schaal. '*Ahora*,' zei hij. '*Digame, por favor*.' Hij pakte een lang knipmes en begon de sinaasappel af te pellen. 'Estevan is niet alleen een van mijn werknemers, hij is ook een dierbare, oude vriend. Ik heb je naar Colombia gestuurd om hem en zijn vrouw hiernaartoe te brengen, voordat de Domna hen zou vermoorden.'

'Het was dus een test.'

Hererra trok een sinaasappelpartje los. 'Als je dat wilt denken.'

'Wat moet ik er anders van denken?' Essai was duidelijk ontdaan. 'Je vertrouwt me niet.'

'Ik zie Estevan hier niet.' Hererra stopte het partje in zijn mond en in een vloeiende beweging drukte hij het mes tegen Estevans keel. Hij wees met zijn andere hand naar het westen. 'Daar ergens zijn de zuilen van Hercules. Volgens de legende is er een spreuk in gegraveerd: *Non plus ultra*.'

'Tot hier en niet verder,' zei Essai.

'Tenzij je een goede verklaring hebt, Essai, maar anders stopt het hier voor jou.'

'Je hebt geen enkele reden om kwaad of bezorgd te zijn.' Essai probeerde aan de druk van het mes te ontkomen, zijn hoofd naar achteren te trekken, maar het was een zinloze poging. Hij voelde zijn bloed kolken onder het koele metaal dat tegen zijn keel gedrukt werd, en probeerde de aandrang om te slikken te onderdrukken. Een duidelijk teken van zijn angst. 'Je hebt me gestuurd om Estevan mee terug te nemen. Maar in Colombia kreeg ik een beter idee. Ik heb daar Jason Bourne ontmoet.'

Hererra sperde zijn ogen open. 'Heb je Bourne erop uitgestuurd om Estevan te halen?'

'Jij kent Bourne persoonlijk, Don Fernando. Is er iemand die beter tegen die taak is opgewassen? Hij is in elk geval een betere keuze dan ik, zeker toen ik eenmaal ontdekt had dat de Domna zijn aanval op Vegas voorbereid had.'

Hererra's gezicht betrok. Hij deed het mes weg, maar hij bleef alert. 'Wat heb je Bourne verteld?'

'Niet de waarheid, als je daar bang voor bent. Ik heb hem verteld dat Vegas een zwakke schakel is in de Domna-ketting.'

'Dat is zeker waar.'

'Leugens moeten enigszins op waarheid berusten, om ze aannemelijk te maken.'

Hererra keek naar het overgebleven stuk sinaasappel en schudde zijn hoofd. 'Het is nooit slim om tegen Bourne te liegen.'

'Hij komt het nooit te weten.'

Het vuur in Hererra's ogen laaide op. 'Hoe weet je dat? Estevan...'

'Vegas zal niets tegen Bourne zeggen. Hij heeft geen reden om wat te zeggen en alle reden om niets te zeggen.'

Hererra leek hier even over na te denken. 'Ik ben hier niet blij mee. Je moet contact opnemen met Bourne en hem zeggen dat hij Estevan en de vrouw hiernaartoe moet brengen. Het is te gevaarlijk.'

'Er liggen op zijn naam tickets klaar op een regionaal vliegveld. Als hij hier in Sevilla aankomt, ligt er een pakje voor hem klaar met de rest van de bijzonderheden.' Essai haalde zijn schouders op. 'Dit is het beste dat ik onder deze omstandigheden kon doen.'

'Je had de omstandigheden beter naar je hand moeten zetten,' zei Hererra wrang. 'Je had Corellos in je macht. Wat had je nog meer nodig?'

'Corellos is zo stabiel als een zinkend schip. Die man is een wandelende tijdbom.'

'Dat mag zo zijn,' zei Hererra, 'maar dat verandert niets aan het feit dat Corellos nog steeds bruikbaar is voor mij.'

'Het bezit van Aguardiente Bancorp is voor jou niet genoeg? Het is een van de grootste financiële instellingen buiten de Verenigde Staten.'

Hererra keek omhoog door het ritselende bladerdak naar de lucht die net zo blauw was als zijn ogen. 'Aguardiente is het werk dat ik overdag doe.' Hij trok een nieuw sinaasappelpartje los. 'Ik heb voor de nacht ook een bezigheid nodig.' Hij keek Essai aan met een blik die steeds donkerder werd. 'Jij zou dat beter moeten kunnen begrijpen dan wie dan ook.'

Hij deed het partje in zijn mond en kauwde er bedachtzaam op, genoot van het zoete vruchtvlees en slikte het door. 'Maar dit gaat niet om mij, Essai. Dit gaat om Bourne.'

Hij trok een derde partje los en in plaats van het op te eten, gaf hij het aan Essai. Daarna wachtte hij, geduldig als een *roshi* tijdens een zenbijeenkomst.

Essai balanceerde het partje op de vingertoppen van zijn rechterhand en keek ernaar alsof het een beeldje was dat hij net gekocht had, en niet iets om te eten. 'Weet je wat hij me aangedaan heeft?'

'Je huis binnendringen is niet iets wat je makkelijk vergeeft.'

Essai staarde nog steeds naar het oranje partje. 'Of nooit.'

Hererra gromde en legde de rest van de sinaasappel weg. 'Ik zal je een geheim vertellen, Essai. Bourne is ook mijn huis binnengedrongen.'

Essai keek hem aan, en Hererra knikte.

'Het is waar. Hij kwam naar mijn huis in Sevilla met een vrouw genaamd Tracy Atherton, en deed zich voor als...' Hij maakte een wegwerpgebaar. 'Waar het op neerkomt is dat het ook voelde alsof hij mijn huis binnendrong.'

'Wat heb je gedaan?'

'Ik?' Hererra leek verbaasd door de vraag. 'Ik heb niets gedaan. Bourne deed wat hij moest doen. Hij had geen reden om me te vertrouwen, en alle reden om dat niet te doen.' Hij liet de herhaling van Essais eigen woorden bezinken, voordat hij verderging. 'Er viel niets te doen. Het maakt allemaal deel uit van de wereld waarin jij en ik en hij leven.'

Essai keek bedenkelijk. 'Je denkt dat ik het te persoonlijk heb opgevat.'

'Ik denk dat je alles in perspectief moet zien.'

'Je negeert de verschillen die er zijn tussen de moslim- en de westerse wereld.'

'Essai, je hebt ervoor gekozen om in de westerse wereld te leven. Je kunt niet van beide walletjes eten.'

'Hij verdient...'

'Je gebruikt hem om Estevan hier te brengen; dat zegt genoeg. Ik ken deze man beter dan jij. Het zou een fout zijn als je te veel risico's neemt.' Hererra wees naar het oranje partje. 'Stel me niet teleur.'

Na een paar seconden stak Essai het fruit in zijn mond en slikte het door.

'Ga hier bij het vuur zitten.' Estevan Vegas klopte op de verhoogde stenen rand van de open haard. 'Dan ben je snel weer opgedroogd.'

Bourne liep door de keuken en ging naast de oudere man zitten. Rosie stond bij het fornuis en zorgde voor het eten. De avond was met de snelheid van een jaguar gevallen. Strepen warm, geel licht van de gaslampen die Vegas had aangestoken, weerhielden het donker ervan door de ramen binnen te stromen. De storm was gaan liggen, maar aan de hemel waren nog steeds dikke, smerige wolken te zien. Buiten was het aardedonker. Het was net alsof ze op de bodem van een put waren terechtgekomen.

'Je verwachtte Jalal Essai?'

Vegas keek hem verbaasd aan. 'Is Essai in Colombia? Dat wist ik niet.'

'En die zorgvuldige voorbereiding...'

Vegas' blik dwaalde weg. 'Voor... anderen.'

Bourne pakte de rechterhand van de oudere man en ontvouwde de eerste vinger. Je kon nog goed zien waar de ring had gezeten die onlangs verwijderd was. Vegas trok zijn hand terug alsof Bourne hem in het vuur had gehouden.

'Ik weet van de Domna,' zei Bourne.

'Ik heb geen idee...'

'Het zijn ook mijn vijanden, net als de jouwe.'

Vegas stond abrupt op. 'Het was een vergissing.' Hij liep bij Bourne weg. 'Zodra je kleren droog zijn, moet je weggaan.'

Rosie draaide zich om. 'Estevan, waar zijn je manieren? Je kunt deze man niet de kou en duisternis in sturen.'

'Rosie, bemoei je er niet mee.' Vegas' blik bleef op Bourne gericht. 'Jij weet niet...'

'Ik weet wat het betekent een fatsoenlijk mens te zijn, *mi amor*.'

Ze had meer kunnen zeggen, maar hield verder haar mond. In plaats daarvan dwong ze Vegas met haar ogen om haar aan te kijken. Zo besliste ze het dispuut.

'Oké,' gromde hij. 'Maar morgenvroeg...'

Rosies gezicht ontspande zich in een uitbundige glimlach. 'Goed, mi amor. Zoals je wilt.' Ze haalde het braadstuk uit de oven. 'En nu, *por favor*, bied je je gast iets te drinken aan, voordat hij van de dorst doodgaat.'

Bourne nam zijn glas *cachaça* mee – een helse drank gemaakt van gefermenteerd suikerriet – en ging bij het raam staan. Achter hem was Rosie bezig met de laatste voorbereidingen voor het eten en Vegas zette een extra bord en bestek op tafel.

Hij zag van zichzelf een spookachtige spiegeling in de ruit, wat passend was, dacht hij. *Ik ben slechts een schaduw, die zich beweegt in een schaduwwereld*. Hij dacht aan Jalal Essai. Werkte hij nog steeds voor de Domna? Het was zeker dat hij smokkelde via Suarez en zijn FARC-eenheid. Suarez was lid van de Domna, maar hij was ook een politiek figuur. De FARC was Suarez' leven, vechtend tegen de Colombiaanse regering. Gebruikte Essai hem om zijn eigen doelen te bereiken? En wat waren dat dan voor doelen? Was het verhaal over zijn dochter ook een verzinsel? Als dat zo was, dan was zijn plan om wraak te nemen op de Domna ook een leugen. Bourne nam een slokje van de sterkedrank. Het was mogelijk dat Essais haat Benjamin El-Arian persoonlijk betrof en niet de Domna als geheel. Dat scenario wierp een compleet nieuw licht op de situatie. Althans als het ergens op gegrond was. De waarheid was dat Jalal Essai een groot mysterie was. Zowel zijn handelingen als zijn motieven waren onduidelijk.

Voor de zoveelste keer was hij op een plek waar hij niemand kon vertrouwen.

Rosie riep dat het eten klaar was. Toen hij zich omdraaide, glimlachte ze lief naar hem en wees naar de stoel die voor hem bestemd was. Op haar eigen onconventionele manier was ze best mooi, dacht Bourne, met haar lange, zwarte haar, koffiekleurige ogen en dieproze huid. Ze zag er goed uit met maar weinig vet op de botten, wat kwam door het leven in die afgelegen streek. Ze droeg geen make-up en behalve in elk oor een gouden knopje geen sieraden. Haar tanden waren wit en gelijkmatig. Ze had volle lippen en haar glimlach was net zo vriendelijk als haar manier van doen. Bourne mocht haar, en mocht ook de manier waarop ze Vegas behandelde. Het was voor vrouwen in zo'n macho-omgeving niet makkelijk.

Vegas zat al aan het hoofd van de tafel, die vol stond met stoofpot, aardappelen, twee soorten groente en vers brood dat Rosie naar eigen zeggen die ochtend gebakken had. Vegas zei een kort gebed. Daarna aten ze een tijdje in stilte. Een uit hout gesneden kruisbeeld keek vanaf zijn plaats aan de wand op hen neer. Het eten was heerlijk en Rosie straalde toen Bourne dat zei.

'Nou,' zei Vegas, terwijl hij zijn lippen met een vuile doek afveegde, 'waar is hij?'

Bourne keek hem aan. 'Waar is wie?'

'Essai.'

'Weet je dat hij in Colombia was?'

'Ik hoopte daar in elk geval op. Er was me verteld dat hij ons voor die tijd zou komen halen...' Hij keek Rosie schichtig aan en stopte even.

'Je kunt de naam zeggen, mi amor.' Ze at langzaam, met kleine hapjes alsof ze bang was dat als zij haar deel op zou eten er niet genoeg zou zijn voor haar man en hun gast. 'Ik zal er niet van tegen de vlakte gaan en sterven.'

Vegas sloeg een kruisteken. 'God verhoede!' Hij keek dreigend. 'Zeg zoiets nooit, Rosie. Nooit!'

'Zoals je wilt.' Rosie sloeg haar ogen neer en at weer verder.

Vegas richtte zich weer tot Bourne. 'Zoals je hebt kunnen zien, zijn we voorbereid op het onvermijdelijke, maar ik wil niet langer op de plek blijven waar we uiteindelijk kwetsbaar zullen zijn.'

'Maar de Domna zit overal.'

'Essai heeft ons een schuilplaats beloofd.'

'En je vertrouwt hem?'

'Ja.' Vegas haalde zijn schouders op. 'Maar eerlijk gezegd hebben we geen keuze.'

Bourne dacht er even over na en moest het beamen. 'Waarom is het zo zeker dat de Domna het op jou gemunt heeft?' Hij legde zijn vork neer. 'Wat heb je gedaan?'

Vegas was een hele tijd stil. Net toen Bourne dacht dat hij niet zou antwoorden, deed hij dat toch.

'De maricóns zijn juist bezorgd om wat ik niet gedaan heb.' Vegas stopte wat eten in zijn mond en kauwde er bedachtzaam op.

Bourne wachtte tevergeefs tot hij verderging. Toen Vegas een slok boerenwijn nam, zei hij: 'Wat wilde de Domna van jou?'

Vegas smakte met zijn lippen. 'Spioneren. Ze wilden dat ik mijn werkgever en een van mijn beste vrienden zou bespioneren. Hij was de man die me een baan gaf toen ik aan de grond zat. Ik was een dronkaard die uit cafés in Bogotá gegooid werd en 's nachts in een of andere steeg sliep. Ik was toen jong, dom en opstandig.' Hij schudde zijn hoofd. '*Dios*, zo ontzettend opstandig.' Hij nam nog een slok wijn, misschien om zichzelf moed in te drinken. 'Ik voorzag in mijn onderhoud – als je dat zo zou kunnen noemen – door mijn oude vertrouwde mes op de keel van nachtelijke voorbijgangers te zetten en hun geld te stelen.'

Hij keek naar het kruisbeeld aan de wand en krabde op de rug van zijn hand. Ik was verloren, een mislukkeling, voor niets goed, althans, dat dacht ik. Op een avond veranderde dat. Die man – mijn beoogde slachtoffer – had me in een vloek en een zucht ontwapend. Om je de waarheid te zeggen, mijn hart lag niet bij dit soort bezigheden – het lag eigenlijk nergens bij. Maar ik had niets anders.'

Hij haalde zijn schouders op en staarde naar de droesem onder in het glas. Hij wilde zich weer inschenken, maar Rosie zette de fles buiten zijn bereik. Hij deed geen poging hem te pakken. Misschien was dit een dagelijks ritueel tussen hen, dacht Bourne.

'Welke levensvonk deze man in mij zag, weet ik niet, maar hij zag hem.' Vegas schraapte zijn keel. Het leek net alsof hij moeite moest doen om zijn emoties te onderdrukken. Hij lapte me op, nam me mee naar zijn olieveld en leerde me alles wat ik moest weten. Ik vond iets in mezelf – noem het een thuis, ik weet het niet. Hoe dan ook, het was een plek waar ik me veilig voelde, en beschermd. Ik werkte hard. Ik hield van hard werken. Het gaf me een zo direct plezier dat het me geen moeite kostte. En nu ben ik hier, vele jaren later, en heb alle kneepjes van het vak geleerd en beheer de olievelden voor hem. Ik heb er gevoel voor. Ik denk dat hij dat al in de gaten had, terwijl ik me nog nergens bewust van was.' Zijn ogen glansden toen hij Bourne aankeek. 'En al die tijd – tientallen jaren nu – heeft hij me nooit verteld waarom hij me uit de goot gevist heeft.'

'Je hebt hem er nooit naar gevraagd.'

Hij draaide zijn hoofd af, alsof het kijken naar Rosies gezicht hem rustig zou maken. 'Dat zou een inbreuk geweest zijn op alles wat ons samengebracht had.' Hij zuchtte en duwde het bord van zich af. 'En deze man moest ik gaan bespioneren.' Hij draaide zich weer om. Bourne zag nu een vleug echte angst in zijn ogen. 'Het was een test, begrijp je. Een test van mijn loyaliteit. Ik haakte af. Mijn loyaliteit, nu en voor altijd, ligt bij Don Fernando.'

Even dacht Bourne dat hij het verkeerd verstaan had. 'Hoe heet Don Fernando verder?'

'Hererra. Don Fernando Hererra.' Vegas ging verder met eten.

Bourne glimlachte en probeerde inzicht te krijgen in de implicaties van deze belangrijke informatie. Suarez smokkelde voor Essai. Essai was op de een of andere manier verbonden met Hererra, die de olievelden bezat waarover Vegas de leiding had. Hererra had om de een of andere reden de aandacht getrokken van de Domna. De vraag die nog beantwoord moest worden: waarom. Om maar te zwijgen over de vraag hoe Jalal Essai en Hererra met elkaar in contact waren gekomen.

Rosie keek op. 'Waarom glimlacht u, señor?'

'Don Fernando is een vriend van mij,' zei Bourne.

Vegas keek hem aan. 'Dat is voorbeschikt! Essai heeft er goed aan gedaan je hiernaartoe te sturen. Jij bent onze leidsman. Morgen beginnen we aan onze lange tocht naar Don Fernando.'

Na het eten bood Hendricks Maggie aan haar naar huis te rijden.

'Laten we naar jouw huis gaan,' zei ze. 'Ik wil nog even naar de rozen kijken.'

'Bereken je dit als overuren?'

Ze glimlachte. 'Dit is voor mijn rekening.'

Ze stapte uit toen hij voor zijn huis stopte. De volgauto stopte op discrete afstand, maar nog wel dicht genoeg bij om in te grijpen als Hendricks in een bedreigende situatie terecht zou komen. Hij kon zich voorstellen dat zijn bewakers zich zorgen maakten over de mogelijkheid dat Maggie hem met een van haar naaldhakken op het hoofd zou slaan.

In werkelijkheid had Maggie op het gras net haar schoenen uitgedaan. Ze bungelden aan haar wijsvinger terwijl ze lichtvoetig over het onberispelijke gazon naar het rozenbed liep. Ze knielde ernaast, fluisterde tegen de rozen en raakte ze stuk voor stuk aan alsof ze haar kinderen waren.

Toen ze opstond en zich naar hem omdraaide, glimlachte ze. 'Het komt goed met ze. Beter dan goed. Dat zul je zien.'

'Ik twijfel er niet aan.' Hendricks ging haar voor op de stenen trap naar de voordeur. Alle lichten waren uit veiligheidsoverwegingen uit, en terwijl hij de deur achter hen sloot, werden ze ondergedompeld in een duisternis die hier en daar doorsneden werd door strepen licht van de straatlantaarns. Met tussenpozen streek een sterke lichtbundel van een zaklantaarn van een van de bewakers langs de ramen.

'Het is net een gevangenis,' zei Maggie.

'Wat?' Hij draaide zich enigszins geschrokken door haar opmerking naar haar om.

'De wachttorens. De zoeklichten. Door dat soort dingen.'

Hij keek haar aan en voelde hoe de haren in zijn nek overeind gingen staan. Ze had natuurlijk gelijk, hij – en alle politici op zijn niveau en erboven – leefden in een soort gevangenis. Hij had er tot dat moment nooit eerder zo naar gekeken. Of misschien toch wel. Had Amanda tijdens hun etentje in Vermillion ook niet zoiets gezegd? Hij streek met een hand over zijn voorhoofd. In zijn gedachten raakten deze avond en die met Amanda met elkaar verstrengeld. Maar dat was de grootste onzin.

Hij werd zich er plotseling van bewust dat zij nog steeds in het halfduister stonden. 'Wil je wat drinken?'

'Ik weet het niet. Hoe lang blijf ik?'

'Dat hangt van jou af.'

Ze lachte. 'Wat zullen je bewakers zeggen?'

'Ze zijn getraind om discreet te zijn.'

'Je bedoelt dat onze sekstape niet op YouTube terechtkomt?'

Hendricks voelde een steek onder in zijn maag. 'Ik ken... ik weet niet wat YouTube is.'

Ze kwam dicht bij hem staan en hij rook haar opvallende geur. Hij kon bijna geen woord uitbrengen omdat het net leek alsof zijn keel dichtgeknepen werd. 'Wil je met me naar bed?' Hij klonk als een verlegen schooljongen.

Maar ze lachte niet. 'Ja, maar nu niet. Nu wil ik met je praten. Vind je dat goed?'

'Ja, natuurlijk.' Hij schraapte zijn keel. 'Maar ik heb niet meer echt met een vrouw gepraat sinds...' Hij wilde Amanda's naam niet zeggen, niet hier, niet nu. 'Heel lang.'

'Het is goed, Christopher.'

Hij ging haar voor naar een van de sofa's – zijn favoriete. Hij viel er vaak laat met een dossier op zijn borst op in slaap. Zijn bed voelde zonder Amanda naast hem nog steeds koud aan. Hij vond het fijn dat Maggie hem Christopher noemde. Niemand deed dat, zelfs de president niet. Hij verfoeide de term meneer de minister. Het was voor hem een benaming waar je je achter kon verschuilen.

Toen ze zich op de sofa genesteld hadden, reikte hij naar de lamp die op het tafeltje vlakbij stond, maar ze stopte hem.

'Niet doen. Ik vind het zo prettiger.'

Het licht van de zaklantaarns van de bewakers beschenen de ramen nu met grotere tussenpozen omdat ze op hun vaste routine waren teruggevallen. De flauwe lichtstrepen van de straatlantaarns vielen op het tapijt voor hen en verlichtten hun onderbenen. Hij zag dat ze haar schoenen nog uit had. Ze had prachtige voeten. Hij vroeg zich af hoe de rest van haar eruitzag.

'Vertel me iets over jezelf,' zei hij. 'Wat waren je ouders voor soort mensen?' Hij pauzeerde. 'Of is dat te persoonlijk?'

'Nee, nee.' Toen ze haar hoofd schudde, danste haar haar om haar gezicht als een stralenkrans. 'Maar er valt eigenlijk niet veel over te vertellen. Mijn moeder was een Zweedse, mijn vader Amerikaan, maar ze scheidden toen ik klein was, en mijn moeder nam me mee naar IJsland, waar we vijf jaar bleven, voordat we teruggingen naar Zweden.' Dit was waar, waardoor het voor haar mogelijk was om de leugen over Maggie Penrod beter te verkopen. 'Op mijn eenentwintigste ben ik naar de Verenigde Staten gekomen, voornamelijk om mijn vader te zien, die ik sinds de scheiding niet meer gezien had.' Ze stopte even en staarde in het luchtledige. Ze had nu al meer waarheden verkondigd dan ze van plan was. Wat zei dat over haar? 'Ik weet niet wie of wat ik hier dacht te vinden, maar mijn vader was in elk geval niet blij om mij te zien. Misschien kwam dat door zijn ziekte – hij leed aan longemfyseem en zou het niet lang meer maken –, maar zelf dacht ik dat mijn aanwezigheid hem door zijn naderende einde juist blij zou maken.'

Hendricks wachtte even met reageren. 'Maar hij was niet blij.'

'Dat is een understatement.'

Haar grimmige glimlach deed iets met haar gezicht wat hij

niet leuk vond. Hij wilde zijn arm om haar heen leggen. Maar hij bewoog zich niet.

'Hij was vergeten dat ik bestond. Sterker nog, hij ontkende wie ik was. Hij zei dat ik een oplichter was, die op zijn geld uit was. Hij zei dat hij nooit een dochter had gehad. Uiteindelijk wees zijn verpleegster mij de deur. Zij was groot en potig – ik veronderstel dat ze dat ook wel moest zijn om hem rond te kunnen dragen. Maar zij was zo intimiderend dat ik zonder wat te zeggen weg ben gegaan.'

'Heb je nog een poging gewaagd?'

'Ik was zo geraakt dat ik niet meer kon nadenken. Tegen de tijd dat ik besloot het nog een keer te proberen, was hij al dood.' Ze haatte haar vader, haatte alles aan hem, inclusief zijn Amerikaanse lompheid door met een andere vrouw te neuken terwijl hij nog steeds bij Skara's moeder was, zijn arrogantie door haar alleen in Zweden achter te laten met een klein kind om wie hij niets gaf, zijn narcisme dat volhield dat hij haar nooit verwekt had. Zijn vrouw verlaten was één ding en zou onder bepaalde omstandigheden begrepen kunnen worden, maar het ontkennen van het bestaan van je eigen kind was onvergefelijk.

Tot haar ontzetting merkte ze dat de tranen haar over de wangen liepen. Ze ging voorovergebogen met haar ellebogen op haar dijen zitten en verborg haar gezicht in haar handen. Haar hoofd stond op knappen. Ze voelde zich vertrapt, alsof haar hart opnieuw gebroken werd. Ze werd overweldigd door het vreemde gevoel, waar ze bijna duizelig van werd, dat ze buiten zichzelf trad en zichzelf zag met al haar verdriet zoals je naar een film keek, rauw en overlopend van emotie.

Nu raakte Hendricks haar aan. Hij legde heel licht een hand op haar schouder.

'Het spijt me,' zei hij.

'Dat hoeft niet,' zei ze, niet onvriendelijk. 'Ik kan geen – ik wíl geen medelijden hebben met mezelf.' Ze richtte zich op en keek hem aan. Haar betraande gezicht leek plotseling erg jong en kwetsbaar. 'Ik denk niet vaak aan het verleden – en ik praat er nooit met iemand over.'

Natuurlijk voelde Hendricks zich gevleid. Toen ze dat zag, voelde ze de verscheurdheid in zichzelf groter worden. Als je undercover werkt, bestaat de mogelijkheid dat je helemaal wilt opgaan in de persoon die je speelt, dat je de omstandigheden waarin je je bevindt nooit meer wilt loslaten. Dit was misschien wat haar op dat moment overkwam, dacht Skara. Ze was in haar Maggie-identiteit gegroeid en van Skara weggedreven. Ze voelde zich prettig in dit huis, prettig in het gezelschap van Christopher Hendricks. Hij was totaal niet de persoon die zij zich voorgesteld had – de cynische, de vals spelende, inhalige politicus. Zij wist dat dat het gevaarlijkste aspect van undercoverwerk was, dat het doelwit een menselijk gezicht kreeg.

Hendricks naast haar was zich natuurlijk niet bewust van haar gedachten. En toch merkte hij dat de band die hij voelde toen ze elkaar voor het eerst zagen, zich in de loop van de avond versterkt en verdiept had tot zo'n intensiteit dat hij de strijd voelde die in haar woedde, maar hij was zich niet bewust van de aard ervan.

'Maggie,' zei hij, 'is er iets wat ik voor je kan doen?'

'Breng me naar huis, Christopher.'

En ze meende het vanuit het diepst van haar cynische, vals spelende, inhalige hart.

Karpov nam de U-Bahn naar halte Milbertshofen en liep naar de Knorrstrasse, die een paar straten verder lag. De winkel van de horlogemaker Hermann Bolger was op de tweede verdieping van een smal, ouderwets gebouw dat ingeklemd zat tussen een ultramodern kantoor van de Commerzbank en de opzichtige façade van een bekende fastfoodzaak.

Buiten hing een ouderwets uithangbord met daarop het binnenste van een klok als speelbal van de gemene windvlagen. De trap was steil en smal. De marmeren treden waren uitgehold door de ontelbare voetstappen. Het trappenhuis rook vaag naar olie en heet metaal. Ergens boven hem klonk een radio, er klonk een triest Duits lied, waardoor hij de kiezen op elkaar klemde. Boris kwam langs een klein raam. Door de smerige raampjes kon hij net in de nauwe achterafsteeg kijken, waarin de zinken vuilnisbakken naast elkaar stonden.

Bolgers winkeldeur stond open en Karpov stapte naar binnen. Het was een kleine ruimte. Het trieste, Duitse lied, dat gezongen werd door een mistroostige en doorrookte vrouwenstem, vulde de ruimte en leek te komen vanuit het binnenste van de winkel. Aan drie wanden hingen planken met daarop klokken. Boris keek ernaar; ze leken allemaal echt antiek. Voor hem stond een lage toonbank met bovenop en aan de zijkanten glas. Onder het glas lagen roestvrijstalen en gouden horloges. Toen hij ze beter bekeek zag hij dat ze allemaal op maat gemaakt waren, waarschijnlijk door de heer Bolger zelf.

De eigenaar was trouwens in geen velden of wegen te bekennen. Boris sloeg met zijn knokkels op de glazen toonbank. Daarna riep hij en keek naar de deuropening naar de achterkamer, waar de horlogemaker waarschijnlijk zijn werkplaats had. Het lied was afgelopen en een ander begon, een huilerig verlangen naar de Weimarrepubliek.

Boris werd ongeduldig en liep om de toonbank heen naar de achterkamer. Hier waren de geuren van olie en heet metaal veel beter te ruiken alsof Herr Bolger een vreemd, industrieel stoofpotje aan het bereiden was. Licht viel aan de achterkant door het raam dat, naar Boris aannam, ook uitkeek op het steegje dat hij vanaf de trap had gezien. De muziek klonk hier ondraaglijk hard. Hij liep naar de radio en zette hem uit.

Het werd opeens adembenemend stil in de werkplaats en met de stilte kwam een geur die zich vermengde met de andere geuren. Het was een vertrouwde, prikkelende geur voor Karpov.

'Herr Bolger!' riep hij. 'Herr Bolger, waar bent u?'

Hij zocht zijn weg door het overvolle vertrek. Hij rukte de ridicuul smalle deur naar de wc open en zei: 'Godverdegodver!'

Herr Bolger zat op zijn knieën en toonde Karpov zijn achterkant. Zijn armen hingen losjes naast hem, de ruggen van zijn handen lagen op de kleine, grauwe tegels. Zijn hoofd hing in het toilet.

Boris nam niet de moeite om het lichaam te controleren. Hij

zag gelijk of iemand dood was. Hij trok zich snel terug door de winkel. Hij rende de trap af toen hij het tweetonige gehuil van politiesirenes hoorde. Hij rende zo snel mogelijk verder en stopte alleen even bij de voordeur om door het geslepen glas te kijken. Ten minste drie politieauto's stopten voor het gebouw. Politieagenten sprongen eruit, trokken hun dienstpistolen en kwamen zijn kant op.

*Shit*, dacht Boris, *het is een valstrik*.

Hij draaide zich om en sprintte de trap op. Het raampje in het trappenhuis was te klein voor hem om erdoorheen te kruipen. Hij liep door.

Achter hem ging de voordeur open en stroomden de agenten naar binnen. Hij was verscheidene malen op Duitse politie gestuit en hij had geen zin in een nieuw treffen.

Hij baande zich een weg naar de achterkamer van de horlogemaker en probeerde daar het raam te openen. Het gaf niet mee. Hij probeerde het verouderde slot, maar het was kapot. Het raam was zo vaak overgeschilderd dat de overgang tussen het raam en de sponning niet meer te zien was.

Hij hoorde de politie naar boven stommelen. Ze riepen naar elkaar terwijl ze de tweede verdieping bijna bereikt hadden. Boris hoorde het woord *Uhrmacher*, en alle twijfel over hun doel verdween als sneeuw voor de zon. Daar kwamen ze aan.

Hij draaide zich om en zocht tussen de instrumenten van Herr Bolger. Hij vond wat hij zocht en kraste langs de randen van de ruit. Hij drukte het glas voorzichtig uit de sponning zodat het niet in de steeg viel. De politie stroomde door Bolgers deuropening. Zonder verder na te denken, klom Boris naar buiten en wrong zich in alle bochten om het glas weer op de plaats terug te zetten.

Hij stond op een schuine, stenen richel die bedoeld was om het water af te laten lopen. Hij bewoog naar rechts en gleed bijna weg. Hij greep zich vast aan een ijzeren regenpijp die met tussenruimtes aan de muur vastgeklonken zat. De politie was in de werkplaats. Ze had het lichaam gevonden. Er ontstond een luid rumoer. Iemand riep wat in een portofoon. Ongetwijfeld rapporteerde hij de moord. Boris verstijfde. Hij was zich er bewust van dat hij daar niet lang meer kon blijven staan. Vroeg of laat, maar eerder vroeg, zou iemand proberen om het raam open te doen en dan zou het glas dat hij teruggedrukt had, naar beneden vallen.

Links van hem zag hij dat de richel naar de hoek van het gebouw liep. Hij nam het risico en terwijl hij de regenpijp met beide handen vastgreep, rekte hij zich zo ver mogelijk uit om te zien wat erachter zat. Zijn hart sloeg over; hij zag een architectonische bijzonderheid – een nis waarin hij zich vrij zeker aan het zicht kon onttrekken.

De nis was niet ver boven de grond, maar ernaartoe springen was zelfs van deze bescheiden hoogte niet te doen. De zinken vuilnisbakken hadden bovenop pinnen, waarschijnlijk om de ratten en daklozen af te schrikken. Trouwens, hij verwachtte dat de politie elk moment aan beide uiteinden van de steeg zou kunnen verschijnen. Eigenlijk was hij verbaasd dat ze nog niet waren opgedoken.

Hij verstevigde zijn greep op de regenpijp en draaide zijn gezicht naar de gevel van het gebouw. Hij trok zijn bovenlichaam naar de regenpijp en bewoog zijn linkerbeen voor de pijp langs naar de richel aan de overkant. Nu begon het moeilijke deel. Hij moest zijn gewicht van zijn rechter- naar zijn linkerbeen overbrengen. Hij was, totdat hij helemaal aan de andere kant was, de hele tijd kwetsbaar. Hij overdacht dit toen de ruit die hij teruggedrukt had, naar buiten kwam en op de pinnen van de vuilnisbakken onder hem uiteen spatte. Hij moest nu in actie komen.

Hij bracht zijn gewicht over op zijn andere been. Hij had nog steeds geen goed steunpunt voor zijn linkervoet gevonden, dus hij moest zijn zwaartepunt naar de regenpijp brengen. Hij bewoog en hoorde gelijk een knal, en daarna nog een. Hij keek naar beneden. Twee bevestigingen waren losgeschoten van de regenpijp, die nooit bedoeld was geweest om zo'n gewicht te dragen. De regenpijp kwam van de muur af en een afschuwelijk moment lang dacht Boris dat hij recht op de gemeen uitziende pinnen zou vallen. Toen bracht hij zijn gewicht helemaal over en stond hij met beide voeten op de richel. Hij draaide zich uiterst voorzichtig om en kroop behoedzaam in de nis. Dat was niets te vroeg. De politie drong van beide kanten de steeg binnen.

# Twaalf

Bourne werd voor zonsopgang wakker. De huiskamer was nog gehuld in schemerduister. Rosie had hun ene gestoffeerde stoel opgemaakt met beddengoed en een kussen dat sterk rook naar pijnboomhout. Bourne bleef even bewegingloos zitten. Hij had gedroomd over de disco, over de sprankelende lichten, de dreunende muziek en de vrouw in het wc-hokje. Maar ze richtte niet een pistool op hem, maar haar vinger. En in plaats van dat ze blond was met blauwe ogen, was ze donker met bruine ogen. Zij was Rosie. Rosie had haar mond open om hem iets te zeggen, iets belangrijks, dat wist hij met een zekerheid die alleen in dromen bestaat. Toen werd hij met een schok wakker.

Waarom?

Was er beweging? Hij keek rond, maar het was stil en rustig in het vertrek.

Wat dan?

Hij stond op en rekte zich uit. Pas tijdens het doen van zijn dagelijkse rek- en strekoefeningen begreep hij het.

Het geluid van een motor, nog steeds ver weg, was zijn slaap binnengedrongen, en had hem weer teruggebracht in Colombia. Hij pakte een groot vleesmes uit het handgemaakte messenrek dat op de hoek van het aanrechtblad stond, en liep naar buiten. Hij huiverde van de kou. De regen was opgehouden, maar zilverkleurige mistflarden bedekten de grond en trokken slaperig door de boomtoppen. In het oosten maakte het parelgrijs met tegenzin plaats voor het fletsroze van het moment voor zonsopgang. Hij zag achter het huis twee zwaar gedeukte jeeps. Het leken jeeps uit de Tweede Wereldoorlog.

Het geluid werd sterker.

Bourne boog zijn hoofd en luisterde geconcentreerder. Toen hoorde hij het, nog steeds zwak maar onmiskenbaar: *twop-twop-twop*.

Hij draaide zich om en wilde net naar binnen rennen toen Vegas verscheen. Hij sjouwde een SAM met zich mee. Een Russische Strela-2-luchtafweerraket die van de schouder wordt afgevuurd, met een lasergestuurde SCS-132 *photo optic scope*.

Bourne lachte. 'Je maakte geen grapje toen je zei dat je je goed had voorbereid.'

'Ik moet nu niet meer alleen mezelf beschermen,' zei Vegas. 'Het gaat om Rosie.'

Ze keken nu allebei naar het noorden en enkele ademloze momenten later dook de helikopter op uit de opstijgende mist. Terwijl Vegas de raketwerper op zijn schouder liet rusten en door het vizier tuurde, floten de machinegeweerkogels over hun hoofden.

'Perfect!' zei Vegas en haalde de trekker over.

De raket schoot weg met een dreun, die weerkaatst werd door de bergen. De helikopter steeg nog steeds om over de met mist omhulde bergrug heen te komen toen de raket hem vol raakte. Hij explodeerde in een vuurbal en spuwde gesmolten stukjes metaal en plastic uit als een spuitende vulkaan.

Bourne en Vegas hadden ondertussen dekking gezocht achter een van de oude jeeps.

'Ga Rosie halen,' zei Bourne. 'We moeten hier als de bliksem wegwezen. Zijn deze jeeps volgetankt?'

Vegas knikte. 'Allemaal onderdeel van het voorbereid zijn.'

Hij begon naar het huis te lopen, toen ze allebei opnieuw het veelbetekenende geluid hoorden: *twop-twop-twop*!

'Ik hoop dat je nog een raket hebt,' zei Bourne.

Vegas sprintte naar het huis. De tweede Domna-helikopter kwam over dezelfde bergrug heen als de eerste, maar plotseling veranderde hij van richting en nam een indirectere route naar het huis. De bemanning had ongetwijfeld de vuurbal gezien; ze zouden veel voorzichtiger zijn bij hun nadering.

Vegas kwam terug. 'Hij is geladen!'

Hij slingerde de raketwerper weer op zijn schouder en tuurde door het vizier. De helikopter hield zich schuil achter een groep grote pijnbomen. Maar dat maakte niets uit. Het lasergestuurde vizier hield het doel in beeld ook al hield het zich schuil.

'Daar gaan we!' schreeuwde Vegas, en Bourne stapte bij hem vandaan. Vegas haalde de trekker over.

Er gebeurde niets.

Op het moment dat Soraya Amun Chalthoum op het vliegveld Charles de Gaulle ontmoette, wist ze dat het een vergissing was geweest om Aaron mee te nemen. Zij was met Aaron, voorafgaand aan hun ochtendafspraak met Laurents baas in de Monition Club, op pad gegaan, en toen Amun Aaron zag, was het haat op het eerste gezicht.

Toen ze dit zag, vroeg ze Aaron of hij zich afzijdig wilde houden, terwijl zij Amun ging halen.

'Wie is hij in hemelsnaam?' zei Amun terwijl hij zijn reiskoffer pakte.

'Hé, hoe lang hebben we elkaar niet gezien, meer dan een jaar, en dit is de manier waarop je me begroet?'

'Ja, meer dan een jaar en je duikt op met een andere man, en eentje die er niet eens zo slecht uitziet, gezien het feit dat hij een Fransman is.'

'Het is zakelijk, Amun. Hij is inspecteur Aaron Lipkin-Renais van het Quai d'Orsay.' Op het moment dat ze Aarons volledige naam had gezegd, wist ze dat ze weer een fout had gemaakt.

'Wat doet een Jood bij het Quai d'Orsay?' Amuns zwarte ogen zagen er hard als steen uit. Hij was groot, netjes, maar goedgebouwd, met brede schouders en sterke armen. Hij was zowel in zijn meningen als in zijn bevelen charismatisch en dwingend. Zijn mensen gehoorzaamden hem meteen en onvoorwaardelijk.

'Hij is een Fransman die toevallig ook Joods is.' Soraya boog zich naar hem toe en kuste hem op de mond. Daarna gaf ze hem een arm. 'Kom mee en maak kennis met hem. Hij is gevat en scherp. Ik denk dat je hem wel zult mogen.'

'Dat betwijfel ik,' gromde Amun, maar hij liet zich meevoeren door de hal naar de plek waar Aaron geduldig wachtte.

Tot Soraya's ontzetting leek de energie tussen de twee mannen zowel gespannen als giftig, en ze wist dat ze olie en water had samengebracht. Ze hoopte dat ze hen, in tegenstelling tot in de natuurkundewetten, goed zou mengen. Helaas gebeurde dat niet, en terwijl ze met zijn drieën zwijgend naar Aarons auto liepen, zakte haar de moed in de schoenen. Er had zich al een driehoeksverhouding gevormd met haar als cruciale spil.

Tijdens de net zo stille rit terug naar Parijs had Soraya de tijd om deze uiterst onaangename kant van Amun te overdenken. Het was waar dat hij getraind was als een geheim agent die spionnennetwerken moest ontmantelen, inclusief, dacht ze, die netwerken die gecontroleerd werden door de Mossad uit Tel Aviv. Maar omdat hij geboren en getogen was in Caïro, was hij van jongs af aan doordrongen geweest van een haat jegens de Israëliërs en in het verlengde daarvan jegens alle Joden. De Joodse kwestie was een onderwerp dat ze nooit met hem besproken had. Of had ze, vroeg ze zich af, terwijl ze weggedoken zat op haar stoel, het onderwerp opzettelijk vermeden omdat ze niet geconfronteerd wilde worden met wat onvermijdelijk zijn mening zou zijn? De mogelijkheid beschaamde en verzwakte hun relatie. Ze voelde zich dieptriest.

Op dat moment werd ze overvallen door een gevoel van grote eenzaamheid. Ze had zelf gekozen voor dit leven, niemand had haar ertoe gedwongen, maar er waren momenten zoals nu, dat ze zich alleen voelde als een oude vrouw op het eind van haar leven.

Aarons stem doorbrak de ongemakkelijke stilte. 'Ik denk dat we Meneer Chalthoum naar zijn hotel moeten brengen. We hebben een afspraak waar we naartoe moeten.'

'Ik heb nog geen hotel,' zei Amun met een stem die een neushoorn tijdens zijn aanval zou kunnen stuiten. 'Ik verblijf bij Soraya.'

'In dat geval zetten we je af bij haar hotel.'

'Ik ga liever met jullie mee.'

Aaron schudde zijn hoofd. 'Ik ben bang dat dat niet zal gaan. Dit betreft een officiële aangelegenheid van het Quai d'Orsay.'

*Allah, behoed me voor mannelijke kemphanen*, dacht Soraya. 'Aaron, ik heb Amun uitgenodigd omdat ik dacht dat zijn ideeën misschien van waarde kunnen zijn.'

Aaron keek verbaasd. 'Ik begrijp het niet.'

'De organisatie waarover Laurent met mij wilde praten, is internationaal. Zij heeft overal belangen, zeker in het Midden-Oosten en Afrika.'

'We hebben het hier over een of andere extremistisch islamitische groep...'

'Nee, en dat is juist het punt.' Soraya keek naar Aaron, maar vanuit haar ooghoek hield ze Amuns gezichtsuitdrukking en lichaamstaal in de gaten. 'Laurent heeft me nog wel kunnen vertellen dat deze organisatie mensen uit het Oosten en het Westen samen heeft gebracht.'

'Dat is zonder veel succes vaker geprobeerd, maar in de huidige omstandigheden zou ik zeggen dat het onmogelijk was.'

Soraya knikte. Ze was blij dat de toon van de conversatie wat afgezwakt was. 'Ik zou hetzelfde gezegd hebben, maar iets van wat Laurent mij zei, heeft me ervan overtuigd dat hij de waarheid sprak.'

'En wat is dat dan geweest?' Aaron was duidelijk sceptisch.

'Septimus Severus, de Romeinse generaal, was geboren in Libië. Het was Severus die de omvang van het Romeinse leger vergrootte door soldaten uit Noord-Afrika en ver daarbuiten te ronselen.'

Aaron haalde zijn schouders op, maar Soraya voelde dat Amun op de achterbank overeind was gaan zitten. Ze had zijn aandacht weten aan te wakkeren.

'Generaal Severus was getrouwd met Julia Domna, een Syrische. Haar familie kwam uit de oude stad Emesa.'

'Ga verder,' zei Amun met stralende ogen.

'Laurent vertelde me dat de naam van deze organisatie Severus Domna was. Als we kijken naar de geschiedenis, dan blijkt uit de naam Severus Domna dat het ze op de een of andere manier gelukt is om oost en west met elkaar te verbinden.'

Aaron beet op zijn lip terwijl hij over de implicaties nadacht. 'Kon een geheime organisatie gevaarlijker zijn dan deze?'

Iedereen in de auto kende het onheilspellende antwoord.

De tweede helikopter vloog omhoog en schoot op hen af. De mitrailleurs aan de zijkanten begonnen te ratelen. De grond werd hen behoorlijk heet onder de voeten. Rotzooi, modder en metalen deeltjes vlogen als granaatscherven om hen heen.

'Wat is er verdomme gebeurd?' schreeuwde Bourne boven het kabaal uit.

'Ik weet het niet. Ik denk dat de afvuurinrichting verstopt is!'

Vegas had het apparaat van zijn schouder gehaald en keek er ingespannen naar. Bourne greep hem beet en trok hem op de grond achter de jeep terwijl de kogels hen om de oren vlogen. Daarna pakte hij de raketwerper.

'Ga Rosie halen en ga hier als de gesmeerde bliksem weg,' zei hij.

'We halen het nooit!'

Bourne hield de helikopter in de gaten. 'Ik zal ze afleiden.'

'Er is meer nodig om hier weg te kunnen komen.'

'Dat is mijn zorg.' Bourne kneep Vegas in de schouder. 'Vooruit, ga, hombre. Er is geen tijd te verliezen.'

Vegas probeerde hem tegen te houden, maar Bourne slingerde de raketwerper op zijn schouder en sprintte van achter de jeep tevoorschijn. Hij rende in de richting van een groepje grote pijnbomen dat aan de westkant van het huis stond. Toen de piloot hem in de gaten kreeg, zwenkte de helikopter in zijn richting.

Vegas gebruikte deze gelegenheid om als een spin op handen en voeten van de jeep naar het huis te vluchten. Maar voordat hij het huis bereikt had, kwam Rosie uit de deur gevlogen en kwam hem halverwege tegemoet. Ze droeg een kleine, leren tas die veel weg had van een oude dokterstas. Vegas sloeg een arm om haar schouders en dwong haar zich te bukken. Samen renden ze terug naar de jeep. Ze klommen erin. Vegas startte en gooide hem in de achteruit. Hij draaide aan het stuur, ramde hem in de eerste versnelling en schoot voorwaarts. Ze scheurden langs de zijkant van het huis, maar in plaats van naar de oprit te rijden, boog hij af naar links en volgde een jaagpad dat hij altijd gebruikte. Ze werden al snel door bomen aan het zicht van de helikopterpiloot onttrokken.

'Waar is Bourne?' zei Rosie.

'Ons aan het beschermen, hoop ik.'

'Maar we kunnen hem daar niet achterlaten.'

Vegas probeerde uit alle macht de bokkende jeep op het smalle modderpad te houden. Takken zwiepten tegen de jeep en zijn zicht werd om de haverklap belemmerd door neerhangend gebladerte. Als hij het pad niet zo goed gekend had – hij was er vaak 's nachts zonder zaklantaarn geweest – dan zouden ze nu allang verongelukt zijn.

'Estevan,' zei Rosie met nadruk.

'Wat wil je dat ik doe? Omdraaien en terugrijden?'

Ze zei niets en keek alleen maar recht voor zich uit.

'We moeten hem vertrouwen,' zei hij. 'Zoals we Don Fernando vertrouwen.'

'Ik denk dat je mensen te veel vertrouwen schenkt, mi amor.'

'Geen mensen, vrienden.'

'Je hecht veel waarde aan vriendschap, mi amor,' zei ze.

'Wat zijn we zonder vriendschap?' zei Vegas. 'We zijn nergens zonder verplichtingen of verantwoordelijkheid. En als de storm komt – wat onvermijdelijk is –, waar moeten we dan heen?'

Ze boog zich naar hem en kuste hem op de wang. 'Daarom hou ik zo van jou.'

Hij gromde. Maar een blinde kon nog zien dat hij tevreden was.

Overal om Bourne heen spatte modder, gras en het dikke tapijt pijnboomnaalden omhoog. Hij bereikte ternauwernood de betrekkelijke veiligheid van de bomen. De jonge pijnboom achter hem versplinterde, aan stukken gereten door het machinegeweervuur van de helikopter. Toen hij eenmaal onder de beschermende takken zat, knielde Bourne en controleerde de raketwerper. Vegas had gelijk. De afvuurinrichting was verstopt en hij had geen tijd om haar te maken. In plaats daarvan haalde hij de raket eruit. Het was een SA-7 Grail, met een krachtige kop, een oude versie, zag Bourne. De kop had een lading van 370 gram TNT. Behoedzaam haalde hij de raket uit elkaar en scheidde het TNT en de houder met raketbrandstof van elkaar.

Daarna zocht hij een geschikte tak in het kreupelhout. De eerste was te lang, de tweede te nat, maar toen vond hij een afgebroken tak van de juiste dikte en lengte. Hij had een knobbel als een primitieve knots. Bourne pakte hem op en zwaaide er een paar maal mee boven zijn hoofd. Hij deed zijn jack en shirt uit, bond de mouwen van zijn shirt aan twee uitsteeksels aan beide kanten van de tak en plaatste het TNT en de raketbrandstof uiterst voorzichtig in het shirt. De katapult die hij van zijn shirt gemaakt had, hield ze beide goed op hun plaats.

Hij scheidde de twee dingen weer en trok zich op aan een tak van de dikste pijnboom. Hij klom behendig, maar uitermate voorzichtig vanwege de explosieve lading die hij met zich meedroeg, van tak naar tak, hoger en hoger. Terwijl hij klom, kon hij het helikoptergeluid steeds beter horen. De helikopter hing boven hem te wachten totdat hij zich blootgaf. Af en toe joeg de piloot een stoot mitrailleurvuur door het bladerdak in de hoop op een toevalstreffer of om Bourne uit zijn schuilplaats te jagen.

Bourne zocht een plek waar hij een duidelijk doelwit zou vormen, maar ook waar hij voldoende bewegingsruimte zou hebben. Het duurde even voordat hij zo'n plek gevonden had, maar uiteindelijk zag hij er een, een vertakking net beneden de boomtop, waar hij zich prima in balans kon houden. Hij zocht zijn evenwicht, kwam overeind en wachtte op het moment dat de piloot hem in de gaten kreeg. De piloot, aangemoedigd door het feit dat Bourne de raketwerper niet bij zich had, dirigeerde de helikopter zijn kant op om de zaak af te maken.

Bourne legde het TNT en de raketvloeistof in de katapult,

spande zijn arm en wachtte. De paar seconden die de piloot nodig had om de helikopter voor de definitieve aanval in stelling te brengen, waren zenuwslopend. Bourne schatte de afstand in; de helikopter was nog niet dichtbij genoeg. Nog enkele meters. Drie, twee, één.

Het mitrailleurvuur begon op het moment dat Bourne de springlading met zijn in elkaar gefabriekte katapult de lucht in slingerde. De tweeledige lading raakte het glanzende casco van de helikopter, waardoor het TNT ontbrandde en de brandstof vlam vatte.

Bourne dook weg toen de explosie de helikopter aan stukken scheurde. Hij begon naar beneden te klimmen, maar de helikopter viel als een baksteen omlaag. De draaiende rotorbladen hakten de toppen van de pijnbomen. Ze volgden de romp op zijn allesvernietigende val door de bomen.

Bourne, weg uit zijn hoge positie, voelde de intense hitte, de helse houtsnipperregen, en hoorde de ritmische doodsroffel van de rotorbladen op hun dodelijke weg naar hem toe.

# Dertien

Indigo Ridge. Peter had tot in de kleine uurtjes doorgelezen over de mijn in Californië, hoe hij was begonnen en vervolgens in de jaren zeventig abrupt opgegeven toen China de internationale Rare Earth-markt overspoelde. Daardoor kelderden de prijzen, waardoor Indigo Ridge een veel te dure onderneming werd. Het delven van Rare Earths was een lang en ingewikkeld proces en werd nog gecompliceerder door de raffinageprocessen, die voor elke stof anders waren. Toen China echter onlangs plotseling een andere koers ging varen en de export van Rare Earths met vijfentachtig procent terugschroefde, schrok iedereen, inclusief de slimmeriken in het Pentagon, het ministerie van Defensie en het Defense Advanced Research Projects Agency, zich een ongeluk. Het ondenkbare was gebeurd. Het produceren van de volgende generatie wapentuig werd nu of vertraagd of was helemaal van de baan omdat de Rare Earths die essentieel waren voor de onderdelen, veel te schaars werden. Terwijl iedereen in de wereld wegdommelde in onwetendheid, had China ondertussen nagenoeg alle Rare Earth-mijnen buiten de Verenigde Staten en Canada opgekocht. Verbijsterd ging Peter verder met het downloaden van alles wat hij over NeoDyme, de nieuwe open NV die belast was met de exploitatie van Indigo Ridge, en zijn directeur Roy FitzWilliams kon vinden. Hij begon te lezen. Hij richtte zijn aandacht op de beursintroductie. NeoDyme was gisteren geopend op 18. Na de eerste handelsdag was het aandeel gekelderd tot 12, waarop het minder dan een uur bleef hangen. Later die dag bracht een enorm aantal transacties de koers helemaal terug naar de stand van 16 3/8. Dat was de slotkoers van het aandeel. Een hoogst wispelturig aandeel, dacht Peter, dat was zeker. Toen hij het begeleidend commentaar las op de sites van CNBC en Bloomberg sites, kon hij duidelijk zien waarom. De beursgoeroes wisten niet goed wat ze met NeoDyme aan moesten. Sommigen vonden dat het aandeel, aangezien het jaren zou duren voordat de Rare Earths gedolven en geraffineerd waren, tot dat moment niets zou doen. Anderen, die meer kennis hadden van het strategisch belang van Rare Earths, hadden de tegenovergestelde mening: dit was het moment om erin te stappen.

Gefascineerd las hij verder. Hij switchte naar de biografie van FitzWilliams. Een BA in Earth and Mineral Sciences aan Penn State, een vervolggraad aan de University of New South Wales, Australië, vervolgens banen in de uraniummijnbouw in Australië en Canada, een klus in het Midden-Oosten, inclusief Saoedi-Arabië. Daarna was er twee jaar lang geen spoor van hem te bekennen.

Peter besteedde het volgende uur om op het internet voor de periode 1967-1969 sporen te vinden, maar hij had geen succes. Op het moment dat hij op wilde geven, vond hij een aanwijzing. Een onduidelijke organisatie met de naam Mineralization and Rare Metals Conference Board had in het voorjaar van 1968 in Qatar een regionale bijeenkomst georganiseerd, waarbij Fitz de gastspreker was. Hierna hield hij zich vijfenveertig frustrerende minuten bezig met deze belangrijke informatie. Fitz stond op de lijst als een bedrijfsadviseur van El-Gabal Mining.

Peter zocht gelijk El-Gabal, een Syrisch bedrijf, op, alleen om te ontdekken dat het nu niet meer bestond. Er was ontzettend weinig over bekend, maar dat gold voor alle bedrijven in Syrië. Het land was niet aangesloten bij de Wereldhandelsorganisatie en elk groot bedrijf als El-Gabal werd door de regering gecontroleerd. Dus accurate schattingen van Syriës inkomsten uit de export, laat staan die van een enkel bedrijf, waren onmogelijk om te maken, laat staan te vinden.

Een dood spoor, dacht Peter, terwijl hij terugkeerde naar Fitz-Williams' cv. Hij kwam uit het Midden-Oosten om Indigo Ridge te leiden. Hij bleef zelfs aan toen de mijn in de jaren zeventig min of meer een slapend bestaan leidde. Hij was er al die tijd gebleven, en nu, meeliftend op de buitengewone wederopstanding van de Rare Earth-metalen, nam hij een bijna vorstelijke, vooraanstaande plaats in als belangrijke speler in het zich razendsnel ontwikkelende strategische veld.

Peter zakte achterover en drukte zijn duimen op zijn bloeddoorlopen ogen. Hij was uitgeput en snakte naar een kop koffie, maar op dit tijdstip was het apparaat buiten werking, en hij wilde trouwens niet opstaan uit angst dat zijn gedachtegang onderbroken werd.

Hij zette alles op een rijtje en belde toen een van Soraya's contacten in Syrië, gaf hem het gedetailleerde verslag over Fitz en El-Gabal en vroeg om alles wat hij maar boven tafel kon krijgen. Daarna ging hij naar Hendricks' harde schijf en verstuurde wat hij ontdekt had naar het relevante bestand daar.

Peter wilde nog wel verdergaan, maar de cijfers, feiten en meningen tolden in zijn hoofd als een school vissen. Hij had slaap nodig. Hij pakte zijn jas en sleepte zich het kantoor uit. De gangen waren stil, alleen het zachte gezoem van de lift die omhoogkwam verstoorde de rust.

De liftdeur opende zich en Peter stapte naar binnen. Hij drukte op de knop naar de garage en leunde met zijn hoofd tegen de wand. Hij sliep al half. Er ging een belletje toen de lift stopte en de deur zich opende. Hij zag een kolossaal individu in de schaduw van de gang van de vijfde verdieping. De persoon naderde hem met een ondubbelzinnige bedoeling. Peter trok zijn hoofd terug van de wand. Toen de persoon de lift instapte, kwam hij in het volle licht te staan. De deur ging dicht en sloot hen beiden op. Peter zag de dienstrevolver op een heup.

'Goedenavond, directeur Marks.'

'Hallo, Sal.'

Sal drukte de knop in voor de lobby en de lift vervolgde zijn kalme afdaling. 'Tot diep in de avond gewerkt, hè?'

'Zoals altijd.'

Sal gromde. 'Ik weet het, maar u ziet eruit alsof u wel wat slaap kunt gebruiken.'

'Dat is een understatement.'

'Nou, u kunt met een gerust hart gaan slapen. Alles is boven rustig.'

De liftdeur ging open in de lobby en Sal stapte naar buiten.

'Nog een fijne avond, directeur Marks.'

'Jij ook.'

Even later stapte Peter de garage binnen. De lage ruimte rook naar beton, benzine en nieuw leer. Zijn voetstappen weerkaatsten tegen de muren en het plafond. Er stonden maar enkele auto's geparkeerd. Terwijl hij ernaartoe liep, viste hij de sleutel uit zijn zak en omdat het koud was, startte hij de auto al met de afstandsbediening.

De auto sloeg aan en in een flits deed de explosie hem plat op zijn rug belanden.

Bourne viel door de takken omlaag. Vlak boven hem draaide de schroef van de vernietigde helikopter. Maar toen het hout steeds dikker werd, ging hij langzamer draaien en toen het dikke boomsap vat kreeg op het mechanisme en als een sneldrogende lijm werkte, kwam de schroef tot stilstand.

Bourne, die half vallend en half klimmend het vallende gevaarte voor probeerde te blijven, had zich op ontelbaar veel plaatsen gesneden en geschramd. Hij zat onder de blauwe plekken en zijn ogen, mond en neus zaten vol houtsnippers, zaagsel en metaalflintertjes. Maar ten slotte bleek de schitterende pijnboom zijn bondgenoot, want zijn stevige takken onderaan hielden het wrak boven hem lang genoeg tegen zodat hij de laatste sprong naar de grond kon maken.

Hij rende hoestend en kokhalzend naar het huis. Binnen stak hij in de keuken boven de grote spekstenen gootsteen zijn kop onder de kraan. De straal koud water had een helend en vitaliserend effect op hem. Hij vond de sleutels van de tweede jeep op de plek waar Vegas gezegd had dat ze zouden liggen. Omdat

Vegas in de olievelden vaak gevaarlijk werk deed, was de badkamer bijna net zo welvoorzien als een apotheek. Hij pakte flessen desinfecterend middel en ontsmettingsalcohol, en een rol steriel verbandgaas mee op zijn weg naar buiten. In de grootste kamer goot hij de alcohol op het hout bij de open haard. Hij ging wat naar achteren, stak een lucifer aan en gooide die op de houtstapel. Het volgende woesj! van de vlammen schonk veel voldoening. Om geen halve maatregelen te nemen, zette hij de keukengordijnen ook in de fik. Het vuur verspreidde zich snel. Tevreden verliet hij het huis.

De pijnboom die hem beschermd had, was volledig vernietigd. Hij brandde ook als een fakkel. Een stuk van een van de rotorbladen was afgeknapt en op de jeep terechtgekomen en had het spatbord aan de bestuurderskant verfrommeld, maar de motor was nog intact. Bourne zette de jeep in de achteruit, draaide en nam het pad dat Vegas en Rosie ook genomen hadden. Hij schoot links van de oprit af richting het dikke struikgewas.

Hij volgde een jaagpad door het bos. Hij reed voorzichtig en was zich voortdurend bewust van de draaien en bochten in het pad dat steil langs de berghelling naar beneden liep. Af en toe kon hij door gaten tussen de bomen de steilte zien waarmee het pad naar de voet van de Cordilleras liep.

Hij hoorde vogels zingen en dat gaf hem moed. Bij het minste gevaar, echt of vermeend, hielden vogels al de snavels dicht. Als hij zou moeten wedden, dan zette hij zijn geld op de mogelijkheid dat de aanval van de Domna op Vegas door slechts twee helikopters was uitgevoerd. Er was geen enkele reden waarom de Domna zou moeten denken dat er meer vuurkracht nodig zou zijn.

Na ongeveer dertig minuten kwam het modderpad uit op een open plek, een kleine weide vol met kleine, wilde bloemen. Aan de andere kant van de open plek waren de bomen groter – pijnbomen en sparren, maar ook, verder naar beneden, een toenemend aantal loofbomen, en in de mistige verte zelfs enkele tropische varianten. De rook van de brandende berghut lag als een groezelige deken over dit deel van de berghelling en verduisterde de zon en maakte de lucht grauw.

Bourne reed schuin over de weide. Hij kon het spoor van Vegas' jeep goed volgen. Aan de andere kant van de weide liep het pad eerst steil naar beneden tussen de bomen om vervolgens naar rechts af te buigen. Bourne kon zien waarom dat was. Links was een ravijn ontstaan, dat waarschijnlijk veroorzaakt was door een gigantische aardverschuiving in het verleden. Als hij rechtdoor zou rijden, betekende dat ongetwijfeld zijn dood.

Het nieuwe pad was smaller en ruwer. De jeep hotste en botste over het pad, terwijl Bournes blik af en toe volledig door takken belemmerd werd. Dit duurde ongeveer vijftien minuten en eindigde net zo plotseling als het begonnen was op een bestrate tweebaans kronkelweg. Hij herkende hem als de weg die hij en Suarez gereden hadden toen ze op weg waren naar Vegas' huis. De andere jeep met Vegas en Rosie stond hem op te wachten aan de kant van de weg.

'Fantastisch! Echt. Ik ben verrast,' grijnsde Vegas.

Rosie glimlachte naar hem. 'Maar ik niet. Je moet ons alles vertellen over je ontsnapping.'

'Maar nu niet.' Vegas sloeg met zijn vlakke hand tegen het portier van de jeep. 'Leeft iedereen nog?'

'Niet van hun kant.'

'Nog beter.' Hij gluurde met half dichtgeknepen ogen naar de rookwolk. 'Groot vuur.'

'Jouw huis,' zei Bourne. 'Het kan wel dagen, misschien wel weken duren voordat ze weten dat jullie niet dood zijn.'

'*Excelente.*' Vegas knikte. 'Waar gaan we nu naartoe, hombre?'

'Het vliegveld bij Perales,' zei Bourne. 'Maar zowel de federales als de FARC hebben op de hoofdweg roadblocks opgericht. Weet je misschien een kortere weg?'

Vegas' glimlach verbreedde zich. 'Volg mij, amigo.'

Marlon Etana, die op ongeveer dezelfde tijd als Jalal Essai met een privévliegtuig in Cadiz aankwam, bleef even dromerig staan kijken bij de aanblik van Don Fernando Hererra's huis aan de zee. Etana voelde hier in Cadiz het verschrikkelijke gewicht van de geschiedenis in de palm van zijn hand. Marlon Etana – in feite alle Etana's – was een toegewijde geschiedenisstudent. Als wonderbaarlijke zakenmensen in de meest zuivere zin van het woord, bezaten de Etana's de vaardigheid om de kennis die ze in het verleden hadden opgedaan om te zetten in geld en macht. De Etana's hadden de Monition Club opgericht om op die manier Severus Domna de mogelijkheid te bieden in verschillende steden over de hele wereld bij elkaar te komen zonder de aandacht te trekken of de echte naam van de groep te gebruiken. Voor de buitenwereld was de Monition Club een filantropische organisatie die betrokken was bij de promotie van antropologie en klassieke filosofieën. Het was een hermetisch gesloten wereld waarin de leden sub rosa konden bewegen, samenkomen en plannen maken.

De Etana's hadden een interculturele groep voor de geest waarvan zakenmensen uit zowel de oosterse als de westerse wereld deel uitmaakten. Hun bundeling van macht en invloed zou die van de grootste multinationals in het niet laten vallen. *Duco ex umbra*, invloed vanuit de schemering – dat was sinds mensenheugenis het motto van de Etana-familie.

Marlons over-over-overgrootvader – een groot man – had langetermijnplannen voor Severus Domna gemaakt. Het was zijn manier om de wereld bij elkaar te brengen in plaats van haar te laten versplinteren. Het was een mooie droom en als Marlons over-over-overgrootvader tijd van leven had gehad, was hij misschien ook uitgekomen. Maar mensen zijn feilbaar – erger nog, ze zijn omkoopbaar, en invloed is de grootste omkoper. De man die de betoverende uitdaging kan negeren, is zeldzaam. Zelfs enkele Etana's zijn bezweken. Marlons vader was niet de minste die bezweek. Om de bedreiging van een groep binnen de Domna af te weren, was hij een verbinding aangegaan met Benjamin El-Arian. In plaats van dat het zijn redding werd, had de gewiekste El-Arian blijmoedig zijn val bewerkstelligd. El-Arian had allang een rivaliserende groep binnen de Domna geformeerd en met behulp daarvan wist hij de oude Etana eruit te werken. Vlak daarna pleegde Marlons vader zelfmoord – een afschuwelijke schande voor een islamiet. De heetste plek in de hel is gereserveerd voor zelfmoordenaars. Allah heeft zelfmoord op diverse plekken in de Koran veroordeeld. De uitspraak waar Marlon aan moest denken toen hij zijn vaders doodsbleke gezicht zag, was: *En pleeg geen zelfmoord. Zeker, Allah is je genadig.*

Marlon wist niet of zijn vader geloofde dat Allah hem genadig was geweest, of dat hij hem in de steek had gelaten. Wat hij wel wist, was dat hij het beetje kracht dat hij nog in zich voelde, gebruikt had om opschudding binnen Severus Domna te veroorzaken, en verontwaardiging en hopelijk, als uitvloeisel van die verontwaardiging, het begin van een moeilijke discussie over de ziel van de organisatie.

Benjamin El-Arian, de slimme vogel, had door de zelfmoord heen gekeken en had elke discussie verboden. Wat van de eens machtige Etana-dynastie, ooit grondlegger van de Domna, overgebleven was, was volgens Marlon teruggebracht tot het slaafs opvolgen van bevelen van Benjamin El-Arian. Hij was niet meer dan een geslagen hond die smeekte om de restjes die El-Arian hem toegooide.

Iets na twaalf uur 's middags zag Marlon beweging bij de voordeur van Hererra's huis. Jalal Essai en Don Fernando verschenen in de deuropening. Ze praatten een paar minuten met elkaar voordat ze in westerse stijl afscheid namen. Hererra stapte in een auto die aan de stoeprand geparkeerd stond, en reed alleen weg. Toen de auto uit het zicht was, draaide Essai zich om en liep naar het water. Marlon volgde onopvallend. Essai kuierde op zijn gemak en wekte de indruk dat hij niets bijzonders te doen had en geen specifiek doel op het oog had. Hij volgde Essai over de halvemaanvormige kade, waar Essai bij een kiosk enkele kranten kocht. Ongeveer anderhalve kilometer verder ging hij een café met een blauw-wit zonnescherm binnen. Midden op het zonnescherm was een rood anker genaaid.

Marlon Etana keek toe hoe Essai aan een tafeltje dat uitkeek op het water ging zitten en een lunch bestelde. Marlon haalde enkele keren diep adem en trok zich toen terug naar een plek vanwaar hij Essai goed in de gaten kon houden en tegelijkertijd meer van de omgeving zag. Hij ging in de schaduw van een deuropening staan en controleerde of zijn pistool geladen was en functioneerde. Vervolgens haalde hij een geluiddemper uit zijn zak en draaide die op de loop. Daarna gaf hij zich over aan een van zijn op zen geïnspireerde ademhalingsoefeningen.

Toen hij iemand voor de tweede keer zag passeren, liep Etana kordaat langs de waterkant, een man met een dwingende opdracht. De man volgde. Benjamin El-Arian had hem opdracht gegeven Etana te volgen om er zeker van te zijn dat hij Jalal Essai om zou leggen. En als Etana om wat voor reden dan ook faalde, zou zijn schaduw de opdracht overnemen.

Etana leidde zijn schaduw naar de verste punt van het bruggenhoofd, voorbij de pieren en havens, gelegen aan een stuk strand dat door zijn onplezierige ligging tot midden in de nacht verlaten was. Daarna werd dit stuk strand, zoals hij zelf geobserveerd had, in bezit genomen door jongeren die het gebruikten om er te feesten, te drinken en heimelijk seks te hebben. Etana had het een walgelijke aanblik gevonden, weer een duidelijk voorbeeld van de ontaarding van het Westen.

Een vissersboot lag op zijn kant. De boot rotte weg. De kiellijn was bedekt met zeepokken die vervlochten waren met gedroogd zeewier. Een lichte geur van verrotting kwam van deze onbedoelde structuur die er volgens Marlon goed bij paste. Hij koos een plek bij de kiel en klopte een sigaret uit een pakje. Terwijl hij de sigaret tussen zijn lippen deed, trok hij het pistool met verlengde loop, draaide zich om en schoot de schaduw tussen de ogen. Er was een licht geluid, maar niet toen het lichaam op het zand in elkaar zakte.

Etana deed het pistool terug in zijn zak en liep naar de schaduw. Hij greep hem bij de kraag in zijn nek en sleepte hem naar de omgekieperde boot. Met enige moeite propte hij het lichaam in de open ruimte onder de boot. Het stonk daar al erg genoeg zodat een lichaam in ontbinding dagenlang, misschien wel een week lang, geen aandacht zou trekken. Tegen die tijd zouden de zeemeeuwen hun werk allang gedaan hebben, en niemand zou het lichaam meer kunnen identificeren.

Terwijl Marlon Etana zijn handen schoonveegde, inhaleerde hij diep en liep terug naar waar hij vandaan kwam. Er was niemand in de buurt, niemand die hem zag. En het beste van alles was dat er niemand was die rapport zou uitbrengen aan Benjamin El-Arian.

Dit was het goede moment, dacht hij, om Jalal Essai te ontmoeten.

Boris Karpov zou wel iemand willen vermoorden. Als een van de Duitse agenten in de steeg achtergebleven was, waar ze de afgelopen drie uur rondgelopen hadden terwijl het forensisch team de winkel van de horlogemaker minutieus onderzocht, dan zou die Duitser nu dood geweest zijn.

In de duisternis die over München neergedaald was, voelde Boris de spieren in zijn benen trekken. Daarna begon de kramp en voelde hij ze slap worden. Zijn hoofd barstte bijna uit elkaar omdat de nood heel hoog was. Als hij niet gauw zou kunnen plassen, dan zou zijn blaas zeker uit elkaar knappen. En toch was zijn mond zo droog als een woestijn. Zijn lippen zaten op elkaar geplakt.

Eindelijk gingen de lichten in Hermann Bolgers winkel uit. De zaklantaarns van de steegagenten waren uit, en op een schor blaffende hond na werd alles stil. Boris dwong zichzelf om nog dertig kwellende minuten te blijven zitten. Tegen het einde moest hij op zijn lippen bijten om het gekreun te onderdrukken.

Toen hij het veilig vond, sprong hij naar de regenpijp en klauterde naar beneden. Het was een lijdensweg omdat zijn benen absoluut niet meewerkten. Tot tweemaal toe voelde hij hoe zijn handen, die glibberig waren van het zweet, de grip verloren, maar gelukkig wist hij zich beide keren met zijn knieën vast te klampen aan de regenpijp. Dit ging ternauwernood goed.

Beneden liet hij zich tussen de vuilnisbakken zakken, hurkte en plaste als een vrouw. Hij kreunde van opluchting. Er kwam geen einde aan de straal, waardoor er waarlijk een echt meer ontstond. Het was moeilijker om zijn benen weer aan de praat te krijgen. Zijn spieren stonden zo strak dat de pijn hem bijna beving toen hij probeerde op te staan.

Hoewel hij zich ervan bewust was dat hij zo snel mogelijk uit de buurt moest zien te komen van Bolgers winkel, besteedde hij verscheidene minuten aan het eerst voorzichtig, maar algauw wat krachtiger rekken en strekken van zijn spieren. Hij had geen keuze: zijn benen hadden het nog niet eens tot het einde van de steeg gehouden. Hij vervloekte de tijd die hij nu als bestuurder gewerkt had, waardoor hij geen tijd meer had gehad voor zijn meedogenloze trainingsroutine. Terwijl hij stil en zonder onderbreking bezig was, probeerde hij langzaam en diep adem te halen.

Toen zijn benen weer enigszins normaal functioneerden, liep hij naar het einde van de steeg. Hij hoorde het zoevende geluid van het verkeer, en af en toe dronken gelach.

Hij stopte nog behoedzamer dan anders bij de ingang van de steeg. Een miezelregen maakte de straten nat, net als in die Amerikaanse spionagefilms. Je hoorde het hese gerommel van de naderende bliksem. Plotseling begon het harder te regenen. De druppels spatten op de stoeptegels en het asfalt van de straat. Hij sloeg de kraag van zijn jas omhoog en trok zijn schouders op.

Hij keek om zich heen en luisterde of hij iets abnormaals hoorde. Hij was overrompeld; hij was in een val gelopen, waar geen val had moeten zijn. Zijn veiligheidssysteem had gefaald. Hoe had dit kunnen gebeuren? Hij had sinds zijn aankomst in München maar met één persoon contact gehad: Wagner, de persoon die hij in de Neue Pinakothek had ontmoet. Tenzij Karpov vanaf het vliegveld naar de horlogemaker was geschaduwd, was het Wagner die iemand van de Moskee op de hoogte had gebracht van het feit dat Boris om informatie vroeg. Het aanvoelen dat je geschaduwd werd, was eerder een vaardigheid dan een wetenschap en Boris was een meester in het bespeuren van een schaduw – hij was er zeker van dat hij niet gevolgd was.

Daardoor bleef Wagner of wat zijn echte naam ook mocht zijn over, en Karpov bleef in gevaar totdat hij het lek in de beveiliging had hersteld. Hij kon het beste Ivan bellen en zijn vriend informeren over het feit dat Wagner van twee walletjes at. Als iemand Wagners echte naam en de plek waar hij uithing zou weten, dan was het Ivan wel. Hij haalde zijn mobiele telefoon tevoorschijn en stond op het punt om het nummer in te toetsen, toen een plotselinge bliksemflits een man verlichtte die in een portiek stond die bijna recht tegenover de ingang van de steeg lag. Een seconde later klonk er een donderslag.

Boris hield de telefoon aan zijn oor en deed alsof hij echt een gesprek met iemand voerde. Ondertussen keek hij om zich heen, maar vermeed het om naar de portiek aan de overkant te kijken, die nu helemaal in de schaduw lag.

Hij deed zijn mobiel terug in zijn zak en liep vervolgens met zijn handen diep in de zakken van zijn jas gestoken naar links en haastte zich door de regen. Drie straten verder ging hij een *Biergarten* binnen. Het was er warm en druk en het rook er naar worst, zuurkool en bier. Een enorm dakraam over de hele lengte van het etablissement gaf je het idee dat je buiten zat zonder dat je de nadelen van het weer ondervond. Hij schudde de regen van zich af en liep langs gasten en obers naar een plek aan een lange tafel achter in de zaak.

Hij voelde zich uitgehongerd en bestelde alles wat hij bij binnenkomst geroken had. Het bier werd bijna onmiddellijk gebracht en geserveerd in een kolossale bierpul. Hij nam twee snelle slokken en zette de pul neer. Aan beide kanten naast hem dronken en aten vrolijke Duitsers, die hoofdzakelijk schreeuwden, zongen en op aanstootgevende wijze als hyena's lachten. Karpov moest zich inhouden om niet op te staan en weg te lopen. Maar hij was hier om een reden en hij ging nergens heen totdat hij had vastgesteld of de man in de portiek hem volgde of niet.

Vanaf het moment dat hij was gaan zitten, waren ongeveer tien mensen de zaak binnengekomen. Geen van hen had de alarmbellen laten rinkelen. Het waren gezinnen of jonge stellen, arm in arm. Terwijl hij naar hen keek, probeerde Boris zich de laatste keer te herinneren dat hij arm in arm met een vrouw gelopen had. Hij dacht niet dat hij wat gemist had.

Het eten werd gebracht en net toen hij wilde beginnen aan de glanzende, geurende *Bratwurst*, stapte iemand door de voordeur binnen. De haartjes op zijn handen gingen overeind staan. Hij stopte een stukje worst in zijn mond en kauwde er bedachtzaam op.

Hij had de man van de portiek verwacht, maar dit was een vrouw – en bovendien een jonge. Boris keek heimelijk naar haar terwijl ze haar paraplu uitschudde en inklapte voordat ze om zich heen keek. Hij zorgde ervoor dat hij haar niet direct aankeek. Hij concentreerde zich op een glibberig stuk aardappel, spietste het aan zijn vork en stopte het in zijn mond. Hij spoelde het weg met een slok bier en keek op. De jonge vrouw was met haar gezicht naar hem toe aan het eind van een tafel gaan zitten. Ze zat tussen hem en de voordeur.

Karpov had er genoeg van; of deze mensen waren heel slecht in hun werk of ze waren amateurs. Hij legde zijn mes en vork op zijn bord, nam het bord in een hand en de bierpul in de andere en stond op.

Nu het later werd, ging het er in de Biergarten steeds rauwer aan toe. Steeds meer gasten veranderden in dronkaards met rode koppen. Terwijl hij zich door de menigte werkte, kwam hij tot de conclusie dat amateurs tegenstanders van de ergste soort waren. Zij kenden de regels niet, wat hen onvoorspelbaar maakte.

Er was een kleine ruimte tussen de jonge vrouw en haar buurman – een vretende en zuipende Duitser met een dikke nek. Toen Boris hem in zijn rug porde om op te schuiven, keek de vette Duitser hem met glazige ogen aan.

Hij stond op het punt om wat te zeggen, maar Karpov was hem voor. 'Je hele gezicht zit onder het vet.'

De vetzak gromde als een varken en terwijl hij zijn mond met de rug van zijn hand afveegde, schoof hij met zijn dikke pens opzij.

'Dank u wel,' zei Karpov. Hij stapte nogal onbeholpen over het bankje zodat hij de jonge vrouw met opzet aanstootte.

*'Je suis désolé, mademoiselle.'*

De vrouw keek schichtig om zich heen. Het deed hem goed dat zijn Frans haar verwarde. Toen herstelde zij zich en ze keek weer in het tijdschrift dat ze in haar hand had. Boris zag dat het in het Engels was, niet in het Duits. *Vanity Fair*. Ze las een artikel over Lady Gaga, een van die volstrekt idiote popsterren die alleen in Amerika bestaan.

Hij richtte zijn aandacht weer op zijn eten. Even later tilde ze haar tijdschrift op zodat een bord met wienerschnitzel voor haar neergezet kon worden. Ze keek ernaar, trok van walging haar neus op en schoof het bord van zich af. Ze ging verder met lezen.

Boris slikte een stuk bratwurst door en hield een serveerster aan.

'Nog een bier, alstublieft.' De ober knikte. Toen ze verder wilde lopen, voegde Boris eraan toe: 'En ook nog een voor de jongedame'

De jonge vrouw draaide zich naar hem om en zei eerder bits dan aardig: 'Nee, dank u.'

'Breng het toch maar,' riep Karpov de serveerster achterna.

Ze had donker haar en een roomkleurige huid, met die typische uitstraling die alleen Amerikaanse vrouwen hebben: gezond, levendig, met volkomen gelijkmatige trekken. Met andere woorden, smakeloos als een snee klef witbrood. Een aantal jaren geleden had hij in New Jersey daadwerkelijk een sneetje witbrood met pindakaas gegeten. De weeïge zoete boterham was in zijn mond een onsmakelijke brij geworden waardoor hij moest kokhalzen.

Hij richtte zich tot de jonge vrouw en zei in het Engels: 'Ben je niet van plan om je schnitzel op te eten?'

'Alsjeblieft zeg!'

Boris keek naar het gebraden stuk vlees en zei met een duidelijk Amerikaanse tongval: 'Yeah, dat bezorgt je wel wat vet op de botten, dat is een ding wat zeker is.'

Nieuwsgierig gemaakt door het Amerikaanse accent, keek ze hem uiteindelijk aan. 'Wat brengt jou hier?'

'Jeetje, Midge,' zei hij met een gemaakt zoetsappig accent, 'ik was net van plan je hetzelfde te vragen.'

Ze lachte. 'Midge! Ik heb die naam niet meer gehoord sinds ik gestopt ben met het lezen van Archie-strips.' Ze had kennelijk een besluit genomen, want ze stak haar hand uit. 'Lana Lang.'

Hij nam haar hand in de zijne. Hij was koel. Op de zijkanten ervan zat meer eelt dan hij verwacht had. Misschien toch geen amateur, dacht hij. 'Je maakt zeker een grapje?'

'Eh eh.' Ze lachte enigszins kwaadaardig. 'Mijn vader was een enorme fan van de Superman-strips.'

'Hallo, Lana Lang. Bryan Stonyfield.'

'Ik weet wie je bent,' zei ze heel zacht.

Boris verstevigde zijn greep. 'Hoe kan dat? We hebben elkaar nooit eerder ontmoet.'

'Ik ben Wagners dochter.' Ze trok haar hand terug en legde genoeg euro's op tafel voor beide maaltijden. 'Je moet nu zonder wat te vragen met me meegaan.'

'Wacht even,' zei Karpov geërgerd. 'Ik ga nergens met jou heen.'

'Maar je moet,' zei Lana. 'Je bevindt je in een dodelijk gevaar. Zonder mij ben je voor morgenvroeg dood.'

# Veertien

Ze reden zonder problemen de berg af. Bourne had terecht vertrouwd op Vegas' kennis van de omgeving. De weg die hij nam, vermeed alle roadblocks van het regeringsleger, evenals Suarez' FARC-patrouilles, die op zoek waren naar hun commandant.

Bourne verkende het vliegveld en zijn omgeving. Hij zag geen vijanden.

'Je kunt de vertrekhal niet in als je er zo uitziet,' zei Rosie toen ze uit Vegas' jeep stapte.

Bourne bekeek zichzelf in de achteruitkijkspiegel. Hij zat onder het bloed en zijn kleren waren gescheurd.

Rosie grabbelde in haar tas en haalde een handvol geld tevoorschijn. 'Blijf hier,' zei ze.

Bourne wilde protesteren, maar de blik in haar ogen weerhield hem. Hij keek hoe zij de vertrekhal in liep en telde de minuten. Na vijftien minuten besloot hij achter haar aan te gaan.

Vegas stond tegen zijn jeep geleund te roken. 'Maak je geen zorgen, hombre. Ze kan heel goed voor zichzelf zorgen.'

Vegas' vertrouwen bleek volkomen terecht te zijn. Rosie kwam met een witte, papieren boodschappentas aan haar arm uit de vertrekhal. Ze had voor Bourne een shirt, een spijkerbroek, ondergoed en sokken gekocht. Terwijl hij zijn bebloede en gescheurde shirt uittrok, ging zij naast hem zitten.

'Prima,' zei ze, toen ze de fles met ontsmettingsmiddel en de rol verbandgaas zag die hij uit de badkamer van Vegas' huis meegenomen had.

Ze bette heel bedreven alle sneetjes en schaafwonden die hij tijdens zijn val uit de pijnboom had opgelopen. Ondertussen rookte Vegas en grijnsde gemeen naar Bourne.

'Ze is een wonder, of niet soms? Je moet haar eens in bed meemaken!'

'Estevan, *basta!*' Maar ze lachte tevreden.

Ze stapte uit en draaide zich om zodat Bourne zich verder kon uitkleden en de nieuwe kleren aan kon trekken die zij voor hem gekocht had.

Twee uur na hun ontmoeting op de weg, hinkte Bourne naar de incheckbalie. Het hinken was gespeeld, net als zijn Londense accent. Tot zijn verbazing lagen onder de codenaam meneer Zed niet twee maar drie open tickets voor hem klaar. Hij was ingenomen met het feit dat Essai alles contant betaald had; er stonden geen creditcardnummers op de tickets en vouchers. Toen ze mochten inchecken, vroeg hij om een rolstoel. Hij had zijn ticket op naam gezet van Lloyd Childress, een Brits staatsburger. Deze naam stond op een van de twee paspoorten die hij bij zich had. Hij had het derde voordat hij uit Thailand vertrok weggegooid, omdat de Domna hem onder die naam had getraceerd.

Op een rustige plek in de bescheiden vertrekhal vertelde Bourne de anderen wat hij ontdekt had.

'De tickets die Essai voor ons apart heeft laten leggen, betreffen een vlucht naar Bogotá met een aansluitende vlucht naar Sevilla, met een tussenstop in Madrid,' zei Bourne rustig. 'In Sevilla ligt een voucher voor een huurauto klaar. Met de overeenkomst voor de huurauto krijgen we onze laatste instructies.' Hij keek van de een naar de ander. 'Hebben jullie de paspoorten bij jullie?'

Rosie hield haar schoudertas omhoog. 'Die heb ik dagen geleden al ingepakt.'

'Goed.' Bourne was opgelucht. Hij wilde Deron, zijn contact in D.C., niet opbellen voor valse paspoorten omdat dat veel vertraging zou opleveren. Hij moest er trouwens van uitgaan dat behalve de Domna zowel de FARC als de federales nu wel achter hen aan zouden zitten. Het vuur in de tunnel en nu de brand in Vegas' huis waren voorvallen die zelfs de suffe Colombiaanse militairen niet konden negeren. Van de andere kant konden ze niet weten of Vegas en Rosie nog in leven waren – datzelfde gold trouwens voor hem.

Hij keek hoe laat het was. Het duurde nog bijna twee uur voordat het vliegtuig vertrok, en in Bogotá moesten ze nog negentig minuten wachten voordat hun intercontinentale vlucht van 8.10 uur vertrok. Hij twijfelde er niet aan dat ze met het vliegtuig hier zouden vertrekken, maar Bogotá was misschien een heel ander verhaal. Hij moest een plan bedenken.

Hij excuseerde zich. Perales was een klein, regionaal vliegveld. Hij wist dat hij in Bogotá meer kans had om te vinden wat hij nodig had, maar als het vliegveld van de hoofdstad bewaakt werd, zou het te laat zijn. Hij moest alles hier en nergens anders zien te vinden.

Er waren vier winkels in de vertrekhal: een drogisterij, een kledingzaak, een kiosk die ook allerlei reizigersbenodigdheden verkocht, een souvenirwinkel; op bijna alles in deze winkel – van T-shirts tot halsdoeken tot vaantjes – prijkten de heldere, gele, blauwe en rode strepen van de Colombiaanse vlag. Ze waren niet ideaal, maar er was nu eenmaal niets anders.

Hij hinkte vijftien minuten van de ene winkel naar de andere en kocht alles wat hij nodig dacht te hebben. Hij betaalde alles contant.

Toen hij bij de anderen terugkwam, verdeelde hij de aankopen onder hen drieën. Daarna gingen ze alle drie naar de wc.

'Is dit echt nodig?' vroeg Vegas, terwijl hij de scheerspullen op het roestvrijstalen planchet boven de wasbak uitstalde.

'Schiet nu maar op,' zei Bourne.

Hoofdschuddend maakte Vegas zijn gezicht nat met warm water, zeepte zich in en begon zijn baard en snor af te scheren.

'Ik heb dit deel van mijn gezicht in nog geen dertig jaar gezien,' zei hij, terwijl hij het wegwerpmesje afspoelde. 'Straks herken ik mezelf niet eens meer.'

'Een ander ook niet,' zei Bourne.

Hij pakte de tondeuse en bezorgde zichzelf een borstelkapsel, een kapsel dat geliefd was onder mariniers. Daarna opende hij de verschillende potjes met cosmetica die hij gekocht had, en begon de onderste helft van Vegas' pasgeschoren gezicht met een donker goedje in te smeren om het bij de rest te laten passen. Daarna kleurde hij zijn eigen lippen roze en zijn wangen gaf hij een ingevallen uitstraling. Tegen de tijd dat hij daarmee klaar was, kwam Vegas uit een wc-hokje tevoorschijn. Hij droeg de nieuwe outfit die Bourne voor hem gekocht had: shorts, sandalen, een strooien hoed met een geel-blauw-rode band, en een T-shirt met heel opzichtig 'Member: Colombian Cartel' erop gedrukt.

'Hombre, wat heb je me aangedaan?' klaagde hij. 'Ik zie er als een idioot uit.'

Bourne moest een lach onderdrukken. 'Het enige wat de mensen zien is het T-shirt,' zei hij.

Bourne pakte een schaar en knipte de linkerpijp van zijn nieuwe spijkerbroek. Hij gooide Vegas een rol verbandgaas toe en zei: 'Verbind mijn kuit tot vlak onder de knie.'

Vegas deed wat hem gevraagd werd.

Bourne zette een overdreven grote zonnebril op die hij net gekocht had en zei: 'Laten we kijken hoe Rosie eruitziet.'

'Ik kan niet wachten,' zei Vegas met een vette glimlach.

Op het laatste moment trok hij Bourne weg van de deur en fluisterde: 'Hombre, als mij iets overkomt...'

'Er overkomt je niets. We gaan met zijn drieën naar Don Fernando.'

Hij pakte Bournes elleboog stevig vast. 'Dan zorg jij voor Rosie.'

'Estevan...'

'Wat met mij gebeurt, is niet belangrijk. Jij zult haar hoe dan ook beschermen. Beloof me dat, amigo.'

De heftigheid waarmee Vegas dat zei, raakte Bourne diep. Hij knikte. 'Ik geef je mijn woord.'

Vegas verslapte zijn greep. '*Bueno. Estoy satisfecho.*'

Bourne opende de deur en ze stapten de vertrekhal binnen. Bourne hinkte zichtbaar.

Rosie wachtte hen op. De kleren die Bourne voor haar gekocht had, pasten haar perfect – misschien wel te perfect gezien het feit dat Vegas' ogen bijna uit zijn hoofd vielen toen hij haar daar zo zag staan, met haar handen op haar goedgevormde heupen.

De kleren bedekten haar vormen als een tweede huid. Het laaggesneden hemdje liet de welving van haar borsten op zinderende wijze zien. Het rokje was zo kort dat zeker de helft van haar krachtige dijen te zien was.

'*¡Madre de Dios!*' riep Vegas uit. 'Van dit schouwspel krijgt zelfs een dode man een erectie.'

Rosie keek hem met een pruilmondje aan waar zelfs Marilyn Monroe jaloers op zou zijn geweest, en begon toen te giechelen. 'Nu ben ik klaar, schatje,' zei ze tegen Vegas. 'Ik voel me zo sterk als Xena, de Warrior Princess.'

'Zo mag ik het horen.' Bourne keek om zich heen. 'Het enige wat we nu nog nodig hebben, is de rolstoel.'

Op weg naar de vergaderruimte op de verdieping onder zijn kantoor voelde hij grote behoefte om zijn zoon Jackie te bellen. Hij zat echter vast aan zijn ontmoeting met Roy FitzWilliams, het hoofd van Indigo Ridge dat naar het zich liet aanzien al problemen had met de bijzonderheden van Samaritan.

Nadat hij Maggie gisteravond had afgezet, had hij urenlang geprobeerd Jackie te pakken te krijgen. Het was maar goed dat hij defensieminister was, anders was hij nergens geweest, gezien het feit dat het Pentagon ging over de plek waar zijn zoon gestationeerd was. Jackie bleek in Afghanistan te zitten. Sterker nog, hij had de leiding over verkenningspatrouilles die de met grotten dooraderde bergen tussen Afghanistan en West-Pakistan doorkruisten. Dit gebied werd zowel door talibanstrijders als door Al-Qaida-eenheden die Bin Laden beschermden bevolkt. Hendricks had de rest van de nacht wakker gelegen en afwisselend gedacht aan Jackie en Maggie.

In de vergaderruimte met satellietverbindingen ging hij aan het hoofd van de tafel zitten. Een van zijn assistenten legde de map met circulaires met betrekking tot Samaritan voor hem neer en opende die. Hendricks keek naar de computeruitdraaien en probeerde in te spelen op FitzWilliams' bezwaren, maar zijn gedachten dwaalden voortdurend af.

Jackie. Jackie in de bergen van Afghanistan. Maggie was hier verantwoordelijk voor. Zij had zijn hart geopend. Hij had zijn verlangens volledig onderdrukt, maar nu wilde hij zijn zoon terug. Zijn etentje met Maggie, in wezen niets bijzonders, was een heerlijke, normale avond geworden, nadat hij jaren niet echt geleefd had en zich ondergedompeld had in het werk. Hij had wat hij nu voelde genegeerd – of bestreden.

FitzWilliams was laat. Hendricks richtte zijn woede niet langer op zichzelf, maar op het hoofd van Indigo Ridge, zodat hij hem, toen FitzWilliams gejaagd binnenkwam, toesnauwde.

'Ga zitten, Roy. Je bent laat.'

'Sorry daarvoor,' zei FitzWilliams, terwijl hij als een doorgeprikte ballon op een stoel zakte. 'Het kon niet anders.'

'Natuurlijk kon het anders; het kan altijd anders,' zei Hendricks. 'Ik heb genoeg van mensen die uitvluchten zoeken in plaats van verantwoordelijkheid te nemen voor hun daden.' Hij sloeg de bladzijden van het Samaritan-dossier om. 'Je moet geen uitvluchten verzinnen, Roy.'

'Yes sir.' FitzWilliams verschoot van kleur. Hij kon bijna geen woord uitbrengen. 'Helemaal mijn fout. Zal niet meer gebeuren, dat verzeker ik u.'

Hendricks schraapte zijn keel. 'Goed,' zei hij, 'wat is je probleem?'

Rue Vernet nr. 5, waar de Monition Club was gehuisvest, was een groot, enigszins middeleeuws aandoend gebouw dat opgetrokken was uit stenen met een vaalgouden kleur. Aan een kant lag een diepe, aangelegde tuin met bochtige grindpaden die elkaar kruisten en omzoomd werden door lage buxussen. In het midden stond een van buxusboompjes gemaakte Franse lelie, het oude symbool van de Franse koninklijke familie. Er stonden geen bloemen in de tuin, wat een bijna in zichzelf gekeerde schoonheid gaf.

Soraya liet Aaron het voortouw nemen. Ze stond schuin achter hem toen hij aanbelde. Amun stond vlak achter haar. Hij stond zo dichtbij dat zij zijn warmte kon voelen. Het was vreemd hoe zij in een driehoeksverhouding verzeild waren geraakt, simpelweg omdat Amun dat zo wilde.

Toen de deur openging en zij binnengelaten werden, vroeg ze zich af of haar liefde voor Amun echt of ingebeeld was. Hoe kon het dat iets wat vorige week nog zo echt geleken had nu voelde als een hersenschim. Ze was ontzet door de gedachte dat het zo makkelijk was om jezelf voor de gek te houden en te laten denken dat een gevoel echt was.

Ze werden door het gebouw geleid door een volstrekt onopvallende vrouw: van gemiddelde lengte, normaal postuur, donker haar in een streng knotje, met een afstandelijke uitdrukking die haar gezicht elke persoonlijkheid ontnam.

De wanden van de gangen waardoor ze liepen, waren met kostbaar hout gelambriseerd. Er hingen ingelijste, verluchte manuscripten die op gelijke afstanden van elkaar opgehangen waren. De gangen werden heel zacht en indirect verlicht. Het geluid van hun voetstappen werd gedempt door het pluchen, antracietgrijze tapijt waarin je wegzakte als in een moeras.

Ten slotte stond de jonge vrouw voor een glanzende, houten deur en klopte zacht. Ze opende de deur toen ze een stem hoorde. Ze stapte opzij en gebaarde hen dat ze naar binnen konden gaan.

De voorste kamer van de suite bleek zowel een studeerkamer als een kantoor te zijn. Hij werd gedomineerd door een hardhouten eettafel en boekenkasten tot aan het plafond die vol stonden met grote, dikke boeken, waarvan sommige erg oud leken. In het vertrek stonden hier en daar met geurend leer beklede stoelen. Aan een kant stond een grote globe die de wereld liet zien zoals hij er in de zeventiende eeuw uitzag. Achter deze kamer lag nog een vertrek, een soort woonkamer die er zakelijker, moderner en lichter van kleur en aankleding dan de studeerkamer uitzag.

Toen ze binnenkwamen, draaide een man die op een lage trap

op wieltjes stond zich om en gluurde hen van over een ouderwetse halve bril aan.

'Ah, inspecteur Lipkin-Renais, ik zie dat u hulptroepen hebt meegenomen.' Grinnikend kwam hij het trapje af en liep naar het groepje. 'Directeur Donatien Marchand, tot uw dienst.'

Amun drong zich naar voren en interrumpeerde Aaron voordat hij zijn introductie kon voltooien. 'Amun Chalthoum, hoofd van Al Mokhabarat, Caïro.' Zijn stijve, formele buiging had iets dreigends, waardoor Marchand even aarzelde – schrik in de diepten van zijn zwarte ogen – voordat zijn mond zich weer in een onpersoonlijk lachje plooide.

'Ik begrijp dat de onfortuinlijke dood van monsieur Laurent de reden is van uw komst.'

Aaron boog zijn hoofd. 'Zijn dat de woorden waarmee u het zou willen beschrijven?'

'Is er een andere manier dan?' Marchand veegde heel nauwgezet zijn vingers af. 'Hoe kan ik u van dienst zijn?'

Hij was vrij klein. Soraya schatte hem eind vijftig, maar hij zag er nog behoorlijk fit uit. Zijn lange haar grijsde aan de slapen, maar de v-vormige haarlok in het midden van zijn voorhoofd was nog steeds helemaal zwart. Hij had dezelfde vreemde, metaalachtige glans als de vleugel van een raaf, waarbij de kleuren bijna onmerkbaar vervloeien als in een olievlek.

Aaron bestudeerde zijn aantekeningen. 'Laurent is om zeven over halftwaalf in de ochtend overreden op het Place de l'Iris, bij La Defense.' Hij sloeg zijn ogen op en zocht de blik van de directeur. 'Wat deed hij daar?'

Marchand spreidde zijn handen. 'Ik heb geen flauw idee.'

'U hebt hem niet naar La Defense gestuurd?'

'Ik was in Marseille, inspecteur.'

Aarons glimlach was scherp als een mes. 'Monsieur Laurent had een mobiele telefoon, directeur. Ik neem aan dat u er ook een hebt.'

'Natuurlijk heb ik er een,' zei Marchand, 'maar ik heb hem niet gebeld. Ik heb hem zelfs de dagen voordat ik naar het zuiden vertrok, niet meer gesproken.'

Soraya zag dat Amun geen belangstelling meer had voor het gesprek. Hij was weggelopen en bestudeerde de boeken in de studeerkamer van de directeur.

Aaron schraapte zijn keel. 'Dus wat u wil zeggen is dat u geen kennis had van monsieur Laurents bezigheden in het gebouw van de Île de France-bank twee dagen geleden.'

*Heel slim*, dacht Soraya. *Aaron heeft tot nu gewacht met het noemen van de Île de France-bank.*

Marchand knipperde met zijn ogen alsof hij door een heel sterk licht verblind werd. 'Pardon, wat zei u?'

'Tot de moord op monsieur Laurent...'

'Moord?' Marchand knipperde weer.

Nu had Aaron hem in de tang, dacht Soraya.

'Tot de moord op hem was monsieur Laurent toch uw assistent?'

'Ja.'

'Nou, goed, monsieur Marchand. De Île de France-bank.' Aarons stem had een scherp randje gekregen en zijn vragen werden steeds meer staccato. 'Wat deed monsieur Laurent daar?'

Marchand reageerde giftig. 'Dat heb ik u al verteld, inspecteur.' Hij leek zijn kalmte te verliezen.

'Ja, ja, u beweert dat u het niet weet.'

'Ik *weet* het niet.'

Aaron keek weer in zijn aantekeningen, sloeg een bladzijde om en Soraya voelde een sprankje vrolijkheid opkomen. Aaron opende zijn mond om wat te zeggen. *Nu komt het*, dacht Soraya.

'Uw antwoord interesseert me, directeur. Uit mijn onderzoek is gebleken dat veel van de fondsgelden voor dit onderdeel van de Monition Club van rekeningen bij de Brive-bank komt.'

Marchand haalde zijn schouders op. 'Wat zegt dat? Een aantal seniorleden heeft z'n rekeningen bij Brive. Zij schenken jaarlijks grote bedragen.'

'Ik prijs hun altruïsme,' zei Aaron luchtig. 'Hoe dan ook, na uitgebreid spitwerk is me gebleken dat de Brive-bank een dochteronderneming is van de Netherlands Freehold-bank op de Antillen, die op zijn beurt in het bezit is van, wel, de lijst gaat verder en verder en ik wil u er niet mee vervelen. Maar aan het eind van de lijst staat de Nymphenburg Landesbank in München.' Aaron pauzeerde even en haalde diep adem om het uitputtende spitwerk dat hij had moeten verrichten te benadrukken.

'Is de Nymphenburg Landesbank helemaal eigenaar? Zeker. Hier stopte voor mij een tijdlang het spoor. Maar toen besloot ik om van het omgekeerde uit te gaan. En wat denkt u? Vanmorgen ontdekte ik dat de Nymphenburg Landesbank de afgelopen vijf jaar heel stilletjes aandelen opkocht van...' Nu haalde hij zijn schouders op. 'Moet ik het nog zeggen, directeur?'

Marchand stond doodstil met zijn handen vragend in de lucht. Soraya keek naar hem en ze moest hem nageven dat zijn handen totaal niet trilden.

Aaron grijnsde. 'De Nymphenburg Landesbank heeft een meerderheidsbelang in de Île de France Bank. De overname was buitensporig moeilijk om te ontdekken omdat beide banken particuliere instellingen zijn. Als zodanig zijn ze niet verplicht om veranderingen op het gebied van beleid, personeel of bestuur openbaar te maken.'

Hij deed een stap in de richting van Marchand en zwaaide met zijn wijsvinger. 'Maar het kwam me voor dat er misschien een andere reden was waarom het zo moeilijk was om de relatie boven tafel te krijgen.'

De stilte werd zo verstikkend dat Marchand uiteindelijk met opeengeklemde kaken siste: 'En wat is die reden dan wel, inspecteur?'

Aaron sloeg zijn aantekenblok dicht en stopte het weg. 'Tot de volgende keer, monsieur Marchand.'

Hij draaide zich om en liep weg. Soraya volgde in zijn kielzog, maar niet voordat zij Amun aan zijn jas bij de boekenkasten had weggesleept.

Buiten scheen de zon en sjilpten de vogels terwijl ze van tak naar tak fladderden.

'Zullen we gaan lunchen?' zei Aaron. 'Ik betaal.'

'Ik heb geen honger. Ik ga liever terug naar onze hotelkamer,' antwoordde Amun.

'Nou, ik heb honger voor twee,' zei Soraya, terwijl ze Amuns donkere blik vermeed.

Aaron klapte in zijn handen. 'Prachtig! Ik weet een goede gelegenheid. Volg me maar.'

Soraya voelde dat Amun geen zin had om Aaron waar dan ook naartoe te volgen, maar tenzij hij een taxistandplaats kon vinden, had hij geen keuze.

'Waarom heb je me niet verteld wat je ontdekt hebt?' zei Soraya terwijl ze naast Aaron ging lopen.

'Daar was geen tijd voor.'

Soraya vermoedde dat dit slechts ten dele waar was. Maar ze zei niets omdat ze bevroedde dat Aaron niet wilde dat zij iets tegen Amun zou zeggen.

Ze liepen naar de auto. Toen ze alle drie zaten, Soraya naast Aaron voorin en Amun met zijn reistas naast zich op de achterbank, startte Aaron de auto. Nog voordat hij weg kon rijden, boog Amun zich naar voren en legde een hand op Aarons arm.

'Een ogenblik,' zei hij.

Soraya's alarmbellen rinkelden. Ze moest zien te voorkomen dat Amun ruzie zocht.

'Amun, laten we gewoon gaan,' zei ze zo neutraal mogelijk. Ze was getuige geweest van Amuns woede-uitbarstingen; ze hoopte dat die woede zich nooit tot haar zou keren.

'Ik zei dat je moet wachten,' zei hij op een toon die minder krachtige personen ter plekke zou laten bevriezen.

Aaron haalde zijn hand van de versnellingspook en draaide zich half om. Je moest hem nageven dat hij zijn ongeduld in bedwang hield.

'Je hebt het daarbinnen prima gedaan.' Amun keek Aaron recht in de ogen. 'Ik bewonder je aanpak.'

Aaron knikte. 'Dank je.'

Het was duidelijk dat hij geen flauw idee had waar dit naartoe ging. Soraya ook niet.

'Je raakte zijn gevoelige plek en liet hem vertwijfeld en bang achter,' ging Amun verder. 'Het is alleen jammer dat je geen afluisterapparaatje in zijn kantoor hebt aangebracht. In dat geval zouden we nu weten met wie hij op dit moment aan het bellen is.'

Aaron leek enigszins van zijn stuk gebracht door Amuns botheid. 'Het is hier Egypte niet. Ik mag zonder toestemming niet zomaar in huizen en kantoren afluisterapparatuur plaatsen.'

'Nee, jij niet.' Amun ritste zijn tas open en haalde een onopvallende zwarte doos tevoorschijn ter grootte van een van de eerste iPods. Bovenop zat een roostertje. 'Maar ik wel.'

Hij zette het apparaatje met een verborgen schakelaar aan en opeens hoorden ze Donatien Marchands stem halverwege een zin. Ze konden de rest van het gesprek horen.

' ... dat weet God alleen.'

...

'Niet echt, nee, het is niet de eerste keer dat ik ondervraagd word door het Quai d'Orsay.'

...

'Zeker, maar ik zeg je dat het deze keer anders voelt.'

...

'Nee, ik weet niet waarom.'

Er volgde een ongewoon lange stilte.

'Het is de Egyptenaar. Hij is het hoofd van Al Mokhabarat ...'

...

'Gelul, jij zou het ook niet prettig gevonden hebben. Die kerel bezorgde me de koude rillingen.'

...

'Nu weet ik niet wat ...'

...

'Probeer jij dat dan maar. Jij hebt niet met deze mensen oog in oog gestaan.'

...

'Echt? Ik heb de naam van de vrouw nog niet eens genoemd – Soraya Moore.'

...

'Jij kent haar misschien, maar ik niet. Om haar maak ik me de meeste zorgen.'

...

'Omdat zij niets zegt, maar alles ziet. Haar ogen zijn net röntgenapparaten. Ik heb de pech gehad dat ik een aantal mensen als zij ontmoet heb. Dat werd onvermijdelijk een rotzooi – een grote rotzooi. En wat betreft deze zaak met Laurent is rotzooi wel het laatste wat we nodig hebben.'

...

'O, doe je dat? En wie moet dat zijn?'

Er volgde een geschrokken stilte, voordat Donatien Marchand verderging.

'Dat meen je niet. Niet hij. Ik bedoel, er moet toch wel een alternatief zijn.'

...

'Ik begrijp het.'

Marchand zuchtte. Het klonk gelaten.

'Wanneer?'

...

'En moet ik dat zijn?'

...

'Goed, oké.' Marchand wist zijn stem een vastberaden klank te geven. 'Ik zal hem meteen zijn orders geven. De gebruikelijke prijs?'

Even later werd de verbinding verbroken. De drie luistervinken zwegen en zaten bewegingloos. Er hing plotseling een drukkende atmosfeer. De geur van de mannen en de vrouw vermengde zich tot een indringende lucht. Soraya voelde haar hart bonzen. Een gesprek afluisteren was één ding, maar als dat gesprek ook nog eens over jou ging, was dat van een geheel andere orde.

'Interpretatie?' zei Aaron enigszins ademloos.

'Het klonk alsof Marchand de opdracht kreeg om contact te leggen met een huurmoordenaar.'

Aaron knikte. 'Dat was ook mijn gok.' Hij keek om. 'Amun?'

De Egyptenaar keek uit het raampje en nam niet de moeite te antwoorden. 'Daar komt hij,' zei hij en wees naar Marchand, die uit de Monition Club kwam. Hij stapte in een zwarte BMW en reed weg.

Toen Aaron de achtervolging inzette, zei Amun: 'Ik veronderstel dat jullie geen trek meer hebben.'

De federales waren inderdaad op zoek naar Bourne. Althans, naar iemand met de identiteit die Bourne gebruikt had toen hij Colombia binnenkwam. Natuurlijk bestond die man niet meer. Noch de man die op de vage foto stond die de agenten in de internationale vertrekhal in Bogotá aan iedereen lieten zien.

'Maak je niet ongerust,' zei Bourne vanuit zijn rolstoel, 'de federales zijn op zoek naar mij, niet naar jou en Rosie.'

'Maar de Domna heeft connecties...'

Bourne onderbrak hem. 'In dit geval betwijfel ik ten zeerste of ze de federales erbij willen betrekken. Er zullen dan veel te veel vragen gesteld worden.'

Toen Vegas Bourne door de hal duwde, straalde hij een nerveuze energie uit, op dezelfde manier zoals de zon hitte genereert. Dat was een probleem – van welke omvang kon Bourne nog niet inschatten – politieagenten konden angst op een kilometer afstand ruiken.

Bourne dirigeerde hen naar de businessclasslounge, waar hij hun tickets aan iemand van het personeel gaf – een slanke, diepbruine jonge vrouw die hen persoonlijk de beste plek voor de rolstoel wees, waarna ze een serveerster voor hen ging zoeken. Er zaten echt voordelen aan het gehandicapt zijn, dacht Bourne, maar het belangrijkste voordeel was dat hij op die manier de federales van zich af kon schudden.

Toen de serveerster opdook, bestelde Bourne een stevige borrel voor Vegas om hem te kalmeren. Rosie bestelde voor zichzelf; Bourne wilde niets.

'Ik zal blij zijn als ik eenmaal bij Don Fernando ben,' zei Vegas.

'Kijk niet zo in het rond,' zei Bourne. 'Richt je op mij.' Hij wendde zich tot Rosie. 'Hou zijn hand vast en laat hem onder geen beding weer los.'

Rosie had niets meer gezegd sinds ze uit het vliegtuig uit Perales gestapt waren, maar Bourne bemerkte niet veel angst bij haar. Haar onverwoestbare vertrouwen dat Vegas haar beschermde leek haar af te sluiten van hun precaire situatie.

Toen ze Vegas' hand pakte, ontspande hij zichtbaar, wat maar goed was ook, aangezien op dat moment enkele federales de lounge binnenkwamen en de receptionisten begonnen te ondervragen. Ze schudden allebei hun hoofd toen ze naar de foto van Bourne keken. De twee agenten maakten desondanks een rondje door de lounge.

Vegas had hen nog niet gezien, maar Rosie wel. Ze keek Bourne aan. Hij grijnsde naar haar. Hij lachte alsof zij iets grappigs gezegd had. Ze begreep zijn bedoeling en lachte terug.

'Wat is er aan de hand?' zei Vegas. 'Wat is er zo verdomd grappig?'

'Over een paar minuten komen hier een paar federales voorbij.' Bourne zag weer een vleug angst op het gezicht van de oudere man verschijnen. Hij was een buitenman en niet gewend aan de benauwenis van de grote stad, en hier in de lounge was geen ontsnappingsmogelijkheid.

Hij had al meer dan de helft van zijn borrel achter de kiezen. Zijn gezicht was bleek. Bourne kon het bot van zijn schedel duidelijk onder de plotseling doorschijnende huid zien; een lijk zag er beter uit. In een poging hem af te leiden, vroeg Bourne hem naar de olievelden – over zijn beginperiode, toen hij het vak leerde en de gevaren het grootst waren. Het vrolijkte hem op zoals Bourne gehoopt had. Het was duidelijk dat hij honderd procent toegewijd was en van zijn werk hield. Rosie luisterde de hele tijd geïnteresseerd toe alsof ze een geologisch ingenieur was.

De federales kwamen snel dichterbij. Ze pronkten met hun borst vooruit en hun handen op de kolven van hun pistolen. De spanning steeg. Bourne zag dat het zelfs Rosie niet onberoerd liet.

'Ik zag de tamarinde,' zei Bourne, 'en het kruis op het graf.'

'We praten daar liever niet over,' zei Vegas met trillende stem.

'*Mi amore, cálmate.*' Rosie kuste hem op de wang. 'Dat kon hij niet weten.'

'Het was niet mijn bedoeling...'

Rosie stak haar hand op om hem te beletten verder te praten. 'Jij kon het niet weten,' zei ze somber. Ze gaf Vegas een flauwe glimlach, die wegstierf als een kaars in de wind. Ze wendde zich weer tot Bourne. 'Onze zoon was drie weken oud en had al de hele wereld in zijn ogen.' Een traan rolde over haar wang, die ze onmiddellijk met de rug van haar hand wegveegde. 'Zo zijn kinderen, als ze nog niet door de volwassen wereld zijn bedorven.'

'Zijn dood was een volslagen mysterie.' Hij perste de woorden eruit alsof elk woord hem pijn deed. 'Maar wat weet ik nu echt? Alleen waar ik geweest ben. Ik weet niet waar ik naartoe ga.'

'De kinderen, zij moeten beschermd worden,' zei Rosie. Iets van wat Vegas net gezegd had, beroerde haar zeer.

De federales waren nog maar een paar passen bij hen vandaan.

Bourne zei: 'Jullie kunnen nog een kind nemen en beschermen.'

Ze staarden hem allebei aan.

Rosie zei als eerste wat. 'Maar de dokter zei...'

'Dat was een dokter ergens op het Colombiaanse platteland. In Sevilla zijn specialisten, in Madrid. Als ik jullie was, zou ik de hoop nog niet opgeven.'

De twee federales paradeerden voor hen langs. Hun blikken gleden over de toeristen: de man in de rolstoel, die ze voor een Amerikaanse oorlogsveteraan hielden, de oude man met het T-shirt met het stomme logo dat hen aan het lachen maakte. Maar hun blikken rustten het langst op de pronte borsten en lange benen van de vrouw wier sensualiteit hun de adem benam.

En toen waren ze opeens als een passerende donderwolk verdwenen en iedereen in de lounge leek een zucht van opluchting te slaken.

Maggie – het kostte Skara geen enkele moeite meer om zichzelf nu als Maggie te zien – stond op het punt om haar dagelijkse rapport aan Benjamin El-Arian uit te brengen. Ze lag nog heerlijk in bed, met alleen een laken over haar naakte lichaam, en keek naar de gecodeerde mobiele telefoon die zij gebruikte om met El-Arian te communiceren. Ze draaide zich om en keek naar hoe het fletse blauw-gouden ochtendlicht op de licht bewegende gordijnen in haar slaapkamer parelde. Op dit uur was het zo stil dat ze het knisperen en vonken van het licht bijna kon horen, alsof het het enige was dat bewoog, terwijl het langzaam met het verschuiven van de zon de duisternis oploste.

In haar hoofd wervelde het van soms tegenstrijdige gedachten. Maar wat ze zeker wist, was dat ze niet met Benjamin wilde praten. Hij had haar in een wurgende greep en zoog haar in een leven waar ze weliswaar voor gekozen had, maar dat was niet helemaal uit vrije wil.

Het was grappig, dacht ze nu, hoe noodsituaties je tot het nemen van bepaalde beslissingen dwingen. Het was een illusie dat je er ook maar enige invloed op had. Leven was chaos; pogingen om het te controleren of zelfs te beheersen konden slechts in tranen eindigen.

Ze had genoeg tranen gelaten voor verscheidene mensenlevens. De laatste keer was toen ze haar moeder zag liggen op de snijtafel van de lijkschouwer in het angstaanjagende dodenhuis. Toen ze daar met haar twee zusters in huilen was uitgebarsten, had ze zich heilig voorgenomen dat ze nooit meer een traan zou laten. Ze had dat voornemen gestand gedaan tot gisteravond. Wat was het aan Christopher Hendricks waardoor haar voornemen uiteen was gespat? Terwijl zijn nabijheid nog als een koorts in haar woedde, had ze urenlang wakker gelegen en nagedacht over deze vraag. Ze had keer op keer hun avond samen in haar gedachten afgespeeld en met een stofkam elk woord en elk gebaar gefilterd zoals een hongerende zwerver vuilniszakken uitvlooide.

Tegen vier uur had ze het uiteindelijk opgegeven. Ze was op haar zij gaan liggen, had zich behaaglijk opgerold en haar ogen dichtgedaan en, zoals ze vaker deed, aan haar twee zusters gedacht in de hoop dat ze daardoor in slaap zou vallen. Mikaela was nu dood, vermoord tijdens hun jacht op wraak, maar Kaja was nog springlevend. Ze hadden afgesproken dat ze geen contact meer met elkaar zouden hebben. Die situatie duurde nu al vele jaren. Maggie stelde zich hen beiden voor terwijl ze elkaars voorhoofden aanraakten zoals de drieling gedaan had toen ze nog erg jong waren, dat bijzondere gevoel van gedeelde warmte die door hen stroomde, een gesloten circuit dat hen speciaal maakte en de buitenwereld – de gehate wereld van hun jeugd, van IJsland, het verraad van hun vader – op afstand hield. Hij had hen en hun moeder verlaten om te moorden, en uiteindelijk vermoord te worden, en dat allemaal voor wat? De geheime organisatie waartoe hun vader behoorde. Ze dacht aan haar vader, hoe hij de deur uit liep, het verblindende sneeuwlicht van een Stockholmse winter tegemoet. Ze had hem zien weggaan en nooit meer terug zien keren. En daarna volgde een leegte, totdat zij ontdekte dat hij vermoord was door zijn beoogde slachtoffer, Alexander Conklin. Een koude rilling was door haar ruggengraat geschoten, een gevoel dat ze nooit met haar zussen had kunnen delen. Ze sloot haar ogen voor het deprimerende Stockholm, voor het beeld van haar vader toen hij wegliep van haar – van hen allemaal. Ze wilde over hem dromen. Daarom klampte ze zich vast aan zijn herinnering terwijl ze weggleed.

Terwijl de slaap haar in zijn armen nam, openbaarde zich een droom als een geest uit het graf, maar haar vader maakte er geen deel van uit. Zij was met Christopher in een sportcomplex. Op hen na was het helemaal uitgestorven. De maan verlichtte een groot zwembad. Ze keek omlaag en zag Christopher naar haar glimlachen. Hij zwaaide naar haar, en ze realiseerde zich dat ze op een hoge duikplank stond.

*Toe maar*, zei hij. *Je hoeft niet op mij te wachten.*

Ze had geen idee wat hij bedoelde, maar ze wist dat ze ging duiken. Ze stapte naar de rand van de duikplank en krulde haar tenen om de rand. Ze ging iets door haar knieën en voelde de vering van de plank, de ingehouden kracht ervan, en dat gaf haar veel moed.

Ze veerde op en begon aan een prachtige boog. Ze had haar armen voor zich uitgestrekt en drukte haar handen als in gebed tegen elkaar. Ze zag het water op zich afkomen terwijl ze door de nacht vloog. Het maanlicht gaf het water een zilveren glans, veranderde het in glas, in een spiegel. Ze zag zichzelf op het water af suizen, maar vlak voordat zij het water raakte, zag ze dat ze niet zichzelf zag. Het was Christopher.

Dat was het moment dat ze haar ogen opensperde. Ze zag hoe het ochtendlicht mooie patronen maakte op de gordijnen voor het raam, die in haar dromerige beleving er doorzichtig en waterig uitzagen. Even dacht ze dat ze zich diep onder het wateroppervlak van het zwembad bevond en omhoog probeerde te komen. Een gevoel van herkenning overspoelde haar, en ze voelde in al haar vezels de zekerheid. Christopher en zij hadden zoveel gemeen dat het bijna eng was.

Ze ging overeind zitten. Ze voelde haar hartslag in haar oren.

'Lieve Heer,' zei ze hardop, 'wat moet er van mij worden?'

Peter werd wakker in een ziekenwagen, die met huilende sirenes door de straten scheurde. Hij lag vastgegespt op een brancard en voelde zich zo zwak als een te vroeg geboren baby.

'Waar ben ik? Wat is er gebeurd?'

Zijn stem was zwak en schril en klonk vreemd tegen de achtergrond van het aanhoudende gonzen in zijn oren.

Iemand boog zich over hem heen, een jonge man met blond haar en een brede glimlach.

'Maak je geen zorgen,' zei de blonde, 'je bent in goede handen.'

Peter probeerde overeind te komen, maar door de banden kon hij zich helemaal niet verroeren. Maar toen kwam opeens, als een naderende locomotief die plotseling uit de mist opdoemde, de herinnering boven dat hij door de ondergrondse garage liep en zijn automotor op afstand startte, waarna een explosie volgde die het einde der tijden leek in te luiden. Hij had een droog, plakkerig gevoel in zijn mond. De metaalachtige geur in zijn neusgaten maakte hem misselijk.

Toen dacht Peter aan Hendricks. Hij moest zijn baas inlichten over wat er gebeurd was. Hij moest ook te weten zien te komen wie het op hem gemunt had, en waarom. Hij bewoog zijn rechterhand, maar was vergeten dat hij was vastgegespt.

'Hé,' zei hij zwakjes, 'maak die banden los. Ik moet mijn mobiele telefoon hebben.'

'Sorry, vriend, dat gaat niet.' De blonde keek hem glimlachend aan. 'Ik mag je niet losmaken als de auto nog rijdt. Regels en voorschriften. Als je gewond raakt, kun je me aanklagen tot ik geen ene cent meer heb.'

'Laat de chauffeur dan stoppen.'

'Dat gaat ook niet,' zei Blondie. 'Tijd is hier van het grootste belang.'

Peters hersens werden per seconde helderder, maar lichamelijk voelde hij zich nog steeds uitgeput, alsof hij net een marathon gelopen had. 'Ik verzeker je dat ik me al veel beter voel.'

Blondie keek hem vol medelijden aan. 'Ik ben bang dat je niet in de beste positie bent om dat te beoordelen. Je bent nog in shock en kunt nog niet helder denken.'

Peter tilde zijn hoofd op. 'Ik zei dat de chauffeur moet stoppen. Ik ben een *federal agent* en val rechtstreeks onder de minister van Defensie.'

De glimlach op Blondies gezicht vervaagde. 'Dat weten we, Meneer Marks.'

Peters hart ging als een razende tekeer toen hij probeerde los te komen. 'Maak me godverdomme los!'

Op dat moment haalde Blondie de Glock tevoorschijn. Hij drukte de loop voorzichtig tegen Peters wang. 'Dit ding hier zegt dat je rustig moet blijven liggen en van de rit genieten. We zijn nog wel even onderweg.'

Dat betekende dat ze niet op weg waren naar een ziekenhuis. Peter keek op naar Blondies gezicht, dat nu net zo nietszeggend was als de deur van een bankkluis. Hadden deze mensen de explosieven onder zijn auto bevestigd?

'Excuses voor het feit dat ik je moet teleurstellen.'

Blondie keek op hem neer en haalde de Glock van zijn wang.

'Ik weet dat jullie gedacht hadden dat ik de explosie niet zou overleven.'

Blondie streelde liefdevol over de loop van de Glock.

'Wat ik knap vind, is dat jullie de beveiliging hebben weten te omzeilen om bij mijn auto te komen en de explosieven te plaatsen.'

Blondie lachte spottend naar iemand die buiten Peters gezichtsveld was. 'Wie zegt dat we dat in de garage gedaan hebben?'

Dus deze mensen hadden zijn auto onder handen genomen en ze wisten waar hij woonde. Hij had nog steeds geen idee voor wie deze mensen werkten, en wat van acuter belang was, hoeveel van hen bij hem in de ziekenwagen zaten. Hij dacht drie: Blondie, de chauffeur en degene naar wie Blondie net gegrijnsd had, maar misschien zat er nog iemand anders voorin. Eén ding was zeker, deze mensen waren goed getraind en goed voorbereid.

De ziekenwagen reed een hoek om. Peter voelde dat de brancard naar een kant wilde glijden, maar hij zat vast. De bocht had de banden gelukkig wel wat losser gemaakt, zodat hij zijn linkerhand kon bevrijden. Hij liet zijn hand zakken en probeerde te voelen hoe de brancard losgemaakt kon worden. Hij morrelde verscheidene minuten totdat hij vond wat hij zocht en hield het goed vast.

Het duurde behoorlijk lang en Peter was bang dat hij geen kans zou krijgen, maar toen voelde hij de centrifugale kracht toen de ziekenwagen aan een nieuwe bocht begon. Toen ze midden in de bocht zaten, drukte hij de hendel naar beneden. De brancard sloeg tegen Blondies benen en caramboleerde de andere kant op. Peter bevrijdde zijn andere hand en toen Blondie over hem heen viel, greep hij zijn Glock. Toen Blondie zich probeerde op te richten, sloeg Peter met het pistool tegen de zijkant van zijn hoofd.

De tweede man kwam in beeld en deed een uitval naar hem. Peter schoot en de man tuimelde achteruit. Zijn zwaargebouwde lichaam donderde tegen de achterportieren. Peter ontdeed zich van de banden en stapte van de brancard.

Op dat moment minderde de ziekenwagen vaart; de chauffeur was waarschijnlijk gealarmeerd door het pistoolschot. Peter verspilde geen tijd. Hij sprong over de twee lichamen, duwde de portieren open en sprong naar buiten. Hij raakte de grond en rolde op zijn heup. Omdat hij met deze actie zijn laatste krachten had gebruikt, had hij problemen om overeind te komen.

Enkele meters verder was de ziekenwagen tot stilstand gekomen. De chauffeur was eruit gesprongen en rende naar de plek waar Peter lag. Peter wist dat de Glock zijn enige mogelijkheid was, maar hij was hem tijdens zijn val kwijtgeraakt. Radeloos keek hij om zich heen en zag hem in de goot liggen. Maar de chauffeur was al bij hem, voordat hij de kans had gehad ernaartoe te kruipen.

Een regen van vuistslagen daalde op hem neer. Hij had totaal geen kracht meer om ze af te weren, laat staan terug te slaan. Hij zag sterretjes en werd verzwolgen door een inktzwarte duisternis. Hij vocht tegen de bewusteloosheid, maar het was een verloren strijd.

Een drenkeling die voor de laatste keer onderging, zou zich niet wanhopiger kunnen voelen dan Peter op dat moment. Hij had nooit gedacht dat hem zoiets zou overkomen, een nederlaag zo onverwacht en totaal. En toen, na het kolkende geweld, een bundeling van pijn en een laatste golf die zich verhief om hem mee te sleuren, voelde hij heel zacht de wind op zijn gezicht. Zonlicht. De heerlijke lucht van de uitlaat van een motor.

En een gezicht, heel vaag en onduidelijk als een donkere wolk, dat groot in zijn blikveld opdoemde.

‘Maakt u zich geen zorgen, baas, u bent nog niet dood.’

# Vijftien

In het vochtige ochtendlicht wandelde Jalal Essai door de bochtige straten van Cadiz. Het was strakblauw met naar het zuiden toe enkele witte wattenwolkjes. De lucht was fris en rook scherp naar zout en fosfor. Op het water gingen verscheidene zeilbootjes overstag en maakten gebruik van de wind. De meeste souvenirwinkeltjes waren nog dicht. Hun metalen rolluiken waren naar beneden en Essai ving een glimp op van de melancholie van kustplaatsjes in de winter.

Hij passeerde een heleboel cafés en koos heel bewust voor het café aan zee dat verder van Don Fernando's huis vandaan lag. Het café had een blauw-wit gestreept zonnescherm met een rood anker in het midden. Hij ging aan een kleine, ronde tafel in de tweede rij vanaf het trottoir zitten en bestelde ontbijt.

Fietsers kwamen zoemend als gigantische insecten voorbij en af en toe passeerde er een auto of bestelwagen. Voor de rest waren de trottoirs op dit vroege uur leeg. Zijn koffie en gebakje werden gebracht. Hij nam voorzichtig een slokje, vond dat de koffie lekker was en deed er een scheutje melk bij. Daarna nam hij een stuk gebak, ging op zijn gemak zitten en zoog de vochtige lucht diep in zijn longen.

Als gebruikelijk begon hij zijn plan kritisch te bekijken. Elke dag doen zich onverwachte dingen voor die het plan doorkruisen of ervoor zorgen dat het plan op vitale punten veranderd moet worden. Het is net alsof je een moeilijke puzzel probeert op te lossen die elke keer dat je ernaar kijkt subtiele veranderingen heeft ondergaan. Gewoonlijk waren mensen er de oorzaak van – zowel bewust als onbewust. Ze waren vaak te onvoorspelbaar in hun reacties en daarom moesten ze zorgvuldig in de gaten gehouden worden. Het was intensief werk en alleen de moeite waard als het resultaat voldoende waardevol of gewenst was. Essai dacht dat het resultaat beide was.

Jammer genoeg was het niet altijd mogelijk om iedereen in de gaten te houden. Bijvoorbeeld Estevan Vegas. Hij was een oude vriend van Don Fernando, maar betekende niets voor Essai. Maar Bourne – wel, Bourne was de constante in Essais plan. Bournes aangeboren eergevoel maakte hem in leven-of-doodsituaties uitermate voorspelbaar. De huidige situatie was daarvan een goed voorbeeld. Benjamin El-Arian had eindelijk een kapitale fout gemaakt door Boris Karpov de opdracht te geven om Bourne te vermoorden. Hij had niet begrepen dat de uitkomst van een treffen tussen Bourne en Karpov onvoorspelbaar was en waarschijnlijk volkomen onverwacht. El-Arian kende Bourne niet zoals Essai hem kende – in feite wist hij helemaal niets van hem. Essai rekende daarop, net zoals hij erop rekende dat Bourne Vegas en de vrouw uit Colombia weg zou weten te krijgen.

Hij prees zich gelukkig toen hij uit een ooghoek beweging zag. Hij draaide zich niet om, hij bewoog zich niet. Hij bleef voor zich uit kijken en zag hoe Marlon Etana tevoorschijn kwam in de trillende ochtendzon en onder het blauw-wit gestreepte zonnescherm met het rode anker wegliep.

'Hierheen,' zei Lana Lang. 'Snel.'

Karpov volgde haar door de drukke straten van München totdat ze bij een kleine, donkergroene Opel kwamen. Regenvlagen kwamen uit een loodgrijze lucht.

'Stap in,' zei ze, terwijl ze achter het stuur ging zitten. Ze keek naar hem op toen hij op het trottoir bleef staan. 'Kom op, waar wacht je op?'

Boris wachtte op een ingeving. Met iemand over straat lopen die hij niet kende, was één ding, maar met haar in een kleine, afgesloten rijdende ruimte te gaan zitten was een compleet ander verhaal. Elke vezel in zijn lichaam kwam in opstand.

'Hé,' zei ze duidelijk geïrriteerd. 'We hebben hier geen tijd voor.'

*Er is nooit tijd voor wat dan ook*, dacht Karpov, terwijl hij instapte. *Althans voor iets belangrijks*. Zijn leven was een aaneenschakeling van noodzakelijkheden, verplichtingen, aanpassingen en wederzijdse gestes – groot, klein en alles wat daartussen zit. Met andere woorden, een politieke dans waar hij altijd aan mee moest doen. Hij kon er zelfs niet even tussenuit, uit angst dat zijn plaats door een ander ingenomen zou worden. In dat geval zou hij, ondanks al zijn jaren van toewijding, hard werk, en het groeiende aantal kleine wreedheden in dienst van het land, die als onderscheidingen van de geheime oorlogen aan zijn uniform hingen, het leven vanaf de zijlijn moeten bekijken, wat in Rusland betekende dat je helemaal geen leven meer had.

Lana Lang reed erg hard door de doolhof van straten. Zij reed als een man, zag Boris, met lef, en zonder een greintje angst, zelfs toen het begon te plenzen en de straten glad werden. Hier lagen haar kwaliteiten, dacht hij, terwijl ze in de Biergarten een dommige, door mode geobsedeerde vrouw had geleken met wie hij niets te maken wilde hebben, laat staan zijn leven aan wilde toevertrouwen.

Haar ogen flitsten onophoudelijk van de binnenspiegel naar de zijspiegels. Ze probeerde keer op keer op het laatst mogelijke moment door groen te rijden, en reed een aantal stukken van hun route twee keer.

'Waar gaan we naartoe?' vroeg hij.

Ze glimlachte geheimzinnig, en dat was ook anders aan haar.

'Ik neem aan naar een plek waar niemand me kan vinden.'

'Niet helemaal.' De geheimzinnige glimlach verbreedde zich. 'Ik breng je naar de enige plek waar niemand je ooit zal zoeken.'

Ze gaf een dot gas en Boris voelde hoe hij in de zitting gedrukt werd. 'En waar mag dat dan wel zijn?'

Ze keek hem ondeugend aan en richtte toen haar blik weer

op het verkeer voor zich. 'Waar anders,' zei ze, 'dan de Moskee.'

Parijs lag als een schelp rond de rivier de Seine. Elk district – of arrondissement – spiraalde vanuit het centrum, hoe hoger het nummer, hoe verder het van het centrum af ligt. In de buitenste arrondissementen wonen immigranten – Vietnamezen, Chinezen en Cambodjanen. Daarbuiten zijn de banlieues – de buitenwijken die met tegenzin aan de Noord-Afrikaanse Arabieren werden gelaten. Deze rechtelozen leefden aan de benauwde, troosteloze randen van de stad en hadden geen werk en geen betekenisvol contact met het dagelijkse Parijse leven, met de cultuur, de scholing of de kunst.

Aaron volgde Marchands BMW naar een van de noordelijkste banlieues – de smerigste, meest geplaagde en ontaarde buitenwijk die je je maar kon voorstellen.

'Allah, deze verrotte plek lijkt op Caïro,' fluisterde Amun.

De straten waren inderdaad smal, de trottoirs kapot, en de lelijke, wittige gebouwen, die er nog erger aan toe waren dan de ergste Britse socialewoningbouwflats, waren bijna boven op elkaar gebouwd.

Soraya, nog steeds waakzaam, voelde de spanning tussen de twee mannen weer opkomen, en vroeg zich af waar dat door kwam. Ze voelde dat Aaron zich steeds minder op zijn gemak voelde. Terwijl ze door de akelige straat reden, werden ze met een mengeling van haat en angst door ogen in donkere, strakke gezichten aangestaard. Oude vrouwen die gebukt gingen onder uitpuilende nettassen, maakten zich uit de voeten. Groepen jonge mannen sprongen van de muren waar ze hadden zitten lanterfanten of slenterden rokend dichterbij, aangetrokken door de onbekende auto als straathonden door een stuk vlees. Ze voelde de vijandigheid die uit de zwarte ogen spatte. Iemand gooide een fles die met een grote boog tegen de zijkant van de auto terechtkwam.

De BMW voor hen was linksaf een steeg ingereden. Aaron stopte aan de trottoirrand. Hij stapte als eerste uit, maar Amun zei: 'Gezien de stemming hier lijkt het me beter dat je in de auto blijft zitten.'

Dat zette bij Aaron de haren rechtovereind. 'Parijs is mijn stad.'

'Dit is Parijs niet,' zei Amun. 'Dit is Noord-Afrika. Soraya en ik zijn allebei moslim. Laten wij dit opknappen.'

Soraya zag Aarons gezicht donker worden. 'Aaron, hij heeft gelijk,' zei ze rustig. 'Hou je afzijdig. Denk even na over deze situatie.'

'Dit is mijn onderzoek.' Aarons stem trilde van ingehouden emotie. 'Jullie zijn mijn gasten.'

Soraya keek hem aan. 'Beschouw hem als een geschenk.'

'Als een geschenk!' Aaron leek de woorden tussen zijn tanden te vermalen.

'Probeer het te begrijpen. Hij is gewend aan dit soort Arabische achterbuurten; hij kan met de bewoners praten. Gezien de manier waarop dit onderzoek zich ontwikkelt, mogen we van geluk spreken dat hij er is om ons te helpen.'

Aaron probeerde langs haar heen te komen. 'Ik ga niet...'

Ze ging voor hem staan. 'Zonder hem zouden we dit spoor niet eens hebben.'

'Hij is al weg,' zei Aaron.

Soraya draaide zich om en zag dat hij gelijk had. Amun verspilde geen tijd, en hij had gelijk – nu ze zo ver gekomen waren, wilden ze Marchand niet kwijtraken.

'Aaron, blijf hier wachten.' Ze begon achter Amun aan de steeg in te lopen. 'Alsjeblieft.'

De steeg was smal, krom als de vinger van een oude vrouw, en schemerig. Ze kon nog net Amuns rug zien toen hij door een gebutste, metalen deur verdween. Ze trok een sprintje en bereikte de deur net voor hij dichtsloeg. Op het moment dat ze naar binnen wilde gaan, zag ze aan het einde van de steeg een magere, jonge man staan. Ze wierp een steelse blik op hem. Ze zag dat hij een rode polo aanhad, maar het was zo schemerig dat ze niet kon zien of hij naar haar keek, of naar iets anders.

Binnen was een gore trap die naar beneden liep. De ruimte

werd verlicht door een enkel peertje dat aan een snoer hing. Ze dook eronderdoor en daalde behoedzaam de trap af. Terwijl ze afdaalde, probeerde ze Amuns voetstappen te horen – of iemands voetstappen, maar het enige wat ze hoorde was het gepiep en gekraak dat bij een oud, slecht onderhouden gebouw hoorde.

Ze bereikte een klein tussenportaal en daalde verder. Ze rook de vochtigheid, de schimmel, de indringende stank van verval en bederf. Het voelde net alsof ze een lichaam in ontbinding binnenging.

Onder aan de trap lagen ruwe betonplaten. Ze liep met haar hoofd in spinnenwebben en af en toe hoorde ze het geritsel en gepiep van ratten. Al snel hoorde ze ook andere geluiden – gejaagde stemmen vanuit de duisternis. Geleid door de stemmen, vervolgde ze tastend en vastberaden haar weg. Na ongeveer vijftig meter zag ze een flikkerend licht dat een wirwar van grotachtige vertrekken verlichtte. Ze pauzeerde even. De gelijkenis tussen deze ruimtes en de ruimtes die door de Hezbollah gebruikt werden toen ze zich voorbereidden op een aanval op Israël, trof haar. Er hing dezelfde zure zweetlucht die vermengd werd met de lucht van hoop, vergeten hygiëne, kruiden en de bittere, metaalachtige geur van bommen die voor gebruik worden klaargemaakt.

Ze was nu dichtbij genoeg om de stemmen te kunnen onderscheiden – er waren er drie. Dit plaatste haar voor een raadsel. Had Amun hen al ontmoet? Maar nee, toen ze nog dichterbij was, bleek dat ze maar een van de stemmen kende – die van de ellendige leugenaar Donatien Marchand.

Ze bereikte een hoek en gluurde eromheen. Er stonden drie mannen in het gedempte licht van een ouderwetse olielamp. Een van hen was erg jong, dun als een rietje, met donkere ogen en holle wangen. De ander was iets ouder. Hij had een volle baard en handen als kolenschoppen. Tegenover hen stond Marchand. Gelet op de toon van hun stemmen en hun lichaamstaal zaten ze midden in een moeilijke onderhandeling. Ze gluurde nog een keer. Waar was Amun? Ze nam aan dat hij dichtbij was. Wat was hij van plan? En hoe kon ze dichterbij komen om te kunnen horen waar ze over aan het steggelen waren? Ze keek om zich heen, maar zag niets waar ze wat aan had. Ze keek omhoog en zag in de schaduw de massieve balken kriskras over het plafond lopen. Deze zorgden ervoor dat het gebouw, als het in zou storten, niet in de Arabische kelderschuilplaatsen zou terechtkomen.

Ze gebruikte enkele kisten die hier en daar op de grond lagen en stapelde ze op elkaar totdat ze hoog genoeg kwam om haar armen om een balk te slaan. Ze sloeg haar benen om de balk en klom erop. Ze moest ervoor zorgen dat het vuil niet naar beneden viel – roet, spinnenwebben, iriserende insectenlijkjes en rattenkeutels –, want dat zou haar aanwezigheid verraden. Ze schoof op haar buik over de balk totdat ze min of meer boven de mannen was.

'Nee, man, dat moet zeker het driedubbele worden.'

'Het driedubbele is te veel,' zei Marchand.

'Shit, voor die teef is het driedubbele nog veel te weinig. Je hebt tien seconden, daarna gaat de prijs omhoog.'

'Oké, oké,' zei Marchand na een korte pauze.

Soraya hoorde het geritsel van bankbiljetten.

'Ik heb een foto naar je mobiel gestuurd,' zei Marchand.

'Ik heb geen foto nodig. Het gezicht van die teringteef Moore staat in mijn hersens gegrift.'

Soraya huiverde. Het voelde heel surrealistisch om de plannen voor haar naderende dood af te luisteren. Haar hart bonsde in de keel toen de bijeenkomst ten einde was.

Ze haatte deze Arabieren, maar ze bleef bewegingloos liggen. Het was zaak om te ontdekken met wie Marchand gebeld had toen ze hem de stuipen op het lijf hadden gejaagd. Deze Arabische moordenaars konden haar dat niet vertellen; dat kon Marchand alleen. In zijn eigen territorium zou hij zijn mond nooit opendoen, maar in deze voor hem compromitterende positie met deze huurmoordenaars, zou hij misschien bereid zijn...

Ze kwam in actie toen Amun uit de schaduw naar voren sprong. De oudere Arabier draaide zich om. Hij had al een stiletto in de hand. Hij deed een uitval naar Amun, waardoor Amun moest wegspringen. De jongere Arabier sloeg Amun tegen de zijkant van zijn hoofd, waardoor hij tegen de vlakte ging.

Soraya sprong met de benen vooruit van de balk en kwam op de rug van de jongere Arabier terecht. Hij smakte met zijn hoofd op het beton en daardoor werden zijn tanden verbrijzeld. Bloed spoot uit zijn gespleten lip. Hij kreunde en bleef stilliggen. Amun probeerde aan het mes van de oudere Arabier te ontkomen en beiden verdwenen in de duisternis.

Soraya en Donatien Marchand bleven over. Hij keek haar met de gele, vlammende ogen van een gevangen wolf aan. De haat droop ervanaf.

'Hoe wist je waar ik naartoe ging?' Toen ze geen antwoord gaf, keek hij om zich heen. 'Waar is de Jood? Te bang om hier te komen?'

'Je hebt nu met mij te maken,' zei Soraya.

Voordat ze nog iets had kunnen zeggen, sloeg Marchand op de vlucht. Ze rende achter hem aan richting de trap. Haar gedachten flitsten naar Amun en zijn gevecht met de Arabier. Waren hier beneden misschien nog meer mensen? Maar daar kon ze zich nu niet mee bezighouden; ze mocht Marchand niet laten ontsnappen.

Hij bereikte de voet van de trap en rende omhoog, sneller en behendiger dan ze had verwacht. Ze rende achter hem aan, door het zwakke, korrelige licht, door donkere stukken, langs het kleine trapportaal en over de tweede trap naar de plek waar het enkele peertje zijn zwakke licht verspreidde.

Marchand rende zo hard, dat hij het peertje met zijn schouder raakte. Het slingerde heen en weer, waardoor er grillige, desoriënterende schaduwen op de trap geworpen werden. Soraya verdubbelde haar snelheid en verkleinde de afstand tot haar vijand.

Plotseling stopte Marchand. Hij draaide zich om en trok een kleine .22 met zilveren greep. Hij vuurde één keer lukraak en nogmaals toen ze dichterbij kwam. De tweede kogel ging door de mouw van haar jas, maar verwondde haar niet. Ze vloog hem aan en sloeg met de zijkant van haar hand op zijn pols waardoor de .22 uit zijn hand viel. Het pistool stuiterde de trap af en bleef half in het donker liggen.

Soraya greep de voorkant van Marchands jas vast en probeerde hem naar zich toe te trekken, maar hij was overeind gekomen en voordat ze het in de gaten had, had hij het elektriciteitssnoer om haar nek geslagen. Hij trok het aan en zij begon te kokhalzen. Ze greep naar het snoer, maar Marchand, die achter haar stond, trok het nog strakker aan.

Haar vingers probeerden vergeefs onder het snoer te komen dat in haar keel sneed. Ze probeerde adem te halen, maar dat lukte niet. Even later begon ze haar bewustzijn te verliezen.

# Zestien

Bourne kwam met zijn twee reisgenoten zonder verdere problemen in Sevilla aan. Interpol had hen in Madrid niet opgewacht en in Sevilla kwamen zij ongehinderd door de controle.

Zoals beloofd stond er een huurauto voor hen klaar, en ook kregen ze een internetadres. Bourne voerde het in op de browser van zijn mobiel en meteen verscheen de kaart van het gebied tussen Sevilla en Cadiz, de plaats waar, naar hij aannam, Don Fernando Hererra op hun komst wachtte.

Ze gingen in de auto zitten. Bourne startte en ze reden weg van het vliegveld. Hij had de tijd in het vliegtuig besteed aan het uitvogelen van Jalal Essais spelletje. Hij twijfelde er niet aan dat Essai hem een mengsel van waarheid en leugens had voorgeschoteld, dus het was nog onduidelijk of hij een medestander of een vijand was. Hij had de tijd ook gebruikt om na te denken over zijn vriend Boris Karpov. Als het al waar was dat hij de opdracht had gekregen om Bourne te vermoorden, dan had hij zich in elk geval nog niet laten zien. Maar zou hij überhaupt opduiken? Essai wilde iets van Bourne, iets waarvan hij wist dat Bourne het niet zou doen als Essai hem er rechtstreeks om zou vragen. Had dat misschien met Boris te maken? Bourne voelde hoe een net zich om hem aan het sluiten was, maar hij had geen idee van de grootte of de oorsprong.

Iemand had het op hem gemunt – maar waarom en waarvoor?

'Je praat niet veel, hè?' zei Rosie, die op de stoel naast hem zat.

Bourne glimlachte en keek voor zich terwijl hij zich op de weg concentreerde. Hij maakte zich zorgen dat ze gevolgd werden, maar tot nu toe leek het verkeer achter hen normaal.

'Ik heb nog nooit iemand zoals jij ontmoet.'

'Dios mio, Rosie,' zei Vegas vanaf de achterbank, 'vuur niet zoveel vragen op hem af.'

'Ik probeer alleen maar een gesprekje te voeren, mi amor.' Ze draaide zich naar Bourne, maar keek hem niet aan. Haar ogen staarden in het luchtledige. 'Ik weet hoe het is om alleen te zijn – echt alleen, weggedoken in de schaduw, starend naar het zonlicht.'

'Rosie!'

'Sst, mi amor.' Ze richtte zich weer tot Bourne. 'Wat ik niet begrijp is waarom iemand dit uit vrije wil doet.'

'Weet je,' zei Bourne, 'je praat niet als iemand van de straat.'

'Ik klink wel redelijk ontwikkeld, hè?'

'Ik bewonder je taalgebruik.'

Haar lach was warm en vol. 'Ja, iemand als jij hoort dat.'

'Je kent me helemaal niet.'

'O, nee? Je bent alleen, altijd alleen. Ik denk dat dat het belangrijkste is aan jou – het bepaalt hoe je denkt en alles wat je doet.' Ze bewoog haar hoofd. 'Heb je hier een verklaring voor?'

'Ik weet helemaal niets van jou.'

Ze raakte de littekens in haar nek en op haar borst aan. 'Maar ik denk van wel.'

'De margay.'

'Ze was zo mooi,' zei Rosie, 'maar ik liep in de weg.'

'Nee,' zei Bourne. 'Je maakte haar bang.'

Rosie wendde zich af en keek door het raampje naar het passerende landschap, dat niet veel meer was dan een slaapverwekkende reeks heuvels waarvan enkele begroeid waren met knoestige, verstofte olijfbomen.

Bourne keek opnieuw in de achteruitkijkspiegel. Hij hield een rode Fiat in de gaten, maar hij betwijfelde of een professionele achtervolger gebruik zou maken van een rode auto.

'Struikelen over het hol van een margay,' zei hij, 'dat verwacht je niet van iemand die geboren en getogen is in de Cordilleras.'

'Ik rende. Toen ik een stroompje passeerde, gleed ik uit over een bemoste steen en bezeerde mijn knie. Ik keek niet waar ik liep; ik was bang.'

'Je vluchtte.'

'Ja.'

'Voor wie?'

Rosie wierp haar hoofd in haar nek. 'Jij bent altijd op de vlucht. Jij zou dat moeten weten.'

'Ik heb gehoord dat je op de vlucht was voor je familie.'

Ze knikte. 'Dat is waar.'

'Dat heb ik nooit gedaan.'

'En toch ben je alleen, altijd alleen,' zei ze. 'Dat moet uitputtend zijn.'

Vegas leunde naar voren. 'Rosie, hou in godsnaam op!' Hij richtte zich tot Bourne. 'Ik verontschuldig me voor haar.'

Bourne haalde zijn schouders op. 'De wereld is vol meningen.'

'Ik weet waarom jij vlucht,' zei Rosie. 'Je vlucht omdat je door niets geraakt wilt worden.'

Bournes ogen flitsten opnieuw naar de achteruitkijkspiegel, de rode Fiat, en terug naar Rosies gezicht, maar ze had weer een afwezige blik in haar ogen.

'Ik veronderstel dat een psycholoog in Ibagué niet veel klandizie heeft,' zei hij. 'Ben je daar geboren?'

'Ik ben een Achagua,' zei Rosie. 'Ik ben van de slangentak.'

Bourne, een expert in de vergelijkende taalwetenschap, wist dat de Achagua hun verschillende familielijnen genoemd hadden naar dieren: slang, jaguar, vos, vleermuis, tapir.

'Spreek je de taal – Irantxe?'

Haar lippen krulden in een flauwe glimlach. 'Goed geprobeerd. Ik ben onder de indruk. Echt. Maar, nee, Irantxe is een eigen taal. De Achagua spreken een aantal Maipurean-talen afhankelijk van het feit of ze in de bergen of in het Amazonedal leven.' Haar glimlach verbreedde zich. 'Je wil me toch niet vertellen dat je een van die talen spreekt.'

'Nee,' zei Bourne.

'Ik ook niet. Ze werden heel lang geleden gesproken. Zelfs mijn vader kon ze niet spreken.'

Bourne keek weer in de achteruitkijkspiegel. Hij zag de rode Fiat niet meer. Hij richtte zijn aandacht nu op het zwarte bestelbusje voor hen. Het had de afgelopen vijftien minuten verscheidene keren de mogelijkheid gehad om van baan en snelheid te veranderen, maar had dat niet gedaan. In plaats daarvan was het vier auto's voor hem blijven rijden.

Hij keek in zijn zijspiegel, wachtte op een gaatje en schoot toen zonder richting aan te geven naar de linkerbaan. Binnen een paar seconden had hij het zwarte bestelbusje ingehaald. Hij hield het in zijn achteruitkijkspiegel in de gaten en zag het langzaam uit het zicht verdwijnen. Toen veranderde het van baan en accelereerde.

Bourne keek nu of hij in de tang zat, een achtervolgingsmanoeuvre die verschrikkelijk moeilijk af te schudden was aangezien er auto's voor en achter hem bij betrokken waren.

'Wat gebeurt er?' zei Vegas.

Bourne voelde hoe de bezorgdheid als hittegolven van hem afstraalde.

'Op deze weg zijn mensen die er niet zouden moeten zijn,' zei Bourne. 'Hou je vast.'

Rosie pakte de handgreep boven haar portier en zei niets. Haar gezicht vertoonde geen emotie. Ze wist wanneer ze zich gedeisd moest houden, dacht Bourne.

Het zwarte bestelbusje had een positie op een autolengte achter hem ingenomen. De chauffeur had klaarblijkelijk in de gaten dat hij ontdekt was.

Bourne keek voor zich, maar zag geen ander zwart bestelbusje. Hij zag sportwagens, een bus vol Japanse toeristen met camera's voor hun gezicht, en sedans met gezinnen. Er reden ook verschillende trucks, waaronder een met oplegger, maar geen van deze voertuigen leek deel uit te maken van de tang.

Hij varieerde zijn snelheid en keek of een van de voertuigen voor hem zich aanpaste, maar hij kon niets raars opmaken uit hun rijgedrag. Het was interessant, maar tegelijkertijd zorgwekkend dat, hoewel het zwarte bestelbusje zich blootgegeven had, de tweede wagen nog steeds niet bekend was. Hij vroeg zich af wat dat betekende, want dit kwam niet in het spelregelboek van achtervolgingen voor. Als een van de voertuigen van de tang ontdekt was, maakten de twee wagens zich ofwel uit de voeten, ofwel ze lieten de tang dichtklappen.

Plotseling kwam de bestelbus in actie en naderde links van Bourne. Bourne ging naar de middenbaan, even later gevolgd door het busje. Hij ging weer terug naar de rechterbaan. De truck met oplegger reed nu voor hem. Als het zwarte bestelbusje volgde, kon hij altijd nog links langs de truck schieten.

Het busje gaf een dot gas en sneed een ronkende sedan de weg af die achter Bourne probeerde in te voegen. Bourne keek naar een gaatje om naar de middenbaan te gaan, maar toen hij richting aangaf, ging het busje gevaarlijk dicht achter hem rijden. Hij gaf gas en precies op dat moment sloeg de achterklep van de oplegger naar beneden en sleepte met een vonkenregen over het asfalt.

Toen Bourne dit zag gebeuren, begreep hij meteen wat de bedoeling was. De klep werkte als een soort oprit. Het zwarte bestelbusje dwong hem langzaam maar zeker richting de klep en het gapende, lege binnenste van de oplegger, het tweede voertuig van de tang. Deze mensen wilden hem niet achtervolgen of doden: ze wilden hem gevangennemen, insluiten en voor altijd onschadelijk maken.

Soraya, vechtend om haar bewustzijn niet te verliezen, zette zich met haar hakken schrap tegen de trap. Op hetzelfde moment draaide ze haar heupen naar links, weg van haar rechterelleboog, die ze tegen Marchands keel ramde.

Marchand tuimelde achteruit, liet het snoer los en sloeg zijn handen in een late reflex voor zijn kwetsbare keel. Met haar rechterhand trok ze het snoer van haar keel. Ze gaf Marchand een knietje in zijn kruis. Hij hapte naar adem en sloeg dubbel. Ze sloeg het snoer om zijn nek en trok zo hard aan beide einden dat hij op zijn knieën viel.

Hij maakte happende geluidjes als een vis op het droge en keek naar haar op met uitpuilende, bloeddoorlopen ogen. Hij probeerde haar eerst met zijn rechter- en toen met zijn linkerhand te slaan, maar ze had hem in een dodelijke greep.

Ze boog zich over hem heen en kwam met haar grimmige gezicht vlak bij het zijne. 'Zo, monsieur Marchand, je gaat me alles vertellen wat ik wil weten. Je gaat me dat nu vertellen of ik zal, bij Allah, je leven en ziel nemen en ze tot stof vermalen.'

Hij staarde haar aan. Zijn gezicht zwol op en werd vuurrood. Tranen van de pijn sprongen uit zijn ogen. Zijn pupillen waren helemaal weggedraaid.

'Ak, ak, ak,' was het enige wat hij uit kon brengen.

Toen ze haar greep op het snoer iets verlichtte, deed hij gelijk een uitval naar haar, maar ze sloeg haar voorhoofd tegen zijn neusbrug. Het bloed spoot er uit en liep over zijn bovenlip, wangen en kin.

'Praat,' zei ze. 'Wie heb je gebeld nadat wij weg waren gegaan?'

Zijn ogen sperden zich nog verder open. 'Hoe... hoe weet je dat?'

'Nou?'

'Waarom zou ik wat zeggen? Je vermoordt me toch.' Zijn stem klonk gedempt, alsof hij onder water was.

'En wat weerhoudt me? Je was mijn dood aan het beramen,' zei ze. 'Maar in tegenstelling tot jou heb ik misschien nog een greintje genade in mij. Die gok moet je nemen.'

Plotseling gaf hij zijn weerstand op en haalde zijn schouders op. 'Ik zal het je vertellen. Het maakt toch niets uit. Je komt hier toch niet levend uit.'

Soraya had genoeg van hem. Haar verlangen om hem aan stukken te scheuren werd overweldigend. Ze pakte zijn gebroken neus tussen haar vingers en draaide hem als een waterkraan om totdat de tranen hem weer in de ogen sprongen. Hij blies als een lastdier dat op het punt stond in te storten. Pas toen deed ze het snoer wat losser.

Ze keek hem hardvochtig aan. 'Vijf seconden, vier, drie...'

Hij stompte haar hard op haar linkerborst. Soraya zag sterretjes, sloeg achteruit en viel bijna van de trap. Marchand maakte gebruik van dit moment en wierp zich op haar. Zijn gezicht was paars, zijn wangen vlekkerig en zijn adem kwam raspend uit zijn keel. Hij probeerde haar te wurgen en haar achterwaarts van de trap in het zwarte gat te duwen.

Soraya snakte naar adem en vervloekte zichzelf omdat ze zich had laten overrompelen. Ze probeerde zijn onderarmen uit elkaar te drukken om zijn greep te doen verslappen. Maar Marchand rook bloed.

Soraya sloeg en sloeg, maar ze had geen macht meer, waardoor haar slagen onvoldoende uitwerking hadden. Ze kon niet meer goed zien en had moeite om na te denken. Ze vocht als een bezetene, maar dat leek alleen maar een averechts effect te hebben. Langzaam maar onverbiddelijk duwde hij haar met haar rug tegen de reling totdat ze pijnlijk achteroverboog.

Haar wanhopige bewegingen kregen door het spel van licht en donker dat veroorzaakt werd door het heen en weer slingerende peertje een bijna angstaanjagende uitstraling. Ze keek naar de lamp, een kleine zon aan het uiteinde van een snoer. Toen knipperde ze met haar ogen. Ze stond op het punt te vallen en voelde hoe hij zijn krachten bundelde om haar het laatste zetje te geven. Haar arm schoot omhoog. Ze greep de lamp bij de fitting en slingerde hem in Marchands linkeroog.

Hij schreeuwde het uit toen het glas versplinterde en in zijn oog drong. Soraya voelde dat de druk op haar minder werd en drukte de lamp nog dieper in het oog.

Ze werd door de elektrische schok naar achteren geslagen. Ze snakte naar adem in een wanhopig verlangen naar zuurstof. Ze voelde zich kapot, volkomen leeg.

Ze rook verbrand vlees en moest bijna overgeven. Ze ging overeind staan, kreunend, en elke spier in haar lichaam deed pijn. Marchand lag op zijn knieën. Zijn handen zaten muurvast om de fitting van de lamp die vastzat in zijn oogkas. Zijn spieren trokken krampachtig samen terwijl hij voorovervie l – kortsluiting in zijn hart.

# Zeventien

De zwarte bestelbus zat vlak achter Bourne, de oplegger, klaar om hen binnen te halen, reed voor hem. Rechts was een rand van zo'n halve meter met een ijzeren vangrail ernaast. Daarachter lag een steile helling die eindigde in een bosje olijfbomen. Links van hem reed een Mercedes cabriolet. Achter het stuur zat een nietsvermoedende chauffeur die zijn hoofd bewoog op het ritme van de muziek die uit zijn luidsprekers kwam. Er was geen tijd om na te denken, alleen voor instinct dat door jarenlange training en door schade en schande gevormd was.

Bourne gaf gas en verkleinde de afstand tussen hem en de klep. Toen stond hij met de voorkant van de huurauto op de klep.

'Wat ben je verdomme aan het doen?' schreeuwde Vegas.

Toen hij halverwege de klep was, draaide hij het stuur hard naar links en trapte tegelijkertijd het gaspedaal helemaal in. De auto schoot als een katapult van de klep af. Hij vloog rakelings over de Mercedes. De onderkant van de auto miste het hoofd van de chauffeur op enkele centimeters, nog voordat die instinctief wegdook. Toeters loeiden en remmen gierden. Bourne kwam met de achterkant van de auto in de uiterste linkerbaan terecht, kreeg de auto weer onder controle en reed door. Achter hem ontstond een kettingbotsing, maar de huurauto was vrij en scheurde weg van de oplegger en het zwarte bestelbusje, die allebei betrokken waren bij de gigantische botsing.

'¡Madre de Dios!' schreeuwde Vegas. 'Slaat mijn arme hart nog?'

Rosie liet de greep boven het portier los. 'Wat Estevan wil zeggen is bedankt.'

'Wat ik wil zeggen, is dat ik een borrel nodig heb,' prevelde Vegas vanaf de achterbank.

De dag was bijna ten einde. De oranjegele zon lag als een gebakken ei op de heuvels in het westen. De schemering viel op de olijfbomen en gaf de grillige takken een bijna spookachtige uitstraling. Ze scheurden naar het westen, de nachtelijke duisternis met haar eerste, aarzelende sterren tegemoet.

De atmosfeer in de auto was veranderd. Bourne voelde het net zo zeker als je de eerste tekenen van de winter voelt, een vermindering van spanning, de huivering van een voorgevoel. Na hun ontsnapping uit de tang was er een subtiele verandering opgetreden bij zijn beide reisgenoten. Het was net alsof Vegas, de bekwame olieman, zich ver van zijn bergen en olievelden ontredderd voelde, terwijl Rosie na hun vertrek uit Ibagué opgebloeid was als een bloem in het zonlicht.

Hij dacht aan de nauwgezet voorbereide tang, waar hij duidelijk de hand van de Domna in herkende. De Domna had hem opgespoord. Had Jalal Essai hen ingelicht? Bourne achtte hem ertoe in staat. Essai bleef een compleet raadsel voor Bourne.

Alles wat Rosie had gezegd was waar, hoe pijnlijk dat misschien ook was: hij vluchtte voor alles en iedereen. En het was natuurlijk ook duidelijk waarom. Hij had ooit heel veel om een aantal mensen gegeven. Nu waren ze op Moira en Soraya na dood. En een aantal misschien wel door hem. *Niet meer*, schreeuwde een hardnekkige, innerlijke stem. *Niet meer*. Zijn nieuwe levenshouding, die zich ontwikkeld had zonder dat hij zich er bewust van was geweest, was eenvoudig: blijf vluchten. Hij wist dat hij niet geraakt kon worden zolang hij op de vlucht was. Maar de keerzijde, de bijkomende schade waar Rosie zo pijnlijk de vinger op legde, was dat hij helemaal niets voelde. Was dat nu leven? Leefde hij überhaupt? En als hij niet leefde, in wat voor toestand bevond hij zich dan?

Om zichzelf af te leiden, richtte hij zich tot Rosie. 'Waarom vluchtte jij trouwens?'

'Om de gebruikelijke redenen.'

Ze gaf antwoord op een manier die hij van zichzelf herkende, zonder echt iets te zeggen. 'Er zijn geen gebruikelijke redenen,' kaatste hij terug.

Dit maakte haar aan het lachen. Hij vond het geluid intrigerend. Het was warm en vol en leek helemaal vanuit haar maag omhoog te borrelen. Er was niets oppervlakkigs of onechts aan die lach. 'Daar heb je gelijk in.'

Ze zweeg een tijdje. Bourne zag dat Vegas op de achterbank in slaap gevallen was. Hij zag er afgetobd en moe uit alsof hij het hele stuk van de Cordilleras tot bijna in Cadiz te voet had afgelegd.

'Ik was geen braaf meisje,' zei Rosie na verloop van tijd. Ze keek door het raampje naar buiten. 'Ik was, hoe noem je dat, het zwarte schaap. Alles wat ik deed, maakte de mensen om mij heen kwaad.'

'Je familie.'

'Niet alleen mijn familie. Ook vrienden. Dat was een van de dingen die mijn familie mij niet konden vergeven.'

Ze reden in stilte verder. Het geluid van de wind had even vrij spel. Rosie duwde haar haar achter haar oor, waardoor er een kleine tattoo te zien was.

'Ik zie dat je altijd een slang bij je hebt,' zei Bourne. De slang was oranje-zwart gestreept.

Ze raakte haar oorschelp aan. 'Het is een soort geheimtaal.'

'Hij ziet er mythisch uit. Spuwt hij vuur?'

'Huh! Ik heb nog nooit gehoord van een wezen dat vuur spuwt.'

'Dan heb je sommigen van de Russen die ik heb ontmoet, nog niet ontmoet.'

Weer die lach, die de auto vulde alsof het parfum was.

Bourne aarzelde even. 'Maar je bent wel gemene mensen tegengekomen.'

De wind blies haar haar terug over haar oor, waardoor de kleine slang aan het zicht onttrokken werd. 'Behoorlijk gemeen, ja.'

Voordat hij verder kon gaan, zei ze: 'Waarom ben je op de vlucht?'

'Ik heb een aantal behoorlijk machtige mensen tegen me in het harnas gejaagd. Zij hadden plannen en ik liep in de weg.'

Rosie keek snel over haar schouder naar Vegas. 'Als het de Domna was, bravo.'

Bourne glimlachte grimmig. 'Wat weet je van Estevans betrokkenheid bij hen?'

Rosie aarzelde. Ze overwoog waarschijnlijk of ze iets zou loslaten. Toen zei ze: 'Zijn betrokkenheid was niet vrijwillig, dat kan ik je wel vertellen.'

'Hoe hebben ze hem klem gezet?'

'Zijn dochter.'

'Ik dacht dat zij er met een knappe Braziliaan vandoor was?'

'Wie heeft je dat verteld? Suarez?' Toen Bourne knikte, ging Rosie verbeten verder. 'Dat is het verhaal dat Estevan besloot te vertellen. Het sneed hout, het was aannemelijk. Maar de waarheid is dat de Domna haar ontvoerde. Ik heb geen idee waar ze is. Estevan kreeg elke week een foto van haar terwijl ze een recente krant vasthield, zodat hij wist dat ze nog leefde.'

'Maar Estevan kwam in opstand,' zei Bourne.

Ze haalde haar handen door haar haar. 'Essai vertelde hem dat de Domna zijn dochter niet had. Ze hadden haar gepakt, maar ze was al lang geleden ontsnapt. Niemand weet hoe ze eraan toe is en waar ze is. Het enige wat Essai Estevan kon vertellen, was dat de twee mannen die haar ontvoerd hadden, dood waren gevonden. Hun kelen waren doorgesneden. De rest was een compleet raadsel.'

'En de foto die ze hem elke week stuurden?'

'Gefotoshopt. Ze gebruikten een meisje met haar bouw en plaatsten vervolgens het hoofd van Estevans dochter op haar schouders.' Ze huiverde. 'Walgelijk.'

'Ik neem aan dat Estevan niets meer van haar gehoord heeft.'

'Geen woord.'

Bourne ging bij afslag Cadiz van de hoofdweg af. 'Het duurt niet lang meer.'

'Goddank,' fluisterde Rosie.

'Ze moet hulp gehad hebben,' zei Bourne bedachtzaam.

Estevan en ik hebben er vaak over gepraat.' Ze haalde haar schouders op. 'Maar daar veranderde het natuurlijk niet door.'

Bourne zag in de verte de stad liggen als een glanzende bal Byzantijns koper. Hij draaide het raampje helemaal naar beneden en zoog de rijke zeelucht in zijn longen.

'Wat weet Estevan van de Domna?' vroeg Bourne. Hij herinnerde zich dat Essai hem had verteld dat Estevan, als hij hem niets kon vertellen over het nieuwe plan van de Domna, hij hem zeker wel iemand kon noemen die dat wel kon.

Rosie verschoof op haar stoel. 'Het feit dat hij gedwongen werd om voor hen te werken, zegt genoeg.'

'Hij was een klein radertje.'

'Iedereen behalve de leiders is een klein radertje. Dat is veiliger; verdeling zorgt voor absolute veiligheid. In het geval van Estevan – hij verleende een dienst van onschatbare waarde.'

'Wat was dat?'

'Booruitrustingen moeten onder constante druk presteren. Onderdelen raken versleten, verstopt of gaan kapot. Nieuwe onderdelen staan altijd in bestelling, de oude worden naar de verschillende fabrieken teruggestuurd. Snap je?'

Bourne snapte het. 'Wat smokkelde Estevan dan voor hen Colombia in en uit?'

Rosie haalde haar schouders op. 'Drugs, wapens – en bij mijn weten ook mensen. Het kon eerlijk gezegd van alles zijn.'

'Estevan heeft het je nooit verteld?'

'Hij wist het zelf niet. De verzegelde kratten kwamen en gingen. Ze waren op een speciale manier gemerkt. Hij mocht ze niet openmaken. Hij was enkel het doorvoerkanaal.'

'Maar ieder mens is nieuwsgierig,' zei Bourne. 'Heeft hij nooit even gegluurd?'

'Ze waren op een speciale manier verzegeld. Hoe dan ook, als hij al gekeken heeft, dan heeft hij er in elk geval nooit over gesproken.'

'Zou hij zoiets voor jou geheimhouden?'

'Zoals je zelf hebt kunnen zien, is Estevan naar mij toe uitzonderlijk beschermend. Hij sterft liever dan dat hij mij aan gevaar blootstelt.'

*Wanneer is een reactie geen antwoord?* dacht Bourne. *Dat is als Rosie het geeft.*

Ze reden nu in het oude Cadiz. Het licht en de scherpe schaduwen zetten de straten in lichterlaaie. De Noord-Afrikaanse filigreinarchitectuur was overal om hen heen te zien. Het was net alsof ze waren terechtgekomen in een andere wereld, die balanceerde tussen het Oosten en het Westen, die deel uitmaakte van beide, maar bij geen van tweeën behoorde.

Het daglicht oogde vermoeid; de scherpe lucht van een naderende storm hing in de lucht. Het begon al donker te worden.

Ze reden verder door kronkelige straatjes, hoorden de kooplui in het Spaans en Arabisch schreeuwen en snoven de geur van het verleden op.

'Waar heb je geleerd om een boot te besturen?' vroeg Marlon Etana, terwijl hij op het bankje in de zeilboot zat.

'Ik zit vol verrassingen,' zei Essai. 'Zelfs voor een man als jij.'

'Iemand als ik die erop uitgestuurd is om iemand als jij te vermoorden.'

Essai lachte. 'De best beraamde plannen.'

Nadat ze elkaar eerder die ochtend in het café ontmoet hadden, hadden ze samen koffiegedronken. Ze praatten over koetjes en kalfjes. Daarna gingen ze een flink eind wandelen, maar ze hadden het toen ook nergens speciaal over. Zo wilden ze het, zo moest het gaan. Hun relatie was zo ondergedompeld in samenzweringen, misleidingen en voorwendsels, dat ze het vaak moeilijk hadden om als normale mensen met elkaar te communiceren.

Essai had in de haven een zeilboot gehuurd en ze waren net na lunchtijd weggevaren, terwijl iedereen in Cadiz nog siësta hield. Alle andere boten waren vlak na zonsopgang vertrokken en zouden pas laat in de middag terugkeren. Niemand zag hen; niemand behalve de verhuurder was in de buurt, en zijn enige interesse waren de euro's die hem in de handen gestopt waren.

Het was een heldere dag met wat hoge bewolking. De zon brandde en gaf het water de aanblik van geklopt koper. Maar er was wel wind, en Essai bestuurde de kleine zeilboot deskundig en moeiteloos alsof hij op het water geboren was. Cadiz verdween als een massief Saraceens kromzwaard langzaam uit het zicht, zijn handvat bezet met juwelen blinkend in het zonlicht.

Het was pas toen de zon zakte en de lucht in het westen veranderde in een palet van opzichtige kleuren, dat ze echt met elkaar in gesprek raakten.

'El-Arian denkt nog steeds dat je me haat, of niet?' zei Essai.

'Meer dan ooit, denk ik.' Etana's schedel werd verlicht, maar zijn volle baard liet geen licht door. 'Ik wilde achter Bourne aan, maar Benjamin wilde dat ik me op jou richtte.'

'De geslepen klootzak huurde Viktor Cherkesov. Cherkesov heeft Boris Karpov in zijn zak; hij is de enige.'

Vanaf zijn plaats in de stuurhut keek Etana in het water, dat kobaltblauw met afwisselend oranje en inktzwarte vleugen was. 'Ik denk niet dat dat de enige reden is waarom hij Cherkesov gehuurd heeft.'

Essai had een hand op het roer en hield de wind in de gaten. 'O?'

Etana plantte zijn ellebogen op zijn magere, gespierde dijen. 'Cherkesovs eerste opdracht was niet een ontmoeting met Karpov. El-Arian heeft hem naar de Moskee gestuurd.'

Essai voelde een koude rilling. Het licht trilde voor zijn ogen en verkleurde van goud naar blauwzwart. 'De Moskee in München?'

'Precies.'

'Maar waarom?'

Etana zuchtte. 'Om dat te weten zou ik een tovenaar moeten zijn.'

'Hij stuurde een Russische ex-FSB-directeur naar de Moskee?'

Essai schudde zijn hoofd. 'El-Arian moet gek geworden zijn.'

Etana sloeg zijn ogen op naar Essai. 'We moeten met een betere verklaring op de proppen komen, en snel ook.'

'Hoe zit het met het plan?' Essai wilde niet nadenken over de Moskee. De Moskee en de mensen die er nu de leiding hadden waren de reden van de haat die in hem brandde.

'El-Arian heeft de leiders, voordat ik weg ben gegaan uit Parijs, ingelicht, maar ik ben er natuurlijk niet bij geweest. Niemand heeft wat gezegd.'

'Dat had ik ook niet verwacht.'

De wind veranderde en de zeilen begonnen te klapperen als een vlag. Essai stond even op, veranderde wat en keerde toen terug naar de stuurcabine en ging overstag.

'Pas op,' zei hij.

Met een klap sloeg de giek naar de andere kant.

Essai ging scherp aan de wind varen, waardoor de zeilen als de wangen van een dikke man opbolden. Ze schoten door het water, ongeveer parallel aan de kust.

Etana strekte zijn bruine vingers. Ze waren lang als die van een pianist. 'Ik geef toe dat je gelijk had, Jalal. Het is waar dat de invloed van de Moskee op de Domna elke dag groter wordt.'

'Daar is Abdul-Qahhar verantwoordelijk voor,' zei Essai verbitterd. 'Inderdaad de Dienaar van de Overheerser!'

'Maar hoe hebben ze El-Arian in hun macht gekregen?'

Essai hield de boot strak op koers. 'Daarvoor moet je tientallen jaren teruggaan, naar een man met de naam Norén, een geheim agent die in de Domna infiltreerde. Af en toe had de Domna iemand nodig voor een smerig karweitje, en daarvoor gebruikten ze Norén. Hij was een geest – een betrouwbare geest – en dat is het belangrijkste. Maar terwijl hij bezig was met opdrachten voor de Domna, stelde hij lijsten samen met namen, data, feiten en cijfers.'

'Om tegen de Domna te gebruiken.'

'Ze zijn gebruikt. We verloren eenentwintig agenten in een periode van drie weken.'

'Maar voor wie werkte hij?'

'Dat weet niemand, hoewel heel veel mensen binnen de Domna en onder hun directe invloed geprobeerd hebben om dat uit te vinden.' Essai keek met samengeknepen ogen naar het westen, waar aanzwellende donderwolken te zien waren. De wind werd stormachtig, het water ruw. Hij draaide aan het roer en stuurde richting de kust. 'Norén is vermoord.'

'Hoe is dat gebeurd?'

'Hij vond zijn meerdere tijdens een van zijn opdrachten.'

Etana gromde. 'Wie was het doel?'

Essai manoeuvreerde de boot zo dat hij voor de wind kon varen. De romp kliefde door het water. Met elke golf sloegen de druppels hen in het gezicht.

'Een man genaamd Alexander Conklin schoot hem dood.' Essai wierp een blik op zijn metgezel. 'Wel eens van gehoord?'

Etana schudde zijn hoofd.

Essai bleef met een schuin oog de jagende donderwolken in de gaten houden. 'Conklin was het hoofd van Treadstone. In feite heeft hij het opgericht. Een van de belangrijkste doelen van Treadstone was het vernederen van de leiding van de Domna. Daarom werd Conklin een doel.'

'En na Norén?'

'Het hele idee om Conklin uit te schakelen, was veel te riskant,' zei Essai. Ze naderden de kust. Door de stormachtige wind gingen ze zo hard dat hij de koers moest wijzigen om de boot af te remmen.

'Hier, neem het roer en hou het goed vast.'

Met Etana aan het roer, stapte Essai uit de cabine en liep naar voren. Hij reefde de kluiver om de snelheid er nog meer uit te halen. Hij voelde de storm in zijn gezicht slaan, maar hij was nog niet echt losgebarsten.

Terug in de cabine nam hij het roer weer over.

'Conklin en Treadstone boezemden de Domna angst in,' zei hij. 'Dat was het moment dat El-Arian contact zocht met Abdul-Qahhar.'

'Zonder dat hij dat vooraf met de andere leiders besproken had?'

‘Typisch El-Arian. Ik verdenk hem en Abdul-Qahhar er sterk van dat zij, toen ze jong waren, al bevriend waren – hoewel ik daar nog geen bewijzen voor gevonden heb.’

‘Dat zou veel verklaren.’

‘Maar duidelijk is dat Treadstones aanval voor El-Arian het excuus was om een verbond tussen de Domna en de Moskee te bewerkstelligen.’ Essai schudde zijn hoofd. ‘Dat soort Arabische invloed druist in tegen het uitgangspunt van de Domna van samenwerking tussen het Oosten en het Westen. Het was een keerpunt voor de Domna; het was het moment dat alles veranderde.’

Etana zat doodstil. Zijn handen hielden de rand van de bank in een soort doodsgreep en hij zag er groen van ellende uit. Uit respect hield Essai zijn mond en kort erna reefde hij het hoofdzeil en ze gleden de haven binnen. Hij gooide een touw naar de verhuurder.

‘Ik begon me zorgen te maken,’ zei de man, terwijl hij de boot langzaam naar de kant trok. ‘Het stormfront ziet er smerig uit.’

‘Je hoefde je over ons geen zorgen te maken,’ zei Essai. ‘Totaal onnodig.’

‘Hou vol,’ schreeuwde Tyrone Elkins.

Peter Marks had zijn armen om Elkins middel geklemd en zat duizelig en zwak achter op de motor. Er gierde een vuur door zijn lichaam en hij verloor af en toe het bewustzijn als een uitgeputte zwemmer in de golven. Weer die verwijzing naar verdrinking. Ergens in zijn onderbewuste vroeg hij zich af waar dat vandaan kwam.

‘Zit u daar achter me te lachen?’ schreeuwde Tyrone tegen de wind in.

‘Misschien,’ zei Peter. ‘Ik weet het niet.’ Hij rustte met zijn wang tegen het dikke leer van Elkins jack. Hij vroeg zich af sinds wanneer agenten van hun chefs leren jacks mochten dragen. Toen werd de gedachte opgezogen door de draaikolk die in hem tekeerging.

'Geen ziekenhuis,' zei hij.

'Dat had ik de eerste keer al begrepen, baas.'

Peter schrok van de diepgewortelde angst die hij opeens voelde. Wie zaten achter hem aan? Welke plekken hielden ze in de gaten? Waar wachtten ze hem op? 'Alsjeblieft.'

'Geen angst, baas,' zei Tyrone. 'Ik weet een goede plek.'

'Ergens veilig,' mompelde Peter.

'Alstublieft, zeg,' zei Tyrone. 'Doe me verdomme een lol.'

Zeven minuten later kwamen ze aan bij Derons huis in Northeast D.C. Tyrone had op hun tocht elke verkeersregel overtreden die maar mogelijk was. Tyrone, opgegroeid in dit Afrikaans-Amerikaanse getto, had nooit wat opgehad met die verkeersflauwekul, en nu hij voor de CI werkte, dacht hij er niet over na. Iedere politieagent die dom genoeg was om hem aan de kant te zetten, duwde hij zijn federal ID onder de neus, en maakte zich sneller uit de voeten als een rat voor een kat.

Een tijd terug had Tyrone voor Deron gewerkt. Deron was een lange, goed uitziende zwarte man met een gedegen Britse opleiding en een Brits accent die hem goed van pas kwamen bij zijn internationale klantenkring van louche kunsthandelaars die handelden in Derons magnifieke vervalsingen. Deron had ook alle vervalste documenten voor Jason Bourne gemaakt, net als sommige van zijn wapens. Het was door Bournes vriendin, Soraya Moore, dat Tyrone besloot om Derons advies ter harte te nemen, de gangsterboel achter zich te laten, en zichzelf bij de CI aan te melden. Hij had nog nooit zo hard gewerkt, maar hij had er veel voor teruggekregen en het was het meer dan waard geweest.

'Wat is er in godsnaam gebeurd?' vroeg Deron, terwijl hij Tyrone hielp Peter het huis in te dragen.

'Een verdomde gehaktmolen, dat is er gebeurd.'

Peter leek te ijlen. Hij sloeg wartaal uit over telefoontjes, ijzingwekkende waarschuwingen en puzzelstukken.

'Heb je enig idee waar hij het over heeft?' vroeg Deron.

Tyrone schudde zijn hoofd. 'Shit, nee. Hij had het er onderweg alleen over dat ik hem niet naar het ziekenhuis moest brengen.'

'Hmm, dat zou Jason ook niet gewild hebben.'

Samen legden ze Peter op de bank.

'Bijzonderheden,' zei Deron.

Tyrone vertelde zo goed mogelijk wat er gebeurd was, over de ziekenwagen, de neergeschoten mannen en de chauffeur die Peter in elkaar sloeg. 'Ik heb hem gelijk hiernaartoe gebracht,' zei hij ten slotte, en gaf hem de Glock die hij uit de goot had opgeraapt, voordat hij Peter op zijn motor geholpen had.

'Ik hoop dat je er niet te veel vingerafdrukken op gemaakt hebt.'

'Zo min mogelijk,' zei Tyrone.

Deron knikte, duidelijk tevreden. Nadat hij het pistool voorzichtig in een plastic zak gedaan had, bekeek hij het slagveld op Peters lichaam. 'Ken je hem?'

'Ja. Hij is Peter Marks, Soraya's maat. Hij werkte met haar bij Typhon, voordat zij ontslagen werd.'

Deron liep weg om zijn goed gevulde eerstehulpkoffer te halen. Peter lag nog steeds te ijlen. 'Bel hem, vertel hem...'

Tyrone boog zich over hem heen. 'Wie, Peter? Wie wil je bellen?'

Peter was aan het raaskallen. Zijn bloederige lippen vormden onverstaanbare woorden.

'Hou hem vast, zodat hij zichzelf geen pijn doet,' zei Deron.

'Peter hier ging weg bij de CI,' ging Tyrone verder. 'Ik heb geen idee wat hij sindsdien gedaan heeft, maar gezien hoe hij er nu aan toe is, lijkt het mij een verdomd ongezonde bezigheid.'

Deron kwam terug, knielde naast Marks en deed de koffer open. 'Jongen, je moet wel een beetje op je Engels letten.'

'Hoezo?'

Deron grinnikte. 'Laat maar zitten. We werken later wel aan je uitspraak.' Hij gaf Peter een injectie in zijn arm.

'Nee, nee!' schreeuwde Peter met wegdraaiende ogen. 'Moet bellen, moet hem vertellen...' Maar toen kreeg de verdoving vat op hem. Hij kalmeerde en zakte weg.

Deron scheurde Peters bloederige shirt kapot. Peters borst was bezaaid met glassplinters en stukjes metaal, een kerkhof in het klein. 'Oké, Tyrone, laten we deze man eens gaan oplappen.'

Soraya hoorde iemand aan komen rennen. Ze dook half in elkaar, klaar om zich te verdedigen. Maar het was Amun die het zwak verlichte trappenhuis in rende.

'Is alles oké?' zei hij van onder aan de trap.

Ze knikte, omdat ze op dat moment nog niet goed uit haar woorden kon komen. Het duizelde haar nog steeds van Marchands tweede aanval en in haar borst voelde ze een helse pijn. Marchand had een typische academicus geleken; ze had nooit gedacht dat hij tot zo'n geweld in staat zou zijn. Het was een belangrijke les voor haar geweest.

Amun nam de trap met twee treden tegelijk en zei: 'Is dat die hoerenzoon Marchand?'

Ze knikte weer. 'Dood.' Het was het enige woord dat ze uit kon brengen.

'Het is voorbij. Beneden zijn ze allemaal dood. Wat een verdomd addergebroed. We zouden...'

Zijn hoofd explodeerde en hij viel voorover in haar armen. Ze schreeuwde, terwijl ze achteruittuimelde. Hij was dood gewicht. Ze zag een bewegende schaduw en ving een glimp op van een rood poloshirt. De man aan het einde van de steeg! Een metaalvonk. Een tweede kogel ketste af op de trapleuning. Met haar last in haar armen buitelde ze het zwarte trapgat in.

Er volgden nog twee schoten. En toen nog één, dat klonk als een kanonschot.

Daarna niets meer, zelfs geen echo.

Vergetelheid.

# Achttien

'Wacht!' zei Boris. 'Stop!'

'Wat is er?'

Ondanks de neergutsende regen scheurde Lana Lang door een straat die langs de westkant van de Moskee liep. Op het moment dat ze deze donkere, naargeestige straat indraaiden, gingen de haren bij Karpov rechtovereind staan en kreeg hij onder in zijn maag een heel onheilspellend gevoel.

'Stop! schreeuwde hij. 'Terug!'

'Waarom? We zijn er bijna.'

Hij greep de versnellingspook en begon er wild aan te trekken.

'Waar ben je verdomme mee bezig?' schreeuwde ze.

'Ik wil hem in de achteruit krijgen!'

'Kap daarmee.' Ze worstelde met hem. 'Je bent die godverdomde versnellingsbak aan het verkloten.'

'Doe jij het dan.' Hij hield niet op. 'Trap die verdomde...'

Een kogelregen versplinterde de voorruit en raakte Lana Lang vol in het gezicht, waardoor ze schokte als een marionet. Boris dook weg, drukte met een hand het koppelingspedaal in en schoof met de andere Lana's voet op het gaspedaal.

De auto gierde en jammerde als een oude heks. De regen geselde het dak terwijl de auto achteruit langs een stenen muur schuurde. De vonken spatten onder een hels gegier van het portier aan de passagierskant. Het portier begon het te begeven en drukte in Boris' rechterzij. Hij viel over Lana's schoot. Haar levenloze lichaam werd overeind gehouden door de veiligheidsriem om haar borst. Overal was bloed, een fontein, een plas, een rivier die door de voortrazende auto stroomde.

Meer kogels verbrijzelden de koplampen en doorzeefden de spatborden. Karpov draaide aan het stuur en de auto tolde om zijn as en wees met zijn neus de andere kant op. Boris ramde de versnelling in de één en de auto schoot als een bliksemschicht de straat uit.

Overal klonken gierende remmen, wild getoeter en schreeuwen van angst en woede. Het spervuur was opgehouden en Boris keek voorzichtig boven het geteisterde dashboard uit. De auto stond haaks in de straat en blokkeerde alles. Hij kon niet achter het stuur kruipen omdat Lana's lichaam in de weg zat.

Op dat moment klonk het zware, galmende geluid van een claxon. Hij keek om en zag een kolossale koelwagen op zich af denderen. Hij reed veel te hard – hij wist dat de geschrokken chauffeur in dit smerige weer nooit op tijd zou kunnen stoppen.

Hij draaide zich om en probeerde het portier te openen, maar het was zo verfrommeld dat het muurvast zat. Het zou met geen geweld open te krijgen zijn. En het was hoe dan ook te laat. Met het briesende gebrul van een wild dier stortte de truck zich op hem.

'We staan gigantisch bij je in het krijt,' zei Don Fernando Herrera. 'Je hebt ons een grote dienst bewezen.'

'En nu wil ik graag mijn betaling,' zei Bourne. 'Ik ben geen altruïst.'

'O, maar dat zie je verkeerd, Jason.' Don Fernando sloeg zijn elegante benen over elkaar, opende een luxe sigarendoos en bood Bourne een robusto aan, die hij afsloeg. Don Fernando pakte er een uit en volgde minutieus het ritueel van knippen en aansteken. 'Je bent een van de laatste echte altruïsten op deze wereld.' Hij trok een paar keer kort aan de sigaar om deze aan de praat te krijgen. 'Dat kenmerkt je volgens mij.'

De twee mannen zaten in Don Fernando's comfortabele

woonkamer. Vegas rustte in een van de slaapkamers. Don Fernando had hem een licht slaapmiddel gegeven. Rosie was in een van de badkamers verdwenen met de mededeling dat ze een waanzinnige behoefte had aan een lange, hete douche.

Bourne en zijn gastheer bleven over. Bourne had hem voor het eerst in Sevilla ontmoet, waar ze elkaars gevatheid en verbale kwaliteiten op de proef stelden. Later volgde in Londen na de gewelddadige dood van de zoon van de oude man een wat intiemere ontmoeting.

'Ik wil een halfuur alleen met Jalal Essai praten,' zei Bourne.

Don Fernando's mond plooide zich in een glimlach. Hij boog zich voorover. 'Nog een beetje sherry?' Hij vulde Bournes glas bij. Het stond naast een schaal serranoham, roze en gerookte zalm, en grove stukken *manchego*-kaas.

Bourne zat op zijn gemak. 'Waar is Essai trouwens?'

Don Fernando haalde zijn schouders op. 'Dat weet ik net zomin als jij.'

'Dan begin ik maar met u. Waarom bent u met hem bevriend?'

'Geen vrienden. Zakenrelaties. Hij is een middel om een doel te bereiken, niets anders.'

'En wat zijn die doelen?'

'Hij levert mij geld op. Geen drugs.'

'Mensen?'

Don Fernando maakte een kruisteken. 'God verhoede het.'

'Hij is een leugenaar,' zei Bourne.

'Toegegeven.' Don Fernando knikte rustig. 'Hij kan niet anders. Het is ziekelijk.'

Bourne boog zich naar voren. 'Wat ik eigenlijk zou willen weten, Don Fernando, is wat voor soort contact u hebt met Severus Domna.'

'Ook een middel om een doel te bereiken. Soms kunnen zij heel bruikbaar zijn.'

'Ze zullen uw goede naam aantasten, als ze dat al niet gedaan hebben.'

Don Fernando's glimlach werd langzaam breder. 'Nu onderschat je me, jonge vriend. Ik zou beledigd moeten zijn, maar...' Hij wuifde met een hand om de gedachte van zich af te zetten. 'De waarheid is dat ik het, sinds zij een verbond zijn aangegaan met Abdul-Qahhars Moskee in München, als mijn verantwoordelijkheid zie om hen in de gaten te houden.'

Toen hij Bournes blik zag, begon hij te grinniken. 'Ik zie dat ik je verrast heb. Mooi. Je moet leren, mijn vriend, dat je niet alles van mij weet.'

Rosie stapte onder de douche en was onmiddellijk in stoom gehuld. Terwijl zij zich langzaam omdraaide viel het water als een waterval over haar schouders, rug, borsten en platte buik. Ze sloot haar ogen en ze voelde hoe haar spieren door de warmte ontspanden. Ze ging met haar vingers door haar haar en streek het naar achteren. Ze hield haar gezicht in de waterstraal en het hete water stroomde over haar oogleden, neus en wangen. Langzaam bewoog ze haar hoofd van de ene naar de andere kant. De straal masseerde haar spieren. Het water veroorzaakte een gedruis dat haar deed denken aan golven, de immense zee, en even verloor ze zich in dit beeld van onpeilbare diepten.

Het hete water raakte de kleine tattoo op haar oor, roffelde ertegenaan en geleidelijk aan begon de kleur te vervagen en uit te lopen. De slang leek zich te ontrollen toen hij oploste in het water dat verkleurde door het pigment en als tranen langs haar nek naar beneden stroomde en kolkend in de afvoer verdween.

Don Fernando keek bedachtzaam naar het gloeiende puntje van zijn sigaar.

'Het is allemaal begonnen met Benjamin El-Arian,' zei Bourne, 'of niet soms?'

Het was eindelijk beginnen te regenen, hard en in een tropische razernij. De regen sloeg op de dakpannen en striemde de palmbladeren in het atrium. Een windvlaag liet een losliggende dakpan rammelen.

De oude man ging staan, ontvouwde zich als een origamiblaadje, en liep naar de glazen deuren naar het atrium. Hij keek naar buiten, met een hand tegen de zijkant van zijn hoofd.

'Ik zou willen dat het zo eenvoudig was,' zei hij ten slotte. 'Een eenvoudige boef, een simpel doel, of niet, Jason? Dat willen we allemaal omdat er dan geen complicaties zijn. Maar we weten allebei dat het leven ons zelden tijd geeft om alles netjes te verhullen. Wat betreft Severus Domna is niets eenvoudig.'

Bourne stond ook op en ging naast Don Fernando staan. De regen kwam met bakken uit de lucht, stroomde over het glas en kletterde op de vloertegels. Het water gutste uit de koperen regenpijpen, en overstroomde het gras en de bloembedden. Het was buiten aardedonker.

Don Fernando slaakte een zucht. Hij hield zijn sigaar tussen twee vingers, hij was hem nagenoeg vergeten.

'Nee, ik ben bang dat we te maken hebben met een vreemd soort logica. Luister, Jason, het begint allemaal met een man genaamd Christien Norén.'

Don Fernando keek Bourne aan om te zien of de naam een blik van herkenning opleverde.

'Je herinnert je hem niet, hè?'

'Ik kan me niet herinneren dat ik de naam Christien Norén ooit eerder gehoord heb. Vertel me over hem.'

'Dat is niet aan mij.' Don Fernando legde een hand op Bournes schouder. 'Je moet het aan Estevans vrouw vragen.'

'Rosie is niet haar echte naam, hè?' zei Bourne.

Don Fernando stak de sigaar in zijn mond, maar de as was koud en grijs. 'Ga naar haar toe, Jason.'

Schoon en blozend stapte Rosie onder de douche vandaan. Ze sloeg een dikke badhanddoek om en wikkelde een kleinere handdoek als een soort tulband om haar haar. Met haar hand veegde ze de condens van de spiegel, boog zich over de wasbak, duwde de geïmproviseerde tulband omhoog en bekeek zich in de spiegel.

Haar haar had nu zijn natuurlijke geelblonde kleur. De laatste restjes van de verfstof omringden het afvoerputje. Ze hield haar hoofd stil en haalde de contactlens uit haar rechteroog. Daar was ze dan, met één oog donker als koffie, en het andere azuurblauw, de kleur waarmee ze geboren was. Een helft van haar in één wereld, de andere in een tweede. Ze opende het spiegeldeurtje en vond in het medicijnkastje alles waar ze om gevraagd had: nagelknippers, vijl, en een verzameling gezichtscrèmes en vocht inbrengende crèmes. Ze pakte wat ze nodig had.

Zo trof Bourne haar aan toen hij de badkamer binnenkwam. Rosie keek in de spiegel naar hem.

'Klop je nooit?'

'Ik denk dat ik het recht verworven heb om onaangekondigd bij jou binnen te stappen,' zei hij.

Ze draaide zich langzaam naar hem om. 'Wanneer heb je het in de gaten gekregen?'

'In de auto,' zei Bourne. 'Je keek me nooit recht aan. En toen je naar Estevan omkeek, zag ik de rand van de contactlens.'

'En je hebt niets gezegd?'

'Ik wilde zien hoe het verderging.'

Ze maakte een kom van haar hand, boog haar hoofd, haalde de lens uit haar linkeroog en gooide hem in het afvalbakje onder de wasbak.

'Is dat je echte haarkleur of een nieuwe kleurspoeling?' vroeg Bourne.

'Dit ben ik.'

Hij deed een stap naar haar toe. Ze leek uiterlijk onbevreesd. 'Niet helemaal. Hoewel de slangtattoo weg is, heb je nog steeds de typische neus van een Colombiaanse.' Hij keek nog beter. 'De operatie is meesterlijk geslaagd.'

Ik heb drie reconstructies ondergaan voordat het goed was.'

'Dan heb je er veel voor overgehad om voor een echte Colombiaanse door te kunnen gaan.'

'Mijn vader zei altijd, als je iets doet, moet je het goed doen.'

'Daar had je vader helemaal gelijk in. Christien Norén, of niet?'

Rosie keek verbaasd. 'Heeft Don Fernando je dat verteld?'

'Ik denk dat hij vond dat het tijd was.'

Ze knikte. 'Ja, waarschijnlijk wel.'

'Dus, niet Estevan, maar jij bent zo belangrijk voor Don Fernando en Essai.'

'De mensen op de snelweg zaten achter mij aan.'

'Wie zijn zij?'

'Ik zei je toch dat ik op de vlucht was.'

'Voor je familie, zei je.'

'Op een bepaalde manier is dat ook zo. Mijn vader heeft voor hen gewerkt.'

Bourne stond vlak bij haar. Ze rook naar lavendelzeep en citrusshampoo. 'Hoe moet ik je noemen?'

Ze glimlachte mysterieus. Ze ging zo dicht bij hem staan dat er nog geen handbreedte tussen hen zat.

'Ik ben geboren als Kaja Norén. Mijn vader heette Christien en mijn moeder Viveka. Ze zijn allebei dood.'

'Dat spijt me.'

'Je bent heel vriendelijk.'

Kaja streek heel licht met een hand over zijn wang. Met de andere dreef ze de nagelvijl die ze in haar hand verborgen had gehouden door huid en spieren.

# Deel drie

# Negentien

Met een van de schoenen met hoge hakken die hij van Lana Langs voeten getrokken had, attaqueerde Boris de doorzeefde voorruit op het moment dat de truck zich in Lana's auto boorde. De voor- en zij-airbags werden geactiveerd en behoedden hem voor een ontwrichte schouder. Toch verloor hij bijna het bewustzijn. Hij vermande zich en hakte met de schoen op de voorruit in.

De truckchauffeur stampte op de rem, maar het gevaarte had te veel snelheid. De truck sleurde de auto mee. De remschijven begonnen te roken. Iets viel onder de auto vandaan en veroorzaakte een vonkenregen toen het over het natte wegdek sleepte.

Met zijn armen gekruist voor zijn gezicht ontsnapte Boris door de kapotte voorruit. Het geluid van versplinterend glas klonk in zijn oren. Onder hem schokte de auto als een aangeschoten hert. Hij rolde over de motorkap en viel onbeholpen op de weg. Hij voelde pijnscheuten van zijn voet door zijn been trekken. De regen kletterde op hem neer, waardoor hij in één klap doorweekt was. De auto en de truck gleden, oververhit en gierend, als een groteske eenheid hevig slingerend door. De remmen van de truck liepen vast en het gevaarte begon te tollen als een planeet die uit zijn baan vliegt. De truck en de auto schoten de stoep op en boorden zich door een glazen winkelpui. Met een afgrijselijk geluid als van een dier in doodsnood, verpulverden zij het interieur en ramden de achtermuur.

Ondertussen was Boris wankelend opgestaan. Om hem heen was een chaos ontstaan van schreeuwende voetgangers, loeiende sirenes en stilstaande auto's. De mensen liepen als idioten door elkaar waarbij ze voortdurend met hun paraplu's in elkaar haakten. Ze staarden hem aan, pakten hem vast, vuurden vragen op hem af: was hij oké, wat was er gebeurd? De menigte groeide aan tot het zelfs in de aangrenzende straten vol stond. De mensen leken overal vandaan te komen.

Boris probeerde zich aan de toenemende chaos te ontworstelen. Toen zag hij hoe de menselijke machine als een mes door de menigte sneed. De menselijke machine grijnsde naar hem en zei iets wat Boris niet kon verstaan. Het was Zachek, de spreekbuis van Konstantin Beria, het hoofd van de SVR. Zachek, degene die hem op Ramenskoye Airport had aangehouden. Wat deed hij hier? vroeg Boris zich af.

*'Wees ervan verzekerd dat wij uw leven tot een hel kunnen maken,'* had Zachek hem gewaarschuwd.

Op dat moment leek het alsof er een gordijn opgetrokken werd, waardoor het vergiftigde feestmaal op tafel te zien was. Terwijl hij zich wankelend als een dronkenlap een weg baande door de dichte menigte druk pratende gapers, realiseerde Boris zich dat het de SVR was geweest. De SVR was verantwoordelijk voor Lana Langs dood en probeerde hem hier in München een loer te draaien.

'Denk je ooit aan hen?' zei Kaja.

Bourne lag op de badkamervloer en keek op in haar doordringende, blauwe ogen. Ze zat schrijlings op zijn buik en had de nagelvijl, die ze als mes had gebruikt, in haar hand. Hij voelde niet veel pijn. Hij dacht dat de vijl niet echt diep was gegaan en dat hij op een van zijn ribben was afgegleden. Hij zou haar makkelijk van zich af kunnen werpen, maar wat had dat voor zin? Ze had hem niet willen vermoorden, of een ernstige verwonding toebrengen. Ze had hem iets te vertellen. Iets wat hij wilde weten – waarschijnlijk zelfs moest weten. Hij bleef dus stilliggen, ademde zwaar en dacht na over zijn besluit.

'Over de mensen die je hebt vermoord?' ging ze verder.

En terwijl hij in haar ogen keek, versmolten het heden en het verleden. Haar blauwe ogen werden de ogen van de vrouw in het toilet van de noordse disco. Flikkerende lichten, dreunende muziek, hij was terug in tijd en plaats. Zij zat op het toilet, met de kleine met zilver beslagen .22 – niet meer dan een speelgoedding als het aankwam op het tegenhouden van een mens – op hem gericht.

Hij deed wat Alex Conklin hem opgedragen had. Hij wist niets van de vrouw, behalve dan dat zij door Treadstone aangemerkt was om uitgeschakeld te worden. Zo ging dat in de tijd dat hij getraind was om te doen wat hem opgedragen was. De tijd voordat hij bij een voorval zijn geheugen verloor, waarna hij alles ter discussie begon te stellen, te beginnen bij de motieven van Treadstone.

Vlak voordat hij zijn opdracht volbracht, had zij gezegd: *'Er is geen...'*

*Er is geen...* wat?

Kaja's ogen, de ogen van de dode vrouw, dezelfde ogen.

Toen zei Kaja: 'Ik heb haar gezien. De politie kwam en nam me mee naar Frequencies in Stureplan om haar te identificeren. Ze zat daar nog, ze hadden haar niet verplaatst, God weet waarom...' Haar hoofd trilde. 'Er was geen reden voor jou om dat te doen.'

*'Er is geen reden.'* Dat had ze gezegd vlak voordat hij haar vermoordde. *'Er is geen reden.'*

Soraya viel in een zwart gat. Ze belandde op Amuns lichaam, dat haar in zijn dood net zo beschermde als tijdens zijn leven.

De man met de rode polo was direct bij haar. Hij trok haar van Amun af en gooide haar als een afvalzak aan de kant. Hij keek even naar Amuns gezicht. Daarna gaf hij er een schop tegenaan. De kaak brak en tanden vlogen in het rond. Hij trapte opnieuw en Amuns neus versplinterde. Vervolgens richtte hij zijn aanval op Amuns ribben, waarbij zijn trappen steeds furieuzer werden. Hij hijgde als een loopse hond. Zijn gezicht zat onder het bloed en door zijn van woede vertrokken lippen waren zijn gele tanden te zien.

Soraya, die weer bijkwam, hoorde de man vloeken. Omdat dat in het Arabisch was, was ze even totaal gedesoriënteerd en dacht ze dat ze terug in Caïro was. Toen haar blik op Amuns verminkte gezicht viel, slaakte ze een ijzingwekkende kreet. De Arabier draaide zich naar haar om op het moment dat zij hem besprong en naar achteren trok.

Ze vielen hard op de betonnen vloer en zij kreunde van de plotselinge pijnscheut in haar linkerzij. De Arabier probeerde zich van haar te bevrijden, maar zij klauwde zich aan hem vast. Ondanks het feit dat ze overvallen werd door een overweldigende duizeligheid, klampte ze zich aan hem vast. Hij hakte in op een van haar polsen, waardoor zij de ruimte kreeg die ze nodig had. Terwijl ze de muis van haar hand tegen zijn neus ramde, probeerde ze overeind te komen en hem een knietje te geven. Hij draaide zich weg, waardoor zij hem op zijn dij raakte.

Dat was de enige mogelijkheid die hij haar liet. Hij raakte haar op haar keel met zijn vingertoppen. Zij wankelde kokhalzend en naar adem happend achteruit. Hij haalde kalm een stiletto tevoorschijn en knipte hem open met de bedoeling haar keel door te snijden.

Kaja deed de badkamerdeur op slot, omdat erop gebonsd werd.

Don Fernando riep: 'Is alles goed?'

'Er is niets aan de hand,' zei Kaja. 'Jason en ik hebben een openhartig gesprek met elkaar.'

'Doe geen ondoordachte dingen,' zei Don Fernando. 'Hij kent wel duizend manieren om je om zeep te helpen.'

'U maakt zich te veel zorgen, Don Fernando,' zei ze.

Hij rammelde aan de deurklink. 'Kom onmiddellijk naar buiten, Kaja. Dit was een fout.'

'Nee,' zei ze, 'dat is het niet.'

'Hij weet het niet meer, Kaja.'

'Dat hebt u gezegd, ja.' Ze boog zich over Bourne heen en fluisterde: 'Je doet me niets, hè? Niet voordat je weet wat er gebeurd is, en dan is het te laat.'

Hij vroeg zich af wat zij daarmee bedoelde.

'Jason, herinner jij je haar? Herinner jij je de danstent in Stockholm?'

Bourne was nog steeds met haar verwikkeld in een ogenstrijd. 'Het was winter en het sneeuwde.'

Kaja leek enigszins verrast. 'Ja, de dag dat ze stierf, sneeuwde het hard. De dag dat jij haar vermoordde.'

De waarheid kwam als een donderslag. 'Zij was je moeder.'

Even kreeg ze een donkere, dreigende blik in haar ogen. 'Viveka. Mijn moeder heette Viveka.' Ze kwam nog dichter met haar gezicht bij de zijne, hun lippen raakten elkaar bijna. En van het ene op het andere moment verkrampte haar gezicht en kreeg het een duivelse uitstraling. Haar stem zat vol emotie toen ze zei: 'Waarom heb je haar vermoord?'

Het mes kwam in een flauwe boog op haar af. Soraya probeerde haar arm op te tillen in een poging zich te beschermen, maar ze snakte nog steeds naar adem en ontbeerde de kracht. De Arabier sloeg haar arm weg alsof het een poppenarm was.

Hij greep met een hand haar haar en trok haar hoofd naar achteren, waardoor haar lange, kwetsbare halslijn ontbloot werd. Hij grijnsde. 'Bitch,' zei hij. Daarna volgden andere woorden, die haar deden huiveren. Zijn lichaam werd één met het mes en vormde een wapen dat er enkel en alleen op gericht was om haar te vermoorden, alsof die afschuwelijke taak de enige reden voor zijn bestaan was.

Hij kromde zich en Soraya deed een schietgebedje. Toen werd het hoofd van de Arabier tussen een paar armen geklemd. Een hand tilde zijn kin op en even kwam er een blik van herkenning in zijn ogen. Zijn hoofd werd met de grootst mogelijke kracht naar rechts getrokken. Zijn nek kraakte en brak, en terwijl zijn armen slap werden, zakte hij weg in de duisternis die hij voor haar bestemd had.

Soraya keek op toen Aaron de zwakke, flikkerende lichtbundel aan de voet van de trap in stapte. Hij nam haar zonder een woord te zeggen in zijn armen en bracht haar via de alternatieve route die hij gevolgd had, de kelder uit.

*Er is geen reden.*

Hij kon haar de waarheid vertellen of liegen. Het maakte niet uit; ze luisterde niet meer. Zij wilde het volle pond, en hij wist nu wat het was.

'Ze was een burger. Dat vertelde mijn vader vlak voordat hij ons verliet. "Jullie hoeven je geen zorgen te maken, ongeacht wat mij overkomt," zei hij. "Jullie zijn veilig. Jullie zijn burgers." Ik wist niet wat hij bedoelde, tot de dag van de sneeuwstorm, de dag dat mijn moeder...' Ze huiverde opnieuw. Ze zag er witheet uit. 'Waarom heb je haar vermoord? Zeg het me! Ik moet het weten!'

Even voelde hij haar pijn als een windvlaag langs zich glijden. Wat kon hij haar vertellen om haar tot bedaren te brengen? Hij overdacht haar toestand, de hoeveelheid tijd die haar tot dit punt gebracht had.

Zij was een complexe vrouw, daar twijfelde Bourne geen moment aan; ze was een aantal jaren ondergedoken geweest en had zich op slinkse wijze in Estevan Vegas' leven gedrongen. Sterker nog, ze had zich zijn leven eigen gemaakt. Ze was veranderd in wie ze wilde zijn. Ze was niet langer Zweeds. Ze was toegetakeld door een margay; ze was een Achagua, van de slangenlijn.

'Je zou die tattoo echt moeten laten zetten,' zei hij. 'Die *scytale* was schitterend.'

Zijn woorden leken op een geheimzinnige manier een verandering bij haar teweeg te brengen. Ze haalde haar hand van zijn schouder en ging plotseling vermoeid achteroverzitten. De donkere, dreigende blik verdween uit haar ogen. Het leek alsof ze ver weg was geweest en nu weer terug bij hem in Don Fernando's huis in Cadiz.

'Op een middag zag ik in het bos niet ver van Estevans huis een scytale,' zei ze. Het was een schitterend wezen; op zijn eigen wijze net zo mooi als de margay. Ik heb hem zelf getekend en gebruikte daarvoor de natuurlijke verfstoffen van de Achagua.'

'Het is een lange tocht geweest,' zei hij. 'Je bent niet langer wie je was.'

Ze keek hem aan alsof ze hem voor het eerst zag. 'Dat geldt voor ons allebei, of niet?'

Ze ging van hem af, deed een stap achteruit en keek hem behoedzaam aan toen hij opstond en de nagelvijl uit zijn zij trok. Zijn shirt was bebloed en hij trok het uit. Hij draaide de hete waterkraan open en maakte de wond schoon. Het was geen ernstige verwonding.

'Het bloedt behoorlijk,' zei ze van een veilige afstand.

*Zou ze denken dat ik haar nu aan zal vallen?* vroeg Bourne zich af. *Dat ik wraak wil nemen?*

'Doe de deur van het slot,' zei hij, terwijl hij de wond verzorgde. 'Don Fernando maakt zich zorgen over ons allebei.'

'Niet voordat je me de waarheid hebt verteld.' Ze deed een aarzelende stap in zijn richting. 'Was mijn moeder ook een spion?'

'Niet dat ik weet,' zei Bourne. Hij herinnerde het zich. De kracht van Kaja's emotionele uitbarsting had de herinneringsflard uit de krochten van zijn verleden omhooggehaald. 'Je vader had de opdracht gekregen om de man die toen mijn baas was te vermoorden. Hij faalde. Ik was gestuurd om wraak te nemen.'

Kaja maakte een geluid. Het leek erop alsof ze geen adem kreeg. 'Waarom was mijn vader niet...?'

'Mijn doel?' maakte hij haar zin af. 'Jouw vader was al dood.'

'En was dat dan niet genoeg?'

Er was geen antwoord mogelijk dat haar, of – dacht hij – hemzelf tevreden kon stellen.

*Er is geen reden.*

Viveka Norén had gelijk gehad. Er was geen reden geweest voor haar dood, behalve dan Conklins zucht naar wraak. Maar wie had Conklin daarmee pijn gedaan? Noréns dochters waren onschuldig. Zij verdienden het niet dat hun moeder van hen afgenomen werd. Conklins wraakzucht bezorgde hem de koude rillingen. Hij was Conklins instrument geweest, getraind en keer op keer erop uitgestuurd om te moorden.

Hij wreef met zijn handen over zijn ogen. Kwam er geen einde aan de zonden die hij had begaan in het verleden dat hij zich niet kon herinneren? Voor het eerst vroeg hij zich af of zijn geheugenverlies geen zegen was.

'Dit is niet het antwoord dat ik wil,' zei Kaja.

'Welkom in het echte leven,' zei hij vermoeid.

Hij dacht dat ze zou gaan huilen, maar dat gebeurde niet. In plaats daarvan draaide ze zich om en deed de deur van het slot.

Don Fernando rukte de deur open. Hij stapte naar binnen en keek ontsteld naar Bournes verwonding.

'Is mijn huis nu ook al een *corrida* geworden? Kaja, wat heb je gedaan?'

Ze zweeg, maar Bourne zei: 'Het is niet erg, Don Fernando.'

'Zo ziet het er anders niet uit.' Hij keek Kaja afkeurend aan. 'Je hebt misbruik gemaakt van mijn gastvrijheid. Je hebt me beloofd...'

'Ze heeft gedaan wat ze moest doen.' Bourne vond een stuk steriel verbandgaas in het medicijnkastje en deed het op de wond. 'Het is al goed, Don Fernando.'

'Integendeel.' Don Fernando was furieus. 'Ik heb je uit vriendschap voor je moeder geholpen. Maar het is duidelijk dat je te lang in de Colombiaanse jungle heb gezeten. Je hebt daar een paar nare gewoontes opgedaan.'

Kaja zakte op de rand van het bad in elkaar en hield haar handen gevouwen alsof ze bad. 'Het was niet mijn bedoeling u teleur te stellen, Don Fernando.'

'Mijn kind, ik ben niet kwaad om mezelf – ik ben kwaad om jou.' De oudere man leunde tegen de deurpost. 'Bedenk eens wat je moeder van jouw gedrag had gevonden. Ze heeft je heel anders opgevoed.'

'Mijn zus...'

'Praat me niet over je zuster! Als ik gedacht had dat jij ook maar iets op haar zou lijken, dan zou ik je niet bij Jason in de buurt hebben laten komen.'

'Excuses, Don Fernando.' Kaja keek naar haar handen.

Bourne had Don Fernando nooit eerder zijn stem horen verheffen. Het was duidelijk dat Kaja een gevoelige snaar geraakt had.

Don Fernando zuchtte. 'Ik hoop dat je het meent. Wij zijn allemaal leugenaars. We doen ons allemaal voor als iemand die we niet zijn.' Zijn blik ging van Kaja naar Bourne. 'Vind je het niet interessant dat we allemaal een probleem met onze identiteit hebben?'

Ten slotte sloeg Kaja haar ogen op. 'We worden allemaal door geheimen geleid.'

'Inderdaad.' Don Fernando knikte. 'Maar het zijn de geheimen die het probleem met identiteit veroorzaken. Als je geheimen hebt, lieg je, en liegen zorgt voor een verandering van identiteit. En met het verstrijken van de tijd worden de leugens de norm, daarna de waarheid – althans onze waarheid, en dan is de vraag... wie zijn we?' Zijn blik gleed van Bourne naar Kaja. 'Weet jij het, Kaja?'

'Natuurlijk weet ik dat.' Maar ze had te snel geantwoord, en wachtte even. Ze kreeg een nadenkende uitdrukking op haar gezicht.

'Ben je Zweeds,' vroeg Bourne vriendelijk, 'of Achagua?'

'Qua afkomst ben ik...'

'Maar afkomst heeft er maar zo weinig mee te maken, Kaja!' riep Don Fernando uit. 'Identiteit heeft geen basis in de werkelijkheid. Het is puur waarneming. Niet alleen hoe anderen je zien en op je reageren, maar ook hoe je jezelf ziet en hoe je reageert.' Hij gromde mokkend van afschuw. 'Ik denk dat Jason gelijk heeft. Je moet die tattoo van die slang echt laten zetten.'

Kaja sprong op. 'U hebt aan de deur geluisterd.'

Don Fernando hield een sleutel omhoog. 'Hoe zou ik anders geweten hebben wanneer ik de deur had moeten opendoen.'

'Jason had uw hulp niet echt nodig,' zei ze.

'Ik dacht niet aan hem,' zei Don Fernando.

Ze keek op. 'Dank u.'

Het was verbazingwekkend, dacht Bourne, hoever ze nu af stond van Rosie, Estevan Vegas' Colombiaanse geliefde.

Don Fernando gebaarde. 'Ik denk dat we allemaal wel een borrel kunnen gebruiken.'

Kaja knikte en stond op. Toen ze naar de woonkamer liepen, vroeg ze naar Estevan.

'Die slaapt zijn angst weg en doet weer de krachten op die hij nodig zal hebben.' Don Fernando schokschouderde. Het is jammerlijk. Hij kent maar één leven, en dat is een veel eenvoudiger leven dan dat waarin hij nu is terechtgekomen.'

'Waarom kijkt u me zo aan?' zei Kaja stekelig. 'Denkt u dat ik bij hem wegga?'

'Als je dat doet,' zei Don Fernando, terwijl hij hun een speciale sherry inschonk, 'dan weet je zeker dat je zijn hart breekt.'

Ze nam het glas aan dat hij haar aanbood. 'Estevans hart was al gebroken ver voordat ik hem ontmoette.'

'Dat wil niet zeggen dat het niet opnieuw kan gebeuren.'

Bourne nam het glas sherry aan en dronk er langzaam van. Hij zat op de bank. De adrenaline werd geleidelijk minder en zijn zij brandde alsof Kaja hem met een hete pook gestoken had.

'Kaja...' Bourne stopte toen ze haar hoofd schudde.

Ze ging naast hem zitten. 'Ik weet dat Estevan en ik het zonder jou nooit tot hier gered hadden. Daarvoor dank ik je. En...' Ze staarde in de gouden diepte van haar sherryglas. Ze haalde diep adem en liet de adem langzaam ontsnappen. 'Dus. Het verleden ligt achter me. Ik heb het begraven.' Ze draaide haar hoofd en haar ogen haakten in die van hem. 'En dat zou jij ook moeten doen.'

Bourne knikte en dronk zijn glas leeg. Hij gebaarde Don Fernando dat hij niets meer wilde.

'Het zou me helpen,' zei hij, 'als je me iets over je vader zou kunnen vertellen.'

Kaja lachte bitter en nam een grote slok sherry. Ze deed even haar ogen dicht. 'Wat zou ik graag willen dat iemand mij iets over hem zou kunnen vertellen. Op een dag ging hij weg. Hij liet ons achter alsof we speelgoed waren waar hij geen belangstelling meer voor had. Ik was negen. Twee jaar later, mijn moeder...' Ze stokte en nam een slokje van haar sherry. Toen ze het glas naar haar lippen bracht, twinkelde het in het licht. Ze slikte hoorbaar. 'Dertien jaar geleden. Het voelt als een mensenleven.' Ze liet haar schouders hangen. 'Soms als vele mensenlevens.'

'Hij was een spion. Een huurmoordenaar,' zei Bourne. 'Voor wie werkte hij?'

'Dat weet ik niet,' zei Kaja. 'En geloof me, ik heb echt geprobeerd om dat uit te vinden.' Haar ogen dwaalden even weg. 'Ik denk dat Mikaela, mijn andere zus, ontdekt heeft wie het was.'

'Ze heeft het je niet verteld?'

'Ze werd vermoord voordat ze mij of Skara iets heeft kunnen vertellen.'

'Drielingen,' zei Don Fernando.

Nu begonnen de puzzelstukjes in elkaar te vallen. 'Dus jij en Skara losten op. Veranderden van identiteit,' zei Bourne, 'verschuilden jullie, zoals je zei, in de openbaarheid.'

'Ik in elk geval wel.' Kaja boog haar hoofd en hield de rand van het glas tegen haar voorhoofd. 'Ik heb Stockholm zover als ik kon achter me gelaten.'

'Maar de organisatie van je vader heeft je toch weten te vinden.'

Ze knikte. 'Er kwamen twee mannen. Ik heb er een gedood en de ander verwond. Ik vluchtte voor hem toen ik de margay verraste.'

Bourne dacht even na. 'Kun je me iets meer over de twee mannen vertellen?'

Kaja huiverde en haalde diep adem. Zij zag er voor het eerst ontstellend jong en kwetsbaar uit, het gevluchte meisje uit Stockholm. En op dat moment zag Bourne een glimp van de kracht die het haar had gekost om de Rosie-identiteit vol te houden.

'De mannen praatten Engels met elkaar,' zei ze ten slotte. 'Maar uiteindelijk zei de man die ik gedood heb iets, vlak voor hij stierf. Het was geen Engels. Het was in het Russisch.'

# Twintig

Hendricks was net de achtste beleidsbijeenkomst van Samaritan binnen de laatste zesendertig uur aan het afronden – deze ging over het plaatsen van personeel langs de grens die was vastgesteld rond de Indigo Ridge-mijn – toen Davies, een van zijn vijf medewerkers, het vertrek binnenkwam.

‘De president op de beveiligde lijn voor u, sir,’ fluisterde Davies in zijn oor, waarna hij het vertrek weer verliet.

‘Oké, weg hier,’ zei Hendricks tegen de aanwezigen. ‘Maar blijf in de buurt voor de laatste orders. Over vier uur plaatsen we het personeel.’

Nadat iedereen in ganzenmars het vertrek had verlaten en de deur dicht was, draaide Hendricks zijn stoel en keek even door het raam naar het onberispelijke, pasgemaaide grasveld dat omzoomd werd door een rij massieve betonblokken die daar in 2001 als antiterrorismemaatregel neergezet waren. Iemand had er, wellicht in een ironische opwelling, een aantal bloempotten op gezet. *Dat is net alsof je bloemen plant op een oorlogsschip*, dacht hij. De blokkades veranderden niet van karakter; hun doel kon niet verbloemd worden. Aan de andere kant ervan dromden toeristen, maar het grasveld was smetteloos, geen stukje onkruid liet zich zien. Iets aan die verlaten uitgestrektheid deprimeerde Hendricks.

Hij zuchtte en pakte de hoorn die verbonden was met de beveiligde telefoonlijn van het Witte Huis.

‘Hallo, Chris.’

Er klonk een hol geluid, dat typisch was voor het coderingsprogramma dat hun woorden elke tien seconden door elkaar gooide.

'Jazeker, Mr. president.'

'Hoe is het, kerel!'

Hendricks maag verkrampte. In de stem van de president klonk een valse hartelijkheid die meestal voorafging aan een slechtnieuwsboodschap.

'Prima de luxe, sir.'

'Zo wil ik het horen. Gaan de plannen voor Samaritan voorspoedig?'

'Bijna klaar, sir.'

'Uhm-hum,' zei de president, wat altijd een teken was dat hij niet luisterde.

Hendricks zocht in een la naar de doos met Prilosec, die hij altijd bij de hand had voor noodgevallen.

'Ik wil het met je over Samaritan hebben. Vanmorgen had ik toevallig een ontbijtafspraak met Ken Marshall en Billy Stokes.'

De president pauzeerde even om de namen door te laten dringen. Marshall, die bij de eerste Samaritan-bijeenkomst in het Oval Office aanwezig was geweest, en Stokes, die daar niet bij was geweest, waren de machtigste generaals van respectievelijk het ministerie van Defensie en het Pentagon.

'Hoe dan ook,' ging de president verder, 'na een tijdje kwam het gesprek op Samaritan. Moet je horen, Chris, Ken en Billy hebben de vaste overtuiging dat de CI wat betreft Samaritan aan het kortste eind trekt.

'U bedoelt Danziger.'

Hendricks voelde dat de president een keer diep ademhaalde, terwijl hij tot tien telde.

'Wat ik wil zeggen is dat ik het met hen eens ben. Ik wil dat jij Danziger bij de operatie een grotere rol geeft.'

Hendricks deed zijn ogen dicht. Hij voelde hoe hoofdpijn een tattoo aan de binnenkant van zijn voorhoofd sloeg en nam een Prilosec. 'Sir, met alle respect, maar Samaritan staat al bijna op de rails.'

'Bijna. Je zegt het zelf, Chris.'

Was het mogelijk tegen jezelf te schreeuwen, vroeg Hendricks zich af.

'Dit is mijn operatie,' zei hij koppig. 'U hebt me zelf de opdracht gegeven.'

'Onze-Lieve-Heer geeft, Chris, en Onze-Lieve-Heer neemt.'

Hendricks knarsetandde. Het had geen zin om de president te vertellen wat voor een ongelofelijke zak M. Errol Danziger was. De president had hem aangesteld. Even aangenomen dat de president Hendricks' mening deelde, dan zou hij nooit toegeven dat hij een fout gemaakt had, niet in het huidige hachelijke politieke klimaat. Een verkeerde actie zou de wereldwijde *blogosfeer* in lichterlaaie zetten, wat een vuurstorm aan criticasters op CNN en Fox News zou laten ontbranden, die een eindeloze hoeveelheid commentaar zouden spuien. De opiniepeilingen die de president en zijn adviseurs elke maand nauwkeurig volgden, zouden een deplorabel beeld te zien geven. Nee, in deze tijd moest zelfs de president van de Verenigde Staten uiterst voorzichtig omgaan met zijn keuzes en uitspraken.

'Ik zal doen wat ik kan,' zei Hendricks.

'Dat klinkt me als muziek in de oren, Chris. Hou me op de hoogte van je vorderingen.'

Hiermee beëindigde de president het gesprek. Hendricks wist niet waar hij meer last van had, van zijn maag of zijn hoofd. Hij wist dat Danziger de complete controle over Samaritan wilde, wat zeker een ramp tot gevolg zou hebben. Danziger was een carrièreopportunist. Het verkrijgen van meer macht was zijn enige doel. Hij was van de NSA naar de CI gegaan en het afgelopen jaar had hij besteed aan het omvormen van de CI tot een kopie van de NSA. Aangezien de NSA een verlengstuk was van het Pentagon, was dit slecht nieuws voor de Amerikaanse inlichtingengemeenschap. Het leger leunde veel te zwaar op bewaking op afstand: ogen in de lucht, radiografisch bestuurde onbemande vliegtuigjes, en dat soort dingen. De CI had zich altijd verlaten op menselijke ogen en oren. De intercom zoemde en doorbrak zijn ellende.

'Sir, iedereen staat hier nog te wachten.' Davies' stem kraakte door de intercom. 'Wilt u verdergaan met de briefing?'

Hendricks wreef over zijn voorhoofd. Een sterke drang tot rebellie stak de kop op.

'Zij hebben hun orders. Zeg hun dat ze de inzet van personeel onmiddellijk in gang moeten zetten.'

'In het Russisch,' zei Bourne. 'Wat voor Russisch?'

Kaja staarde hem aan. 'Wat bedoel je?'

'Dialect. Was het zuidelijk of...'

'Moskou. Hij was uit Moskou.'

Bourne zette zijn glas op een tafel die ingelegd was met Marokkaanse tegeltjes. 'Weet je dat zeker?'

Kaja sprak met hem in het dialect dat door Moskovieten gesproken wordt.

'Jouw vader werkte voor de Russen,' zei Bourne.

'Dat was het eerste waar ik aan dacht toen ik hen hoorde praten,' zei Kaja, 'maar het leek niet waarschijnlijk.'

'Waarom niet?'

'Mijn beide ouders haatten de Russen.'

'Misschien haatte je moeder hen,' zei Bourne behoedzaam. 'Maar wat betreft je vader, als hij voor de Russen werkte, zou zijn haat voor de Russen onderdeel van zijn dekmantel kunnen zijn.'

'Jezelf verbergen in de openbaarheid.'

Bourne knikte.

Ze stond op. Don Fernando ving Bournes blik. Bourne zag dat de Spanjaard niet wilde dat hij op dit onderwerp doorging. Kaja stond voor het raam en staarde naar haar spiegelbeeld, net zoals Bourne dat de avond voor de helikopteraanval gedaan had in Vegas' huis.

Er hing een verschrikkelijke stilte in het vertrek, maar het was Kaja's stilte. Bourne noch Don Fernando leek het raadzaam de stilte te verbreken.

'Denk je dat het waar is?' Kaja's stem leek vanuit een andere ruimte te komen.

Ten slotte draaide ze zich om, keek hen een voor een aan en herhaalde haar vraag.

'Te oordelen naar wat je ons verteld hebt,' zei Bourne, 'lijkt dat de meest waarschijnlijke mogelijkheid.'

'Shit,' zei Kaja. 'Shit, shit, shit.'

Don Fernando bewoog op zijn stoel en voelde zich duidelijk niet op zijn gemak. 'Natuurlijk is er ook de mogelijkheid dat Jason het verkeerd heeft.'

Kaja lachte, maar er klonk een bitter randje in door. 'Natuurlijk. Dank u, Don Fernando, maar de tijd is allang voorbij dat ik in sprookjes geloofde.' Ze draaide zich met de handen op haar heupen om naar Bourne. 'Nou, wat denk je?'

Bourne wist dat zij doelde op voor wie haar vader specifiek gewerkt kon hebben. Hij schudde zijn hoofd. 'Aangezien hij een buitenlandse burger was die buiten Rusland werkte, is de SVR – het Russische equivalent van de Amerikaanse CIA – een mogelijkheid. Maar eerlijk gezegd kan hij net zo goed gerekruteerd zijn door een van de grupperovkafamilies.'

'De Russische maffia,' zei Kaja.

'Ja.'

Ze keek nadenkend. 'Dat zou in elk geval voor hem een logischere keuze zijn geweest.'

'Kaja,' zei Don Fernando, 'ik waarschuw je dat je in deze situatie niet te veel moet vertrouwen op logica.'

'Don Fernando heeft gelijk,' zei Bourne. 'We weten niets over jouw vaders situatie. Voor hetzelfde geld werd hij gedwongen om voor de Russen te werken.'

Terwijl hij het zei, schudde Kaja haar hoofd al. 'Nee, ik weet wel zoveel van mijn vader, dat hij zich nooit zou laten dwingen.'

'Zelfs niet als jouw leven en de levens van je zussen ervan afhingen?'

'Hij heeft ons botweg verlaten.' Ze keek vastberaden. 'Hij gaf niets om ons; hij had andere dingen aan zijn hoofd.'

'Hij moordde voor zijn geld,' zei Bourne. 'Je hebt een speciaal iemand nodig om dat te doen, en een nog specialer iemand om er succesvol in te zijn.'

Ze haakte haar ogen in die van hem. 'Dat is nu precies mijn punt. Geen medelijden, geen wroeging, geen liefde. Volkomen ontaard.' Ze trok uitdagend haar schouders naar achteren. 'Ik bedoel dat dat iemand in staat stelt niet eenmaal te moorden, maar keer op keer opnieuw. Ontaard. Het is niet zo moeilijk iemand een kogel in zijn achterhoofd te schieten, als je die iemand niet als mens ziet maar als een ding.'

Bourne besefte dat zij het net zo goed over hem had als over haar dode vader. 'Op sommige momenten is doden noodzakelijk.'

'Een noodzakelijk kwaad.'

Hij knikte. 'Hoe je het ook wilt noemen, het verandert niets aan de noodzakelijkheid.'

Kaja draaide zich weer om en keek het donker in, dat somber tegen de ruiten drukte.

'Laat Christien Norén rusten in vrede,' zei Don Fernando. 'Geloof me als ik je zeg dat zijn leven en lot er niet meer toe doen. Kaja, het is tijd dat jij en je zus verdergaan met jullie levens.'

Kaja's diepe lach had veel weg van geblaf. 'Probeer dat Skara maar duidelijk te maken, Don Fernando. Ze heeft nog nooit naar mij geluisterd, en ik verzeker u dat ze daar nu ook niet mee gaat beginnen.'

'Weet je waar ze is?' vroeg de Spanjaard.

Kaja schudde haar hoofd. 'Toen we uit elkaar gingen, hebben we gezworen dat we nooit naar elkaar op zoek zouden gaan. We hebben in meer dan tien jaar geen contact gehad. We waren nog kinderen, en nu...' Ze draaide zich naar hem om. 'Alles is veranderd en tegelijkertijd is niets veranderd.'

'Als dat waar is, zou dat dieptriest zijn. In elk geval voor jou.' Don Fernando stond met krakende knieën op, liep door de kamer naar haar toe en ging naast haar staan. Hij legde een hand op haar schouder. 'Er is hoop voor jou, Kaja. Die is er altijd geweest, daar geloof ik heilig in. Wat Skara betreft...' Zijn laatste woorden bleven dreigend in de lucht hangen.

'Zij is verdoemd, of niet soms?'

Don Fernando keek haar aan. Een intens verdriet tekende zijn gezicht.

Bourne liep naar haar toe. 'Waarom zeg je dat?'

Kaja's blik dwaalde weg.

'Omdat,' zei Don Fernando, 'Skara lijdt aan een dissociatieve persoonlijkheidsstoornis.'

Kaja keek Bourne aan. 'Mijn zus heeft zes verschillende alter ego's en ze zijn alle zes net zo echt als alle identiteiten in deze ruimte.'

Elke ontmoeting met M. Errol Danziger zat vol spanning en risico's – de man was zeer lichtgeraakt en maar al te graag bereid om bij het minste of geringste in de aanval te gaan. Om een reden die hij niet precies kon omschrijven, voelde Hendricks zich er nog niet klaar voor, dus hij stelde de ontmoeting uit tot laat in de middag, hoewel hij wist dat hij Danziger voor de lunch had moeten uitnodigen.

In plaats daarvan ging hij met Maggie lunchen. Het kwam erop neer – omdat zij dat vroeg – dat hij haar buiten The Bread Line op Pennsylvania Avenue zou oppikken, waar zij genoeg eten had ingeslagen voor hun picknick op de National Mall.

Terwijl ze over het gras liepen, scheen de zon af en toe aarzelend door het wolkendek. Hendricks' bewakingseenheid was niet echt blij met de plek die hun baas gekozen had, maar volgde plichtsgetrouw de orders op en zocht een geschikt stuk gras uit en zette dat nauwgezet af.

Hendricks en Maggie zaten net als kinderen met gekruiste benen tegenover elkaar. Zij stalde het eten dat ze gekocht had voor zich uit. Hij voelde zich bijna duizelig van de kinderlijke opwinding die bij spijbelen hoort. Hij zat hier met Maggie en at sandwiches, dronk icetea en wentelde zich in haar glimlach en geur.

'Je telefoontje verraste me.' Ze nam een hapje van een sandwich met ham, brie en jalapeñomosterd. Ze had haar gouden haar in een dikke paardenstaart. Ze droeg een gestippelde jurk met laag decolleté met een brede, zwarte, lakleren riem. Ze had haar schoenen uitgedaan en wriemelde met haar tenen in het gras.

'Ik ben blij dat je niet met mijn rozen bezig was,' zei hij.

'Wie zegt dat ik dat niet was?' zei ze met een spottend lachje. Ze nam nog een hapje. 'Ik zou sowieso gekomen zijn.'

Deze opmerking deed hem zoveel plezier dat zijn hap hem in de keel schoot. Hij nam een paar slokjes thee om de zaak door te spoelen. Hij keek naar haar in deze idyllische omgeving en realiseerde zich dat hij verliefd werd. Zijn eerste, instinctieve reactie was om sceptisch te zijn en zichzelf streng toe te spreken om geen domme dingen te doen en zich niet als een puber te gedragen, en, erger nog, zich niet kwetsbaar op te stellen. Maar die gedachte vervaagde. Hij keek nu naar haar en het voelde alsof hij viel, het heerlijke gevoel van gewichtloosheid dat hij kende uit zijn dromen, maar hij kon zich geen specifieke droom herinneren. Hij voelde zich gelukkig, en in zijn leven was geluk een van de zeldzaamste gevoelens.

Maggie keek op. 'Christopher? Waar denk je aan?'

Hij legde zijn sandwich neer. 'Sorry.'

'Dat hoeft niet.'

'Ik dacht aan een afspraak die ik aan het eind van de dag heb.' Hendricks aarzelde. De gedachte drong zich op dat een frisse kijk hem misschien zou kunnen helpen bij zijn omgang met Danziger en de president. 'De persoon met wie ik afgesproken heb, is extreem moeilijk.'

'Dat kan van alles betekenen.'

Hendricks zag aan Maggies blik dat hij haar onverdeelde aandacht had, en dat deed hem plezier. 'Hij is een extreem egoïstische persoon,' zei hij. 'Hij is omhooggeklommen door mee te rijden op andermans succes – hoofdzakelijk op dat van mijn voorgangers.' Verder wilde hij met haar niet gaan. Hij was benieuwd naar haar mening, maar hij was zich ook uitermate bewust van de veiligheidsrisico's. 'Nu doet zich een situatie voor dat hij zich op slinkse wijze een machtspositie verworven heeft binnen een van mijn initiatieven.'

Maggie keek nadenkend. 'Wat is het probleem? Iemand die

meerijdt op het succes van anderen, kan zelf nooit veel in zijn mars hebben.'

'Maar dat is nu juist het probleem. Als hij krijgt wat hij wil, verkloot hij alles.'

'Nou en.'

'Wat? Je maakt zeker een grapje.'

Zorgvuldig verpakte Maggie de overgebleven helft van haar sandwich. 'Bekijk het eens zo, Christopher. Als deze man alles verkloot, zoals jij het zo plastisch uitdrukt...'

'Maar hij verkloot wat ik...'

'...kom jij op het toneel en redt de zaak.' Maggie pakte een chocoladekoekje, brak er een klein stuk van af en hield dat tussen haar vingertoppen vast. 'De mensen die deze persoon steunen, zullen zo beschaamd zijn, dat ze hun steun aan hem gelijk zullen intrekken.' Ze stopte het stukje koek in haar mond en begon er zorgvuldig op te kauwen. 'Bij schaken staat dat bekend als terugtrekken om toe te slaan.'

Hendricks keek toe hoe zij nog een stukje van haar koekje brak en het hem aanbood. Hij kauwde bedachtzaam en liet de chocola in zijn mond smelten. Wat zij voorstelde druiste compleet in tegen alle gedragsregels die hij voor zichzelf had bepaald. Toegeven. Danziger de vrije teugel geven? Wat een duivelse gedachte.

Hij slikte en Maggie gaf hem nog een stukje. Maar waarom eigenlijk niet? vroeg hij zich af. Het was uiteindelijk wat de president wilde. Niet alleen lag het hoofd van de president op het hakblok, maar ook de hoofden van Marshall en Stokes. Het zou hem een geweldig fijn gevoel geven als zij met zijn allen een toontje lager zouden moeten zingen, zeker de twee generaals aan wie hij zich continu blauw ergerde. Om maar te zwijgen van de vernedering die Danziger zelf zou ondergaan.

Denkend aan Danziger en Indigo Ridge, schoot hem nog iets anders te binnen: waarom had hij verdomme nog niets van Peter Marks gehoord?

Ver van de nieuwsgierige menigte stopte Karpov even om over

de situatie na te denken. Zijn been deed ontiegelijk veel pijn, maar verder was hij niet gewond. Als hij een godvrezend iemand was geweest, zou hij even voor Lana Lang gebeden hebben, die een vooruitziende blik had gehad door een auto met zijairbags te kopen.

Het regende nu minder hard. In de goten stroomde nog steeds water, maar de lucht klaarde iets op en een miezelregen was het enige wat nog overgebleven was van het noodweer. Hij keek om zich heen en realiseerde zich dat hij geen idee had waar hij was. Hij was waarschijnlijk nog steeds in het Moskee-district, maar die gedachte stelde hem niet gerust.

Hij was in München, werd aangevallen door de SVR, en had nog steeds geen idee waarom Severus Domna Cherkesov naar de Moskee gestuurd had. Hij dacht in een moment van zwakheid dat het misschien beter was als hij deze godverlaten stad verliet. Hij had nog maar enkele dagen om Cherkesovs opdracht te volbrengen. Hij zou Bourne moeten bellen, een ontmoeting arrangeren en hier als de bliksem weggaan. Maar terwijl hij tegen een muur leunde, gingen zijn gedachten een andere kant op. Vluchten zou hem geen goed doen en hem waarschijnlijk beschadigen. De SVR zou zijn leven tot een hel blijven maken en hij zou nog steeds niet weten wat Cherkesov van plan was. Hij had een machtsmiddel nodig om zich aan Cherkesov te ontworstelen. Hij hoopte dat machtsmiddel hier in München te vinden.

Vervolgens dacht hij aan die ellendeling Zachek. *Natuurlijk volgt hij me nog*, dacht hij. Maar toen bedacht hij dat Zachek, die hem in deze ellende gestort had, ook degene kon zijn die hem er weer uit zou kunnen halen.

Hij liep verder door de smalle straten, die misschien niet helemaal een Arabische uitstraling, maar dan toch zeker wel een moslimuitstraling hadden. Er waren veel halalslagers. Hij rook de kruiden van het Midden-Oosten. Vrouwen waren eenvoudig gekleed en hun hoofden waren bedekt.

Zijn omslachtige route voerde hem om huizenblokken heen totdat hij vond wat hij zocht. Hij bleef op een hoek staan en deed alsof hij op iemand wachtte – wat niet geheel bezijden de waarheid was. Hij wachtte op Zachek, die hem niet teleurstelde. Toen Boris hem zag, kwam hij in beweging. Hij hinkte veel erger dan nodig was.

Het was vreemd, dacht hij, terwijl hij harder ging lopen, dat hij minder last van zijn been had op het moment dat hij het zwaarder belastte. Hij stapte een kledingzaak binnen, liep door naar achteren, en liep daar weer naar buiten. Hij verwachtte dat Zachek deze eenvoudige manoeuvre zou volgen. Hij hinkte door de achterafsteeg waarin dezelfde soort gegalvaniseerde afvalbakken met pinnen stond die hij zo goed kende. Zachek kwam uit de achterdeur van de kledingzaak. Boris was al bijna aan het einde van de steeg. Hij hoorde achter zich iemand schreeuwen, waarna een van Zacheks mannen opdook op de plek waar Boris naartoe hinkte. Hij haalde een Tokarev-pistool tevoorschijn en richtte op Boris' borst.

Zonder zich een moment te bedenken, greep Karpov een van de vuilnisemmerdeksels en ramde de pinnen in het gezicht van de man. Het pistool ging af. De kogel ging door het deksel, maar miste Boris. Terwijl de man achteruittuimelde, greep Karpov de Tokarev, maar voordat hij de kans had om zijn wijsvinger rond de trekker te leggen, voelde hij het koude, dode gewicht van een pistoolloop tegen zijn rechterslaap.

Een tweede man, die uit het niets leek te komen, zei met veel keelklanken in het Russisch: 'Ga je gang. Geef me de kans om je een kogel door je kop te jagen.'

Toen Don Fernando de voordeur hoorde dichtslaan, haastte hij zich de kamer uit.

Kaja en Bourne stonden vlak bij elkaar en keken in de weerspiegeling van de glazen deuren. Ze deed de deuren open en stapte naar buiten. Bourne volgde haar. Het was kil en ze rilde een beetje.

'Laten we weer naar binnen gaan,' zei hij, maar ze bewoog zich niet.

De wind speelde met haar haar. Het was vreemd om haar nu

blond te zien. Bourne besefte dat niemand hem in heel lange tijd gezien had zoals hij echt was, zelfs Moira niet. Hij was zwaar afgeschermd, zelfs van zichzelf. Hij vroeg zich af of hij dat wilde. Of waren zijn afschermingen nodig om hem te kunnen laten doen wat hij deed? Hoewel hij het zich niet kon herinneren, was hij er zeker van dat hij ooit niet de noodzaak had gevoeld om zo te zijn.

'Ik heb Skara's eigenaardigheden eerder genoemd,' zei Kaja. Ze had haar armen om zich heen geslagen. 'Ze was niet te helpen. Totaal niet. Ze heeft onze moeder bijna tot waanzin gedreven.'

'Ik dacht dat je zei dat jij het zwarte schaap van de familie was.'

'Ik heb gelogen.' Ze lachte flauwtjes. 'Dat heb ik van Skara geleerd. Ze zei dat ze er niets aan kon doen, dat, om een enigszins normaal schoolleven te kunnen leiden, al haar persoonlijkheden haar leerden om met overtuiging te liegen.'

'Dat moet voor jou moeilijk geweest zijn.'

'In het begin wel. Ik had er vaak nachtmerries over dat zij in een monster zou veranderen – een vampier of een duivel.' Ze keek hem aan. 'Maar wat ik raadselachtig vond, was waar de persoonlijkheden bleven als ze sliepen. En hoe ze wisselden. Welk mechanisme bepaalde de volgorde waarin de persoonlijkheden opdoken?'

'En heb je ooit antwoord op deze vragen gekregen?'

'Skara wist het niet. Volgens haar was het net alsof je in een achtbaan zat en de rit nooit eindigde.'

'Heb je je ooit eerder zorgen gemaakt of jou het ook zou kunnen overkomen?'

'Voortdurend.' Kaja huiverde. 'Heb je ooit *High Noon* gezien? Daar lijkt het op. Ik wacht op de komst van de trein met de moordenaar aan boord.'

De president van de Verenigde Staten pakte de telefoon en belde zijn beursmakelaar. 'Bob, wat is de beursnotering van Neo-Dyme?'

'Zevenenzestig en een kwart,' zei zijn makelaar.

'Wat?' De president ging rechtop zitten. 'Ze begon op drieëntwintig, als ik het wel heb, en dat was, hoe lang geleden?... Drie dagen.'

'Er zijn bakken aandelen gekocht, sir,' zei Bob. De koers is de lucht in geschoten.'

De president sloot zijn ogen en masseerde zijn slapen. 'Jezus, ik weet het niet.'

'Als u nu niet koopt, sir, slaat u uzelf voor uw hoofd als de koers door de honderd schiet.'

'Oké, koop er nu vijfhonderd op de gebruikelijke manier, en nog vijfhonderd als de koers zakt tot... wat lijkt je redelijk?'

'Over elk ander aandeel zou ik zeggen tot het met een derde zakt, sir, maar met NeoDyme... dat lijkt wel op de speculatieve beursgangen in het begin van het internettijdperk. Eenvoudigweg verbazingwekkend. Blijft u aan de lijn.'

De president kon Bob op zijn toetsenbord horen hameren. 'Ik bedoel, sinds de start is er geen houden aan. Misschien dat het tien procent zakt, maar eerlijk gezegd zou ik mijn geld niet zetten op een grotere dip.'

'Neem voor de tweede vijfhonderd een optie op zestig.'

'Oké,' zei Bob. 'Kan ik nog iets voor u doen?'

'Alleen dit is van belang,' zei de president wrang en hing op.

Zijn telefoon begon bijna meteen weer te zoemen. Hij keek op zijn horloge en zag dat hij voordat zijn volgende briefing begon, voor dit gesprek en een bezoek aan de wc zeven minuten de tijd had. Zuchtend pakte hij de hoorn.

'Roy FitzWilliams voor u aan de lijn, sir.'

'Verbind hem door,' zei de president. Na een aantal klikken zei hij: 'Fitz, heb je een antwoord voor mij?'

'Ik denk van wel, sir,' zei FitzWilliams in zijn kantoor in Indigo Ridge.

'Zeg me dat je een manier hebt gevonden om de Rare Earths sneller uit de grond te krijgen.'

'Ik wou dat dat waar was, sir, maar ik denk dat ik het een na beste heb gevonden. Zoals u weet, zijn in alle computermoederborden Rare Earths verwerkt. Als we meteen een landelijk recyclingprogramma starten, dan denk ik dat we in laten we zeggen achttien maanden genoeg van het goedje bij elkaar geschraapt hebben voor een eerste wapenleverantie door het ministerie van Defensie.'

'Achttien maanden!' De president sprong uit zijn stoel. 'De gezamenlijke stafchefs zeggen me dat het ministerie van Defensie de eerste zending gisteren al had moeten hebben, maar dat het genoegen zal nemen met acht maanden.'

'Achttien maanden, eerder kan niet,' zei FitzWilliams, 'tenzij de regering onmiddellijk al haar computers upgradet.'

*Mijn god*, dacht de president, terwijl hij een schatting van de kosten probeerde te maken. *De commissies van toezicht van het Congres maken gehakt van mij.* Hij wist dat hij een dilemma had.

'Ik zal zien wat ik kan doen, Fitz,' zei hij, 'maar je moet Indigo Ridge zo spoedig mogelijk aan de gang zien te krijgen.'

'Ik zal naar de raad van bestuur van NeoDyme gaan en aansturen op het massaal inhuren van arbeidskrachten.'

De president gromde. 'Aangezien de koersen met raketsnelheid omhoogschieten, moet geld geen probleem zijn.'

FitzWilliams lachte. 'Ja, sir. Mijn fortuin ligt al klaar.'

Don Fernando kwam weer de kamer binnen. 'Essai is terug, Jason, en hij vraagt naar jou. Hij is in de bibliotheek. Die is aan de oostkant van het huis. Ondertussen zullen Kaja en ik ons met het eten bezighouden.

Bourne liep door de kamer en een gang naar de bibliotheek. Het was een vierkante ruimte, licht en fris, in tegenstelling tot de meeste bibliotheken. Aan beide kanten van de dubbele ramen stonden boekenkasten. In het vertrek stond een aantal gemakkelijke stoelen met kussens met Marokkaanse motieven.

Jalal Essai stond midden in de kamer met de handen in elkaar. Hij draaide zich net om toen Bourne de kamer binnenkwam.

Als altijd viel zijn stemming nergens aan af te lezen. 'Ik veronderstel dat je wel wat vragen voor mij hebt.' Hij gebaarde naar een paar oorfauteuils. 'Laten we het ons gemakkelijk maken.'

De twee mannen gingen tegenover elkaar zitten.

Bourne zei: 'Essai, het heeft geen zin om te praten als je me de hele tijd blijft voorliegen.'

Essai vouwde zijn handen in zijn schoot. Hij leek volkomen op zijn gemak. 'Akkoord.'

'Werk je nog steeds voor Severus Domna?'

'Nee, al een hele tijd niet meer. Daar heb ik niet over gelogen.'

'En dat trieste verhaal over je dochter?'

'Dat is helaas ook waar.' Essai wees met zijn wijsvinger. 'Maar ik heb je niet het hele verhaal verteld. Ze is echt vermoord, maar niet door agenten van de Domna. Daar kan ik hen niet de schuld van geven.' Hij haalde diep adem en blies langzaam uit. 'Mijn dochter is vermoord door agenten van Semid Abdul-Qahhar.' Hij gebaarde met zijn hoofd. 'Ken je hem?'

Bourne knikte. 'Hij is de leider van de Moskee in München.'

'Inderdaad.' Hij boog zich iets naar voren. Zijn lichaam verried een lichte spanning. 'Abdul-Qahhar maakte gebruik van de omstandigheden om een deal met Benjamin El-Arian te kunnen sluiten.'

'Wat voor omstandigheden?'

'Ah, nu zijn we bij de crux van de zaak.' Essai knikte. 'Die vrouw daar. Heeft zij jou haar verhaal verteld?'

Bourne knikte.

'Haar vader is de sleutel tot het raadsel waarom de Domna Abdul-Qahhar de gelegenheid heeft gegeven om hun territorium binnen te dringen.'

'Was het geen deal?'

'O, ja, maar de vraag is wat voor deal,' zei Essai. De kwetsbaarheid die de Domna voelde toen jouw oude organisatie, Treadstone, hen op de korrel nam, heeft ertoe geleid dat El-Arian zijn deal met de Moskee heeft kunnen sluiten.'

Bourne zweeg. Dit was de tweede keer dat hij iets hoorde over het gevoel van kwetsbaarheid van de Domna. Het probleem was dat hij het gewoonweg niet geloofde. Of Essai loog weer tegen hem, of Essai wist oprecht de echte reden niet waarom Semid Abdul-Qahhar in de organisatie binnengehaald was. Wat Bourne het meest dwarszat, was dat uit alles wat hij ontdekt had, bleek dat de Domna opgezet was om een brug te slaan tussen het Oosten en het Westen, een nobele poging om de twee culturen te leren in vrede met elkaar te leven. Als dat zo was, waarom zou Semid Abdul-Qahhar, een Arabische extremist die zich voordeed als een beminnelijke moslim, de gelegenheid krijgen om Severus Domna's zorgvuldig afgestemde evenwicht te verstoren? Dat klopte gewoonweg niet. Bourne keek Essai strak aan. Hij had weer geen idee of hij deze man nu als vriend of als vijand moest beschouwen.

'Jij wilt weten voor wie Christien Norén werkte, is dat het?'

'Iedereen in dit huis wil dat weten,' zei Essai, terwijl hij terugzakte in zijn stoel. We dachten dat Kaja het wist, of ons in elk geval een aanwijzing kon geven. Dat is de reden waarom Don Fernando wilde dat ik haar en Vegas op zou halen.'

'Waarom heb je me dit allemaal niet in Colombia gezegd?'

'Haar vader zat achter jouw oude baas aan. Jullie waren allebei dichtbij. Ik wist niet zeker of jij zou doen wat gedaan moest worden, als je geweten had wie zij echt was.'

Deze verklaring klonk logisch en was waarschijnlijk waar, maar met Essai wist je het nooit. Don Fernando had hem gewaarschuwd voor Essais pathologische neiging om te liegen, niet dat Bourne reden had om daar anders over te denken. Van de andere kant zou het hem helpen als zijn vermoeden bewaarheid werd.

'En als ik niet was gekomen?'

Essai haalde zijn schouders op. 'Ik was in onderhandeling met Roberto Corellos om me te helpen, toen jij als een geschenk van Allah mijn leven binnenviel.' Hij glimlachte. 'Daar maak je een gewoonte van.' Hij tilde zijn hand even op en liet hem weer vallen. 'Maar geloof me, dat is verleden tijd.'

Een gesprek voeren met Essai was een uitputtende bezigheid, naar hem luisteren en uit proberen te vinden wat hij nu echt zei – of vaker nog, niet zei. ‘Helaas helpt ons dit niet bij het achterhalen van wat de Domna van plan is.’

‘Er is nog iets anders.’ Hij leunde weer naar voren en dempte zijn stem. ‘Benjamin El-Arian heeft in het geheim reizen naar Damascus gemaakt. Ik ben daar puur toevallig achter gekomen door uitgerekend Estevan Vegas. Toen ik Estevans vrachtbrieven controleerde, ontdekte ik een verschil in geldbedragen dat ik terug kon voeren op een eersteklas retourticket van Parijs naar Damascus. Toen ik verder spitte, dook El-Arians naam op, samen met het feit dat dit niet zijn eerste trip naar Damascus was. El-Arian betaalde deze reizen door exportwinsten af te romen. Winsten die gemaakt werden met de illegale export die liep via de olievelden die door Vegas in opdracht van Don Fernando geleid werden.’

‘Heb je enig idee wat El-Arian in Damascus deed?’

Essai schudde zijn hoofd. ‘In dat opzicht ben ik niet verder gekomen. Maar ik denk dat het te maken had met de mensen voor wie Christien Norén werkte.’

‘Dat snijdt geen hout,’ zei Bourne. ‘De mannen die achter Kaja en haar zus aan zaten, waren Russen.’

Essai stond op. ‘Desondanks denk ik, gezien het weinige dat mijn contacten in Damascus boven tafel hebben weten te krijgen, dat er een verband is.’

Bourne vroeg zich af waarom Essai zo graag de waarheid over Christien Noréns connectie wilde weten. Toen, als bij donderslag, wist hij het antwoord. Essai geloofde het verhaal ook niet over hoe El-Arian de deal met de Moskee had kunnen sluiten. Hij was net zo sceptisch als Bourne zelf. Hij was ervan overtuigd dat de echte reden aan het licht zou komen als het raadsel Christien Norén was opgelost.

‘Heb je Don Fernando hier iets over verteld?’

‘Essai glimlachte ondoorgrondelijk. ‘Alleen jij en ik weten ervan.’

Boris stond doodstil. De steeg stonk naar vis en bedorven bakolie. Het verkeer ging als een zwerm woedende wespen tekeer.

Zachek kwam volkomen onbekommerd aangekuierd. Hij keek Karpov de hele tijd strak aan. Hij zag er tiptop uit in een lange, zwarte, kasjmieren jas, zachte, zwarte geitenleren handschoenen en glanzende brogues met zolen die zo dik waren dat Boris er zeker van was dat er een stuk staal in verwerkt was. Dit was een oud geintje van de KGB: het staal kwam goed van pas bij gewelddadige kloppartijen. Sommige dingen, dacht Boris, raakten nooit uit zwang, zelfs niet bij de internetgeneratie.

Toen Zachek de twee mannen aan het begin van de steeg bereikte, zei hij: ‘Shit, Karpov, misschien ben je toch niet zo’n goede mentor als ik eerst dacht.’

Boris gebaarde met zijn kin. ‘Misschien moet je eerst je kameraad met zijn gezicht vol metaal eens om zijn mening vragen.’

Zachek opende zijn mond, sloeg zijn hoofd naar achteren en lachte. ‘Jullie ouwe rotten,’ zei hij.

Dat was het moment dat Boris met zijn rechterelleboog tegen de adamsappel van de man met het pistool beukte. Op hetzelfde moment sloeg hij het pistool met zijn linkerhand weg. Het ging af en verdoofde hen alle drie. Boris schoot de man van het pistool met de Tokarev van dichtbij neer en de man donderde naar achteren en sloeg tegen de muur, waar hij een grillige bloedvlek achterliet die in een rorschachtest niet zou misstaan.

Zachek was nog van de schrik aan het bekomen, toen Boris hem bij zijn zachte, bontachtige kraag greep en zijn gezicht tegen de bloedvlek smakte.

‘Wat zie je daar, Zachek, hè? Nou, grote lulhannes.’ Boris trok Zachek terug. Hij ging verder in een accent dat hoorde bij de Britse upper class. ‘Zachek, ouwe jongen, volgens mij zit je vijfduizend dollar kasjmieren overjas onder het bloed. Om maar te zwijgen van die glanzende schoenen. Waar zijn die van? John Lobb?’

Zachek, die duidelijk niet meer goed wist wat hij moest doen, probeerde Boris met een van zijn met staal gevulde schoenen te trappen, maar Karpov danste van hem weg. ‘Uh, uh,’ zei hij, terwijl hij Zachek een geweldige klap tegen zijn achterhoofd gaf.

'Je moet duidelijk een lesje krijgen in hoe je je moet gedragen.'
Zachek probeerde zich niet meer aan Karpovs greep te ontworstelen en veegde het bloed van zijn gezicht. Hij had een gespleten bovenlip en onder zijn rechteroog zat een zwelling die razendsnel een dieppaarse kleur kreeg.

Boris schudde hem door elkaar totdat zijn tanden klapperden. 'Zijn er nog meer van jouw SVR-vriendjes in de buurt?'

Zachek schudde zijn hoofd.

'Antwoord als ik tegen je praat!' beval hij.

'We... zijn met ons drieën.'

'Je dacht natuurlijk dat dat genoeg was om een oude man als ik te grazen te nemen, hè, lulletje rozenwater? Ontken het maar niet, ik weet precies wat er in die minuscule hersens van jou omgaat.'

'Je... je ziet het helemaal verkeerd. O, shit.' Zachek snoot een klodder bloed uit zijn neus. Hij kwam terecht midden in de steeds groter wordende vlek op de muur.

Oké, kloothommel, vertel me wat ik verkeerd zie.' Hij drukte de loop van de Tokarev in het zachte vlees onder Zacheks kaak. 'Maar als je antwoord mij niet aanstaat – *boem*!'

'Ik... ik moet zitten.' Zachek was aan het hyperventileren. Onder de bloedsmeren in zijn gezicht was hij lijkbleek.

Boris sleurde hem terug de steeg in, helemaal naar het andere eind waar enkele houten kratten stonden die naar verse sinaasappelen roken. Dankbaar zakte Zachek op een van de kratten in elkaar en ging met zijn handen voor zijn gezicht voorovergebogen zitten, alsof hij verwachtte dat Boris hem in elkaar zou slaan.

Aan deze kant van de steeg was minder verkeer, maar er liepen meer voetgangers. Gelukkig was het spitsuur. Iedereen haastte zich naar huis en was verdiept in zijn eigen gedachten; niemand nam de moeite in de steeg te gluren. Desondanks wilde Boris daar niet langer blijven dan nodig was.

'Verman je een beetje, Zachek, en zeg me wat je hebt te zeggen.'

Zachek huiverde even, trok zijn besmeurde kasjmieren jas

strakker om zich heen, en zei: 'Jij denkt dat wij jou en die vrouw in die hinderlaag gelokt hebben.'

'Doe niet net alsof je niet weet wie die vrouw was.'

'De waarheid is dat ik dat inderdaad niet weet.' Zacheks asgrauwe gezicht zag er als een slagveld uit. De man was uitgeput. 'Ik ben hier niet om jou te volgen. Ik heb die hinderlaag niet gelegd, dat probeerde ik je in die menigte daar te vertellen.'

Boris herinnerde zich dat Zachek iets naar hem schreeuwde, maar door het kabaal van de massa en de gillende politiesirenes had hij er niets van gehoord.

'Je praat onzin,' zei Boris. 'Je hebt precies tien seconden om dat recht te zetten.'

Zachek kromp in elkaar. 'Beria heeft me gestuurd om Cherkesov in de gaten te houden.'

Boris trok wit weg. 'Is Viktor hier?'

Zachek knikte. 'Ik wist niet dat jij in München was, totdat ik je in die straat zag. Geloof me, ik was net zo verrast om jou te zien als jij mij.'

'Ik geloof je niet,' zei Boris.

Zachek haalde zijn schouders op. 'Wat kan ik anders verwachten?'

'Geef me een reden.'

Zacheks neus begon te bloeden en hij legde zijn hoofd in zijn nek. 'Ik kan een gesprek voor je regelen in de Moskee.'

'Vertel op.'

Zachek deed zijn ogen dicht. 'Zo makkelijk gaat dat niet. Ik wil je woord dat ik hier levend uit kom.'

Boris bestudeerde Zacheks lichaamstaal, wat volgens hem een waterdichte manier was om te zien of iemand loog.

'De enige manier om deze steeg levend te verlaten is als je mijn ogen en oren binnen de SVR wordt.'

'Jij wil dat ik Beria bespioneer? Als hij daarachter komt, vermoordt hij me.'

Boris haalde zijn schouders op. 'Zorg er dan voor dat hij het niet in de gaten krijgt. Voor een lulhannes als jij moet dat niet zo moeilijk zijn.'

'Jij kent Beria niet,' zei Zachek bitter.

Boris grijnsde. 'Daarom heb ik jou.'

Zachek keek hem aan, terwijl hij zijn kapotte en gezwollen lippen likte. Zijn rechteroor zat nu bijna helemaal dicht. Boris sloeg zijn armen over elkaar. 'Het lijkt erop, lulletje rozenwater, dat we elkaar nodig hebben.'

Zachek liet zijn hoofd tegen de muur rusten. 'Ik zou het waarderen als je me niet zo noemde.'

'En ik zou het waarderen als je antwoord gaf. Doe je mee of niet?'

Zachek haalde bibberend adem. 'Het ziet ernaar uit dat je toch nog mijn mentor wordt.'

Boris gromde. 'Als jij de hinderlaag niet gelegd hebt, wie dan wel?'

'Wie wist dat je naar München kwam?'

'Niemand.'

'Dan heeft die niemand de hinderlaag gelegd.' Zacheks gezicht verwrong zich tot de parodie van een glimlach. 'Maar dat is natuurlijk onmogelijk.'

*Natuurlijk niet*, dacht Boris. Opeens kreeg hij bijna geen adem meer.

Zachek moest de verandering op zijn gezicht gezien hebben, want hij zei: 'Het leven zit ingewikkelder in elkaar dan je dacht, hè, generaal?'

*Zou het lulletje deze keer gelijk kunnen hebben?* vroeg Boris zich af. *Maar dat is onmogelijk, absoluut ondenkbaar.* Want er was maar één andere persoon die wist dat hij naar München ging: zijn oude, vertrouwde vriend, Ivan Volkin.

# Eenentwintig

Christopher Hendricks vond elke ontmoeting met M. Errol Danziger uitermate onplezierig, maar deze keer had hij de vaste overtuiging dat het anders zou worden.

Lt. R. Simmons Reade, Danzigers kruiperige hulpje, verscheen als eerste. Hij was een magere persoon met een schichtige blik in de ogen. Zijn houding was neerbuigend en hij had de manieren van een duivelse drilsergeant. De twee brachten zoveel tijd met elkaar door dat zij, achter hun ruggen, bekendstonden als Edgar en Clyde, een venijnige verwijzing naar J. Edgar Hoover en Clyde Tolson, de beruchtste kasthomofielen binnen de politiek.

Danziger zag er heel anders uit. Hij was klein en ondanks zijn praktijkjaren begon hij een behoorlijke pens te krijgen, wat een duidelijk teken was dat hij iets te veel van biefstuk, frieten en bourbon hield. Zijn hoofd leek op een rugbybal en zijn persoonlijkheid paste daar precies bij: hard, een grote drang naar de doellijn, en altijd de kans op een misser. Het probleem lag in al zijn promoties. Hij was dodelijk in achterbakse karweitjes, nagenoeg briljant als de deputy director van de Signal Intelligence for Analysis and Production van de NSA, maar een totale mislukking als de directeur van de Central Intelligence. Hij had absoluut geen enkel idee van geschiedenis, wist niet hoe de CI werkte, en, het ergste van alles, het interesseerde hem niet. Het resultaat was hetzelfde als wanneer je een gat van een vierkante meter met een plug wilde dichten. Het werkte niet. Maar ondanks dat, had niemand ooit iets gedaan om Danzigers roekeloze gedrag binnen de heilige muren van de CI te stoppen.

'Welkom in de directeurssuite bij de CI,' zei Lt. Reade, met de formaliteit van een kanselier. 'Ga zitten.'

Hendricks bekeek Danzigers enorme suite en vroeg zich af wat hij in al die ruimte deed. Bowlen? Boogschietwedstrijden houden? Met zijn Red Ryder BB-geweer schieten?

Hendricks glimlachte koeltjes. 'Waar is die veelvraat van jou, Reade?'

Reade knipperde met zijn ogen. 'Pardon, sir?'

Hendricks wuifde de woorden weg. 'Laat maar.'

Hij koos de stoel waarin Danziger de laatste keer dat ze elkaar ontmoet hadden gezeten had.

Reade deed een afgemeten stap in zijn richting. 'Uhm, dat is de stoel van de directeur.'

Hendricks ging zitten en nestelde zich in het kussen. 'Vandaag niet.'

Reade liep rood aan en wilde net wat gaan zeggen, toen zijn baas binnenkwam. Danziger droeg een modieus pak met een smal streepje, een blauw overhemd met een wat minder modieuze witte kraag en manchetten, en een gestreepte regimentsdas. Een kleine Amerikaanse vlag van email was op zijn revers gespeld. Hij moest Danziger nageven dat zijn reactie op het zien vanwaar Hendricks zat, nauwelijks waarneembaar was. Toch was het Hendricks niet ontgaan.

Hij ging in de stoel tegenover Hendricks zitten en maakte een hele voorstelling van het fatsoeneren van zijn kleren voordat hij iets zei.

'Fijn dat u er bent, minister,' zei hij met een wolfachtige glimlach. 'Waaraan dank ik de eer?'

Maar natuurlijk wist hij dat allang, dacht Hendricks. Hij had huilerig zijn beklag gedaan bij zijn generaalsvriendjes, die op hun beurt de president hadden ingelicht. *Wie is je mammie, Danziger?* dacht hij.

'Heeft uw bezoek nog een gezelligheidsaspect?' zei Danziger.

'Ah, nee. Gewoon een ideetje dat ik heb.'
Danziger spreidde zijn handen. 'Eentje dat u wilt delen?'
'Onder vier ogen, Max.'
M. Errol Danziger had er een absolute hekel aan als hij bij zijn eerste naam genoemd werd. Daarom had hij die teruggebracht tot een initiaal.
Reade was nog in het vertrek en voor zover Hendricks het kon beoordelen aan het nadenken over de vraag of hij zijn nagels zou gaan vijlen.
'Is het nodig dat je loopjongen hier is?' Het was interessant om te zien hoe bij Danziger en Reade tegelijkertijd de nekharen rechtovereind gingen staan.
'Lt. Reade is van alles op de hoogte,' zei Danziger na een ongemakkelijke stilte.
Hendricks zei niets en pas na een tijdje begreep Danziger de boodschap. Hij stak op de luie manier van de oude adel een hand op. Na een dodelijke blik op Hendricks, verliet Reade het vertrek.
'U had hem niet zo in verlegenheid hoeven te brengen,' mopperde Danziger.
'Wat is dat, Max? Een dreigement?'
'Wat? Nee.' Danziger schoof ongemakkelijk op zijn stoel heen en weer. 'Dat is compleet bezijden de waarheid.'
'Uh huh.' Hendricks schoot naar voren. 'Luister goed, Max, even voor de duidelijkheid. Reade zal me een zorg zijn en ik geef geen ene moer om zijn gevoelens. Zo is het en niet anders, en daarom wil ik hem de volgende keer dat we elkaar treffen niet spreken en niet zien. Ben ik duidelijk?'
'Helemaal,' zei Danziger met verstikte stem.
Zonder verder wat te zeggen stond Hendricks op en liep naar de deur.
'Wacht even,' zei Danziger. 'We hebben nog helemaal niet...'
'Je hebt de baan, Max.'
Danziger sprong op. 'Wat?' Hij liep achter Hendricks aan.
Bij de deur draaide Hendricks zich naar hem om. 'Jij wil Samaritan, het is van jou.'

'Maar jij dan?'

'Ik doe niet meer mee, Max. Ik heb mijn mensen teruggetrokken.'

'Maar hoe zit het met het werk dat ze al gedaan hebben?'

'Door de papiermolen. Ik weet dat je je eigen werkmethode hebt.' Hendricks trok de deur open en verwachtte half dat Reade er zijn oor tegenaan hield. 'Vanaf nu heb jij de leiding over de beveiliging van Indigo Ridge.'

Zelfs in haar slaap hoorde Maggie de gecodeerde mobiele telefoon nog. De ringtoon was 'Walkürenritt'. Ze was geen fan van die nazi Richard Wagner, maar ze hield hartstochtelijk van *De Ring*-cyclus. Ze draaide zich om. Ze had zware oogleden die op elkaar plakten van de slaap. Na haar lunch met Christopher was ze teruggegaan naar haar appartement en in bed gerold en meteen vast in slaap gevallen. Ze zat midden in een droom waarin zij en Kaja verwikkeld waren in een discussie die zo'n beetje hun hele jeugd had bepaald. Haar keel deed pijn alsof ze niet alleen in haar droom maar ook in het echt geschreeuwd had. Schreeuwen tegen Kaja had nooit wat uitgehaald. Waarom was ze dat dan toch blijven doen? Hun relatie en de geheimen die ze van elkaar wisten, maakten conflicten onvermijdelijk. Als ze broers waren geweest, dan zouden ze elkaar zeker op de bek geslagen hebben. Ze probeerden er iets van te maken, maar dat iets was ontstellend weinig en uiteindelijk konden ze elkaar niet meer uitstaan. Als de omstandigheden hen niet uit elkaar hadden gedreven, zouden ze evengoed uit elkaar zijn gegaan. Maar toch, in haar dromen miste Maggie haar zus. Mikaela kwam nooit in haar dromen voor, maar Kaja wel. En als zij haar dan zag, huilde Maggie droomtranen en brak haar droomhart. Maar als hun droomgesprekken begonnen, waren ze vanaf de eerste woorden verbeten: de zwartgalligheid van twee zussen die van elkaar hielden, maar geen gemeenschappelijke basis konden vinden. Later gingen hun discussies over hun vader. Hun herinneringen waren zo verschillend dat het net leek alsof ze het over twee verschillende personen hadden. De discussies, die steeds bitterder en venijniger werden, stemden haar triest, maar maakten haar ook kwaad.

Met de stampende kudde van de Walküren in haar hoofd, draaide ze zich om en keek mismoedig naar de mobiele telefoon op het nachtkastje. Ze wist wie belde: Benjamin El-Arian was de enige die haar mobiele nummer had.

Ze drukte haar duimen tegen haar oogleden om volledig wakker te worden, maar negeerde het belsignaal. In plaats daarvan staarde ze naar de avondlijke schaduwen die zich over het plafond verspreidden. Midden in een belsignaal stopte de rit van de Walküren. In de spookachtige stilte die volgde, verbaasde ze zich erover dat ze aan Benjamin dacht. Het was raadselachtig waarom ze zich ooit door hem aangetrokken had gevoeld. Hij leek deel uit te maken van een ander leven, een andere persoon.

Amerika had haar veranderd. Ze had veel gereisd, maar nooit eerder naar de Verenigde Staten. Benjamin had haar het idee ingepraat dat Amerika voor corruptie en het kwade stond, dat het een land was dat na een hele rits diplomatieke en militaire nederlagen verzwakt was. Maar ze had zelf geen enkele ervaring om dat idee te onderbouwen. Nu ze hier was, nu ze aan Christophers zijde tijd doorgebracht had in de boezem van de belangrijkste kapitalistische macht, vond ze Amerika dynamisch, levenskrachtig en open voor verschil van mening. Kort gezegd, zeer acceptabel.

En door dat weg-naar-Damascusmoment begreep ze het misleidende van Benjamins verbitterde anti-Amerikaanse woorden. Ze had gedaan alsof ze hem geloofde om maar dicht bij hem te kunnen zijn, maar nu ze in contact was gekomen met Benjamins gezworen vijand, realiseerde ze zich pas de diepte van zijn zelfmisleiding.

Zelfs nu, nadat zij zoveel tijd met hem had doorgebracht, wist ze niet of hij zijn extremistische ideeën verborgen hield voor de andere leiders van de Domna totdat hij een machtspositie had gekregen, of dat hij ze later ingefluisterd had gekregen door Semid Abdul-Qahhar.

Ze verachtte de leider van de Moskee, een man die bezield werd door zo'n intense en onverbiddelijke haat dat er in zijn wereld geen plaats was voor compromissen. Als het Kwade echt bestond, Kwade met een hoofdletter K, zoals de katholieke kerk dat predikte, dan was zij er zeker van dat die haat gecultiveerd en in stand gehouden werd door dat soort haat.

In het begin was ze verbaasd geweest door de band tussen de twee mannen, maar door voorvallen waar ze getuige van was geweest, werd het langzamerhand duidelijk dat Benjamin Abdul-Qahhar gebruikte als zijn hulp bij het verkrijgen en in stand houden van zijn macht en om de andere leiders in bedwang te houden. Zij had het resultaat gezien van Abdul-Qahhars handwerk toen een leider zo stom was geweest om El-Arian publiekelijk uit te dagen. Zijn lichaam had er zo verduiveld walgelijk uitgezien dat zij de aanblik gelijk uit een soort zelfbescherming naar het rijk der nachtmerries verbannen had. Van alle leiders was Jalal Essai de enige geweest die het gelukt was om als dissident te overleven, en nu Benjamins leiderschap betwistte. Het was Abdul-Qahhars slachters niet gelukt om hem het zwijgen op te leggen. Dat was de reden waarom El-Arian Marlon Etana de opdracht had gegeven om met Essai af te rekenen.

Ze was zich zeer bewust van het gevaarlijke spelletje dat ze met Benjamin speelde, maar ze koos ervoor om verder te gaan op het pad dat ze gekozen had. Ze wist dat El-Arian het grappig vond dat hij haar – de dochter van Christien Norén – in zijn macht had. Ze had haar actie nauwgezet gepland en hem gegeven wat hij wilde: iemand die aan hem dienstbaar was. Haar vader – in het geheim werkend voor een andere organisatie – had de Domna verraden. Dat was een zonde die Benjamin nooit zou vergeven. Ze begreep dat Christien Noréns zonde vroeg of laat op haar verhaald zou worden. Het was zaak dat zij voordat die dag aanbrak, de benen nam.

En nu was ze hier in Amerika, op een plek waar ze zich ironisch genoeg veilig voelde. Het was niet de overvloed van de Amerikaanse cultuur waar ze voor viel, ze had haar deel daarvan al in Parijs gehad. Het was de vrijheid om te zeggen wat ze wilde, om te zijn wie ze wilde zijn zonder bang te hoeven zijn voor spot of represailles. Een nieuw leven in een land dat zo erg verschilde van haar eigen land dat dat wel op lichtjaren afstand leek te liggen. Er was een reden voor dat dit land bekendstond als de Nieuwe Wereld, en in sommige kringen stond het nog steeds zo bekend. Was het dan gek dat zij niet terug wilde naar haar leven binnen de Domna, aan Benjamin El-Arians zijde? En het werd steeds duidelijker voor haar dat het moment dat ze bevrijd zou zijn van El-Arian en Severus Domna dichtbij was. Het was of dat, of ze zou dood zijn.

De Walküren begonnen weer aan een rit. Ze klemde haar kaken op elkaar. Ze wist dat ze deze keer op moest nemen.

Ze pakte het mobieltje, aarzelde even, maar nam toen op. 'Dit is geen goed moment,' zei ze.

'Elk moment lijkt voor jou geen goed moment te zijn.' Het was duidelijk dat Benjamin zich ergerde. 'Je bent twee dagen te laat met je rapport.'

Maggie deed haar ogen dicht en stelde zich voor hoe ze een mes in zijn hart joeg. 'Zo gaan dat soort dingen nu eenmaal,' zei ze. 'Ik ben druk geweest.'

'Met wat precies?'

'Met het ten uitvoer brengen van ons plan: het in diskrediet brengen van Christopher Hendricks om te voorkomen dat Fitz-Williams tijdens onze aankoopfase kritisch gevolgd wordt.'

'En? Ik heb met betrekking tot Hendricks nog geen negatieve rapporten vernomen.'

'Natuurlijk niet,' zei ze kortaf. 'Denk je dat zoiets binnen tweeënzeventig uur geregeld is? Hij is de minister van Defensie van de Verenigde Staten.'

El-Arian was even stil. 'Maar wat voor vooruitgang heb je dan geboekt?'

Maggie ging overeind zitten en drukte de kussens in haar rug. 'Je toon staat me niet aan, Benjamin.' Ze bleef stilzitten en wachtte. Ze was vastbesloten om niets meer te zeggen totdat hij verderging.

'Zo gaan dat soort dingen nu eenmaal, zoals je dat zo mooi

zei,' zei El-Arian, nadat hij de stilte abnormaal lang had laten duren.

Ze veronderstelde dat ze niet op meer hoefde te rekenen, dus ging ze verder. 'Denk je dat iemand anders dan ik in zo'n korte tijd contact met Hendricks had kunnen krijgen?'

'Dat denk ik niet, nee.'

Nog een concessie. *Hoe gelukkig kan een vrouw zijn?* dacht ze.

'Het verhaal dat je hebt voorbereid was precies goed,' zei ze. Eigenlijk waren het mensen lager in de Domna-hiërarchie die haar Margaret Penrod-identiteit in elkaar gesleuteld hadden, maar het was altijd goed om iemand wat stroop om de mond te smeren. *Zeker*, dacht ze, *nu ik op een levensgevaarlijk koord balanceer.*

'En hoe zit het met Hendricks zelf?' vroeg El-Arian.

'Verward,' zei ze, 'helemaal.' Het was vreemd – zelfs een beetje beangstigend – hoezeer het feit dat ze dit hardop tegen Benjamin zei, haar onrustig maakte.

'Dan lijkt me dit het moment om hem binnen te halen.'

'Langzaam,' zei ze. 'We kunnen het niet hebben dat hij argwanend wordt.'

El-Arian schraapte zijn keel. 'Skara, over twee dagen is de aankoopperiode in haar laatste fase. Je moet binnen die tijd een ontmoeting regelen.'

*Twee dagen*, dacht ze. *Dat is alle tijd die ik nog heb.*

'Dat is duidelijk,' zei ze. Jij kunt op me rekenen.'

'Dat heb ik altijd gekund,' zei hij. '*À bientôt.*'

Skara gooide het mobieltje door de kamer.

Hendricks stond in de garage van het voormalige Treadstonegebouw. Hij had die meteen na de autobomexplosie laten afsluiten. Dit was zijn tweede bezoek aan de plaats van het misdrijf. Zijn eerste bezoek was minder dan een uur na de explosie geweest. Op dat moment onderwierp een horde agenten de onmiddellijke omgeving en Peters huis aan een nauwgezet onderzoek, en wist hij niet of Peter Marks naar de andere wereld geblazen was. Hij had meteen een speciale eenheid geformeerd om de zaak te onderzoeken.

Het forensisch team had vastgesteld dat Peter niet in de auto had gezeten. Dat was goed, maar waar was hij dan? Het was de speciale eenheid niet gelukt om hem te vinden. Hendricks belde Marks' mobiele telefoon maar kreeg weer zijn voicemail. Daarna belde hij Ann in het tijdelijke kantoor dat hij voor het Treadstone-personeel geregeld had, maar ze had sinds de vorige dag niets meer van Marks gehoord. Hij gaf het op en verliet de garage.

Hendricks kwam vroeg en onaangekondigd thuis. Terwijl zijn beveiligingsteam binnen zocht naar afluisterapparatuur, zoals het twee keer per week deed, liep hij naar de keuken en schonk zich een glas bier in. Hij keek toe hoe de mensen in uniform gecontroleerd en heel precies hun werk deden. Hij pakte de telefoon en probeerde opnieuw Jackie te bereiken, maar zijn zoon zat nog steeds in de vooruitgeschoven positie in de Afghaanse bergen, en was onbereikbaar.

Hij had pas de helft van zijn biertje op toen de beveiligers knikten en op weg gingen om hun buitenposities in te nemen. Hij zette zijn glas neer, liep naar de studeerkamer en deed de deur achter zich dicht. Voor het raam hingen brede jaloezieën, die hij altijd gesloten hield. Hij ging achter zijn bureau zitten, haalde een kleine sleutel uit zijn portemonnee en stak hem in het slot van de onderste linkerla. Hij pakte er een klein schijfje uit ter grootte van een halve duimnagel. Hij wist wat het was, maar had het ontwerp nooit eerder gezien. Wat hij niet begreep was waarom zijn beveiligingsteam dit microfoontje tijdens hun zoektochten door het huis niet gevonden had.

Hij had het tien dagen geleden puur bij toeval gevonden. Hij had haast gehad en in zijn haast was hij met zijn hand over het bureau gegaan om een dossier te zoeken dat door een koerier gebracht was. Tijdens zijn zoektocht had hij een glazen, fonkelende Eiffeltoren opgetild die Amanda de eerste keer dat ze in Parijs waren gekocht had. Als zodanig was het een dierbaar aandenken, een manier om haar na haar dood dicht bij zich te hebben. Onder de vier poten van de toren zaten stukjes vilt, maar toen hij hem optilde, had hij gezien dat een van de vilten stukjes vervangen was door dit vreemde en angstaanjagende microfoontje.

Hij dacht onmiddellijk aan twee mogelijkheden. De eerste was dat iemand van het beveiligingsteam het daar bevestigd had en het tijdens de zoektochten opzettelijk over het hoofd zag. De tweede mogelijkheid was dat dit microfoontje zo verfijnd was dat het onzichtbaar was voor de elektronische controles. Geen van beide hypotheses was erg bemoedigend, maar de tweede verontrustte hem het meest omdat dat betekende dat een onbekende organisatie beschikte over bewakingsapparatuur die geavanceerder was dan die van de Amerikaanse regering. Hij had heel discreet inlichtingen ingewonnen en wederdiensten gevraagd van mensen diep in de inlichtingengemeenschap, van wie hij dacht dat ze hem zouden kunnen vertellen of er binnen de regering een complot tegen hem gesmeed werd. Tot dusver was daarvan niets gebleken.

Hij keek naar het microfoontje, een mat, zilvergroen schijfje dat nauwelijks van de vilten stukjes te onderscheiden was. Hij had het bewust in werking gelaten en op zijn bureau gelegd terwijl hij onschuldige telefoontjes pleegde, omdat hij niet wilde dat de eigenaar zou weten dat hij het ding ontdekt had. Dit microfoontje was er de oorzaak van dat hij zo'n ingewikkelde manier had bedacht om met Peter Marks te communiceren. Hij legde het terug, deed de la dicht en sloot die af.

Hij klapte zijn laptop open en logde in op de regeringsserver, waar zijn bestanden op opgeslagen waren. Hij klikte naar het gecodeerde bestand en opende het. Het sierde Peter dat hij uitgevogeld had hoe het werkte en het gecodeerde bestand op Hendricks computer had weten te openen. In een bericht stond wat Marks ontdekt had. Bij een regionale bijeenkomst in de lente van 1968 in Qatar stond Fitz op de lijst als een consultant voor El-Gabal Mining, een nu niet meer bestaand regeringsbedrijf. Waar Marks in geïnteresseerd was – en Hendricks nu ook – was dat Fitz El-Gabal niet op zijn cv gezet had.

Hendricks dacht dat het gezien Marks' eigen onderzoek niet zo verwonderlijk was dat hij het niet opgenomen had. Als Marks iets meer gevonden had over Fitz dan zou hij, na de aanslag op zijn leven, waarschijnlijk undercover gegaan zijn om het zelf te gaan onderzoeken. Misschien had hij contact opgenomen met Soraya. Hendricks belde haar op haar mobiel maar er werd weer niet opgenomen. Hij deed zijn mobiel uit en liep via de hal naar de badkamer, waar hij de kranen opendraaide.

In Parijs was het nu na negenen. Daarom belde hij Jacques Robbinet thuis. Zijn vrouw vertelde hem dat haar man nog op kantoor was. Er was klaarblijkelijk een internationale aangelegenheid waarmee hij zich bezig moest houden. Verontrust belde Hendricks Robbinets kantoor. Terwijl de verbinding tot stand gebracht werd, keek hij rond in zijn lege huis en wenste hartgrondig en niet voor het eerst dat hij Amanda kon horen rondscharrelen terwijl ze de kasten opruimde, wat ze graag deed. De gedachte dat die kasten sinds haar dood niet meer aangeraakt waren, deprimeerde hem. Hij vroeg zich af hoe het in huis zou zijn als Maggie er permanent zou zijn.

Robbinet kwam eindelijk aan de telefoon. 'Chris, ik was net van plan te bellen. Ik ben bang dat er een incident is.'

'Wat voor soort incident?' Hendricks luisterde met zweet in zijn handen naar Robbinets relaas over de ontmoeting met monsieur Marchand, hoe Soraya, Aaron Lipkin-Renais en de Egyptenaar Chalthoum Marchand hem gevolgd waren en wat er daarna gebeurd was.

'Dus Chalthoum is dood.' *Jezus, wat een klerezooi*, dacht Hendricks. De leider van Al Mokhabarat vermoord op Franse bodem. Geen wonder dat Robbinet nog op kantoor was; waarschijnlijk was hij daar nog wel voor de rest van de avond. 'Is alles goed met Soraya?'

'Voor zover Aaron weet, is zij oké.'

'Wat betekent dat in godsnaam?'

'Ze is nog steeds buiten kennis.'

Hendricks maag begon te bonzen als een tweede hart. Hij trok het medicijnkastje open, pakte een Prilosec en slikte hem droog door. Hij wist dat hij er te veel van nam, maar wat maakte het uit?

'Overleeft ze het?'

'De doktoren zijn nog steeds met haar bezig...'

'Verdomme, Jacques, je moet ervoor zorgen dat ze het redt.'

'Aaron zegt dat de doktoren...'

'Vergeet Lipkin-Renais,' zei Hendricks. 'Jacques, ik wil dat jij naar haar toe gaat en bij haar blijft.'

Het bleef enkele hartslagen stil. 'Chris, ik zit tot mijn nek in de rotzooi met betrekking tot de moord op Chalthoum.'

'Hij is vermoord door Noord-Afrikaanse Arabische extremisten.'

'Ja, maar wel op Franse bodem. De Egyptische ambassade staat op haar achterste benen.'

Hendricks dacht even na. 'Weet je wat, ik hou me bezig met de Egyptenaren, als jij voor Soraya zorgt.'

'Meen je dat?'

'Zeker. Jacques, ik beschouw dit als een persoonlijke gunst.'

'Nou, als jij de Egyptenaren van mijn nek haalt, snijdt het mes aan twee kanten. Wij hebben al genoeg problemen met de Arabieren zonder de herrie die zal ontstaan als dit bekend raakt.'

'Dat gebeurt niet,' zei Hendricks grimmig. 'Jacques, doe wat je moet doen, maar zorg ervoor dat mijn meisje dit overleeft.'

'Ik meld me als ik nieuws heb, Chris.' Hij gaf Hendricks zijn nieuwe, gecodeerde mobiele nummer. 'Probeer je geen zorgen te maken.'

Maar Hendricks kon er niets aan doen. *Verdomme*, dacht hij, terwijl hij de verbinding verbrak en in zijn telefoonboek zocht naar het nummer van de Egyptische president, *wat gebeurt er in godesnaam met mijn mensen?*

Toen Bourne en Essai na hun gesprek in de hal kwamen, stond Don Fernando hen op te wachten.

'Jason, heb je even?'

Essai knikte afgemeten en liep de hal uit.

'Hoe is het gegaan?' vroeg Don Fernando.

'Dat moet nog blijken,' zei Bourne.

Don Fernando haalde een sigaar uit zijn zak, beet er een puntje af en stak hem aan. 'Ik veronderstel dat je je afvraagt waarom ik ervoor gekozen heb om Estevan in het ongewisse te laten,' zei hij, terwijl hij zich in geurende rookwolken hulde.

'Hoe u met uw vrienden omgaat is uw zaak,' zei Bourne.

Don Fernando keek Bourne even aan. 'Ik mag je, Jason. Ik mag je erg graag. Daarom neem ik geen aanstoot aan je geïmpliceerde afkeuring.' Hij pauzeerde even, nam de sigaar uit zijn mond en keek naar het gloeiende uiteinde. 'Vriendschap kan vele vormen aannemen. Jij, als man van de wereld, moet dat weten.' Hij zocht Bournes ogen. 'Maar ik weet dat je niet zo'n soort man bent. Jij behoort tot een uitstervend ras, mijn vriend, een ware terugkeer naar de dagen van geweten, eer, plichtsbesef en heilige vriendschappen.'

Bourne bleef zwijgen. Hij had er een hekel aan als iemand zei wat voor soort man hij was, ook al was het de waarheid.

'Nu komen we bij het moeilijke deel.' Don Fernando stak de sigaar weer in een mondhoek. 'Kaja heeft een oogje op jou.'

'Dat is een vreemde manier om het te verwoorden.'

Don Fernando knikte. 'Oké. Ze is verliefd op jou geworden.'

'Dat is idioot. Ze haat me omdat ik haar moeder heb vermoord, ongeacht wat ze zegt.'

'Dat geldt ontegenzeggelijk voor een deel van haar. Maar dat deel is van iemand die jou nog niet ontmoet had, die werd gedreven door de aanblik van haar dode moeder op een marmeren snijtafel. Daar heeft ze een beeld omheen gebouwd. En toen verscheen jij, een man van vlees en bloed. En met jou kwamen de details over de moord op haar moeder. En daar was zij volgens mij niet op voorbereid.'

Don Fernando inhaleerde. 'Bekijk alles eens van haar kant. Jij verschijnt en redt haar en Estevan niet één, niet twee, maar drie keer – zowel van de Domna als van de mensen voor wie haar vader werkte. Ze weet niets over jou, en zeker niet dat je haar moeder vermoord hebt. Ze is nu twee mensen die met elkaar in gevecht zijn.'

'Daar heb ik niets mee te maken,' zei Bourne.

Don Fernando trok aan zijn sigaar en zette hen beiden onder de rook. 'Ik geloof niet dat je dat meent.'

'Houdt zij van Vegas?'

'Dat moet je haar zelf vragen.'

'Dat ben ik van plan,' zei Bourne. 'De omstandigheden zijn al ingewikkeld genoeg zonder dat Vegas een jaloerse uitbarsting krijgt.'

'Zij is buiten in de loggia.'

'De loggia is vanaf hier niet te zien,' zei Bourne.

'Ik weet waar al mijn gasten zijn.'

Bourne vroeg zich af hoe dat kon; hij had geen bewakingscamera's gezien.

Don Fernando glimlachte. 'Ga naar haar toe, Jason. Praat het uit voordat het in een bloederige vete verandert.'

'Zo gaat het gebeuren,' zei Zachek. 'Je contact zal bij de zijingang van de Moskee op je wachten. Je zegt tegen hem: "Er is maar één God," en hij antwoordt dan met: "God is goed, God is machtig."'

Boris en Zachek stonden in een diepe schaduw dicht bij elkaar in een straat vanwaar de Moskee donker en dreigend tegen de ziedende Münchense hemel afstak.

'Je kent die man,' zei Boris.

Zachek knikte. 'Hij werkt ogenschijnlijk voor de Moskee, maar...'

'Ik begrijp het,' zei Boris.

Zachek keek op zijn horloge. 'Het is tijd,' zei hij. 'Succes.'

'Jij ook.' Boris wierp een laatste blik op hem. 'Trouwens, je ziet er beroerd uit.'

Zachek glimlachte spijtig. 'Niets duurt eeuwig.'

Boris liep de straat op en mengde zich tussen de voetgangers. Hij paste zijn tempo aan; hij was een meester in het opgaan in een massa. Beter dan Zachek ooit zou worden. Hij vroeg zich even af of hij de SVR-agent kon vertrouwen. In zijn werk waren geen zekerheden. Het enige wat je kon doen, was je inleven in de psyche van de persoon en proberen de juiste knoppen te vinden. Ze waren maar kort samen geweest, maar het leek net alsof ze als twee soldaten in oorlogstijd samen in een schuttersputje hadden gezeten. Door de intensiteit had hij het idee dat hij een goed beeld had gekregen van Zacheks psyche.

Hij naderde de zijingang van de Moskee en was nu op zichzelf aangewezen. Hij moest vertrouwen hebben in Zachek.

In de deuropening stonden twee mannen die op lage toon met elkaar spraken. Maar toen Boris naderbij kwam, liep een van hen weg. Boris liep naar de man die was blijven staan. Hij was klein en breedgeschouderd. Zijn volle, krullende baard kwam tot op zijn borst. Hij rook naar tabak en oud zweet.

'Er is maar één God,' zei Boris.

'God is goed, God is machtig,' antwoordde de man. Hij draaide zich om en ging Boris voor, de Moskee in.

Hij deed zijn schoenen uit en waste zijn handen. Boris volgde zijn voorbeeld. De man leidde Boris door een smalle, slecht verlichte gang, langs hokjes zonder deuren. In de schaduwen ervan klonken fluisterende stemmen als het zachte gezoem van insecten. Verder weg hoorde Boris het massale gezang van gebeden en het hoog-lage geweeklaag van de muezzin tot de gelovigen. De atmosfeer was geheimzinnig, drukkend, en Boris dwong zichzelf om niet om zich heen te kijken.

Ze sloegen eerst links, daarna rechts en toen weer rechts af. Het was een doolhof, dacht Boris. Niet een plek waar hij zich snel uit de voeten zou kunnen maken. Uiteindelijk bleef het contact bij een deuropening staan. Hij wendde zich tot Boris en zei: 'Naar binnen.'

'Jij eerst,' zei Boris.

Op het moment dat de man zich naar hem omdraaide, legde Boris zijn rechterhand op zijn Makarov. De man draaide zich om, schudde zijn hoofd en stak zijn hand uit. Boris verstijfde.

'Het is de enige manier,' zei de man.

Boris haalde de Makarov tevoorschijn, ontlaadde hem, en

stopte de kogels in zijn zak. Daarna overhandigde hij het pistool.

De man nam hem aan en stapte door de deuropening. Boris volgde. Ze kwamen in een kleine, vierkante kamer met op borsthoogte een raam met doorzichtig glas, het werd door ofwel daglicht ofwel straatlicht verlicht als een roosvenster.

Een zwaargebouwde man met een vettige baard zat in kleermakerszit op een bidkleedje. Hij praatte met twee mannen, die onmiddellijk opstonden en plaatsmaakten. Het viel Boris op dat ze ieder aan een kant van het vertrek met de rug tegen de muur gingen staan.

De zwaargebouwde man ging met zijn dikke vingers door zijn baard, die net zo zwart als zijn ogen was.

'Jij bent iemand van de SVR?' zei hij met slijmerige stem. 'Van Zachek?'

Boris knikte.

'Je wil wat weten over Viktor Cherkesov,' zei de man. 'Waarom hij hier kwam, wie hij heeft ontmoet, en wat er is besproken.'

'Dat klopt.'

'Die informatie is moeilijk te verkrijgen. Bovendien plaatst me dat in een hachelijke positie.' De zwaargebouwde man schraapte zijn keel. 'Je wil ervoor betalen.'

Omdat het geen vraag was, hield Boris zijn mond dicht.

De man begon te glimlachen en ontblootte daarbij enkele gouden implantaten. De andere tanden zagen er ranzig uit. Hij verspreidde een uitermate onplezierige lucht alsof in zijn mond of maag eten aan het rotten was. 'Laten we verdergaan.'

'Hoeveel...?'

De man stak een vlezige hand omhoog. 'Ah, nee. Ik heb niet meer geld nodig. Jij wil van mij informatie; ik wil hetzelfde van jou.'

Boris keek steels naar de twee mannen aan de kant. Zij leken alleen interesse te hebben in het licht dat door het raam viel. 'Wat voor soort informatie?'

'Ken jij een man genaamd Ivan Volkin?'

De vraag benam Boris bijna de adem. 'Ik heb van hem gehoord, ja.'

De zwaargebouwde man tuitte zijn volle en rode lippen. Ze zagen er omringd door de baard obsceen uit. 'Dat vroeg ik je niet.'

'Ik heb hem ontmoet,' zei Boris behoedzaam.

In de donkere ogen van de man veranderde iets. 'Misschien gaat de informatie die we van elkaar willen, over hetzelfde onderwerp.'

Boris spreidde zijn handen. 'Ik zie niet hoe. Ik wil weten waarom Cherkesov hiernaartoe gestuurd is. Ik ben niet in Volkin geïnteresseerd.'

De zwaargebouwde man rochelde en spuugde in een kleine koperen kom naast zich. 'Maar je moet weten dat Cherkesov hier kwam om Volkin te ontmoeten.'

Bourne trof Kaja met haar armen om haar heen geslagen in de loggia. Ze keek hoe een nachtegaal in een boom heen en weer fladderde alsof hij de weg naar huis aan het zoeken was. Hij vroeg zich af of Kaja niet hetzelfde aan het proberen was.

Ze verstijfde toen ze hem hoorde, maar zei niets totdat de nachtegaal op een tak was gaan zitten en een wonderschoon lied aanhief. Bourne was ondertussen naast haar gaan staan.

'Je lijkt niet verrast om me te zien,' zei hij.

'Ik hoopte dat je zou komen. Dan zou het net zo zijn als in de film.'

'Ik had niet het idee dat je een romantisch type was,' zei hij.

'O nee?' Ze bewoog zich naast hem en ging van het ene been op het andere staan. 'Wat voor indruk heb ik dan op je gemaakt?'

'Ik denk dat je iemand bent die er alles aan doet om te krijgen wat ze wil.'

Ze zuchtte. 'Jij denkt dat ik Estevans hart zal breken.'

'Hij is een eenvoudige man met eenvoudige behoeftes,' zei Bourne. 'Jij bent allesbehalve dat.'

Ze keek naar haar voeten. 'Stel dat je gelijk hebt.'

'In dat geval was Estevan een middel om het doel te bereiken.'

'Ik ben vijf jaar goed voor hem geweest.'

'Omdat hij geloofde wat je hem vertelde.' Bourne draaide zich naar haar toe. 'Denk je dat hij verliefd op je geworden zou zijn als hij geweten had wie je echt bent en waar jij hem voor nodig had?'

'Misschien wel, ja.'

Ze ging voor hem staan. De maan verlichtte haar wangen, maar haar ogen bleven in de schaduw. Hier in Don Fernando's loggia vol bloemen kwamen haar weelderige vormen goed uit. Bourne twijfelde er niet aan dat zij zich opzettelijk zo goed mogelijk opgesteld had voor het maximale sensuele effect. Ze was zich zeer wel bewust van haar sterke punten en was niet te beroerd om ze te gebruiken.

'Ik wil het niet meer over Estevan hebben.'

'Dat kan zijn, maar ik moet weten...'

Ze nam zijn gezicht tussen haar handen en kwam met haar lippen dicht bij de zijne. 'Ik wil het over ons hebben.'

Toen begreep Bourne het. Hij kon het verlangen in haar ogen zien branden; niet een verlangen naar hem op de traditionele manier. Hij was net als Vegas een middel om een doel te bereiken. Het enige wat ze wilde was de waarheid over haar vader. Mannen konden die waarheid vinden, vrouwen niet. Daarom veranderde ze zichzelf in een serieminnares. Ze bond zich aan iedere man van wie zij dacht dat hij haar dichter bij haar doel zou kunnen brengen.

'Don Fernando heeft het verkeerde idee dat je verliefd op mij bent.'

Ze keek verbaasd. 'Verkeerde idee?'

Ze deed een stap naar voren en kuste hem heftig op de lippen. Terwijl ze dat deed, klemde ze zich aan hem vast. Bourne kon elke vorm van haar vrouwelijke lichaam voelen.

'Stop,' zei hij, terwijl hij haar van zich af duwde.

Ze schudde haar hoofd, haar lippen waren iets van elkaar. 'Ik begrijp het niet.'

Hij vroeg zich af of zij zichzelf voor de gek hield door te denken dat zij verliefd op hem was. Had ze op die manier, door zichzelf voor de gek te houden, zo succesvol Vegas kunnen bedonderen?

'Je begrijpt het volkomen,' zei Bourne.

'Je ziet het verkeerd.' Ze schudde haar hoofd. 'Helemaal verkeerd.'

'Amun!' schreeuwde Soraya, toen ze bij bewustzijn kwam.

'Hij is dood, Soraya.'

Aaron boog zich met een bezorgd gezicht over haar heen.

'Weet je nog?'

En toen wist ze het weer: de afdaling in het donker, bijna gewurgd door Donatien Marchand, Amun rennend op de trap, de schoten, het bloed, en toen de val. Haar ogen begonnen te branden en tranen liepen vanuit haar ooghoeken over haar wangen en vielen op het kussen.

'Waar...'

'Je bent in een ziekenhuis.'

Ze was zich plotseling bewust van de slangen in haar arm.

'Ik wil hem zien,' zei ze.

Toen ze overeind probeerde te komen, duwde Aaron haar zacht terug.

'Dat komt, Soraya, dat beloof ik je. Maar niet nu, niet vandaag.'

'Ik moet.' Ze kreeg in de gaten dat haar strijd hopeloos was; ze had geen kracht. Ze kon niet ophouden met huilen. Amun dood. Ze keek naar Aarons gezicht.

'Alsjeblieft, Aaron, maak me wakker.'

'Je bent wakker, Soraya. Godzijdank.'

'Dit is niet mogelijk.' Waarom huilde ze? Haar hart leek opengebarsten te zijn. De vraag of ze nu wel of niet van Amun hield, leek nu irrelevant. Ze waren collega's geweest, vrienden, minnaars – en nu was hij dood. Ze had eerder te maken gehad met verlies en dood, maar dit was van een heel andere orde. Ze was zich er vaag van bewust dat ze huilde en dat Aaron haar in zijn armen hield; zijn geur vermengde zich met de ziekelijk-zoete geuren van het ziekenhuis. Ze klampte zich aan hem vast. Maar het was zo vreemd dat ze zich, terwijl Aaron haar vasthield, zo intens alleen voelde. Maar zo voelde ze zich en op een bepaalde manier voelde ze zich meer alleen dan ze zich ooit gevoeld had. Haar werk vulde haar hele leven. Net als Jason had ze nooit ruimte voor iets anders gemaakt – behalve voor Amun. En nu...

Ze dacht aan Jason, aan de verliezen die hij had geleden, zowel professioneel als privé. Ze dacht vooral aan Martin Lindros, de architect van Typhon, haar baas en Jasons beste vriend bij de oude CI. Ze was behoorlijk van haar stuk geweest door Lindros' dood, maar hoeveel erger moet het voor Jason geweest zijn. Hij had er alles aan gedaan om zijn vriend te redden, maar op het allerlaatst ging het fout. Door aan Jason te denken, voelde ze zich minder alleen, voelde ze de druk van haar omgeving meer, en besefte ze dat ze weg moest, om te denken, om dingen uit te zoeken.

'Aaron, je moet me helpen om hier weg te komen,' zei ze zo intens wanhopig dat het haar zelf verbaasde.

'Je hebt niets gebroken, alleen een paar gekneusde ribben. Maar de doktoren denken dat je een hersenschudding hebt...'

'Dat maakt me niet uit,' riep ze. 'Ik wil hier geen moment langer zijn.'

'Soraya, alsjeblieft, probeer tot rust te komen. Het is begrijpelijk dat je overstuur bent en...'

Ze duwde hem zo hard mogelijk van zich af. 'Behandel me niet als een kind en luister naar mij, Aaron. Haal me hier verdomme weg. Nu.'

Hij keek haar even aan, en knikte. 'Oké. Geef me even de tijd om de papieren te regelen.'

Nadat hij weg was gegaan, worstelde Soraya zich in zittende positie. Haar hoofd deed pijn, maar dat negeerde ze. Ze peuterde de pleister weg en trok de naald uit haar arm. Voorzichtig sloeg ze haar benen over de rand van het bed. De vloer voelde koud aan. Haar enkels prikten toen ze probeerde te staan. Ze wachtte even, haalde diep en rustig adem om meer zuurstof in haar lichaam te krijgen. Terwijl ze zich aan het bed vasthield, nam ze enkele aarzelende stapjes – één, twee, drie – als een baby die de eerste stapjes doet. IJzingwekkend langzaam liep ze door de kamer naar de kast en pakte haar kleren. Ze deed nu alles puur instinctmatig. Als een zombie met stijve benen redde ze het tot de deur, waar ze even bleef staan om nieuwe energie te krijgen en op adem te komen.

Ze deed de deur open en gluurde naar beide kanten. Behalve een oude man die zijn infuus aan een rek op wieltjes met zich meezeulde en van haar weg schuifelde, was er niemand te zien. Aan de andere kant van de gang was een bijkeuken. Ze dwong zichzelf in beweging te komen en stapte de gang op. Op dat moment hoorde ze stemmen naderen. Een ervan was die van Aaron. Hij was niet alleen. Met een uiterste krachtsinspanning wist ze de deur van de bijkeuken te bereiken. Ze greep de klink, zwaaide de deur open en ging naar binnen. Nog net voordat de deur dichtviel, zag ze Aaron, die geflankeerd werd door twee artsen, naar haar kamer lopen.

Bourne en Essai troffen Kaja en Vegas in het halletje. De voordeur stond open en ze konden zien hoe Don Fernando twee auto's zijn oprit op loodste.

'Het is tien uur,' zei Kaja. Alsof ze bevroedde dat Bourne en Essai, omdat ze samen waren, met haar wilden praten, voegde ze eraan toe: 'Etenstijd is heilig voor Don Fernando.'

Bourne liep naar hen toe. 'Estevan, hoe voel je je? Je hebt uren geslapen.'

Vegas hield zijn handen tegen zijn voorhoofd. 'Nog een beetje gammel, maar wel beter.'

Don Fernando verscheen in de deuropening. 'Ons vervoer is gearriveerd.'

Hun bestemming was een visrestaurant aan de andere kant van Cadiz. Zijn dure terracotta terras lag tegen een muur aan die uitkeek op het zuidelijke deel van de haven. Boten lagen voor anker en dobberden rustig op de golven. Een motorsloep kliefde door het water en vormde in zijn kielzog een schuimkraag, die snel oploste. Het maanlicht lag als een zilveren sluier op het water; aan de hemel stonden sterren.

De maître d'hôtel deed overdreven vriendelijk tegen Don Fernando en leidde hen buiten naar een ronde tafel vlak bij de muur. Het restaurant zat vol glamourtypes. Gouden en platina snuisterijen om de polsen van slanke vrouwen op Louboutinschoenen fonkelden in het kaarslicht. Hun halzen en lange nekken waren omwikkeld met juwelen.

'Ik voel me hier net een domme, jonge eend,' zei Kaja, terwijl ze gingen zitten.

'Onzin, mi amor.' Vegas kneep in haar hand. 'Niemand hier is mooier dan jij.'

Kaja lachte en kuste hem met naar het scheen heel veel affectie. 'Wat een heer!'

Bourne zat aan de andere kant van haar en hij voelde de warmte van haar dij tegen de zijne. Ze zat naar Estevan toegekeerd en ze hadden elkaars hand nog steeds vast. Haar dij wreef keer op keer langs die van hem. De wrijving creëerde een heimelijke band tussen hen.

'Wat kunt u me hier aanraden?' vroeg hij aan Don Fernando, die rechts van hem zat. Don Fernando's antwoord ging onder in het geronk van Vespa's die over de zeeweg buiten het restaurant reden.

De ober ontkurkte de eerste fles van de voorraad die Don Fernando mee had genomen. Ze brachten een toost uit op hun gastheer, die zei dat hij voor iedereen al besteld had.

Bourne trok zijn been terug, en toen Kaja zich naar hem omdraaide en hem vragend aankeek, schudde hij kort maar nadrukkelijk het hoofd.

Haar ogen vernauwden zich. Ze zei dat ze even van tafel moest, schoof haar stoel bruusk naar achteren en beende weg over het terras. Don Fernando wierp Bourne een waarschuwende blik toe.

Vegas legde zijn servet neer en wilde net opstaan toen Don Fernando zei: 'Estevan, cálmate, amigo. Dit is een beveiligingszaak. Ik wil liever dat Jason een oogje op haar houdt.'

Bourne stond op en liep over het terras naar het afgesloten deel van het restaurant, waar hij werd overweldigd door heerlijke geuren van de vissen die bereid werden met mediterrane kruiden. Hij zag dat Kaja het restaurant uit liep en hij haastte zich langs de tafels, die bezet waren met luidruchtige gasten.

Hij kreeg haar op het smalle trottoir te pakken. 'Wat ben je in vredesnaam aan het doen?'

Ze trok zich los. 'Waar ziet het naar uit?'

'Kaja, Estevan krijgt op deze manier wat in de gaten.'

Ze keek hem aan. 'Nou en! Ik ben alle mannen zat.'

'Je gedraagt je als een verwend kind.'

Ze draaide zich om en sloeg hem in het gezicht. Hij had haar kunnen tegenhouden, maar hij bevroedde dat het dan alleen maar erger zou worden.

'En, lucht dat op?'

'Denk niet dat ik niet weet wat hier aan de hand is,' zei ze. 'Don Fernando is benauwd dat ik Estevan zal vertellen wie ik echt ben.'

'Dit is niet het juiste moment.'

'Zeg wat je bedoelt. Het zal nooit het goede moment zijn.'

'Maar nu zeker niet.'

'Waarom nu niet?' zei Kaja. 'Hij behandelt Rosie als een kind. Ik ben geen kind meer. Ik ben Rosie niet meer.'

Bourne hield met een schuin oog de weg in de gaten, waar de jonge mannen dronken lachend elkaar uitdaagden, terwijl ze als waaghalzen heen en weer crosten. 'Het was een risico om jullie allebei naar Cadiz te brengen, maar het alternatief zou jullie beider dood betekend hebben.'

'Don Fernando had Estevan nooit bij de smokkelpraktijken van de Domna moeten betrekken,' zei ze. 'Het is duidelijk dat hij niet geschikt is voor dat soort leven.'

'Don Fernando wilde een ingang,' zei Bourne.

'Don Fernando heeft Estevan gebruikt,' zei ze vol afkeer.

'Maar dat heb jij ook gedaan.' Bourne haalde zijn schouders op. 'Hij had ook kunnen weigeren.'

Ze snoof. 'Denk je dat Estevan die man ooit iets zou weigeren? Hij heeft alles aan Don Fernando te danken.'

'*Querida!*'

Ze draaiden zich allebei om en zagen Vegas met een bezorgde blik uit het restaurant komen.

'Is alles oké hier?' Hij liep naar haar toe. 'Heb ik iets gedaan wat je ergerde?'

Kaja toverde bijna automatisch haar Rosie-glimlach tevoorschijn. 'Natuurlijk niet, mi amor.' Ze moest haar stem verheffen om boven het Vespa-lawaai uit te komen. 'Ik erger me nooit aan jou.'

Hij nam haar in zijn armen en draaide haar in het rond. Drie kogels floten over Kaja's schouder en hoofd en sloegen Estevan achteruit uit haar armen. Bourne sprong op haar en beschermde haar met zijn lichaam, terwijl de schutter op zijn witte Vespa van de stoeprand wegscheurde. Bourne trok haar overeind.

'Estevan,' schreeuwde ze. 'Estevan, o, mijn god!'

Vegas lag als een bloederige hoop tegen de voorkant van het restaurant. Het witte stucwerk zat onder het bloed. Bourne trok haar weg en duwde haar in de armen van Don Fernando, die naar buiten was komen rennen.

'Ze komen terug!' schreeuwde Bourne. 'Hou haar binnen!'

Toen stapte hij van de stoeprand, greep een jonge Vespa-rijder in zijn lurven, die gestopt was om naar het bloederige schouwspel te kijken, en slingerde hem van zijn Vespa.

De jongen struikelde over de stoeprand en belandde op zijn achterwerk. 'Hé! Wat?' schreeuwde hij, terwijl Bourne door het drukke verkeer wegsjeesde.

# Tweeëntwintig

Peter Marks verloor keer op keer zijn bewustzijn als een zwemmer die gegrepen was door een kolkende stroming. Het ene moment leken zijn voeten stevig op de grond te staan, en het volgende moment gleden ze weg, als een golf hem optilde, omvergooide en hem tollend een roodachtige duisternis in trok die gekenmerkt werd door duizeligheid en pijn.

Hij hoorde zijn eigen gekreun en onbekende stemmen, maar die leken of van grote afstand te komen, of ze werden gedempt door lagen verbandgaas. Het licht deed pijn aan zijn ogen. Het enige wat hij soms naar binnen kreeg, was babyvoedsel. Hij voelde zich alsof hij doodging, alsof hij tussen leven en dood zweefde, bewoner was van het voorgeborchte van de hel. In elk geval begreep hij de frase 'lijdensweg' nu beter.

En toch kwam er een moment dat zijn pijn minder werd, hij meer at en dat het voorgeborchte gelukkig vervaagde tot een droomwereld, die hij zich nog maar half herinnerde en die langzaam verdween alsof hij in een trein zat die wegreed van een afschuwelijke plek waar hij vast had gezeten.

Hij opende zijn ogen en liet licht en kleuren binnen. Hij haalde diep adem, en toen nog een keer. Hij voelde hoe zijn longen zich volzogen en leegden zonder de verblindende pijn die hem naar het scheen voor eeuwig in zijn greep had gehad.

'Hij is bij kennis.' Een stem van boven, alsof een engel boven hem zweefde en zijn tere vleugels uitsloeg.

'Wie...' Peter bevochtigde zijn lippen. 'Wie ben je?'

'Hé, ik ben Tyrone, baas.'

Peters ogen voelden plakkerig. Alles waar hij naar keek, werd omkranst met corona's, alsof hij aan het hallucineren was. 'Ik... Wie?'

'Tyrone Elkins. Van de CI.'

'De CI?'

'Ik heb u van de straat geplukt. U was er belazerd aan toe.'

'Ik herinner het me niet...'

Het zwarte hoofd draaide zich om. 'Yo, Deron, yo, yo, yo.' Toen keek Tyrone Peter weer aan en zei: 'De ziekenwagen. Herinnert u zich de ziekenwagen, baas?'

Er doemde iets op uit de mist. 'Ik...'

'Die zogenaamde broeders. U hebt zelf uit de ziekenwagen weten te komen, shit, weet nog steeds niet hoe.'

De herinneringen begonnen vorm te krijgen als een wolk aan de horizon. Peter herinnerde zich de garage in het Treadstonegebouw, de explosie, dat hij de ziekenwagen ingeduwd werd, het besef dat hij niet naar het ziekenhuis gebracht werd, dat zijn begeleiders vijanden waren.

'Ik herinner het me weer,' mompelde hij.

'Dat is mooi, dat is verdomd mooi.'

Naast Tyrones gezicht verscheen een tweede. Tyrone had hem Deron genoemd. Een knappe, zwarte man met het accent van iemand van de Britse upper class.

'Wie zijn jullie?'

'Tyrone heeft het je verteld,' zei Deron. 'Hij is van de CI. Een vriend van Soraya.' De knappe man glimlachte naar Peter. 'Mijn naam is Deron. Ik ben een vriend van Jason.'

Peters hersens hadden even nodig om op gang te komen. 'Bourne?'

'Dat klopt.'

Hij sloot zijn ogen en dankte de Heer op zijn blote knieën dat hij op de veiligste plek in heel D.C. terechtgekomen was.

'Peter, weet je wie die mensen waren in de ziekenwagen?'

Peter sloeg zijn ogen op. 'Ik heb ze nooit eerder gezien.' Hij voelde zijn hart bonzen en bevroedde dat het een tijdlang hard gewerkt moest hebben om hem in leven te houden. 'Ik weet niet...'

'Oké, oké,' zei Deron. 'Doe maar rustig aan.' Hij wendde zich tot Tyrone. 'Kun je hiermee aan de slag? Er is over de schietpartij ongetwijfeld een rapport. Gebruik je contacten en probeer achter de identiteit van de dode mannen te komen.'

Tyrone knikte en vertrok.

Deron pakte een plastic beker met water en een rietje. 'Laten we eens kijken of we nog wat vocht in jou kunnen krijgen.'

Hij schoof een hand onder Peters hoofd, tilde het voorzichtig op en hield het rietje voor zijn mond. Peter zoog langzaam, ondanks het feit dat hij uitgedroogd was. Zijn tong voelde alsof hij twee keer zo dik was.

'Tyrone heeft me alles verteld,' zei Deron, 'althans, alles wat hij wist.' Hij trok het rietje uit Peters mond. 'Het lijkt erop dat je gekidnapt werd.'

Peter knikte.

'Waarom?'

'Ik weet niet...' Toen herinnerde Peter het zich weer. Hij had uitgebreid onderzoek gedaan naar Roy FitzWilliams en het in Damascus gevestigde El-Gabal, waarmee Fitz banden had. Hendricks was volkomen paranoïde geweest over veiligheid met betrekking tot Roy FitzWilliams. Peter kreunde.

'Wat is er? Heb je pijn?'

'Nee, dat zou te makkelijk zijn,' zei Peter met een moedige glimlach. 'Ik heb het verkloot, Deron. Mijn baas waarschuwde me om voorzichtig te zijn. Ik heb heimelijk onderzoek gedaan op een bedrijfscomputer die aangesloten was op de regeringsserver.'

'Iemand heeft dat in de gaten gekregen, werd bang en stuurde een kidnapteam.'

'Nou, ze hebben me eerst proberen te vermoorden.' Peter beschreef hoe hij in de garage bijna gedood was. 'Het kidnapteam was daar als back-up.'

'Dat wijst allebei op een nauwgezette planning en een organisatie met invloed en veel geld.' Deron wreef met zijn hand over zijn kaak. 'Ik zou zeggen dat je diep in de problemen zit, maar Ty vertelde me dat je directeur van Treadstone bent, dus je hebt zelf genoeg wapens om in de strijd te gooien.'

'Jammer genoeg niet,' zei Peter. 'Soraya en ik zijn nog steeds bezig om Treadstone weer aan de gang te krijgen. Bijna al ons huidige personeel zit in het buitenland. Onze binnenlandse infrastructuur ligt nog steeds op haar gat.'

Deron ging achteroverzitten en zei zonder enig Engels accent: 'Godver, makker, je bent hier op de juiste plek aan komen waaien.'

Bourne scheurde een hoek om achter de schutter aan. Hij kon hem op zijn witte Vespa door het verkeer zien slingeren terwijl hij de weg langs het water richting het zuiden volgde. Het was moeilijk om dichterbij te komen, maar door vol gas te geven wist Bourne terrein te winnen. De schutter had niet achteromgekeken; hij wist niet dat iemand hem op de hielen zat.

De schutter reed door een stoplicht dat net op rood sprong. Bourne boog zich over het stuur, schatte het van opzij komende verkeer in, en schoot met eerst een zwenking naar links en vervolgens een zwenking naar rechts over de kruising.

Aan het eind van de straat was de schutter achter een zwarte bestelbus gestopt. Hij trok de achterdeuren open en met hulp van de chauffeur duwde hij de Vespa in het busje. Daarna sloeg hij de deuren dicht, en beide mannen gingen voorin zitten. Bourne reed nog steeds vol gas, en toen het busje zich in de verkeersstroom voegde, was hij er niet meer dan twee autolengtes achter.

Het busje sloeg al snel af en reed Cadiz in. Het volgde een bochtige route door de smalle straatjes van de stad. Ten slotte stopte het busje in een straat met pakhuizen. De chauffeur stapte uit, deed een roldeur van het slot die automatisch omhoogging, en stapte weer in. Bourne liet de Vespa achter en trok een sprintje toen het busje naar binnen reed. De deur ratelde omlaag en Bourne wist er ternauwernood onderdoor te schieten.

Hij lag op de betonnen vloer, die stonk naar creosoot en motorolie. Het enige licht kwam van de koplampen van het busje. Portieren sloegen dicht toen de mannen uitstapten. Ze lieten de Vespa waar hij was. Bourne ging op een knie zitten achter een enorm metalen vat. De schutter was kennelijk naar een schakelaar gelopen, want even later baadde de ruimte in het licht van enkele plafondlampen die afgedekt waren met groene kappen. Op twee stapels houten kratten en nog enkele vaten na, was het pakhuis leeg. De chauffeur deed de koplampen uit, waarna de twee mannen naar de stapels kratten liepen.

'Is ze dood?' vroeg de chauffeur in het Russisch met een Moskous accent.

'Ik weet het niet, alles gebeurde te snel.' De schutter legde zijn pistool boven op een stapel kratten.

'Het is jammer dat je van het plan bent afgeweken,' zei de chauffeur op de klagelijke toon waar alleen Russen patent op hebben.

'Ze kwam naar buiten,' protesteerde de schutter. 'De verleiding was te groot. Haar neerschieten en me uit de voeten maken. Jij zou hetzelfde gedaan hebben.'

De chauffeur haalde zijn schouders op. 'Ik ben alleen maar blij dat ik niet in jouw schoenen sta.'

'Rot op!' zei de schutter. 'We vormen samen een team. Als ik haar gemist heb, hangt ons allebei iets boven het hoofd.'

'Als onze baas dat te weten komt,' zei de chauffeur, 'zullen we al heel snel geen hoofd meer hebben.'

De schutter pakte zijn pistool en herlaadde het. 'Dus?'

'Dus moeten we uit zien te vinden of ze dood is.' De chauffeur ging dreigend voor zijn metgezel staan. 'En als ze niet dood is, moeten we die fout samen herstellen.'

De twee mannen liepen om de stapel en openden een smalle deur. Voordat hij binnenging in naar Bourne aannam het kantoor, deed de schutter het licht uit. Bourne kroop naar het busje, opende behoedzaam het portier aan de bestuurderskant en rommelde net zo lang totdat hij een zaklantaarn vond. Achterin doorzocht hij een gereedschapskist en haalde er een koevoet uit. Daarna liep hij naar de stapel kratten en hurkte neer zodat de kratten tussen hem en de achterdeur waren. Hij knipte de zaklantaarn aan en liet de lichtstraal over de kratten gaan. Het hout had een vreemde groenachtige kleur, en was glad en bijna naadloos. De lichtstraal gleed over de kratten en hij voelde hoe zijn hart op hol sloeg. Op de kratten stond waar ze vandaan kwamen: Don Fernando's oliebedrijf in Colombia.

Boris voelde zijn bloed bevriezen. 'Is Cherkesov hier gekomen om Ivan te ontmoeten?' Hij schudde zijn hoofd. 'Dat geloof ik niet.'

De zwaargebouwde man gebaarde naar een van de mannen bij de wand, die een stap naar voren deed. Boris verstrakte toen de helper in zijn gewaad tastte, maar het enige wat hij tevoorschijn haalde waren enkele korrelige zwart-witfoto's, die hij Boris voorhield.

'Ga uw gang, kijk maar,' zei de zwaargebouwde man. 'Door de belichting kunt u zien dat de foto's niet getrukeerd zijn.'

Boris nam de foto's aan en keek ernaar. De haren rezen hem te berge. Hij zag Cherkesov met Ivan in gesprek. Achter hen was iets van het interieur van de Moskee te zien. Hij keek naar de datum die in de linker benedenhoek van de foto's gedrukt was.

Hij keek naar de zwaargebouwde man op zijn bidkleedje. Hij was sinds Boris' binnenkomst niet van houding veranderd. 'Waar praatten zij over?'

Om de lippen van de zwaargebouwde man krulde een glimlach. 'Ik weet wie u bent, generaal Karpov.'

Boris bewoog zich niet. Hij richtte zijn blik niet op de man, maar op zijn helpers. Ze leken weer net zo weinig interesse in hem te hebben als eerder. 'Dan bent u me een stap voor.'

'Pardon?'

'Ik weet niet wie u bent.'

De glimlach verbreedde zich. 'Ah, nieuwsgierigheid! Maar het is veel beter voor u als u dat niet weet.' Hij knakte zijn vingers. 'We moeten ons concentreren op wat nu speelt: Cherkesov en Volkin.' Zijn rode lippen versmalden zich. 'Ik ben me er, laten we zeggen, scherp van bewust dat de FSB-2, waarover u nu de leiding hebt, en de SVR verwikkeld zijn in een dodelijk gevecht om de macht.'

Boris bleef zwijgen. Hij begon deze naamloze man een beetje te leren kennen, zijn voorliefde voor theatrale pauzes en theatrale uitspraken en de manier waarop hij de informatie in afgemeten stukjes hakte.

'Maar die machtsstrijd,' ging de zwaargebouwde man verder, 'is veel ingewikkelder dan u denkt. Aan beide kanten bemoeien zich machten met deze strijd die de macht van de FSB-2 en de SVR verre overstijgen.'

'Ik neem aan dat u Severus Domna bedoelt.'

De zwaargebouwde man keek verbaasd. 'Onder andere.'

Boris' hart sloeg over. 'Zijn er anderen?'

'Er zijn altijd anderen, generaal.' De zwaargebouwde man gebaarde. 'Excuses voor mijn slechte manieren. 'Kom. Ga zitten.'

Boris stapte op het bidkleedje en lette erop dat hij in dezelfde houding als zijn gastheer ging zitten, hoewel hem dat wel pijn in zijn heupen en spieren deed.

'U vroeg waarover Cherkesov en uw vriend Volkin het hadden,' zei de zwaargebouwde man. 'Zij hadden het over de Domna.'

'Wist u dat Cherkesov de FSB-2 verliet om zich bij de Domna aan te sluiten?'

'Ik heb zoiets gehoord, ja,' erkende de zwaargebouwde man.

Boris geloofde hem niet. Hij had het idee dat zijn gastheer informatie achterhield. 'Cherkesov had ambities die in elk geval op dit moment zijn krachten te boven gaan.'

'Denkt u dat hij een plan had toen hij zich van de FSB-2 had laten weglokken?'

'Ja,' zei Boris.

'Weet u wat dat plan was?'

'Het is zeer waarschijnlijk dat een van ons het weet.'

De buik van de zwaargebouwde man begon te bewegen, en Boris besefte dat hij een binnenpretje had.

'Ja, generaal Karpov, dat is heel goed mogelijk.' Boris' gastheer dacht even na. 'Vertelt u eens, bent u ooit in Damascus geweest?'

'Een paar keer, ja,' zei Boris, gealarmeerd omdat het gesprek plotseling een andere kant op ging.

'Hoe vond u de stad?'

'Het Parijs van het Midden-Oosten.'

'Ha! Ja, ik veronderstel dat dat ooit zo was.'

'Damascus heeft schitterende plekken.'

De zwaargebouwde man dacht daar even over na. 'Ja, Damascus bezit een grote schoonheid, maar het is ook een extreem gevaarlijke plaats.'

'Hoe bedoelt u?'

'Cherkesov is hiernaartoe gestuurd om met uw vriend Volkin over Damascus te praten.'

'Cherkesov is niet langer welkom in Rusland,' zei Boris, 'maar Ivan?'

'Uw vriend Volkin heeft een aantal, laten we zeggen, zakelijke belangen in Damascus.'

Boris was verrast; Ivan had laten weten dat hij alleen nog maar wat adviseurswerk deed. 'Wat voor soort zakelijke belangen?'

'Niets wat zijn goede reputatie bij de grupperovkabazen met wie hij tientallen jaren zaken had gedaan, in gevaar zou brengen.'

'Ik begrijp het niet.' Zodra hij dat zei, wist Boris dat hij een fatale fout had gemaakt. Het gezicht van zijn gastheer veranderde van het ene op het andere moment; alle vertrouwelijkheid en vriendelijkheid verdwenen als sneeuw voor de zon.

'Dat is jammer,' zei de zwaargebouwde man. 'Ik hoopte dat u mij wat zou kunnen vertellen over waarom zowel Volkin als Cherkesov zich op Damascus focust.' Hij knipte met zijn vingers en de beide mannen die aan de kant stonden, toverden Taurus PT145 Millenniums tevoorschijn, kleine pistolen met een grote slagkracht.

Boris sprong op, maar twee andere mannen verschenen in de

deuropening. Ze waren bewapend met Belgische FN P90 semiautomatische wapens.

Achter hen verscheen Zachek met een doodshoofdgrijns op zijn gezicht. 'Ik ben bang, generaal Karpov,' zei Zachek, 'dat u niet langer meer van nut bent.'

Bourne had net de koevoet in de spleet tussen de bovenkant en de zijkant van een van de kratten gestoken, toen de achterdeur openging. Hij knipte de zaklantaarn uit vlak voordat de twee Russen verschenen. Nog voordat een van hen het licht aan had kunnen doen, wierp hij de zaklantaarn door het pakhuis. Toen die de grond raakte, grepen de Russen naar hun wapens en renden in de richting van het geluid.

Hij was dichter bij de schutter. De chauffeur rende voorop. Hij sloeg met de koevoet op de hand van de schutter, waardoor het pistool op de grond viel. De schutter schreeuwde het uit van de pijn. De chauffeur stopte abrupt en draaide zich om op het moment dat Bourne de koevoet naar hem toe wierp. Hij raakte de chauffeur midden in het gezicht, waardoor hij achterwaarts met zijn hoofd zo hard op de betonnen vloer sloeg dat zijn schedel brak en hij op slag dood was.

De gebroken rechterhand van de schutter hing slap langs zijn zij. Met zijn linkerhand haalde hij een stroomstootwapen tevoorschijn. Het was 40 centimeter lang en kon een gemene stroomstoot van 300.000 volt geven. De schutter zwaaide er woest mee heen en weer en hield op die manier Bourne op afstand, terwijl hij hem naar achter drong langs de zijkant van het busje. Hij wilde Bourne in een hoek drijven waar hij het stroomstootwapen niet meer zou kunnen ontwijken. Bourne wist dat hij, als hij erdoor geraakt zou worden, hulpeloos op de grond zou belanden.

Hij trok zich terug langs de zijkant van het busje. De schutter keek naar de plek waar hij Bourne naartoe wilde drijven. Daardoor reageerde hij te traag toen Bourne een van de achterdeuren openzwiepte en die tussen hem en het stroomstootwapen hield, terwijl hij in de gereedschapskist graaide.

De schutter probeerde om de deur heen te komen, toen Bourne de dop van een spuitbus met emailverf trok en de inhoud in de ogen van de schutter spoot. De schutter tuimelde met de handen voor de ogen en snakkend naar adem achteruit, en Bourne sloeg met de onderkant van de spuitbus tegen de gebroken hand. De schutter kreunde. De pijn dwong hem op de knieën. Bourne pakte het stroomstootwapen af, maar de schutter kwam naar voren en sloeg zijn armen om Bournes benen in een poging om hem ten val te brengen. Hij opende zijn mond om zijn tanden in Bournes dij te zetten, toen Bourne hem tegen de zijkant van zijn hoofd sloeg. Alle lucht leek uit hem verdwenen te zijn. Hij lag op zijn rug en probeerde met zijn goede hand de verf uit zijn ogen te wrijven.

Bourne pakte zijn hand en trok hem weg. 'Voor wie werk je?'

'Flikkerstraal op,' zei de man met een gutturaal accent.

Bourne laadde het wapen en gaf de man een stroomstoot in zijn zij. Zijn lichaam vloog omhoog en hij roffelde met zijn hakken op het beton.

'Voor wie werk je?'

Stilte. Bourne verhoogde het voltage en gaf hem weer een stoot.

'Shit, shit, shit!' De schutter hoestte geweldig en begon te kokhalzen. Hij had zijn mond vol bloed; in zijn dodelijke razernij had hij zijn tong bijna doorgebeten.

'Ik vraag het niet nog een keer.'

'Dat hoeft ook niet meer.'

De schutter deed zijn kaken op elkaar en even later begon hij te stuiptrekken. Schuim vermengde zich met het bloed uit zijn mond en bubbelde over zijn lippen. Bourne boog zich over de man en probeerde de kaken van elkaar te krijgen, maar het was te laat. Hij rook een onmiskenbare amandelgeur. Hij stond op. De schutter had een cyaankalicapsule doorgebeten.

# Drieëntwintig

Nachtelijk Parijs was nog niet zo'n slechte plek voor een vrouw alleen. Ze zat in een café, dronk slechte koffie en dacht erover om weer met roken te beginnen. Om haar heen zaten jonge bohemiens, van wie het in Parijs stikte, ongeacht de periode. Waar zij met betrekking tot Parijzenaars het meest van hield, was het feit dat zij zich voortdurend opnieuw aan het uitvinden waren. Terwijl de stad zelf – zijn indrukwekkende boulevards, zijn krijgshaftige paardenkastanjes, zijn magnifieke parken, zijn prachtige fonteinen met daaromheen tijdloze cafés waar je uren kon zitten en de wereld aan je voorbij kon zien trekken – niet veranderde, was de jeugd druk bezig zichzelf te veranderen.

Het water van het Canal St. Martin was zwart en glanzend als vinyl. Soraya werd omringd door verliefde stelletjes, fietsers, lachende studenten, getatoeëerde schrijvers, en dichters die met donkere blik de nacht in tuurden en hun willekeurige gedachten op papiertjes krabbelden.

Elk café was een plaats van samenkomst voor de buurt, met zijn vaste klanten, maar toch waren toevallige gasten meer dan welkom. De obers, langharig en met slanke heupen, liepen af en aan, en brachten borden met biefstuk met friet en karaffen pastis rond. Er werd aan de omliggende tafeltjes niet alleen Frans gesproken, maar ook Duits en Engels. De eindeloze existentiële discussies bleven het hoofdbestanddeel van de stedelijke cafécultuur.

Omdat ze nog zo'n last van haar hoofd had, liet ze het in

haar handen rusten. Ze deed haar ogen dicht, maar dit zorgde er alleen maar voor dat ze duizelig werd. Ze deed haar ogen abrupt open en vloekte. Ze moest wakker zien te blijven tot het gevaar van een hersenschudding geweken was. Ze gebaarde naar een passerende ober en bestelde een dubbele espresso. Ze dronk hem meteen op, terwijl de ober nog naast haar stond, en bestelde er nog een. Toen deze gebracht werd, deed ze er drie scheppen suiker in en dronk hem langzaam op. De gecombineerde shot van cafeïne en suiker was een probaat middel tegen de uitputting. De pijn in haar hoofd werd minder en haar gedachten helderder.

Ze vroeg zich af of het fout was geweest om bij Aaron weg te lopen. Ze moest onmiddellijk weg uit het ziekenhuis – de plek herinnerde haar aan de dood van vele collega's. Hij had zich onwillig getoond om haar te helpen en zij had noch de kracht, noch de zin gehad om het uit te leggen. Ze wilde trouwens alleen zijn. Ze wilde nadenken over Amun.

Ze was helemaal in de war. Het leek net alsof de donkere gedachten die ze over hem had gehad, samengespannen hadden om hem te doden. Objectief gezien wist ze dat het een idiote gedachte was, maar op dit moment voelde ze zich ook een beetje idioot, een beetje ongecontroleerd. Ze had gedacht dat ze van Amun hield, maar toen kwamen de antisemitische opmerkingen, en haar vertrouwen in haar eigen gevoel kreeg een opdonder. Haar liefde voor hem kon nooit echt geweest zijn, als zij vernietigd kon worden door slechts één naar incident. Maar ze wist het niet zeker, en nu zou ze het nooit meer te weten komen. Ze keek naar het kanaal en zag Amuns gezicht en wilde dat hij wat tegen haar zei. Maar de doden konden niet spreken; zij konden zich niet verdedigen of hun verontschuldigingen aanbieden.

Haar ogen brandden en de tranen liepen haar over de wangen. De wereld leek leeg en eindeloos. Amun was dood en het was haar schuld. Zij had hem gevraagd om naar Parijs te komen en haar te helpen bij haar onderzoek, en uit liefde was hij gekomen. Er was iets onontkoombaars aan wat er gebeurd was, en tegelijkertijd ook iets onvermijdelijks. Ze had zich nooit met hem moeten inlaten. Ze had een van Jasons regels moeten volgen en zich op tijd terug moeten trekken. Maar dat was niet de reden waarom ze huilde.

*Ik had gestraft moeten worden*, dacht ze, *en niet Amun.*

Omdat ze niet in staat was een minuut langer in haar toevluchtsoord te blijven, stond ze op, gooide een paar euro op tafel en liep weg over de glimmende straatstenen in de richting van het hart van Parijs. Drie blokken verder klampte ze zich vast aan een lantaarnpaal, vervloekte het leven, boog zich voorover en kotste de inhoud van haar maag op straat.

Bourne fouilleerde beide Russen in de hoop een aanwijzing te vinden over de organisatie waartoe ze behoorden. Behalve de sleutels van de bestelbus en de Vespa, twintigduizend euro, drie pakjes sigaretten en een goedkope aansteker hadden ze niets bij zich. Geen ringen of andere sieraden. Hij wrikte de mond van de schutter open en haalde de cyaankalicapsule eruit en borg deze op. Daarna kleedde hij ze uit omdat hij dacht dat eventuele tatoeages iets over hun identiteit zouden prijsgeven, maar ze hadden geen tatoeages. Hij zat op zijn hurken. Hij wist dat deze kerels geen lid waren van een grupperovkafamilie, en toch leken ze ook niet op SVR-agenten. Het raadsel werd steeds groter.

Hij kwam overeind, pakte de koevoet en ging door de achterdeur. Erachter lag een korte, smerig stinkende gang die naar een wc leidde. Door de stank die hier hing, schoten de tranen hem in de ogen. Aan het einde van de gang lag een klein kantoor. Het meubilair bestond uit een beschadigd, metalen bureau, een draaistoel en een stalen dossierkast. Er was één raam, dat uitkeek op een groezelige luchtschacht.

De laden in de kast en het bureau waren leeg. Er lag nog geen paperclip. Maar er was wel een map aan de onderkant tegen het bureaublad geplakt. Bourne deed hem open. Er zaten twaalf verzendlabels in, hetzelfde aantal als de kratten in het pakhuis. Ze hadden allemaal hetzelfde adres: El-Gabal, Avenue Choukry Kouatly, Damascus, Syrië.

Nu wilde hij helemaal weten wat er in de kratten zat. Terwijl hij de map dichtdeed, hoorde hij dat de roldeur opengedaan werd en het geronk van een voertuig. Hij plakte de map weer onder het bureaublad. Hij hoorde stemmen, gevolgd door alarmerend geschreeuw. Hij liep naar het raam, deed het open en klom naar buiten.

Er was geen directe uitgang; hij moest omhoogklimmen. Hij draaide zich om en deed het raam dicht. Dat zou hem op zijn minst een paar minuten voorsprong geven. Het gebouw was wit gestuct en had geen uitsteeksels waar hij zich aan zou kunnen vasthouden of zijn voeten op zou kunnen zetten. Hij greep de regenpijp die langs het raam liep en begon aan zijn klim.

Rue Vernet nr. 5 was verlicht alsof het oudejaarsavond was. Ervoor stonden zeker vijf voertuigen van het Quai d'Orsay geparkeerd en het gebied eromheen was afgegrendeld en werd bewaakt door agenten met semiautomatische wapens.

Jacques Robbinet trof Aaron in de Monition Club. Hij gaf agenten aanwijzingen terwijl zij een doolhof aan kantoren doorzochten. Het personeel van de club keek toe, nog steeds in shock.

'Waar ben je naar op zoek?' zei Robbinet.

'Iets. Alles,' zei Aaron.

'En Soraya Moore?'

'Ze is weg.'

'Pardon?'

'Ik ben even haar kamer uit geweest en toen ik terugkwam...' Hij haalde zijn schouders op.

'En nu ben je hier in plaats van dat je naar haar zoekt?'

'Ik heb het hele ziekenhuis uitgekamd. Daarna heb ik er twee eenheden op uitgestuurd om haar op te sporen.'

Robbinet keek hem aan. 'Maar je vond het geen goed idee om zelf mee te gaan zoeken?'

'Luister, sir, Marchand spande samen met een groep Arabische terroristen. Dit is een zaak van nationale veiligheid geworden.'

'Jij vertelt mij of iets een zaak van nationale veiligheid is?' Robbinet trok Aaron aan zijn elleboog mee en liep weg van de anderen. Met fluisterstem zodat alleen Lipkin-Renais het kon horen zei hij: 'Aaron, ik heb je gevraagd om voor die vrouw te zorgen en dan verwacht ik dat je dat ook doet. Zij is een bijzonder belangrijke persoon.'

'Dat begrijp ik,' zei Aaron. 'Maar het incident in de kelder overstijgt...'

'De orders die ik je heb gegeven?' maakte Robbinet voor hem af. 'Die vrouw is mededirecteur van een Amerikaans inlichtingenbureau. De Amerikaanse minister van Defensie, een vriend en collega, vroeg me hem een dienst te bewijzen. Nu is ze gewond en wordt vermist, en wat doe jij? Jij staat hier je mannen in de gaten te houden hoe zij papieren in dozen doen. Delegeer, Aaron. Je had hiervoor God weet welke collega aan kunnen wijzen.'

'Ik wilde er zelf op toezien dat elke computer geconfisqueerd werd. Het is vrijwel zeker dat we daarin...'

'Die keuze was niet aan jou, inspecteur. Maar aangezien je die keuze hebt gemaakt, hou je je er dan ook maar aan.' Robbinets ijzige toon benadrukte zijn woede. 'Ik weet in elk geval dat je daartoe in staat bent.' Hij begon weg te lopen, maar draaide zich nog even om. 'Agenten met beperkte mogelijkheden hebben beperkte carrières.'

Bourne klom via de regenpijp omhoog. Halverwege zaten in het stucwerk horizontale uitsteeksels. Ze waren zo ruw dat ze hem voldoende houvast gaven en het klimmen makkelijker maakten. Hij was bijna bij het dak toen hij een geluid hoorde en verstijfde. Het afstrijken van een lucifer gaf hem de zekerheid dat er iemand op het dak was. Hij klom langzaam en zonder geluid te maken verder. Toen hij vlak onder de dakrand was, rook hij de sigaret en hoorde hij twee personen zacht met elkaar praten.

Hij klom nog iets hoger, totdat hij even snel over de rand kon kijken. Twee mannen stonden, terwijl ze rookten, met hun semiautomatische wapens over de schouders lusteloos in het Russisch over meisjes en seks te praten. Geen van beiden keek in zijn richting.

De regenpijp maakte een dof geluid toen Bourne ertegenaan trapte. Even later gluurde een van de Russen over de rand. Bourne trok zich op, greep hem vast en trok hem naar de rand. De Rus probeerde Bournes pols te raken, maar moest zijn arm uitsteken om te voorkomen dat hij over de rand zou vallen. Hij trok een mes en probeerde de plek tussen Bournes schouder en nek te raken. Bourne gaf een laatste ruk, waardoor de Rus met zijn hoofd naar voren over de rand vloog en in de luchtschacht verdween.

Bourne zette zich af tegen de regenpijp en werkte zich, toen de tweede Rus verscheen, met zijn benen naar voren over de rand. Met zijn enkels nam hij het semiautomatische wapen in de tang en slingerde het bij de Rus vandaan.

Bourne lag even op de rand en hield zich daar in evenwicht. De Rus sloeg furieus op hem in, waardoor zijn hoofd en schouders over de rand kwamen te hangen. De handen van de Rus vonden Bournes keel, zijn vingers klemden zich rond zijn luchtpijp.

Bourne stak zijn onderarmen tussen de armen van de Rus en bevrijdde zich uit de wurgende greep door ze naar buiten te slaan. Daarna schopte hij de Rus in het gezicht. De Rus wankelde achteruit. Bourne draaide zich van de rand op het dak en ging achter hem aan. Hij greep hem bij zijn shirt en ramde hem met zijn achterhoofd tegen het dak. Daarna, gebruikmakend van de versufte toestand van de man, graaide hij in zijn mond en haalde de cyaankalicapsule tevoorschijn die daar gemaskeerd als tand verborgen zat.

'Wie ben je?' zei hij. 'Voor wie werk je?'

De Rus kwam wat bij en zijn kaken begonnen te malen.

Bourne liet hem de giftige tand zien. 'Zoek je dit?'

De Rus werd razend en sloeg met zijn hoofd tegen het dak, maar Bourne was daarop bedacht.

'Er is geen ontsnappingsmogelijkheid,' zei Bourne, 'geen makkelijke dood.'

De Rus keek hem met een intens smerige blik aan. 'Ik ken je. Jij belazerde de Domna. Wij zouden samen moeten werken en elkaar niet moeten proberen te vermoorden.'

'Voor wie werk je?'

'Ik zal je naar mijn baas brengen. Hij zal het je vertellen.'

Bourne ontwapende de Rus en liet hem toen overeind komen.

'Voor ons ben je een held,' zei de Rus.

Bourne gebaarde met zijn hoofd. 'Laten we gaan.'

Op dat moment vluchtte de Rus weg. Bourne sprintte achter hem aan. Hij kreeg hem bij de rand te pakken, maar in plaats van te vechten om weg te komen, greep hij Bourne vast en trok hen beiden op de rand. Terwijl ze daar aan het wankelen waren, begreep Bourne ineens wat de bedoeling van de Rus was. Hij sloeg de Rus tegen de onderkant van zijn neus. Zijn greep verslapte en Bourne worstelde zich vrij, terwijl de Rus zijn collega volgde in het zwarte gat.

Toen hij het nieuws ontving van Marchands dood in een kelder in de Arabische wijk, haastte Benjamin El-Arian zich naar het bankgebouw in La Defense. Daar zorgde hij ervoor dat de computers van de Monition Club losgekoppeld werden van de servers die hij in Gibraltar had staan. Hij had dit beveiligingssysteem voor dit soort calamiteiten bedacht, maar nooit gedacht dat het ooit in werking gesteld zou worden. Nu het moest, was hij ongelofelijk blij dat hij zo voorzichtig was geweest.

Terwijl hij naar buiten keek, overdacht hij alle beslissingen die hij de afgelopen zes maanden genomen had. Had hij fouten gemaakt, en zo ja, hoe desastreus zouden ze uitpakken?

Hij keerde zich met een zucht om van het raam, ging aan het hoofd van de vergadertafel zitten en zette zijn iPad aan. Waarom had Marchand contact gezocht met zijn terroristencontacten?

Hij voerde zijn wachtwoorden van twintig tekens in, logde in op de servers van de Domna en downloadde de telefoonbestanden van het Parijse kantoor van de laatste drie dagen. Hij gebruikte een softwarefilter en vond alle gesprekken van Marchand. Daarna vergeleek hij de nummers met de telefoonnummers in zijn database. Alle nummers stonden in zijn database, behalve één. Ongeveer een uur voor het incident in de Arabische wijk en – hier controleerde hij de timing voor de zekerheid nog een keer – maar enkele minuten na het bezoek van de inspecteur van het Quai d'Orsay en zijn gasten, had Marchand een nummer gebeld dat niet in de database van de Domna stond.

El-Arian keek een tijdje naar het nummer. Waarom had Marchand het gebeld en niet hem, zoals hij had moeten doen? Hij pakte een telefoon en belde een contact bij de politie. El-Arian belde hem wakker, maar dat gaf niet, want hij kreeg genereus betaald om bereikbaar te zijn. El-Arian gaf hem het nummer en het contact zei dat hij terug zou bellen als hij een antwoord had.

El-Arian stond op en maakte voor zichzelf een kop Caravanthee. Op dit uur van de nacht had hij een flinke dosis cafeïne nodig om helder te blijven. Marchand had een fatale fout gemaakt; dat was niets voor hem. Tijdens het bezoek van het Quai d' Orsay moest iets gebeurd zijn wat hem behoorlijk van streek gemaakt had. Maar het erbij betrekken van de Arabieren was wel ongeveer de ergste fout die hij had kunnen maken. El-Arian dronk van zijn thee. Het leek erop alsof Marchand besloten had zichzelf te vernietigen en de complete Parijse Monition Club mee te slepen in zijn val.

El-Arian zuchtte. De Parijse afdeling van de Domna bestond in feite niet meer. De Monition Club had zijn tijd gehad, zeker nu de geheime bergplaats van Solomons goud verloren was gegaan. Hij troostte zich met de gedachte dat de Amerikaanse operatie op schema was. Hij keek op zijn horloge. Skara had nog twintig uur om haar werk af te ronden en dan zouden alle losse eindjes aan elkaar geknoopt worden. De economische destructie van Amerika zou dan gegarandeerd zijn.

'De telefoon ging en El-Arian nam op.

'Heb je de informatie?'

'Ja,' zei zijn contact, 'maar het was niet makkelijk. Ik moest voorbij drie firewalls zien te komen om de eigenaar van dat nummer te vinden.'

Toen hij El-Arian de naam zei, liet Benjamin zijn kop en schotel uit zijn handen vallen. Hij lette niet eens op de theevlekken die op zijn broekspijpen verschenen.

*Nee, nee, nee*, dacht hij. *Dat is onmogelijk*.

# Vierentwintig

Nacht. Het was stil in Don Fernando's huis. Door de open ramen was het geluid van de zee te horen. De geuren van zijn eindeloze weidsheid golfden door de kamers. Het voorval in het restaurant leek al weken geleden. Tegen de tijd dat Bourne terug was in het restaurant, had Don Fernando alles al afgehandeld met de politie en het mortuarium.

Zodra ze terug waren, ging Kaja gelijk naar haar kamer en Essai wenste hun goedenacht. Bourne en Don Fernando zaten een tijdlang bij elkaar in de studeerkamer en analyseerden het geweld van eerder die avond. Bourne was behoedzaam. Don Fernando was tot over zijn oren betrokken bij dit raadsel. Hij had het contact tussen de Domna en Estevan Vegas tot stand gebracht om de organisatie ogenschijnlijk zo in staat te stellen de olievelden in Colombia te gebruiken voor hun geheime zendingen naar Damascus, naar het zich nu liet aanzien. Don Fernando zei dat hij dubbel spel speelde en dat hij de zendingen gebruikte om zo inlichtingen over de Domna te krijgen – speciaal over Benjamin El-Arian, die zonder medeweten van de Domna reizen naar Damascus gemaakt had. In zoverre was er niets aan de hand. Door de ontdekking van die avond dat het pakhuis en de zending van de Russen waren die het op Kaja voorzien hadden, viel dat verhaal echter in duigen. Had Don Fernando een geheime verstandhouding met deze Russische groep? Als dat zo was, hield hij de identiteit van de organisatie waar Kaja's vader voor werkte, voor iedereen geheim. Bourne zag zich opnieuw voor de vraag gesteld of Don Fernando nu een vriend was of een vijand. Daarom noemde hij de kratten niet en dat hij wist waar ze naartoe verscheept werden. Ook vertelde hij Don Fernando niet over zijn treffen met de Russen op het dak van het pakhuis. In zijn aangepaste versie eindigde het incident met de dood van de schutter en zijn chauffeur buiten het pakhuis.

Don Fernando sloeg veel te snel een aantal cognacjes achterover. 'Ik ben vanavond een goede vriend verloren,' zei hij. Hij draaide zich om en keek door de deuropening. 'Ik denk niet dat ik het veel langer kan verdragen dat zij hier is.'

'Zij kan er niets aan doen.'

'Natuurlijk kan zij er wel iets aan doen.' Don Fernando schonk zich nog een cognacje in. 'Ik heb een fout gemaakt door haar te veel speelruimte te geven. Haar zoektocht naar haar vaders geheime leven is een roekeloze obsessie geworden. Dat wijf is de oorzaak van alles.'

Het liep tegen drieën toen Don Fernando Bourne naar zijn slaapkamer bracht, die met de andere gastenkamers aan de andere kant van het huis lag ten opzichte van de suite van Don Fernando. Don Fernando stak een sigaar op en trok er bedachtzaam aan. Hij leek gekalmeerd, maar misschien leek dat maar zo.

'Je hebt vanavond goed werk geleverd,' zei Don Fernando, maar hij leek verdwaald in zijn eigen gedachtewereld.

'Ik ga nog even bij Kaja kijken,' zei Bourne.

Don Fernando knikte, maar toen Bourne weg wilde lopen, pakte hij hem bij de arm. Hij keek weer alert uit zijn ogen. 'Luister, Jason, als iemand de Domna uit kan schakelen, dan ben jij dat. Maar wees gewaarschuwd, de Domna heeft vele gezichten. Op dit moment staat Benjamin El-Arian aan het hoofd, maar anderen liggen op de loer om de macht over te nemen.'

'Ik heb daarover nagedacht,' zei Bourne. 'Misschien moet ik mijn aandacht niet richten op El-Arian, maar eerder op Semid Abdul-Qahhar.'

Bourne klopte zacht op de deur van de slaapkamer die Kaja met Vegas zou delen. Hij hoorde een onderdrukt geluid, deed de deur open en stapte de kamer binnen. Het was donker. Maanlicht viel op het bed. Kaja lag in het blauwe licht en staarde naar het plafond. Omdat het grootste deel van haar gezicht in de schaduw lag, was het onmogelijk om haar uitdrukking te zien.

'Heb je hem te pakken gekregen?'

'De schutter is dood,' zei Bourne. 'Samen met verscheidene anderen.'

Ze zuchtte. 'Dank je.'

Door de gedeeltelijk geopende ramen kwam een windvlaag waardoor de gordijnen bewogen.

'Ik heb Estevan vermoord.' Haar stem, rauw van emotie, verraadde haar; ze had gehuild.

'Niet doen,' zei Bourne.

'Waarom niet? Het is de waarheid.'

'Je had dat moeten bedenken voordat je hem als schild gebruikte.'

Ze sloeg een arm voor haar ogen. 'Ik heb daaraan gedacht,' zei ze. 'Maar ik was alleen maar bezig met mijn eigen hachje.'

'Je bent ook maar een mens.' Bourne liep naar het bed. 'Je moet wat rust zien te krijgen.'

Een lach, die veel weg had van een dierlijke schreeuw, borrelde op uit haar keel. Ze trok haar arm weg en keek hem aan. 'Je maakt een grapje.'

Hij ging naast haar op het bed zitten. Haar littekens glansden in het bleke licht. Ze wendde haar gezicht af en zei met verstikte stem: 'Ik zaai dood en verderf waar ik ook ga.'

'Nu doe je melodramatisch.'

'Is dat zo? Estevan is dood door mij. Don Fernando wil me hier niet meer; ik weet zeker dat hij je wel zoiets verteld zal hebben.'

Toen Bourne een hand op haar pols legde, kon hij haar polsslag voelen, gelijkmatig en krachtig. 'Hier blijven heeft geen zin.'

De gordijnen fladderden als de vleugels van uilen. Het maanlicht liet de beddensprei glinsteren.

Ze keek hem aan. 'De mannen die je gedood hebt, waren dat Russen?'

'Ja. Maar geen grupperovka.'

'SVR.'

'Ze waren niet van een organisatie die ik kende of waarvan ik gehoord had.'

Ze leunde op haar ellebogen. 'Wie waren het dan? Alsjeblieft, vertel het me.'

Het gesprekje met de Rus op het dak wervelde door zijn hoofd. *Je bent een held voor ons.* 'Wie ze ook zijn,' zei hij, 'ze werken in elk geval tegen de Domna.'

Haar ogen begonnen te glinsteren. 'Ik begrijp het niet.'

'Jouw vader werkte voor hen, zelfs terwijl hij door de Domna gehuurd was om Alex Conklin te vermoorden.'

Ze hapte naar adem. 'Was hij een mol?'

'Dat denk ik, ja.'

Bourne haalde diep adem. 'En ik denk ook dat Don Fernando voor hen werkt.'

Don Fernando, in rook gehuld alsof hij in brand stond, zag Bourne in de gang verdwijnen. Daarna draaide hij zich om en klopte zacht op een van de slaapkamerdeuren. Even later stak Essai zijn hoofd buiten de deur.

Don Fernando knikte naar hem. Essai glipte zijn kamer uit en deed de deur achter zich dicht. Hij liep naar de andere kant van de hal en deed de deur van Bournes slaapkamer open.

'Succes,' fluisterde Don Fernando.

Essai knikte.

'Hij is buitengewoon gevaarlijk.'

'Alstublieft zeg,' zei Essai terwijl hij Bournes kamer binnenging.

Hij deed de deur zachtjes dicht. Don Fernando loste op in de duisternis van de gang.

Essai zat op een stoel in de hoek van Bournes donkere kamer.

De gordijnen waren open voor het raam aan de zuidkant dat uitkeek op een groepje palmen. Het maanlicht vormde blauwe vleugen op een van de muren. Verder waren er schaduwen, die als vleermuizen aan het plafond hingen. Essai was volkomen onzichtbaar.

Tijdens het wachten dacht hij na over zijn leven, over de weg die hij had gekozen en de wegen die hij in plaats daarvan had kunnen kiezen. Hij was niet tevreden. Wat hem betrof zou hij pas tevreden zijn als hij dood was. Het leven was een maalstroom van onrust, spanning en conflicten. Maar wat hem nog het meest bezighield, was het gemak waarmee vrienden door verraad vijanden werden. Hij had een heilig geloof gehad in Severus Domna, en had zelfs een tijdje geloofd in Benjamin El-Arian. In het geval van El-Arian was de wens waarschijnlijk de vader van de gedachte geweest. Terugkijkend kon hij verschillende kleine incidenten als een ketting rotte appels met elkaar verbinden die hem opmerkzaam hadden moeten maken op El-Arians echte bedoeling. Zijn reisjes naar München, en meer recent naar Damascus hadden hem de ogen moeten openen. Achteraf gezien was het zonneklaar dat hij in München in het geheim Semid Abdul-Qahhar ontmoet had om een complot te smeden dat uiteindelijk de Domna zou corrumperen en voor de oprichters onherkenbaar zou veranderen.

Een heel zwak geluid – het was niet meer dan het gekrabbel van een veldmuisje – alarmeerde hem. De gordijnen aan beide kanten van het raam bewogen, waardoor de schaduwen op de tegenoverliggende muur veranderden. Het leek erop alsof er een wolk voor de maan geschoven was. Deze situatie bleef heel lang hetzelfde. Toen bewoog iets tegen de jaloezieën. Dat ging zo zacht dat Essai, als hij niet beter geweten had, het voor een fladderende mot had kunnen houden.

Hij keek hoe het raam heel langzaam opengíng totdat er genoeg ruimte was voor de schaduw om naar binnen te klimmen.

Pas op het moment dat de schaduw zich naar het bed keerde, zei Essai: ‘Hij is niet hier.’

‘Waar is hij dan?’ zei Marlon Etana.

'Ik heb je gewaarschuwd,' zei Essai.

Etana draaide zich langzaam om. 'Ik heb me nooit iets aan jouw waarschuwingen gelegen laten liggen.'

'Ik heb Bourne nodig. Dat heb ik je vanmiddag op de boot heel duidelijk gemaakt.'

'Ik zag er de zin niet van in om er veel aandacht aan te schenken.'

Essai schraapte zijn keel. 'Dat moet je me dan maar eens uitleggen.'

'Waarom?'

Essai hield zijn Makarov zo dat het maanlicht erop viel. Op de loop was een demper geschroefd.

Etana keek ernaar met een mengsel van geamuseerdheid en gelatenheid. 'Weet je, Essai, dat is nu precies het verschil tussen ons. Ik zou het je niet moeten hoeven te vertellen; je zou moeten weten waarom Bourne dood moet.'

Essai gebaarde met zijn Makarov. 'Zeg het me toch maar.'

Etana zuchtte. 'Bourne heeft afgelopen jaar onze mensen in Tineghir vermoord. In het bijzonder Idir.'

'Je bedoelt Idir Syphax?' Essai knikte. 'Dat is dus echt zo.'

'Waar heb je het over? Je weet dat Idir en ik sinds onze jeugd vrienden zijn.'

Essai hield zijn hoofd schuin. 'Wel iets meer dan vrienden, blijkt nu.'

'Ik weet niet wat je bedoelt.'

'Laat maar.' Essai gebaarde met zijn hand. 'Ik ben niet zo'n hypocriet als andere Arabieren. Ik ben alleen in jouw seksuele geaardheid geïnteresseerd als ik er last van heb. Bourne heeft jouw minnaar vermoord...'

'Idir had een vrouw en kinderen.'

'Het feit dat Bourne jouw minnaar heeft vermoord, rechtvaardigt nog geen wraak.'

Etana lachte boosaardig. 'Dat moet jij zeggen. Door jouw dochters dood draait jouw hele leven om wraak.'

'Bourne is een levende dode. Zoals je heel goed weet, wordt hij gevolgd door een generaal van de FSB-2, en eerlijk gezegd heeft hij een veel betere kans...'

'Dan de Russen,' zei Etana geringschattend. 'Wat maakt dat uit? Jij beschermt Bourne nu.'

'Op dit moment wel. Zonder hem kan ik de Domna niet ten val brengen. Vergeet hem. Zijn dood staat vast, maar niet door jou.'

Etana verstarde. 'Maar ik moet het doen.'

Essai zuchtte. 'Vergeet het, Marlon.'

'Dat kan ik niet,' zei Etana. 'Dat wil ik niet.'

'Je hebt geen keuze.' Essai stond op.

Etana had zich op hem gestort nog voordat hij helemaal stond. De twee mannen tuimelden tegen de stoel, maar ondanks de Makarov was Essai in een kwetsbare positie. Hij kwam met zijn knieholten tegen de stoel, verloor zijn evenwicht en kon daardoor niet gericht schieten. In plaats daarvan haalde hij uit met de verlengde loop en veroorzaakte een bloederige streep onder Etana's oog. Etana beukte hem op zijn borstbeen, waardoor hij sterretjes zag. Zijn adem verschroeide zijn keel en hij probeerde wanhopig lucht in zijn longen te zuigen.

De twee vochten geluidloos en efficiënt. Ze waren tegen elkaar opgewassen. In kracht, maar zeker ook door het feit dat ze elkaar door hun jarenlange vriendschap door en door kenden. Op dit moment maakte dat niets meer uit, hun gemeenschappelijke geschiedenis, hun plannenmakerij en het feit dat ze elkaar altijd beschermden. Nu telde alleen het desperate gevecht op leven en dood. Een van hen zou de slaapkamer niet levend verlaten, en dat wisten ze allebei.

Essai hoorde de metalen klik van Etana's stiletto, en ramde zijn elleboog in Etana's maag. Op dat moment zag hij het mes, smal en kwaadaardig. Het maanlicht weerkaatste op het blad toen het in een boog op hem afkwam. Maar Etana's poging miste haar doel op een haar. De punt van het mes schampte langs zijn shirt, waardoor de stof opengereten werd. Zijn huid prikte alsof hij door mieren aangevallen werd.

Hij drong Etana terug en probeerde zich los te worstelen zodat hij de Makarov kon gebruiken en het gevecht kon beëindigen. Maar Etana klemde zich met een hand aan hem vast en wilde hem niet in de gelegenheid stellen in het voordeel te komen. Als ze zo dicht bij elkaar waren, was de stiletto het beste wapen. Als hij goed werd gebruikt, kon hij met een haal meer schade aanbrengen dan spervuur van vuistslagen van vijf minuten.

Essai gaf Etana een klap op zijn mond. De lippen scheurden en bloed vulde Etana's mond, waardoor zijn tanden vuurrood werden. Hij spuwde bloed in Essais ogen, en terwijl Essai achteruitwankelde, hakte hij op hem in met het mes. Essai voelde het hete staal en vloekte binnensmonds. Hij probeerde Etana opnieuw op zijn gezicht te slaan, maar miste en raakte hem op de wang.

Etana viel struikelend achteruit en trok Essai in zijn val met zich mee. Essai kwam met zijn heup op een nachtkastje terecht. De lamp viel tegen hem aan. Hij greep hem en sloeg met de voet ervan op Etana's hand. De stiletto vloog weg en kwam terecht op het tapijt achter het bed. Etana draaide Essai om en sloeg zijn arm tegen de muur. Hij probeerde het pistool uit Essais hand te graaien, en Essai ramde zijn elleboog tegen Etana's ribbenkast.

De twee mannen buitelden over elkaar heen en kwamen op de vloer terecht. Het pistool ging af toen het de vloer raakte. De kogel sloeg in het plafond. Etana's hoofd raakte de bedombouw en Essai liet een regen van slagen op Etana's hoofd los waardoor zijn hoofd als een pendule heen en weer slingerde. Etana bezweek en Essai zag vanuit een ooghoek een glimp van de stiletto. Hij probeerde Etana van zich af te krijgen en rekte zich uit om het mes te pakken te krijgen. Terwijl hij dat probeerde, hakte Etana met de zijkant van zijn hand in op Essais nek. Hij kreeg de stiletto te pakken, trok Essais hoofd naar achteren en sneed zijn keel van oor tot oor door.

Op het standaardtapijt in de hotelkamer was een spel van licht en schaduw te zien. Het was een perfecte nabootsing van het verkeer buiten op straat. Maggie stond in de kamer waar ze geacht werd Christopher mee naartoe te nemen. Ze had een hand aan haar slaap en de andere in haar zij. Stil telde ze de lenzen van de miniatuurcamera's: in de bar, in het tv-kastje, in een hoek tussen het plafond en de muur. Er was er zelfs een op een strategische plek in de badkamer verstopt. De microfoons stonden allemaal op de stand-bystand en wachtten op het eerste gesproken woord. Een van de vele helpers van de Domna had de kamer voor een maand gehuurd. De dag nadat de kamer geboekt was, waren drie technici urenlang ijverig bezig geweest om de apparatuur te installeren. Daarna werkten ze elke onregelmatigheid bij met pleister en verf.

Ze voelde zich hier eenzaam en de pijn die daarmee gepaard ging voelde als het verlies van een ledemaat. De kamer was met zoveel zorg geprepareerd, maar toch haatte ze deze ruimte met elke vezel van haar lichaam. Ze was niet meer dezelfde vrouw die in Washington D.C. aangekomen was om Christopher er in te luizen. De verandering was wonderbaarlijk en had zich plotseling voorgedaan. Ze was er volledig door van haar stuk gebracht. Ze was op bed gaan zitten, met haar hoofd in haar handen terwijl licht en schaduw om haar heen dansten. Ze had minder dan twintig uur om Christopher hiernaartoe te lokken, hem te verleiden tot een aantal compromitterende houdingen en hem de dingen te laten zeggen die hem in diskrediet zouden brengen. Weken geleden had het plan prima geleken; het leek zelfs wel leuk. Anders dan andere landen waar de Domna op politiek en financieel terrein succesvol geïnfiltreerd was, bleken de Verenigde Staten veel moeilijker te infiltreren. Dat had te maken met de diverse populatie, de grote uitgestrektheid en de ontstellende veerkracht. Van alle ontwikkelde landen hadden zij het best ontwikkelde controlenetwerk, dat zelfs de machinaties van de Domna had weten te verijdelen.

Ze was tegen een aanval op de Amerikaanse munt geweest door manipulatie van de wereldhandel in goud. Dat was het plan van de Domna geweest totdat Jason Bourne er afgelopen jaar een stokje voor had gestoken. Maar ze moest toegeven dat het veranderen van het doel naar de Indigo Ridge-mijn en zijn immense voorraden Rare Earths briljant was. Leden van de Chinese tak van de Domna waren erin geslaagd om de export van Rare Earths compleet tot stilstand te brengen, en nu waren de militaire orders voor laserwapens tot een nulpunt teruggebracht. Fase één succesvol beëindigd. Fase twee betrof de Indigo Ridge-mijn zelf en was veel moeilijker tot een goed einde te brengen. De Domna was via zijn Amerikaanse agenten te weten gekomen dat de Amerikaanse regering de mijn wilde heropenen en dat samen te laten gaan met een beursintroductie. De beveiliging ervan was nu voor de president de allerbelangrijkste kwestie. Benjamin El-Arian had een lijst met namen samengesteld van mensen die de president voor de beveiliging van Indigo Ridge op het oog zou kunnen hebben. Maggie had de schokkend korte lijst gezien. Er stonden maar drie namen op: Brad Findlay, het hoofd van de Binnenlandse Veiligheidsdienst, M. Erroll Danziger, de directeur van de Centrale Inlichtingendienst, en Christopher. Danziger had geen kans omdat het werkterrein van de CI volgens Benjamin buiten de grenzen van de Verenigde Staten viel. De meest voor de hand liggende keuze was Findlay, maar Benjamin wist dat de president het meeste vertrouwen had in Hendricks. Volgens El-Arian zou de extreem hoge prioriteit van de beveiligingsmissie de aanstelling van Hendricks tot een fait accompli maken. Daarom werden alle pijlen op Christopher gericht. Het plan was om een schandaal te veroorzaken dat de beveiligingsplannen in de war zou sturen, terwijl op hetzelfde moment de aandacht van de sleutelfiguren afgeleid zou worden van Indigo Ridge in de tijd dat de Domna fase twee zou voltooien.

Maar nu... Nu wist Maggie het niet meer. Van het ene op het andere moment leek alles om haar heen op zijn kop te staan, of misschien zag zij alles nu wel met andere ogen. Dat was de reden waarom zij tijdens hun picknick de verbazingwekkende mogelijkheid die Christopher haar bood met beide handen had aangegrepen. Ze had hem de raad gegeven om Indigo Ridge op te geven – zij wist precies waarop hij had gezinspeeld – en het op Danzigers incompetente bordje te leggen. Dat was de enige manier die zij kon bedenken waarop zij Christopher zou kunnen redden – en ook zichzelf. Als hij van Indigo Ridge af was, was hij voor de Domna van geen enkel nut meer. En zij zou haar opdracht als beëindigd kunnen beschouwen.

Ze lag op haar rug op bed en had haar armen uitgespreid naast zich liggen. Ze ademde de droge lucht van de airconditioning in en staarde naar het plafond. De verkeersgeluiden die naar binnen sijpelden leken koud, buitenaards en dodelijk. Ze huiverde, ondanks het feit dat ze zich koortsig warm voelde. Schaduwen gleden over het bleekblauwe plafond en leken op wolken in de lucht. Tot haar verrassing zag ze haar vader. Als ze over hem droomde, ging hij altijd weg. De schaduw van zijn grote, wollen overjas vulde de deuropening van hun huis in Stockholm. Buiten was slechts sneeuw, glinsterend in het flauwe, noordelijke zonlicht als bergen kristalsuiker. En altijd loste hij op in die witte zee alsof hij nooit bestaan had. Vaak ontwaakte ze uit deze droomherinneringen, denkend dat ze wist hoe zijn leven geweest was. Andere keren was ze daar niet zo zeker van. En soms was ze bang dat haar herinneringen aan hem onderdeel waren van een fantasie die ze als kind verzonnen had, bang dat de fantasie uit elkaar zou klappen. Maar nee, ze moest vertrouwen hebben, ze moest geloven dat de weg die ze gekozen had de juiste was, de enige die ze had kunnen nemen. Maar er was zoveel bloed gevloeid, er was zoveel intens verdriet. Haar moeder was dood, Mikaela was dood. Ze hield zichzelf voor dat deze doden zin moesten hebben, anders zou ze gek worden.

Net toen ze zich omdraaide, begonnen de Walküren weer aan een nieuwe rit op haar gecodeerde mobiele telefoon, en ze dacht, *Zelfs hier in de Nieuwe Wereld zit ik muurvast aan mijn oude leven*. Ze pakte de telefoon en nam op.

'Waar ben je?' Benjamins ijle, echoënde stem geselde haar van over de Atlantische Oceaan.

'In de hotelkamer. Ik ben alles aan het checken voor als Hendricks komt.'

'Het plan is veranderd.'

Ze schoot overeind. Haar hart bonsde van plotselinge hoop. 'Wat bedoel je?'

'Hendricks is van de beveiliging van Indigo Ridge af gehaald.'

'Wat?' Ze probeerde ongelovig te klinken. 'Hoe is dat gebeurd?'

'De Amerikaanse politiek is een gekkenhuis, dus wie zal het zeggen?'

Ze slingerde haar lange benen over de rand van het bed, stond op, liep naar het raam en keek naar het voorbijrijdende verkeer. Haar hart sprong op en de band om haar longen verslapte. Voor het eerst in dagen kon ze diep ademhalen.

'Dus wat gaat er nu gebeuren?' zei ze, hoewel ze het antwoord al wist. 'Nadat ik het hier afgewikkeld heb.'

'Er wordt nog niets afgewikkeld.'

De adem stokte haar in de keel. 'Ik... ik begrijp het niet.' Haar hart barstte bijna uit haar borstkas.

'Hendricks zit achter Fitz aan; hij heeft een van zijn mensen, Peter Marks, de opdracht gegeven onderzoek te doen.'

Maggie keek neer op de straat waar jonge stelletjes arm in arm in de etalages keken. Een moeder jogde voorbij, terwijl ze een baby in een van die speciale wandelwagentjes voortduwde. Claxons loeiden als teken van het ongeduld van de chauffeurs. Maggie wilde niets liever dan op dit moment in een van die wagens zitten en wegrijden, om ergens anders te zijn dan in deze kamer, met iemand anders te praten dan met Benjamin El-Arian.

Ze schraapte haar keel. 'Geef me twee uur. Ik kan Hendricks wel zover krijgen dat hij het onderzoek stopt.'

El-Arian nam niet de moeite om haar te vragen hoe ze dat dacht te bereiken. 'Te laat,' zei hij. 'Marks heeft iets ontdekt. We hebben hem onschadelijk gemaakt, maar nu zitten we nog met een los eindje.'

Maggie drukte haar voorhoofd tegen het raam in een poging de koelte van het glas in haar verhitte lichaam te laten stromen. 'Je verwacht toch niet dat ik hem vermoord?'

'Ik verwacht dat je orders opvolgt.' Benjamins stem had de uitwerking van een wesp in haar oor.

'Hij is de minister van Defensie, Benjamin.'

'Gebruik je creativiteit, maar zorg dat het gebeurt,' zei El-Arian.

Er viel een lange stilte waarin Maggie het bloed in haar oren kon horen ruisen.

'Ben je er nog?'

'Ja,' zei ze bijna onhoorbaar.

'Je kent de enige manier waarop het gedaan kan worden.'

'Ja,' Alle lucht ontsnapte aan haar lichaam alsof het voor eeuwig was.

'Skara, je wist voordat je vertrok waar deze missie op uit zou kunnen draaien.'

Ze sloot haar ogen en probeerde uit alle macht kalm te blijven. Toch trilde haar stem iets toen ze zei: 'Inderdaad.'

'Nou goed, dan weet je nu,' El-Arians stem stak als een wesp de angel in haar oor, 'dat je aan een zelfmoordmissie bezig bent.'

Bourne hoorde het gedempte geluid en herkende het gelijk als het geluid van een schot van een pistool met geluiddemper. Toen hij uit Kaja's raam keek, kon hij nog net zien dat Marlon Etana door zijn slaapkamerraam kroop. Etana rende langs enkele palmbomen en klom over een laag muurtje. Bourne deed het raam open en sprong erdoor. Hij nam een directere weg waardoor hij sneller bij en over het muurtje was. Hij had Etana binnen honderd meter ingehaald.

Ze sloegen samen tegen de grond en rolden over elkaar heen. Bourne sloeg eerst, maar Etana wist zich weg te draaien. Hij stond weer op en vluchtte verder. Bourne sprintte achter hem aan, weg van de palmbomen in de richting van de zeeweg. Ze renden de weg over richting de haven en ontweken daarbij voorbijscheurende Vespa's.

Etana rende de werkplaats van een scheepsbouwer binnen, greep een priem en gooide die naar achteren. Bourne dook weg maar hervatte onmiddellijk de achtervolging en sprong over de romp van een boot die van de buitenkant opnieuw geteerd werd. Hij pakte een één meter lang stuk hout en gooide dat als een speer naar voren. Het raakte Etana tegen zijn linkerschouder, waardoor hij wankelend rondtolde. Hij zwaaide met zijn armen om niet te vallen. Hij sloeg tegen een muur en wankelde aan de achterkant de werkplaats uit, de door sterren overgoten nacht in.

Rechts van hen lag het water, rimpelend in het maanlicht, en links van hen lag de kademuur. Etana strompelde naar links in een poging om de muur te bereiken, maar Bourne sneed hem de pas af, waardoor hij wel de andere kant op moest, richting de scheepshellingen.

Etana probeerde een van de lange hellingen te bereiken. Aan beide kanten ervan lagen boten. Bourne liep op hem in. Etana zag dat en klom op een van de boten en verdween achter de stuurhut. In plaats van achter hem aan te gaan, sprintte Bourne naar een nabijgelegen boot en klom erin terwijl Etana weer tevoorschijn kwam met een Taurus PT145 Millennium in zijn hand. Etana keek rond, in de war omdat hij Bourne nergens zag.

Koplampen zwiepten over de scheepshellingen en verlichtten de route die Bourne zou moeten gaan. Hij zorgde ervoor laag te blijven en haastte zich naar de stuurboordkant van de boot en sprong in Etana's boot. Plotseling dook Etana op. Hij had ongetwijfeld de lichte schommeling van de boot gevoeld die Bourne met zijn sprong veroorzaakt had.

De twee mannen beslopen elkaar en maakten gebruik van de contouren van de boot om zich af te schermen voor de ander. Etana vuurde toen Bourne zich even liet zien. Nu hij wist waar Etana was, keerde hij op zijn schreden terug, sprong op de stuurhut, rolde eroverheen en liet zich aan de andere kant op Etana vallen. De Taurus ging weer af, en viel, na Bournes tweede klap, op het dek.

Etana mepte Bourne op zijn wang. Bloed spoot uit Bournes mond. Etana liet er een venijnige stomp op de nieren op volgen waardoor Bourne ineenkrimpend van de pijn op dek belandde. Etana draaide zich om en greep de Taurus, draaide zich weer om en incasseerde een geweldige trap tegen zijn neus. Hij wankelde achteruit. Het bloed gutste over zijn gezicht, maar toch lukte het hem om de Taurus weer in schietpositie te brengen. Maar voordat hij de kans had om af te drukken, ramde Bourne zijn vuist op de plek vlak onder Etana's borstbeen.

Etana was in één klap al zijn adem kwijt. Hij sloeg dubbel en Bourne griste de Taurus uit zijn hand. Hij drukte de loop van het pistool tegen de zijkant van Etana's hoofd.

'Stop!' riep een stem vanaf de kant van de scheepshelling. 'Dat is genoeg!'

Bourne draaide zich om en zag Don Fernando staan in een wijdbeense schiethouding met de armen naar voren gestrekt.

'Leg de Taurus neer, Jason, en doe een stap opzij.' Toen Bourne aarzelde, spande Don Fernando de haan van de Magnum .357 Colt Python. 'Het is nu of nooit. Ik heb maar één schot nodig.'

# Deel vier

# Vijfentwintig

'Ik zou u hier ter plekke vermoorden, generaal Karpov, maar het is verboden op de heilige grond van de Moskee te doden.' Zachek porde Boris in zijn lendestreek. 'Niet dat ik daar moeite mee zou hebben.'

De twee mannen die bij hem stonden, grijnsden en zwaaiden met hun wapens alsof het vlaggen waren.

Buiten had de avond de wereld bedekt met een intens grauwe deken.

Zachek duwde Boris in een gereedstaande auto. Hij zat geperst tussen Zachek en een gangster.

'Hoe voelt dat?' zei Zachek. 'Om in deze uitzichtloze positie te zitten?'

De tweede gangster ging naast de chauffeur zitten. Ze vertrokken, kruisten de rivier en reden naar Sendling, een van Münchens industriegebieden. Op dit uur was er maar weinig verkeer en er waren geen voetgangers. In de Kyreinstrasse stopte de chauffeur en ze stapten uit. De chauffeur opende een deur en ze gingen een zo te zien verlaten gebouw binnen. De geuren van het verleden teisterden Boris' reukorgaan. De muren bladderden, een stoel met een gebroken poot lag op zijn kant, kartonnen dozen vielen uit elkaar. Overal waar hij keek zag hij verval, alsof ze zich in het binnenste van een kolossaal dier bevonden dat langzaam aan het doodgaan was.

Terwijl de twee gangsters hun wapens nakeken, voerde Zachek Boris naar de achtermuur en liet hem er met de rug tegenaan staan. 'Hier gaat het gebeuren,' zei hij.

'Zolang het maar snel gebeurt,' zei Boris.

'We zijn allemaal professionals hier.' Hij trok Boris' armen achter zijn rug, maar in plaats van zijn polsen vast te binden, drukte hij Boris zijn Tokarev in zijn handen. Daarna trok hij zich terug en ging aan een kant staan zodat de twee gangsters en de chauffeur die nonchalant tegen een afbrokkelende pilaar leunden, in zijn blikveld stonden. Hij hield zijn handen ook achter zijn rug en haalde een Taurus onder zijn jas vandaan.

Hij verhief zijn stem. 'Hebt u nog een laatste verzoek, generaal? Laat maar zitten, er is hier toch niemand die er aandacht aan besteedt.'

De gangsters grinnikten terwijl ze hun wapens in de aanslag brachten. Boris haalde zijn rechterarm van achter zijn rug tevoorschijn en schoot twee keer. Beide gangsters werden door het hoofd geschoten. Terwijl ze vielen, schoot Zachek de chauffeur door het hart.

Na de schietpartij heerste er in de met rook gevulde ruimte een oorverdovende stilte. De twee mannen keken elkaar aan. Zacheks ene oog zat nog steeds dicht en zag er bont en gezwollen uit. Hij deed als eerste zijn wapen omlaag. Boris volgde zijn voorbeeld en liep op de ander af.

'Hoe komt het toch dat lulletjes rozenwater altijd zo betrouwbaar zijn?' zei hij.

Zachek grijnsde.

Toen Robbinet aankwam in het ziekenhuis waar Aaron Soraya naartoe gebracht had, kwam hij erachter dat de doktoren die haar hadden behandeld, allemaal al naar huis waren. Hij keek op zijn horloge: het was een uur voor zonsopgang. Hij vroeg naar de beste neuroloog, kreeg te horen dat die bezig was en haalde toen zijn legitimatie tevoorschijn. Binnen vijf minuten verscheen een keurige, jonge man met vrij lang haar, wat hem enigszins de uitstraling van een buitenbeentje gaf. Hij stelde zich voor als dokter Longeur. Het pleitte voor hem dat hij Soraya's dossier al aan het bekijken was.

'Het was niet slim van haar om zichzelf uit het ziekenhuis te ontslaan,' zei hij met een frons op zijn gezicht. 'Uit verschillende tests...'

'Loop met me mee, dokter,' zei Robbinet kort, en hij leidde hem het ziekenhuis uit. Hij vertelde Longeur dat Soraya vermist werd. 'Het is mijn werk om haar te vinden, dokter. Het is uw werk om haar fysiek weer gezond te maken.'

'Het zou het beste zijn als ze weer opgenomen werd in het ziekenhuis.'

'Onder de omstandigheden zou dat wel eens onmogelijk kunnen zijn.' Robbinet speurde de donkere straten af. 'Ik heb reden om aan te nemen dat zij niet uit eigen beweging terug wil komen.'

'Heeft ze een fobie?'

'U kunt haar dat vragen als we haar gevonden hebben.'

Samen ondervroegen ze de patiënten die in de buurt waren geweest toen Soraya de benen nam. Robbinet liet hun een foto zien van Soraya.

'Deze mensen hebben hulp nodig. Sommigen vreselijk erg,' zei Robbinet.

Dokter Longeur haalde zijn schouders op. 'Het ziekenhuis is al overvol met patiënten die dringend hulp nodig hebben. We doen wat we kunnen.'

Ze gingen door met hun ondervragingen. Eindelijk kwamen ze bij een verwarde vrouw die zei dat ze Soraya gezien had, en ze wees met trillende hand in de richting waarin ze verdwenen was. Ze strekte een trillende hand uit en Robbinet gaf haar een paar euro. Vol weerzin wendde hij zich af; het was onduidelijk of ze de waarheid had verteld.

Ze zaten in zijn auto terwijl de chauffeur op instructies wachtte. Robbinet probeerde opnieuw Soraya op haar mobiele telefoon te bereiken, maar had weer geen succes, maar dat had hij ook niet verwacht. De patrouilles die Aaron erop uitgestuurd had, moesten haar zien op te sporen. Hij dacht niet dat dat zou lukken. Zij was een hoogst ervaren agent. Als ze niet gepakt wilde worden, dan lukte dat ook niet. Hij dacht dat zij bij het onderzoek naar de moord op haar vriend haar eigen weg zou gaan en geen inmenging van anderen zou dulden, zelfs niet van het Quai d'Orsay. Hij was het niet eens met haar zienswijze, maar kon haar wel begrijpen. Toch maakte hij zich nog wel zorgen over haar leven. Ze was zelf bijna omgekomen en had een dierbare verloren. Het leek zeer waarschijnlijk dat ze in haar conditie niet helder meer kon nadenken.

Hij gaf zijn chauffeur het adres van de Monition Club. Toen hij daar aankwam was het gebouw verlicht als een kerstboom en liepen er zoveel mensen van het Quai d'Orsay en politiemensen rond dat hij wist dat Soraya hier niet naartoe zou gaan. Maar waarheen dan wel?

Hij keek weer op zijn horloge. In het oosten begon het al licht te worden. Hij overdacht de situatie. Hij wist alles wat Aaron wist, maar het was mogelijk dat Soraya meer wist. Ze was er zeker van geweest dat het moordspoor naar de Île de France-bank voerde, waar haar contact voor de deur overreden was. Hij probeerde zich in haar te verplaatsen. Als ze een doel had, waarom zou ze dan onderduiken? Misschien omdat ze 's nachts niet overal toegang tot had. Hij boog zich naar voren; zijn instinct zei hem waar zij naartoe op weg was. Het was een gok, maar hij wist niets anders te doen.

'Place de l'Iris,' zei hij tegen de chauffeur. 'La Defense.'

Daar zou hij naartoe gaan als hij haar was.

'Jason, alsjeblieft, ga uit de weg,' zei Don Fernando. 'Ik vraag het niet nog een keer.'

'Dit is fout,' zei Bourne.

Don Fernando schudde zijn hoofd, maar de loop van de Magnum bewoog geen moment. Bourne deed een stap opzij en Don Fernando vuurde. De kogel raakte Etana tussen de ogen. Hij werd met zo'n kracht naar achteren geslagen dat hij over de reling sloeg en in het water viel. Het water kleurde rood door het bloed dat uit hem stroomde.

Bourne keek over de rand van de boot. 'Zoals ik zei, een fout.' Hij keek weer naar Don Fernando, die over de scheepshelling op hem afliep. 'Hij had ons waarschijnlijk veel kunnen vertellen.'

Don Fernando stapte in de boot. Hij hield de Magnum naast zijn lichaam. 'Hij zou ons niets verteld hebben, Jason. Je kent dit soort mensen net zo goed als ik. Zij hebben geen pijngevoel. Zij hebben hun hele leven geleden; ze denken alleen aan het martelaarschap. In dit leven zijn zij niet meer dan schaduwen; zij zijn wandelende doden.'

'Essai?'

'Etana heeft zijn keel doorgesneden voordat hij door het raam ontsnapte.' Don Fernando ging op de houten motorkap zitten. 'Etana kwam om jou te doden, Jason, om wat je afgelopen jaar in Tineghir gedaan hebt. Essai probeerde hem dat uit het hoofd te praten, maar Etana was een koppig iemand. Dus hebben Essai en ik een plannetje bedacht. Ik zou zorgen dat jij niet naar je kamer zou gaan, terwijl hij je kamer binnen zou glippen en wachten.'

'Hij wachtte op Etana.'

'Dat klopt.'

'Het is jammer dat Essai dood is.'

Don Fernando wreef met een hand in zijn ogen. 'Ik krijg de laatste tijd een beetje te veel doden op mijn bord.'

Bourne dacht aan de zending in het pakhuis aan de andere kant van de stad, die daar lag om verscheept te worden naar El-Gabbal in Damascus. Wat zat er in die twaalf kratten, wie was de echte afzender, de Domna of de organisatie waarvoor Christien Norén gewerkt had, en behoorde Don Fernando tot diezelfde groep? Het leek erop dat de antwoorden gezocht moesten worden in de Avenue Choukry Kouatly.

Hij verstijfde toen er een surveillancewagen van de politie verscheen, die langzaam en doelgericht langs de scheepshelling reed, als een haai die een dode vis benadert.

Don Fernando pakte een sigaar, beet het puntje eraf en stak hem aan. 'Rustig,' zei hij, terwijl de surveillancewagen tot stilstand kwam, 'ik heb ze laten komen.'

Twee agenten en een rechercheur stapten uit. Don Fernando

wees waar Etana in het water lag. Terwijl de agenten het lichaam inspecteerden, liep de rechercheur naar Don Fernando, die hem een sigaar aanbood.

De rechercheur knikte, beet het puntje er af en stak hem aan. Hij maakte geen aanstalten om de plaats van de moord te onderzoeken, en hij keek ook niet in Bournes richting.

'U zegt dat de dode een buitenlander is.' De rechercheur had een zware, slijmerige stem alsof hij last had van een kou op de borst.

'Hij is illegaal in Spanje,' zei Don Fernando. 'Een drugsdealer.'

'Wij hanteren hier pittige straffen voor drugsdealers,' zei de rechercheur vanuit een grote rookwolk. 'Zoals u weet.'

Don Fernando bestudeerde het puntje van zijn sigaar. 'Ik heb de staat een hoop geld bespaard, en jou, Diaz, een hoop tijd.'

Diaz knikte zwaarwichtig. 'Dat is waar, Don Fernando, en daarvoor is de staat u veel dank verschuldigd.' Hij blies weer een rookwolk uit en keek omhoog naar de sterrenhemel. 'Weet u waaraan ik dacht toen ik hiernaartoe reed? Ons politiedistrict is arm, Don Fernando, en door de crisis wordt er steeds maar weer bezuinigd.'

'Dat is een armzalige toestand. Alstublieft, staat u mij toe.' Don Fernando haalde uit zijn borstzak een rolletje euro's die hij de rechercheur in de hand stopte. 'Ik zorg wel voor het lichaam.'

Diaz knikte. 'Zoals altijd, Don Fernando.' Hij draaide zich om en riep naar zijn mannen. '*Vámanos, muchachos!*' Hij liep weg met de twee agenten in zijn kielzog.

Toen de surveillancewagen terug de zeeweg opgereden was, gebaarde Don Fernando. 'Dit soort dingen verandert nooit, eh, Jason?' Hij wenkte. 'Kom, laten we ons met Marlon Etana bezighouden.'

'U niet,' zei Bourne, terwijl hij naar de rand van de boot liep. 'Ik doe het.'

Hij pakte een bootshaak, haakte die achter de kraag van Etana's jas en trok het lichaam omhoog totdat het hoofd, de armen en het bovenlichaam op het dolboord lagen. Don Fernando pakte hem bij zijn riem en sjorde hem verder de boot in. Even keek hij neer op het lichaam. Uit de open mond liep zeewater. Daarna hurkte hij met krakende knieën naast Etana.

Bourne keek toe hoe Don Fernando Etana's jas opentrok en behendig als een insluiper al zijn zakken doorzocht. Don Fernando gaf Bourne Etana's mobieltje, portemonnee en sleutels. Daarna stond hij op en pakte het anker uit het ruim in de boeg van de boot. Hij maakte de ketting los en wikkelde die om Etana's lichaam.

'Laten we hem overboord gooien,' zei Don Fernando.

'Wacht even.' Hij hurkte naast Etana, wrikte zijn mond open en onderzocht zijn tanden. Even later hield hij de valse tand met de cyaankalicapsule omhoog. Toen hij overeind kwam, haalde hij de valse tand tevoorschijn die hij uit de mond van de Rus in het pakhuis gehaald had. Hij had er in elke hand nu een en liet ze aan Don Fernando zien.

'Waar heb je die vandaan?' zei de oude man.

'Ik ben het pakhuis binnengegaan, waar ik de schutter en zijn chauffeur gedood heb,' zei Bourne. De schutter beet die van hem door terwijl ik hem aan het ondervragen was. Deze is van de chauffeur.' Toen Don Fernando niets zei, ging Bourne verder. 'Deze holle tand is een oude truc van de Russische geheime dienst om te zorgen dat zijn leden niet praten als ze gevangengenomen worden.'

Don Fernando wees naar Etana. 'Ik krijg hem niet in mijn eentje over de rand.'

'Alleen als ik antwoorden krijg.'

Don Fernando knikte.

Bourne deed de capsules in zijn zak en daarna hesen zij Etana op de rand en kieperden hem overboord. Hij zonk onmiddellijk naar de bodem.

Don Fernando ging op de rand zitten en keek Bourne aan. Hij zag er erg moe, oud en in zichzelf gekeerd uit. 'Marlon Etana moest de Domna in de gaten houden.'

'Met andere woorden, hij was de vervanger van Christien Norén.'

'Precies.' Don Fernando wreef met zijn handen over zijn broek. 'Maar het probleem was dat Etana de zaak bedroog.'

'Heeft El-Arian hem omgepraat?'

Don Fernando schudde zijn hoofd. 'Hij maakte een geheime deal met Essai toen Essai een dissident werd.'

'Etana behoorde tot dezelfde organisatie als Christien en jij.' Bourne keek de oude man strak aan. 'Het wordt tijd dat u me vertelt hoe het in elkaar zit.'

'Je hebt gelijk, natuurlijk.' Don Fernando wreef in zijn ogen. 'Misschien dat Essai nog zou leven als ik dat gedaan had.' Hij wachtte even alsof hij nadacht over hoe hij het beste verder kon gaan. Ten slotte ging hij staan. 'Het wordt tijd voor een borrel en een serieus gesprek.'

Don Fernando koos een café aan zee uit dat er dicht uitzag, maar toch open bleek. Veel van de stoelen stonden op hun kop op tafel en een jongen met haar tot op de schouders veegde slaapdronken in het wilde weg de vloer.

De eigenaar waggelde van achter de bar vandaan om Don Fernando de hand te schudden en hen naar een tafeltje te brengen. Don Fernando bestelde een glas cognac, maar Bourne wilde geen alcohol. Hij wilde zijn hoofd helder houden.

'Toen mijn vader stierf, veranderde alles,' zei Don Fernando. 'Je moet begrijpen dat mijn vader alles voor mij betekende. Ik hield van mijn moeder, ja, maar zij was een groot deel van mijn leven ziek en aan bed gekluisterd.'

Toen de borrel op tafel was gezet, staarde Don Fernando in het amberkleurige drankje. Hij nam een slokje voordat hij verderging. Mijn vader was in elk opzicht een groot man. Hij was groot en machtig, zowel fysiek als qua geest. Hij domineerde elke kamer waar hij binnenkwam. Mensen waren bang voor hem. Dat kon ik in hun ogen zien; als ze hem een hand gaven, beefden ze.

De eigenaar bracht een glas sherry en zette dat voor Bourne neer, ondanks het feit dat hij niets besteld had. Hij haalde zijn schouders op alsof hij wilde zeggen: iemand moet niet aan een serieus gesprek deelnemen als hij geen versterking genomen heeft.

'Vanaf mijn zevende nam hij me mee uit jagen,' ging Don Fernando verder toen de eigenaar zijn plek achter de bar weer had ingenomen. 'Dat was in Colombia. Ik schoot mijn eerste grijze vos toen ik acht was. Ik had het een jaar lang geprobeerd, maar kon de trekker niet overhalen. Ik huilde de eerste keer dat mijn vader er een schoot. Mijn vader nam me mee naar het dier, doopte zijn vingers in het bloed en smeerde mijn lippen ermee in. Ik deinsde kokhalzend terug. Door de vernietigende blik waarmee hij me aankeek, voelde ik me beschaamd. Dus heb ik al mijn moed bij elkaar geschraapt, ben naar de vos teruggegaan, heb mijn eigen vingers in het bloed gedoopt en ze in mijn mond gestopt. Mijn vader glimlachte en het gevoel van absolute tevredenheid dat me beving, had ik nog nooit eerder gevoeld en later ook niet meer.'

Bourne voelde dat deze herinneringen Don Fernando van zijn stuk brachten, dat het een eer was dat hij ze hem vertelde.

'Zoals ik al zei, toen mijn vader stierf werd alles anders. Ik nam zijn zaak over, waarvoor hij me al jarenlang klaargestoomd had. Het was moeilijk om deze man, die bomen en vijanden met hetzelfde gemak en enthousiasme met de grond gelijkmaakte, zo broos en snakkend naar adem op zijn sterfbed te zien. Ik weet het, we komen allemaal uiteindelijk op dat punt, maar met mijn vader was het anders omdat hij me had getraind voor het moment dat hij er niet meer was.'

Don Fernando had zijn glas leeggedronken en gaf aan dat hij er nog een wilde. De eigenaar kwam met de fles, vulde het glas en liet de fles staan.

Don Fernando bedankte hem met een hoofdbeweging en ging door. 'Tijdens de laatste jaren van zijn leven heeft mijn vader me aan heel veel mensen voorgesteld. Dat waren allemaal Russen. Ze maakten me allemaal bang op een, hoe zal ik het zeggen, nogal primitieve manier. Ik zag in hun ogen een schaduwwereld gevuld met de dood.' Hij haalde zijn schouders op. 'Ik zou niet weten hoe ik anders de indruk die zij op mij maakten, moet beschrijven.'

Uiteindelijk raakte ik er wel aan gewend. De duisternis die mij beheerste, werd minder, en werd zelfs begrijpelijk. Ik had kennisgemaakt met de dood, en ik dacht terug aan mijn eerste bloedvergieten, en ik was zo dankbaar dat mijn vader me toen geholpen had. Want deze mensen handelden in de dood, net zoals, naar later bleek, mijn vader.'

Don Fernando stak zijn hand uit en toen Bourne dat ook deed, greep hij die hand stevig vast en legde zijn andere hand erbovenop.

'Zoals ik al zei, Jason, alle mannen met wie mijn vader mij kennis liet maken, waren Russen – allemaal, behalve één: Christien Norén.'

# Zesentwintig

'Ik heb een mobiele telefoon nodig,' zei Peter Marks. Hij zat in bed, maar hij kon al lopen zonder als een ouwe stoomlocomotief te hijgen en te puffen.

Deron pakte een prepaid mobiele telefoon die nog in de verpakking zat. 'Je zult misschien verbaasd zijn dat wie er ook achter je aan zit zelfs machtiger is dan we dachten.'

Peter schudde zijn hoofd. 'Op dit moment verrast niets me meer. Wat dacht je daarvan?'

Deron haalde de telefoon uit de verpakking. 'Ik heb Ty naar de politie gestuurd voor informatie over je kidnappers. Ze zeggen dat ze niets weten. Iemand heeft 911 gebeld, maar tegen de tijd dat er een patrouillewagen ter plekke was, was er niets meer te zien, geen lichamen, geen ziekenwagen, en jij natuurlijk ook niet.'

Peter zuchtte. 'Terug naar af.'

'Niet helemaal.' Deron gaf hem iets wat op een menselijke tand leek. 'Ty vond dit toen hij jou achter op zijn motor hielp, en nam het mee. Je hebt dit waarschijnlijk bij een van je kidnappers uit de mond geslagen.'

Peter bekeek de tand van alle kanten. 'Wat heb ik hieraan?'

Deron graaide hem uit zijn handen en zei: 'Kijk, dit lijkt op een tand, maar feitelijk is hij hol en gevuld met vloeibare cyaankali.'

'Een zelfmoordpil?' zei Peter. 'Ik dacht dat die allang niet meer gebruikt werden.'

Deron rolde de tand als een knikker tussen zijn vingertoppen. 'Klaarblijkelijk niet.'

'Maar hij is oorspronkelijk Russisch.'

Deron knikte. 'Dus we weten nu waar je kidnappers vandaan komen. Hebben we daar iets aan?'

Peter keek nadenkend. 'Dat weet ik op dit moment nog niet.'

Deron activeerde de telefoon, deed er een telefoonkaart in en gaf hem aan Peter. 'Je hebt twintig minuten, inclusief overzeese gesprekken,' zei hij. 'Daarna kan hij de prullenbak in.'

Peter knikte dankbaar. Deron kende zijn beveiligingszaakjes vanbinnen en vanbuiten. Nadat Deron de kamer uit was gegaan, toetste hij het nummer in van Soraya's contact in Damascus, dat hij dagen geleden gebeld had toen hij voor het eerst las over El-Gabal, het niet meer bestaande mijnbedrijf waarvoor Roy FitzWilliams als adviseur gewerkt had, voordat hij bij Indigo Ridge in dienst kwam.

'Ashur,' zei hij toen de telefoon opgenomen werd. 'Met Peter...'

'Peter Marks? We dachten dat je uitgeschakeld was.'

Peter voelde een ijskoude rilling door zijn ruggengraat trekken. 'Wie is dit? Waar is Ashur?'

'Ashur is dood. Of nagenoeg dood.'

Peter voelde hoe de haren in zijn nek overeind gingen staan. Gebruikmakend van de zelfmoordtand als leidraad, zei hij: '*Kahk dyelayoot vlee znayetye menya?*' Hoe ken je mij?

'Ashur heeft ons het een en ander verteld,' antwoordde de stem. Een gemeen lachje. 'Hij wilde eigenlijk niet, maar uiteindelijk had hij niet echt een keuze.'

*Wat doen Russen in vredesnaam in Damascus?* vroeg Peter zich af. 'Waarom hebben jullie me geprobeerd te vermoorden?'

'Waarom ben jij geïnteresseerd in El-Gabal? Dat is al jarenlang niet meer in bedrijf.'

Peter begon kwaad te worden, maar hij zorgde er wel voor dat hij het niet liet merken. 'Als jullie Ashur vermoorden...'

'Je mag erop vertrouwen dat hij dood is,' zei de stem met een ergerlijke kalmte.

Peter deed zijn uiterste best om Ashur uit zijn hoofd te bannen en zijn gedachten te ordenen. Lukraak zei hij: 'El-Gabal is helemaal niet buiten bedrijf. Daarvoor is het veel te belangrijk voor jullie.'

Stilte.

*Ik heb gelijk, El-Gabal bestaat nog steeds.* 'Ik heb de zelfmoordtand van een van jullie mannen. Toen ik hem eenmaal uit zijn mond gewrikt had, praatte hij. Ik weet dat El-Gabal de spil van alles is.'

De stilte hield aan, hol en op de een of andere manier griezelig.

'Hallo? Hallo?'

De stilte gonsde in zijn oor. Peter drukte op de herhaaltoets, maar hij kreeg geen gehoor, zelfs niet Ashurs voicemail. De zwakke communicatielijn was zo dood als een pier.

'U was bevriend met de vader van de meisjes, niet met hun moeder,' zei Bourne.

Don Fernando knikte.

'En u hebt hun dat nooit verteld.'

Hij nam nog een slok. Misschien was het een speling van het licht, maar zijn ogen leken nu precies dezelfde kleur te hebben als de cognac. 'Ik ken alleen Kaja. De waarheid is voor haar veel te gecompliceerd om...'

'Zij heeft haar hele volwassen leven gezocht naar antwoorden over wie haar vader was,' zei Bourne met nadruk. 'U had haar moeten inlichten.'

'Dat kon ik niet,' zei Don Fernando. 'De waarheid is voor de meisjes veel te gevaarlijk om te weten.'

Bourne maakte zijn hand los uit die van de oude man. 'Wat geeft u het recht om die beslissing te nemen?'

'Mikaela's dood geeft me dat recht. Zij heeft het ontdekt; de waarheid heeft haar vermoord.'

Bourne leunde achterover en keek Don Fernando aan. Hij was net een hersenschim. Elke keer als je dacht dat je hem doorhad, nam hij een andere gedaante aan op dezelfde manier als

Bourne zelf van gedaante veranderde.

Don Fernando keek Bourne diep in de ogen en schudde zijn hoofd. 'Geef me op zijn minst een eerlijke kans, voordat je me schuldig verklaart.'

'Je oog ziet er verschrikkelijk uit,' zei Boris. 'Ik zal je een lap vlees bezorgen om erop te doen.'

'Geen tijd voor,' zei Zachek, terwijl hij de verbinding op zijn mobiel verbrak. 'Cherkesov is gespot toen hij op het vliegveld van München door de controle ging.'

Boris liep naar de stoeprand en hield een taxi aan. 'Waar is hij naartoe op weg?'

'Damascus,' zei Zachek, terwijl hij instapte.

Boris vertelde de chauffeur waar ze naartoe wilden en hij reed naar de dichtstbijzijnde oprit van de A92, de snelweg München-Deggendorf.

'Syrië.' Boris zat achterover in zijn stoel. 'Waarom gaat hij in godesnaam naar Damascus?'

'Dat weten we niet,' zei Zachek, 'maar we hebben een gesprek op zijn mobiel onderschept. Hij heeft instructies gekregen om naar El-Gabal te gaan, een mijnbedrijf aan de Avenue Choukry Kouatly.'

'Vreemd.'

'Het wordt nog vreemder,' zei Zachek. 'Voor zover wij hebben kunnen vaststellen is El-Gabal sinds de jaren zeventig niet meer in gebruik.'

'Klaarblijkelijk is je bron niet goed ingelicht,' zei Boris droog.

'Ik zal proberen me aan onze afspraak te houden, als jij dat ook doet,' zei Zachek.

'We hebben een afspraak gemaakt waar we allebei tevreden over zijn, maar dat wil nog niet zeggen dat ik je aardig moet vinden.'

'Maar je moet me wel vertrouwen.'

'Ik maak me geen zorgen over jou,' zei Boris. 'Ik maak me zorgen over de SVR.'

'Je bedoelt Beria.'

Boris keek uit het raampje en was opgelucht dat hij Duitsland ging verlaten. 'Ik zorg voor Cherkesov en jij zorgt voor Beria. Dat is de duidelijke deal.' Maar hij wist dat in hun werk niets duidelijk was. In hun werk was liegen niet alleen ingebakken, maar noodzakelijk om te overleven.

'Het is een kwestie van vertrouwen,' zei Zachek, terwijl hij een gecodeerd nummer op zijn mobiel intoetste. 'Dat is het altijd.' Hij praatte even in de telefoon en verbrak toen de verbinding. 'Er ligt voor jou een ticket klaar op de luchthaven. Cherkesov heeft de vlucht van vier uur genomen. Jij gaat met die van tien voor halfzeven. Je komt morgenvroeg iets na tweeën aan. Het goede nieuws is dat jouw vlucht minder lang duurt. Je hebt in Damascus een uur de tijd voordat hij aankomt.' Hij verstuurde een sms'je. 'We hebben ervoor gezorgd dat iemand je daar opwacht...'

'Ik wil niet dat een van jullie mensen me op de vingers kijkt.'

Zachek wierp hem een snelle blik toe. 'Ik verzeker je...'

'Ik ken Damascus net zo goed als ik Moskou ken,' zei Boris met zo'n beslistheid dat Zachek zijn schouders ophaalde.

'Zoals je wilt, generaal.' Hij borg zijn mobiel weg en schraapte zijn keel. 'We leggen ons leven in elkaars handen.'

'Dat is niet zo'n goed idee,' zei Boris. 'We kennen elkaar nauwelijks.'

'Wat doen we met Ivan Volkin?'

Boris begreep wat Zachek bedoelde. Boris en Ivan kenden elkaar al tientallen jaren. Hun vriendschap had Volkins verraad niet kunnen voorkomen.

'Je bent niet veilig voordat hij uit de weg geruimd is,' zei Zachek tussen neus en lippen, waardoor Boris in de lach schoot.

'Alles op zijn tijd, Zachek.'

De andere man glimlachte. 'Je gebruikte mijn naam.'

Bourne dwong zich te ontspannen. 'Ga door.'

'Almaz werd geboren in de donkere dagen van Stalin en zijn belangrijkste helper, Levrenti Beria.' Don Fernando schonk zich nog eens in en snoof de cognacgeur op voordat hij een slok nam. Hij deed het langzaam alsof het een ritueel was dat hem kalmeerde en weer tot zichzelf bracht. 'Zoals je ongetwijfeld weet, werd Beria in 1938 tot hoofd van de Russische geheime dienst benoemd. Vanaf dat moment werd de geheime politie de door de staat gesanctioneerde beulen waar Stalin behoefte aan had. In Jalta stelde Stalin hem aan president Roosevelt voor als "onze Himmler".

Beria's bloeddorstigheid is goed gedocumenteerd, maar, geloof me, de waarheid is nog afschuwelijker. Ontvoeringen, folteringen, verkrachtingen, verminkingen en moorden waren aan de orde van de dag voor zijn vijanden en hun families – vrouwen en kinderen, dat maakte hem allemaal niets uit. En toen maanden jaren werden, begonnen sommigen binnen de geheime dienst te walgen van de onverbiddelijke wreedheden en gewelddadigheden. Het was voor hen onmogelijk om hun stem te verheffen. Daarom gingen ze ondergronds en formeerden een groep met de naam Almaz – diamant – omdat diamanten diep verborgen in de aarde onder ongelofelijk grote druk ontstaan.'

Don Fernando's ogen hadden weer een blauwe kleur en glansden als de ochtendzee. Hij had zijn glas leeg en vulde het weer bij.

'Die mensen waren slim. Zij wisten dat hun voortbestaan niet alleen afhankelijk was van de absolute geheimhouding van Almaz, maar ook van het feit dat ze zich buiten de grenzen van de Sovjet-Unie moesten begeven. Bondgenoten waren hun enige hoop voor de lange termijn, zowel wat betreft macht als invloed, en ook als vluchtmogelijkheid, als de grond in het vaderland hen te heet onder de voeten werd.'

'Vanaf dit moment ging uw vader een rol spelen,' zei Bourne.

Don Fernando knikte. 'Mijn vader werkte in Colombia in de olievelden, maar hij verveelde zich al snel. "Fernando," zei hij altijd tegen mij, "ik word gekweld door een rusteloze geest. Ik verbied je om in mijn voetstappen te treden." Natuurlijk maakte hij een grapje, maar wel een met een serieuze ondertoon. Hij stuurde me naar Engeland, waar ik in Oxford cum laude afstudeerde in de economie. Maar eigenlijk hield ik veel meer van lichamelijke arbeid. Daarom ging ik tot mijn vaders ontzetting terug naar Colombia en ging werken in de olie-industrie, waar ik me al snel opwerkte. Ik vond uitzonderlijk veel genoegen in het feit dat ik mijn voormalige bazen uiteindelijk uit kon kopen.

Ondertussen had mijn vader zijn rusteloze geest gericht op internationaal bankieren en de Aguardiente Bancorp opgericht.' Hij sloeg zijn derde cognacje achterover en schonk zich een nieuw glas in. 'Helaas waren mijn drie broers op geen enkele manier in te zetten. Eén stierf aan een overdosis, een andere stierf tijdens een schietpartij tussen bendes, en de derde stierf volgens mij aan een gebroken hart.'

Hij gebaarde weer met zijn hand. 'Hoe dan ook, door de toenemende lucratieve internationale handel van Aguardiente kwam mijn vader in contact met de dissidenten van Almaz. Er is geen hartstochtelijkere kapitalist als een bekeerde socialist. Dat was ook met mijn vader het geval. Hij sympathiseerde voor de volle honderd procent met Almaz en probeerde hen op alle mogelijke manieren te helpen. Maar natuurlijk niet zonder compensatie. Almaz plunderde systematisch Stalins schatkist. Mijn vader waste hun geld wit, waarna hij het slim belegde, inclusief zijn eigen genereuze aandeel. Ze werden er allemaal rijk door en steeds machtiger.

Tegen de tijd dat Beria er door Chroesjtsjov en zijn trawanten uitgewerkt was, was Almaz een kracht geworden waarmee rekening gehouden moest worden. Zozeer zelfs dat de leden bovengronds hadden kunnen gaan, maar zij hadden geleerd dat elke Sovjetregering niet te vertrouwen was. Trouwens, een leven in de schaduw paste goed bij hen en daarom kozen ze ervoor om hun invloed achter de schermen aan te wenden.'

'Maar hun ambities werden te groot voor de Sovjet-Unie,' onderbrak Bourne hem.

'Ja. Zij voorzagen de ondergang van de Sovjet-Unie. Op aandrang van mijn vader veranderden zij van koers.'

'En ik veronderstel dat uw vader tegen die tijd een volwaardig lid was,' zei Bourne. 'Hij had u getraind om lid te worden van Almaz.'

Don Fernando knikte. 'Christien Norén en ik waren de eerste twee niet-Russische leden van Almaz.'

'U leverde de hersens en hij de spierkracht. Hij was de uitvoerder.'

Don Fernando dronk zijn glas leeg, maar vulde het deze keer niet bij. Hij had nu een glazige, ietwat benevelde blik in de ogen. 'Het is waar dat Christien erg goed was in het vermoorden van mensen. Ik denk dat hij er zelfs van genoot.'

Hij gooide een paar biljetten op tafel en ze stonden allebei op. Ze liepen het café uit en liepen over de kustweg naar Don Fernando's huis. De nacht was buitengewoon helder. De bleke maan stond hoog aan de wolkeloze hemel. Door de windvlagen vanaf zee sloeg tuigage tegen de masten en maakte een aritmisch geluid. Het Vespa-geronk in de verte gaf het einde van de nacht een weemoedig tintje.

'Als Christien een mol binnen de Domna was,' zei Bourne, 'dan veronderstel ik dat de twee groepen elkaars tegenstanders waren.'

'Ik zou liever willen zeggen dat hun invloedssferen elkaar overlapten. Toen sloot Benjamin El-Arian zijn pact met de duivel.'

'Semid Abdul-Qahhar.'

Don Fernando knikte. Dat was het moment dat we ons realiseerden dat we een verschrikkelijke fout hadden gemaakt. We verspreidden het gerucht dat Treadstone de Domna had aangevallen. We wisten dat de Domna Christien erop uit zou sturen om jouw oude baas onschadelijk te maken.'

'Jullie wilden Alex Conklin dood hebben.'

'Integendeel, we wilden dat Christien Conklin voor Almaz zou rekruteren.'

Bourne wist dat Conklin van Russische afkomst was. Hij haatte de communisten met elke vezel in zijn lichaam. Almaz had een goede kans gemaakt om hem voor hun zaak te winnen.

'Dat zou de ultieme zet geweest zijn,' ging Don Fernando verder, 'en uitgevoerd onder de neus van de Domna.'

In de verte zagen ze Don Fernando's huis liggen. De lichten in zijn huis brandden uitnodigend.

'Maar het pakte verkeerd uit,' zei Bourne. 'Conklin doodde Christien en El-Arian sloot zijn deal met zijn eigen uitvoerder, Semid Abdul-Qahhar.'

'Erger dan dat. De Domna werd zich er bewust van dat Almaz zijn onverzoenlijkste vijand was, en nu zijn we in staat van algehele oorlog.'

Je kon op verschillende manieren een bank binnenkomen en Soraya kende ze allemaal. Rond tien uur 's morgens liep ze in de Avenue Montaigne de Chanel-boetiek binnen, waar ze een outfit kocht die haar perfect stond. Hij zag er peperduur uit. In een nabijgelegen boetiek gebruikte ze haar Treadstone-creditcard, waar geen bestedingslimiet op zat, en kocht een paar Louboutin-schoenen dat haar ensemble completeerde. Toen ze de kwitantie ondertekende, voelde ze zich weer misselijk worden. Een bezorgde verkoopster wees haar het toilet. Ze wist niet hoe snel ze naar binnen moest gaan, sloeg de deur achter zich dicht en was net op tijd bij de toiletpot, waar ze met zoveel geweld overgaf dat ze dacht dat haar maag mee zou komen. Ze begon zich nu zorgen te maken; overgeven was een bekend symptoom van een zware hersenschudding. Haar hart ging als een idioot in haar borstkas tekeer. Ze voelde zich opeens niet goed worden en greep zich vast aan de wc-deur. Ze knarsetandde, haalde enkele keren diep adem en ging weer door.

Het kostte haar tien minuten om haar gezicht te wassen, haar mond te spoelen en zich genoeg op te knappen dat ze weer onder de mensen kon komen. Maar tegen die tijd barstte haar hoofd bijna uit elkaar van de hoofdpijn. Ze was zo bleek dat de verkoopster aanbood om een dokter te bellen. Soraya sloeg dat aanbod beleefd af, maar vroeg waar ze make-up kon kopen.

Buiten op straat deed het zonlicht pijn aan haar ogen, waardoor haar hoofdpijn verergerde. Een halfuur later, en driehonderd euro armer, was ze door een schoonheidsspecialiste opgemaakt en zag ze er weer min of meer normaal uit. Met een buitenmodel zonnebril op, die ze in de winkel gekocht had, liep ze naar een filiaal van de Elysée-bank dat een blok van de Seine lag, en maakte gebruik van de Treadstone-rekening.

Ze liet een bankbediende een taxi bellen. Ze vroeg om een nieuw model Mercedes. Terwijl ze wachtte, belde ze haar bestemming en in haar beste Parijse Frans maakte ze een afspraak met de vicepresident onder de naam van Mademoiselle Gobelins. Toen de Mercedes arriveerde, vertelde ze de chauffeur waar ze naartoe wilde.

Ze negeerde het onophoudelijke bonzen in haar hoofd en liep klokslag halftwaalf door de glazen deuren het bankgebouw binnen. In het midden van de hal verrees heel imponerend een receptiepodium. Het werd aan beide zijden geflankeerd door twee kolossale palmen in potten. Direct achter het podium waren de glazen deuren naar de bank. Ze bleef er even voor staan. Ze voelde zich verloren, ziek en een beetje bang, maar toen overviel haar een gevoel van opgetogenheid, alsof ze het eind van haar onderzoek bereikt had. Met enige moeite zette ze het gevoel van verdriet en wanhoop van de afgelopen nacht opzij en gebruikte haar woede om zich te concentreren op haar missie.

Binnen in de bank was een open ruimte waar lange schrijftafels stonden. Rechts lag een aantal loketten en links leidde een doorgang door een halfhoge houten tussenwand naar een rij hokjes waarin bankmedewerkers plichtsgetrouw luisterden naar de vragen van klanten of bezig waren om hun papierwerk op orde te krijgen. Achter in de ruimte was een houten wand met in het midden daarvan een aantal digitale klokken waarop de tijd in Parijs, New York, Londen en Moskou te zien was. Aan beide kanten waren trappen die naar de kantoren op de tweede verdieping leidden en waar de belangrijkste medewerkers werkten. Daar moest Soraya naartoe.

Ze gaf haar naam door aan de baliemedewerker, die onmiddellijk de telefoon pakte en naar boven belde. Even later kwam er een bewaker, die haar voorging. Ze werd door een poortje geleid en vervolgens naar het midden van de achterwand. De bewaker drukte op een knop, waarna een paneel opzijschoof. Soraya stapte een luxueus ingerichte lift binnen. De bewaker begeleidde haar naar de tweede verdieping en wees dat ze naar rechts door een zacht verlichte gang moest lopen. Soraya kon het bescheiden geluid horen van vingertoppen op toetsenborden toen ze langs de deuropeningen links en rechts liep.

Ze had een afspraak met monsieur Sigismond, een lange, slanke man, maar met een krachtige uitstraling, met lichtbruin haar dat naar een kant gekamd was. Hij kwam van achter zijn bureau naar haar toe om haar te begroeten. Hij stak zijn hand uit en zei: 'Erg prettig om u te ontmoeten, mademoiselle Gobelins.' Hij sprak Frans met een lichte Duitse tongval. Hij pakte haar hand bij de vingertoppen en kuste de rug van haar hand en wees vervolgens naar een pluchen sofa rechts van haar. 'Neemt u alstublieft plaats.'

Nadat hij naast haar was gaan zitten, zei hij: 'Ik begrijp dat u de Nymphenburg Landesbank uit München tot de financiële instelling van uw keuze wilt maken.'

'Dat klopt,' zei Soraya. Ze dacht dat de bruine ogen van monsieur Sigismond het gevolg waren van gekleurde contactlenzen. 'Ik krijg binnenkort de beschikking over mijn erfenis en uw vermogensbeheerafdeling is mij geadviseerd als de beste in West-Europa.'

Sigismonds glimlach had niet innemender kunnen zijn. 'Mevrouw, het doet me genoegen te vernemen dat al ons harde werk het verlangde resultaat heeft.'

'Dat kan ik me voorstellen.'

'En wat is uw wens?'

'Ik wil een rekening openen. Ik heb een fors bedrag om in te leggen en er is meer op komst. En ik wil graag investeringsadvies.'

'Maar natuurlijk. Fantastisch!' Monsieur Sigismond sloeg met zijn handen besluitvaardig op zijn dijen. 'Maar voordat we verdergaan, wil ik u graag voorstellen aan de man achter het grote succes van ons vermogensbeheer.' Hij stond op en opende een deur in de wand die Soraya nog niet was opgevallen. Er kwam een man binnen die duidelijk uit het Midden-Oosten kwam. Hij was donker op elke denkbare manier, en bijna onweerstaanbaar aantrekkelijk.

'Ah, mademoiselle Gobelins, het doet me genoegen u te ontmoeten,' zei hij, terwijl hij op haar toeliep. 'Mijn naam is Benjamin El-Arian.'

Toen ze dichter bij Don Fernando's huis kwamen, hield Bourne in.

'Wat is er?' zei Don Fernando.

'Ik weet het niet.' Bourne trok hen in de schaduw van de palmen aan de zeekant van de weg. 'Er klopt iets niet. Blijf hier.'

'Nee hoor.' Don Fernando bracht de Colt Python in de aanslag. 'Maak je geen zorgen, ik zal je niet in de weg lopen.'

Bourne wist dat het geen zin had om in discussie te gaan. Samen gingen de mannen van schaduw naar schaduw totdat ze tegenover de straat stonden waar het huis aan lag. Daar bleven ze staan, stil en bewegingloos, totdat Bourne een schaduw zag achter een van de verlichte ramen. Het kon Kaja niet zijn, daarvoor was de schaduw te groot. Hij wees en Don Fernando knikte. Hij had de schaduw ook gezien en begreep wat dat betekende.

Bourne wendde zich tot de oude man. 'Ik ga naar binnen via het raam dat Etana gebruikte, maar ik heb een afleidingsmanoeuvre nodig.'

'Laat dat maar aan mij over,' zei Don Fernando.

'Geef me drie minuten om binnen te komen,' zei Bourne, voordat hij de bijna verlaten weg overstak.

Hij liep geluidloos van schaduw naar schaduw en benaderde het huis via een indirecte route. Voor hem, tussen de straat en het groepje palmen waardoorheen hij Etana achtervolgd had, lag een open stuk dat verlicht werd door straatlantaarns. Hij liep naar de andere kant van het huis en zag dat het huis van de buren redelijk dichtbij lag. Telefoon- en elektriciteitsdraden liepen van de hoge mast aan de zeeweg omlaag van huis naar huis. Hij had geen tijd om langer na te denken. Hij deed zijn riem af en klom tegen het huis van de buren op. Hij sloeg zijn riem over de draden, hield beide kanten vast en gleed langs de bundel draden totdat hij de schaduw van Don Fernando's huis bereikte, waar hij omlaag klom.

Terwijl hij door de schaduw aan de achterkant rende, hoorde hij schoten. Hij sprintte naar zijn slaapkamerraam en klom naar binnen. Hij bleef doodstil in het donker staan en luisterde met elke vezel van zijn lichaam. Hij rook schoonmaakmiddel, maar zag geen spoor van Essais bloed. Ook het lichaam was verdwenen; Don Fernando's mensen werkten zowel snel als efficiënt. Bourne stond vlak bij het raam en probeerde zijn ademhaling onder controle te krijgen. Hij hoorde het zachte gezoem van de verwarming, en het gepiep en gekraak van de ramen als de windvlagen er vat op kregen. Toen hoorde hij het kraken van de vloer. Kaja was te licht om dat geluid te kunnen veroorzaken, dus er was in elk geval één man in het huis. Toen hoorde hij ook gekraak in een andere kamer. Dat betekende dat er ten minste twee mannen in het huis waren. Waar was Kaja? Vastgebonden? Gewond? Dood?

Hij glipte door de half geopende deur en liep door de lange gang die naar de woonkamer aan de voorkant van het huis liep. Zijn neusvleugels trilden toen hij de aanwezigheid van vreemden rook. Hij duwde de deur van Kaja's slaapkamer open, maar die was leeg. Het bed was onbeslapen; hij rook haar niet. Wat ze ook gedaan mocht hebben nadat Don Fernando was weggegaan, ze was in elk geval niet in haar kamer geweest. Hij passeerde de keuken. Ook die was leeg.

Het einde van de gang liep over in de woonkamer. Door de glazen deuren zag de afgesloten tuin er verwaaid en verlaten uit. Ze was ook niet buiten. Bourne zag de twee bewapende mannen. De een stond bij de voordeur, de ander kwam terug naar binnen nadat hij gecheckt had wat de oorzaak van de schoten was.

'Niets,' zei hij in het Russisch tegen zijn maat. 'Het moet de naontsteking van een vrachtwagen geweest zijn.'

Bourne wierp zich op hen, waardoor de man rechts van hem plat op zijn rug viel. Hij sloeg ongenadig hard op het puntje van de Russische kin, draaide zich om en creëerde genoeg ruimte voor zichzelf om de man links op te vangen. Hij had net de loop van de Glock vastgegrepen, toen Don Fernando door de voordeur kwam binnenstormen. Hij had zijn mobiel aan zijn oor en zijn Colt Python wees naar de vloer.

'Stop! Allemaal!' schreeuwde hij. 'Jason, dit zijn mannen van Almaz!'

Bourne ontspande. Degene die hij geslagen had kreunde en ging op zijn rug liggen.

'Wat doen zij hier?' zei Bourne. 'Waar is Kaja?'

Don Fernando haalde de telefoon van zijn oor. 'Ze is weg, Jason.'

'Ontvoerd?'

De tweede Rus schudde zijn hoofd. 'Ze moest in de gaten gehouden worden, terwijl ze hier alleen was. Daarom werden wij hiernaartoe gestuurd.'

Don Fernando keek hem kwaad aan. 'En?'

De Almaz-agent zuchtte. 'Ze is weg. We vonden geen spoor van haar in de omgeving, niet in het huis en we hebben geen idee waar ze naartoe is gegaan.' Hij keek naar Don Fernando. 'Ze is in rook opgegaan.'

Skara bestudeerde zichzelf in de badkamerspiegel en zag een gezicht dat ze bijna niet herkende. Eén ding wist ze zeker, ze was niet langer Margaret Penrod. *Wie ben ik?* vroeg ze zich huiverend af. De vraag beangstigde haar. Door de realiteit ervan voelde ze een ondraaglijk verdriet. Ze balde haar vuisten. Haar nagels drukten als messen in haar handpalmen. Ze voelde het schrijnen, maar slechts oppervlakkig.

Ze had naar haar appartement terug willen gaan, maar ze was in de geprepareerde hotelkamer gebleven, om zichzelf te straffen of uit kwaadaardigheid, of misschien om beide redenen.

Ze sloot haar ogen. Ze werd overspoeld door herinneringen

als bloed uit een open wond. Haar vader had haar voordat hij voor de laatste keer verdween, gezegd dat zij voor Mikaela moest zorgen. Skara was de enige geweest die had geweten dat hij nooit meer terug zou komen. Hij had haar in vertrouwen genomen, maar ze had pas veel later begrepen waarom; hij had Viveka nooit iets verteld over zijn leven. Waarschijnlijk had hij iets van zichzelf in Skara herkend; hij had haar zeker bepaalde dingen doorgegeven, geleerd hoe zij voor zichzelf en haar zussen moest zorgen. Maar de Russen waren midden op de dag gekomen toen zij ten onrechte gedacht had dat het dan veilig zou zijn om eten te halen. Ze had Mikaela met een wapen achtergelaten. Ze was slechts vijftien minuten weg geweest, maar naar later bleek waren dat de laatste vijftien minuten van haar zusters leven geweest. Dat was het moment dat Kaja en zij besloten om uit Stockholm weg te gaan. Weg te gaan uit Zweden, uit elkaar te gaan en nooit meer contact met elkaar te zoeken.

Ze keek naar haar spiegelbeeld. De afdrukken in de palmen van haar handen leken het fluorescerende licht te absorberen, waardoor het leek alsof ze leefden. Toen ze het licht uitdeed, leek het net alsof zij zichzelf uit het leven wegnam.

Ze liep door de kamer en pakte uit de minibar een flesje wodka. Het flesje was zo klein dat ze er maar gelijk twee in een dik glas met zware bodem schonk, dat ze van een metalen schap boven de halfhoge koelkast pakte. Ze dronk er een kwart van en zette het glas toen op het nachtkastje.

Ze kleedde zich langzaam en uitdagend uit voor de videocamera's alsof ze al aanstonden. Ze knielde met haar benen uit elkaar, pakte haar blote borsten vast en kneep erin totdat de tranen haar over de wangen stroomden. Daarna ging ze op haar buik liggen, met haar handen onder zich op de plek waar haar dijen samenkwamen, en ze bewoog haar vingers op een manier die haar zowel een prettig als een pijnlijk gevoel bezorgde, terwijl ze met haar hoofd op het kussen huilde.

Ze probeerde het prettige pijngevoel te rekken en het hoogtepunt zo lang mogelijk uit te stellen, totdat ze zich uiteindelijk omdraaide. Toen het voorbij was, haar lichaam uitgeput, haar geest leeg, voelde ze zich opgelucht, maar dat gevoel was maar zo kort dat ze ineenkromp toen de verantwoordelijkheden van haar huidige leven weer bezit van haar namen.

Ze zat gevangen in een verdorven wereld, gevangen op een plek en op een moment waar ze zelf naartoe gewerkt had, maar die ze nu weerzinwekkend vond. Voor het eerst in jaren wilde ze dat Kaja bij haar was, of in elk geval bereikbaar was zodat ze de kwelling die ze nu voelde, zou kunnen delen met misschien wel de enige persoon die haar zou begrijpen. Maar ze had geen idee waar Kaja was, of welke identiteit ze op dit moment had. Van die kant was er niets te verwachten.

En hoe zat dat met Christopher? De airconditioning in de kamer sloeg aan en een koude wind streek over haar rug en bezorgde haar kippenvel. Ze had niet veel opties meer – je had Christopher en je had Benjamin, de twee opponerende krachten in haar huidige leven. Alles was anders geworden sinds haar laatste gesprek met Benjamin; ze moest haar gevoelens opzijzetten, ze moest zo ver mogelijk bij Christopher uit de buurt blijven.

Deze beslissing beurde haar op en ze stond op van het bed. Ze keek naar de tafel, waar het eten nog stond dat de roomservice uren daarvoor gebracht had. Ze had het niet aangeraakt en begon er ook nu niet aan. Ze pakte het dienblad op en droeg het naar de deur. Terwijl ze het met één hand vasthield, opende ze met de andere hand de deur. Op het moment dat ze de deur opende, werd ze door drie mannen die in de gang wachtten besprongen.

Op het moment dat hij het telefoontje van zijn baas kreeg, was hij zijn tijd aan het verdoen met nietsdoen.

'Zij is niet in de bank,' klonk Robbinets heldere stem in zijn oor. 'Je mag hopen dat ze niet ergens bewusteloos in de goot ligt, of met een kogel door haar hoofd.'

Aarons hersens werkten op volle toeren. Net als Robbinet was hij ervan uitgegaan dat Soraya naar de Île de France-bank in La Defense zou gaan. Dat zou hij in elk geval gedaan hebben als hij haar was.

'Wacht even,' zei hij. Hij herinnerde zich plotseling een bepaald detail uit hun ondervraging van Marchand. 'De financiën van de Monition Club lopen via Île de France, maar het beheer wordt gedaan door de Nymphenburg Landesbank uit München.'

'Daar heb ik nog nooit van gehoord,' snauwde Robbinet. 'Hebben ze een vestiging in Parijs?'

'Wacht.' Aaron googelde op zijn mobiel. 'Ja, sir, ze hebben één kantoor. Boulevard de Courcelles nr 70. Precies tegenover Parc Monceau.'

'Ontmoet me daar over vijftien minuten,' zei Robbinet. 'En God sta je bij als ze gewond is, of erger.'

De borden, het bestek en het eten vlogen door de lucht toen Skara de rand van het dienblad tegen de keel van de voorste man sloeg. Maar de andere twee mannen duwden haar met zo'n geweld terug de kamer in dat ze tegen de tafel smakte en op een knie terechtkwam.

De man die zij geraakt had, sloeg de deur achter zich dicht. Hij trok een Glock en schroefde een demper op de loop, terwijl de andere twee haar beetpakten en op bed gooiden. Hij richtte de Glock op haar terwijl een van de anderen haar enkels vasthield. De derde Rus maakte zijn riem los en klom boven op haar. Hij stonk naar knoflook en tabak. Hij drukte met zijn benen haar dijen uit elkaar en bracht zijn gezicht vlak bij dat van haar. Ze schoot omhoog met haar hoofd en beet in zijn onderlip. Hij gaf een gil en probeerde zich los te trekken, maar ze bleef vasthouden, schudde haar hoofd als een hond en beet door totdat ze een stuk vlees afgebeten had. Bloed spoot in het rond en de Rus probeerde van haar af te rollen.

'Wat gebeurt er?' zei de Rus met de Glock.

Terwijl de Rus die op haar zat overeind probeerde te komen, gaf zij een dreun op zijn onderkaak, waardoor zijn kaken op elkaar sloegen.

'Ik weet wie jullie zijn,' fluisterde zij in zijn oor, terwijl er bloederig schuim uit zijn kapotgeslagen mond droop. Ze rook de geur van amandelen.

De ogen van de Rus rolden weg en hij begon te stuiptrekken. Ze wierp hem tegen de Rus die haar vasthield. Die liet haar enkels los in een poging om het lichaam op te vangen. Ze greep hem beet en draaide hem om vlak voordat de man met het pistool de trekker overhaalde. De kogel trof de tweede Rus, en die richtte zich op, waardoor de schutter zijn beoogde doel even niet kon zien.

Ze rolde van het bed af en terwijl de schutter om zich heen keek om te zien waar ze gebleven was, trapte zij hem hard tegen de borst. Volkomen verrast wankelde hij en viel op de grond. Zijn Glock vloog door de lucht. Zij greep het glas op het nachtkastje, sloeg het op de rand kapot en drukte de scherpe rand in de ogen van de schutter.

Hij schreeuwde en bleef schreeuwen, en klapwiekte met zijn armen toen zij het glas er dieper in drukte. Een vuist van de Rus raakte haar, waardoor ze in één klap alle lucht kwijt was. Hij begon overeind te komen en gebruikte zijn surplus aan kracht en gewicht tegen haar. Maar ze drukte haar knie op zijn keel en kraakte zijn strottenhoofd. Hij kokhalsde en snakte naar adem.

Ze ging van hem af en zocht voorzichtig haar weg tussen de glinsterende glasscherven naar de plek waar de Glock lag. Ze pakte hem op, draaide zich om en schoot de Rus tussen de ogen.

Ze stond even als aan de grond genageld. Ze dacht dat ze het bloed kon horen stromen, totdat de airconditioning weer aansloeg. Ze liep langzaam naar het bed en ging met de ellebogen op haar knieën op de rand zitten. De Glock hing met de verlengde loop tussen haar benen.

Ze boog haar hoofd en voelde de tranen komen en lange tijd wilde ze niet stoppen met huilen.

'Je tijd hier is voorbij, Jason,' zei Don Fernando. 'Je kunt Kaja niet langer beschermen.'

'U hebt haar alleen gelaten.'

'Het was een noodgeval. Trouwens, ze werd in de gaten gehouden.'

'Met weinig succes.'

Don Fernando zuchtte. 'Jason, deze vrouw heeft zich ontwikkeld tot een expert in vluchten en verbergen. Ik heb de hele tijd geweten dat ik of mijn mensen weinig konden doen, behalve haar misschien vastbinden, om te voorkomen dat ze ervandoor zou gaan.'

Bourne wist dat hij gelijk had, maar het zat hem dwars dat Kaja weg was. Ze was een los eind. Ze was een onbekende factor in deze complexe situatie geworden.

Don Fernando haalde een dun mapje uit zijn borstzak en gaf het aan Bourne. 'Een eersteklas ticket naar Damascus. Het is een vlucht met verschillende tussenstops, maar dat kan niet anders. Je komt daar morgenochtend aan. Ik zorg ervoor dat je opgewacht wordt door Almaz-agenten.'

'Doe geen moeite,' zei Bourne, 'ik weet waar ik naartoe moet.' Toen Don Fernando hem vragend aankeek, voegde hij eraan toe: 'Ik heb de verzendlabels gevonden voor de kratten in het pakhuis.'

'Ik begrijp het.' Don Fernando knikte. Nadat de twee Almazagenten vertrokken waren, haalde hij een sigaar uit zijn aluminium koker, beet het puntje ervan af, knipte zijn aansteker open, stak hem aan en zoog de rook in zijn longen. Toen de Cubaanse sigaar naar zijn tevredenheid brandde, zei hij: 'De kratten bevatten FN SCAR-M, MK. 20-aanvalswapens.'

'De MK. 20 bestaat niet.'

'Die bestaat wel, Jason. Het zijn prototypes. Hun vuurkracht is buitengewoon vernietigend.'

'En ze gaan naar de Domna in Damascus. Waarom?'

'Dat moet jij te weten zien te komen.' Don Fernando blies een wolk geurende rook uit. 'De Domna is al een maand bezig met het aanleggen van een voorraad van deze en andere aanvalswapens, maar de laatste week is het aantal zendingen toegenomen.'

'We kunnen deze zending tegenhouden.'

'Integendeel. Ik doe er juist alles aan die op het adres dat jij ontdekt hebt afgeleverd te krijgen. El-Gabal op de Avenue

Choukry Kouatly was het hoofdkwartier van een mijn- en mineraalbedrijf. Nu is het een groot complex bestaande uit kantoren en pakhuizen dat door de Domna gebruikt wordt als hun belangrijkste opslagruimte.'

Bourne verstrakte. 'Waarom zou u de wapens uit Cadiz willen verschepen?'

'Omdat,' zei Don Fernando, 'die SCAR-M's gevuld zijn met een krachtig C-4-mengsel.' Hij drukte Bourne een klein plastic pakketje en een kleine mobiele telefoon in handen. 'Op elk krat moet een van deze identieke simkaarten geplakt worden.' Hij opende het pakketje om Bourne het stapeltje simkaarten te laten zien.

'Kan dit van tevoren gedaan worden?'

Don Fernando schudde zijn hoofd. 'Elke zending naar El-Gabal gaat door drie verschillende controleapparaten. Een ervan is een röntgenapparaat. De kaarten zouden dan aan het licht komen. Nee, ze moeten ter plekke geplaatst worden.'

'En dan?'

Don Fernando glimlachte geslepen. 'Je hoeft alleen op deze telefoon 6-6-6 in te toetsen, maar je moet dicht in de buurt zijn en je moet de kratten kunnen zien, want anders werkt het Bluetooth-signaal niet. Daarna heb je drie minuten de tijd het gebouw te verlaten. De explosie die dan volgt zal alles wat de Domna daar heeft opgeslagen, vernietigen, evenals iedereen die daar aanwezig is.'

# Zevenentwintig

Op de verhoogde veiligheidsmaatregelen na vond Boris Damascus niet veel veranderd. Het was een moderne stad die zich moeizaam uitbreidde rond de minaretten, moskeeën en plekken die teruggaan tot de tijd dat het boek Genesis geschreven werd, ergens in de dertiende eeuw voor Christus. Aan het hoofd van zijn troepen was Abraham vanuit het land van de Chaldeeën, dat ten noorden van Babylon lag, Damascus binnengetrokken. Hij bestuurde de stad enige jaren en gebruikte die tijd om zichzelf en zijn manschappen uit te laten rusten, voordat hij verder trok naar het beloofde land. Hij was betoverd door deze prachtige stad in de aangename vallei tussen de Tigris en de Eufraat. Daarna werd Damascus veroverd door Alexander de Grote en weer later door de Romeinse generaal Pompeius. Septimus Severus verordonneerde dat de stad een officiële kolonie van Rome was, en het christendom kwam naar de stad. Sint-Paulus werd op weg naar Damascus getroffen door heilig licht. Vervolgens woonden hij en Sint-Thomas in Bab Touma, de oudste wijk van de stad. Damascus was een belangrijk kruispunt waar het Oosten en het Westen samenkwamen en werd de geestelijke bakermat van Severus Domna.

Nu bestaat de stad uit drie afzonderlijke delen. Het oude Medina, zoals de oude stad bekendstaat, en de Franse wijk, waar de uitbundige architectuur en barokke fonteinen uit de jaren twintig als twee schitterende parels naast elkaar liggen. Maar wat er overal tegenaan gebouwd was, waren de lelijke, uitdijende uitwassen van de moderne stad, met zijn smakeloze Russisch aandoende betonnen gebouwen, winkelcentra en bomvolle straten.

Boris had meteen toen hij door de paspoortcontrole ging de SVR-agenten in de gaten die rondhingen in de aankomsthal. Ze probeerden tevergeefs op te gaan in de massa. Hij had met hen te doen. Om twee uur in de ochtend was er geen menigte waar je in op kon gaan. Hij liep naar het toilet, friste zich op en keek in de spiegel. Hij herkende zichzelf nauwelijks. Tientallen jaren manoeuvreren door de mijnenvelden van de Russische geheime diensten hadden hem veranderd. Ooit was hij jong en idealistisch geweest, vol liefde voor het vaderland en bereid om zich op te offeren voor de goede zaak. En nu, jaren later, realiseerde hij zich dat Rusland er ondanks zijn harde werk geen spat beter aan toe was. Misschien zelfs wel slechter. Hij had zijn leven verspild aan het najagen van een onmogelijke droom, maar was dat niet de illusie van de jeugd: de droom om de wereld te veranderen. In plaats daarvan was hij zelf veranderd en dat besef deed hem walgen.

Toen hij terug was in de aankomsthal, kocht hij bij het enige eetstalletje een bord *meze*, en ging zitten aan een rond tafeltje ter grootte van een frisbee. Hij at met zijn rechterhand en hield de verwachte aankomsttijd van Cherkesovs vlucht op het aankomstbord in de gaten. Het vliegtuig zou op tijd aankomen. Hij had nog veertig minuten.

Hij stond op en liep naar de balie van de autoverhuurder. Vijftien minuten later zat hij achter het stuur van een oude rammelkast, waarvan de motor sputterde en kreunde. De rest van de tijd dacht hij na over zijn verbond met Zachek. Oog om oog, een curieuze variatie op *Strangers on a Train*, een van zijn favoriete films. De film gaat over twee vreemden die afspreken om elkaars vrouwen te vermoorden om zo twee moorden zonder duidelijk motief te plegen. Bij de geheime diensten zou zo'n afspraak niet werken. Vreemden zouden niet bij Cherkesov of Beria in de buurt kunnen komen. Maar degenen die dicht bij hen stonden wel. Sinds hij de benen had genomen naar de Domna, bleef Cherkesov voor de SVR een voortdurende bron van ergernis – volgens Zachek nu zelfs nog meer nu zijn macht buiten Rusland gegroeid was. Boris had aangeboden om Cherkesov voor Zachek te doden. In ruil daarvoor zou Zachek Beria onder de groene zoden helpen. Hij zou de controle over de SVR krijgen en Boris zou een bondgenoot erbij hebben gekregen in plaats van nog een vijand. Boris had natuurlijk zijn eigen reden waarom hij Cherkesov dood wilde. Hij had zijn baan aan zijn vroegere baas te danken, maar zolang die leefde zou Boris bij hem onder de plak zitten.

Boris keek op zijn horloge. Cherkesovs vliegtuig was geland. Na een tijdje kwamen de eerste passagiers van de vlucht de terminal binnen. Boris wachtte totdat hij Cherkesov de terminal uit zag komen. Hij lachte in zichzelf omdat hij er zeker van was dat zijn vroegere baas net als hij de SVR-agenten er direct uitgepikt had, en hij wist dat Cherkesov zou denken dat ze op hem stonden te wachten.

Toen Cherkesov zich naar de korte rij wachtende taxi's haastte, gaf hij gas en zette zijn auto voor de rij taxi's en gooide het portier aan de passagierskant open.

'Stap in, Viktor.'

Cherkesov keek stomverbaasd. 'Jij! Wat doe jij hier?'

'De SVR zit je op de hielen,' zei Boris met nadruk.

Cherkesov stapte in. Op het moment dat hij het portier dichtsloeg, gooide Boris de auto in de versnelling en scheurde met zo'n vaart weg dat er een laag rubber op het asfalt achterbleef.

's Nachts golfden de oproepen tot gebed van minaret naar minaret, en bedekten de stad met een sluier van woorden die op vreemde, jammerende wijze gezongen werden. Ze kwamen althans op Boris vreemd over toen hij de stad in zijn piepende en krakende auto naderde. Cherkesov zat naast hem en blies rookwolken uit terwijl hij een van zijn walgelijke, Turkse sigaretten rookte. Boris voelde de energie van hem afspatten als elektrische vonken van een elektrische leiding.

'En,' zei Cherkesov, terwijl hij zich naar Boris draaide, 'vertel, Boris Illyich. Heb je met Jason Bourne afgerekend?'

Boris nam een afrit van de snelweg. 'Ik ben te druk geweest met voor jou te zorgen.'

Cherkesov keek hem met open mond aan.

'Na ons gesprek over de SVR ben ik teruggegaan naar Zachek, Beria's man.'

'Ik weet wie Zachek is,' zei Cherkesov ongeduldig.

'Ik heb een deal met hem gesloten.'

'Wat heb je gedaan?'

'Ik heb een deal gesloten zodat ik te weten kon komen waarom zij jou schaduwen.'

'Sinds wanneer word ik...'

'Ik zag een van hun agenten buiten op de landingsbaan van Uralsk Airport. Ik vroeg me af wat hij daar deed. Zachek heeft het me verteld.' Hij sloeg een donkere straat in met aan beide kanten eenvormige, witte betonnen gebouwen. Ergens galmde uit een radio de stem van een muezzin. 'Beria is heel nieuwsgierig naar jouw nieuwe positie binnen Severus Domna.'

'Beria kan niet weten dat...'

'Maar hij weet het wel, Viktor Deljagovitsj. Die man is een duivel.'

Cherkesov beet benauwd op zijn onderlip.

'Dus volg ik Beria's agenten, van Moskou naar München en nu hiernaartoe, en vraag me af wat hun orders zijn.'

'Heeft Zachek je dat niet verteld?'

Boris haalde zijn schouders op. 'Ik heb ernaar gevraagd, maar ik wilde hem niet onder druk zetten. Anders zou hij misschien wantrouwig worden.'

Cherkesov knikte. 'Dat begrijp ik. Je hebt goed gehandeld, Boris Illyich.'

'Mijn loyaliteit is niet gestopt toen je mij de FSB-2 naliet.'

'Dat waardeer ik.' Cherkesov keek hem door de scherpe rook van opzij aan. 'Waar gaan we naartoe?'

'Naar een nachtcafé dat ik ken.' Boris leunde naar voren en tuurde door de bekraste voorruit. 'Maar het lijkt erop dat ik de weg kwijt ben.'

'Ik zou liever rechtstreeks naar mijn hotel gaan.' Cherkesov noemde de naam van het hotel. 'Rij terug naar een grote kruising. Van daaraf weet ik wel hoe je moet rijden.'

Boris gromde en sloeg rechts af een straat in die iets beter verlicht was. 'Waarom is Beria in vredesnaam zo verdomd geïnteresseerd in waar je naartoe gaat en wie je ontmoet?'

'Waarom is Beria in wat dan ook geïnteresseerd?' reageerde Cherkesov nietszeggend.

Boris kwam bij een kruising waar het licht kapot was, wat niet zo ongebruikelijk was in deze buurt. Het geluid van de ingeblikte stem van de muezzin leek hen te achtervolgen. Op dat geluid na was het buiten doodstil. De bomen die ze passeerden zagen er kaal en uitgemergeld uit, als gevangenen die op het punt stonden afgeslacht te worden.

Boris kwam bij een uitgebrand huizenblok dat werd omgeven door afval en een hek. Hij stopte de auto aan de stoeprand.

'Wat doe je?' zei Cherkesov.

Boris plaatste rustig de punt van een keramisch mes tussen twee van Cherkesovs ribben. 'Waarom is Beria zo in jou geïnteresseerd?'

'Dat is hij altijd...'

Cherkesov schoot omhoog toen Boris de punt van het mes door zijn kleren en huid drukte. Het begon te bloeden. Boris opende zijn portier. Daarna greep hij Cherkesov bij de voorkant van zijn shirt en sleurde zijn vroegere baas met zich mee toen hij uitstapte.

'Sommige dingen veranderen nooit,' zei Boris, terwijl hij Cherkesov naar het hek duwde. Hij gebaarde. 'Deze plek is prima geschikt als executieplaats. De honden scheuren de lichamen aan stukken nog voordat iemand de moeite neemt om de politie te waarschuwen.'

Hij duwde Cherkesovs hoofd door een gat in het hek, boog zich voorover en volgde hem erdoorheen.

'Dit is een kapitale misrekening,' zei Cherkesov.

Boris verstevigde zijn greep. 'Ik geloof dat je een grap maakt, Viktor Deljagovitsj.'

Boris duwde zijn slachtoffer door de afvalhopen heen totdat

ze het midden van het afbraakterrein bereikt hadden. Om hen heen stond dezelfde vale hoogbouw, donker en onverschillig, maar op het terrein zelf dwaalden de honden rond waar Boris het over gehad had. Ze roken mensen en slopen en cirkelden met hun neuzen in de lucht snuivend in het rond, gespitst op een eerste vleug vergoten bloed.

'Je ruikt al naar de dood, Viktor Deljagovitsj. Ze komen al van alle kanten op je af.'

'Wat... wat wil je?' zei Cherkesov hees; hij had moeite met ademen.

'Een herinnering,' zei Boris. 'Herinner je je nog die avond ongeveer een jaar geleden, dat je me meenam naar een bouwterrein bij – waar was het ook alweer?'

Cherkesov vermande zich. 'Ulitsa Varvarka.'

Boris knipte met zijn vingers. 'Dat klopt. Ik dacht dat je me ging vermoorden, Viktor. Maar in plaats daarvan dwong je mij om Melor Bukin te vermoorden.'

'Bukin moest dood. Hij was een verrader.'

'Daar gaat het mij nu niet om.' Boris stak Cherkesov opnieuw. 'Jij dwong me om de trekker over te halen. Ik wist wat er met mij zou gebeuren als ik het niet deed.'

Cherkesov haalde diep adem. 'En kijk nu naar jezelf. Hoofd van de FSB-2. Jij, in plaats van die idioot Bukin.'

'En dat heb ik allemaal aan jou te danken.'

Geschrokken door Karpovs ironische toon, zei Cherkesov: 'Wat is dit? Wraak voor een moord die je gebracht heeft waar je wilde komen? Je had net zo'n hekel aan Bukin als ik.'

'Nogmaals, het gaat niet om Bukin. Het gaat om jou. Hoe je gebruik – of moet ik zeggen misbruik van mij maakt. Je hebt me die avond te schande gemaakt, Viktor.'

'Boris, dat is nooit mijn bedoeling...'

'O, maar je hebt het wel gedaan. Je wentelde je in je nieuw gevonden macht – de macht die de Domna jou gegeven had. En je wentelde je er opnieuw in toen jij me dwong om het pact met je te sluiten waardoor ik voor altijd in jouw macht zou zijn.'

Rond Cherkesovs mond verscheen de schaduw van zijn kruiperige glimlach. 'We sluiten allemaal deals met de duivel, Boris. We zijn volwassenen onder elkaar, we kennen het klappen van de zweep. Waarom ben jij...?'

'Omdat,' zei Boris, 'jij me in een onmogelijke positie gedwongen had. Mijn carrière of weer een moord.'

'Ik zie het punt niet.'

Boris sloeg Cherkesov hard tegen de zijkant van zijn hoofd. 'Maar dat zie je wel, en daarom koos je mij. Opnieuw wentelde je je in je macht om me te dwingen mijn vriend te vermoorden.'

Cherkesov schudde zijn hoofd. 'Een Amerikaanse agent die verantwoordelijk is voor ontelbaar veel doden, en velen van hen waren Russen.'

Boris sloeg hem opnieuw, waardoor het bloed uit zijn mondhoek spoot. De honden die het dichtstbij waren, begonnen tegen het gejammer van de muezzin in te janken. Hun broodmagere lijven leken op kromzwaarden.

'Je wilde me breken, of niet soms?' zei Boris, terwijl hij diens hoofd achterovertrok. 'Je wilde dat ik mijn vriend zou vermoorden met de bedoeling om alles waarover ik droomde en waarvoor ik gewerkt heb zelf te houden.'

'Het was een interessant experiment,' zei Cherkesov, 'dat moet je toch toegeven.'

Boris trapte hem tegen de achterkant van zijn kuiten, en hij ging neer. Zijn broek scheurde. Bloed stroomde uit zijn kapotte knieën. Boris knielde naast hem en zei: 'En nu zeg je me wat je voor de Domna doet.'

Weer die glimlach, aardedonker. 'Je vermoordt me niet omdat je anders gebrandmerkt wordt als vijand van de Domna. Ze stoppen pas als je dood bent.'

'Dat zie je verkeerd, Viktor. *Ik* stop niet voordat *zij* dood zijn.'

Cherkesov leek het nog steeds niet goed te begrijpen. 'Ze hebben zoveel bondgenoten, en sommige heel dicht bij jou in de buurt.'

'Zoals Ivan Volkin?'

Een doodschrik vervormde Cherkesovs gezicht. 'Weet je het? Hoe kun je dat weten?'

Zijn houding was compleet veranderd. Zijn gezicht was asgrauw en hij hijgde.

'Op zijn tijd zal ik met Ivan Ivanovitsj afrekenen,' zei Boris. 'Op dit moment ben jij aan de beurt.'

'Champagne of jus d'orange, sir?'

'Champagne graag,' zei Bourne tegen de jonge stewardess, toen zij zich met een klein dienblad in haar hand naar hem toe boog.

Ze glimlachte lief toen ze hem het glas gaf. 'Het eten zal over veertig minuten geserveerd worden, sir. Hebt u een keuze kunnen maken?'

'Ja,' zei Bourne, terwijl hij op de menukaart wees.

'Heel goed, sir.' De glimlach van de stewardess werd breder. 'Als u iets nodig hebt tijdens de vlucht, mijn naam is Rebeka.'

Bourne keek uit het raampje, terwijl hij van de champagne nipte. Hij dacht aan Boris en vroeg zich af waarom hij zichzelf niet had laten zien. In deze strijd was Boris duidelijk in het voordeel. Ze waren vrienden omdat Boris zei dat ze dat waren. Bourne herinnerde zich hun eerste ontmoeting niet, of wat er was gebeurd. De eerste ontmoeting met Boris die hij zich kon herinneren was die van zes jaar geleden in Reykjavik. Van daarvoor wist hij niets meer. Hij moest op Boris afgaan dat ze vrienden waren. Wat betekende het als Boris de hele tijd tegen hem gelogen had? Die wolk van onwetendheid was het meest frustrerende – en gevaarlijkste – gevolg van zijn geheugenverlies. Als uit zijn verleden mensen opdoken die claimden dat ze een vriend of collega waren, moest hij onmiddellijk een afweging maken of zij al dan niet de waarheid spraken. In de zes jaar dat Bourne Boris nu kende, had deze zich altijd als vriend gedragen. Twee jaar geleden was Boris in Noordoost-Iran gewond geraakt. Bourne had hem gevonden en in veiligheid gebracht. Ze hadden zij aan zij gewerkt in een aantal levensgevaarlijke situaties. Bourne had nooit reden gehad aan Boris' bedoelingen te twijfelen. Tot nu toe.

*Hebt u een keuze kunnen maken?* Een onschuldig zinnetje

uit de mond van een stewardess, maar het had veel betekenislagen waar zij zich niet bewust van was. Toen Bourne in de Middellandse Zee plonsde en zonder herinnering aan wie of wat hij was bovenkwam, werden de keuzes voor hem gemaakt. Vanaf dat moment was zijn leven een strijd om de keuzes te begrijpen die hij ooit gemaakt had, maar zich niet meer kon herinneren, een strijd met de keuzes die Alex Conklin voor hem gemaakt had. Het laatste geval dat uit de duisternis van zijn verleden omhooggekomen was: de moord op Kaja's moeder, Viveka Norén. Het maakte hem misselijk dat Conklin hem er voor een zaak van persoonlijke wraak op uitgestuurd had. Waarom? Om een dode man een lesje te leren voor het feit dat hij geprobeerd had hem om zeep te helpen. De meedogenloze wreedheid van Conklins keuze maakte Bourne doodziek. En hij was de boodschapper van de dood geweest. En hij kon zichzelf niet vrijpleiten. *Er is geen reden.*

Nee, dacht hij nu, er was geen reden.

'Welnu, mademoiselle Gobelins,' zei El-Arian, 'hoe kunnen wij u het best van dienst zijn?'

Vanaf het moment dat hij naast haar ging zitten, had Soraya het gevoel dat haar huid in brand stond. Ze voelde overal over haar lichaam het gekrioel van onzichtbare mieren, en het kostte haar een verschrikkelijke inspanning om niet op te springen en van hem weg te vluchten. Zelfs zijn glimlach was duister alsof het gevoel erachter vanuit de krochten van zijn ziel kwam. Ze voelde zijn enorme geestkracht, en voor het eerst in haar volwassen bestaan was ze bang voor iemand. Toen ze vijf was had haar vader haar meegenomen naar een waarzegger in een kolkende achterafsteeg in Caïro. Ze had geen idee waarom hij dat deed. Toen haar moeder er later achter kwam, was ze razend geworden. Soraya had haar moeder nog nooit zo gezien.

Toen de waarzegger, een verbazingwekkend jonge man met donkere ogen en donker haar en een donkere huid die leek op de huid van een krokodil, haar hand in de zijne nam, had ze het gevoel alsof de aarde onder haar verbrokkelde, dat ze in een peilloze afgrond viel en dat haar val nooit zou eindigen.

'Ik heb je vast,' zei de waarzegger om haar op haar gemak te stellen, maar ze voelde zich net een vlieg die in zijn web gevangenzat, en ze was in tranen uitgebarsten.

Op weg naar huis had haar vader niets tegen haar gezegd, en zij had het gevoel dat zij voor een belangrijke test gezakt was, dat hij haar dat nooit zou vergeven en dat zijn liefde voor haar wegstroomde als zandkorrels tussen haar slanke vingers. Na die tijd, na haar moeders razende uitbarsting, had ze het idee dat het tussen haar ouders nooit meer was zoals het geweest was. Haar vader had een onuitgesproken overeenkomst tussen hen verbroken, en net zoals hij Soraya niet kon vergeven, zo kon haar moeder hem niet vergeven. Zes maanden later stuurde haar moeder haar naar Amerika. Als kind en als tiener zou ze Caïro niet meer terugzien.

Soraya, zittend naast Benjamin El-Arian op de tweede verdieping van de Nymphenburg Landesbank, ervoer dezelfde ijzingwekkende sensatie als van de val in de onmetelijke afgrond waar ze door de aanraking van de waarzegger in gevallen was.

El-Arian keek haar ongerust aan. 'Voelt u zich wel goed, mademoiselle Gobelins?'

'Heel goed, dank u,' zei ze nauwelijks verstaanbaar.

'U ziet wat bleekjes.'

Hij stond op en zij haalde opgelucht adem alsof ze bevrijd was uit een bankschroef.

Hij liep naar een zijtafel en zei: 'Wilt u misschien een beetje cognac om wat op krachten te komen?'

'Nee, dank u wel.'

Hij schonk toch wat cognac in en bracht hem mee terug in een glas van geslepen kristal. Hij ging naast haar zitten en hield haar het glas voor. 'Ik sta erop.'

Ze zag hoe zijn donkere ogen haar kritisch bekeken. *Hij weet het*, dacht ze. *Maar wat precies?*

Ze toverde een glimlach op haar gezicht. 'Ik drink geen alcohol.'

'Ik ook niet.' Hij zette het glas cognac neer. 'Bent u moslim?'

Ze knikte. 'Ja.'

'Arabisch.'

Ze keek hem strak aan. Hij tikte met een lange wijsvinger ritmisch tegen zijn lippen. Langzaam. Een, twee, drie, als de metronoom van een hypnotiseur.

'Dat sluit Iraans uit, en u bent zeker geen Syrische.' Hij keek vragend. 'Egyptisch?'

Soraya wilde graag wat meer greep op het gesprek krijgen. 'Waar komt u vandaan?'

'De woestijn.'

'Dat kan bijna overal zijn,' zei Soraya, 'zelfs de Gobi.'

El-Arian lachte als een goedige oom. 'Dat lijkt me sterk.' Een zacht gerinkel. 'Neemt u me niet kwalijk.' Hij stond op, haalde zijn mobiel uit zijn zak en liep het kantoor uit.

Soraya stond op en werd overvallen door een vlaag van duizeligheid, waardoor ze de leuning van de bank moest grijpen om zichzelf overeind te houden. Ze negeerde het onophoudelijke dreunen in haar hoofd, liep snel naar het bureau van Sigismond en keek naar wat erop lag. Brieven en dossiers. Met de knokkel van haar wijsvinger verplaatste ze een blad papier een beetje zodat ze kon lezen wat op de bladzijde eronder stond. Ze tilde haar hand op toen ze even heel kort El-Arians stem hoorde; toen ze de stem weer zwakker hoorde worden en ook dat de voetstappen zich verwijderden, ging ze door met haar onderzoek. Er lagen geen foto's of andere persoonlijke zaken. Het kantoor was volkomen anoniem, alsof het slechts sporadisch gebruikt werd. Ze ging verder met de laden. Ze wikkelde een tissue uit een doos op het bureaublad om het heft van een briefopener en gebruikte het lemmet om de laden te openen en de inhoud te onderzoeken. Ze was op zoek naar bewijs dat Marchands verraderlijke betrekkingen in verband stonden met de bank.

Even later hoorde zij El-Arians stem weer dichterbij komen. Ze deed de la dicht, legde de briefopener op het bureaublad en was weer terug op de bank en snoot haar neus in de tissue toen hij met Sigismond in zijn kielzog het kantoor binnenkwam.

'Mademoiselle Gobelins, mijn oprechte excuses voor het onderbreken van onze ontmoeting.'

'Dat geeft helemaal niet,' zei ze, terwijl ze de tissue in haar zak stopte.

'Ah, maar eerste indrukken zijn zo belangrijk, vindt u ook niet?'

'Jazeker.'

Hij stak zijn hand uit en zij nam hem aan en stond op.

'Monsieur Sigismond heeft een afspraak. In elk geval denk ik dat u mijn kantoor geschikter zult vinden om onze zaken af te ronden.'

Hij ging haar voor door de hal naar een grote kantoorsuite die in moderne stijl gemeubileerd was. Hij ging achter zijn bureau staan. Daarop stonden alleen een ouderwetse vloeiroller, een set vulpennen, een presse-papier van geslepen kristal met de naam van de bank in goud erin gegraveerd, een asbak vol peuken en een telefoon. Hij gebaarde dat zij naast hem moest komen staan. 'Op dit moment worden de papieren die nodig zijn voor uw storting geprint.' Uit een la haalde hij een kaart tevoorschijn. 'Maar eerst zijn er nog wat formaliteiten.'

Toen ze naast hem stond, drukte hij op een knop, waarna op een flatscreen aan de andere kant van het vertrek een video begon te lopen. Soraya zag zichzelf in het kantoor van Sigismond opstaan van de bank en bijna in elkaar zakken. Daarna zag ze zichzelf naar Sigismonds bureau lopen en beginnen aan haar heimelijke werk.

'Ik vraag me af,' zei El-Arian, 'waar u naar op zoek was?'

Hij pakte haar pols in een ijzeren greep en liet niet meer los.

'Hoe lang was je met Ivan Volkin bevriend? Dertig jaar?'

'Langer,' zei Boris.

Cherkesov knikte. 'En toen het moment daar was, heeft hij je verraden.' Hij had weer wat kleur in zijn gezicht gekregen, en hoewel hij geknield zat, haalde hij wat makkelijker adem. 'Zo gaat dat in onze wereld. Er is ruimte voor kameraadschap en bondgenootschappen, maar niet voor loyaliteit. In onze wereld is loyaliteit te duur. Het is de prijs niet waard.' Hij probeerde van houding te veranderen om de druk van zijn ontvelde knieën te halen. 'Jij denkt dat het met Jason Bourne anders is. Die man is een geboren moordenaar. Wat weet hij van vriendschap?'

'Meer dan jij.'

'En dat is niets.' Cherkesov schudde zijn hoofd. 'Ik heb nog nooit in mijn leven een vriend gehad – in elk geval niet op de manier zoals dat zou moeten. Dat zou ook niet gekund hebben. Het zou me in een kwetsbare positie gebracht hebben.'

Boris draaide het mes een klein beetje. 'Hoe noem je verdomme dit dan?'

Cherkesov streek met zijn tong over zijn lippen. Toen hij begon te praten, rolden de woorden steeds sneller uit zijn mond. 'Begrijp je dan niet wat voor plezier ik jou gedaan heb? Ik heb je de gelegenheid geboden om Bourne te vermoorden, voordat hij de kans krijgt om jou op dezelfde manier als jouw oude vriend, Ivan Volkin, te verraden.' Sommige woorden leken in zijn keel te blijven steken en hij hoestte, waardoor zijn ogen begonnen te tranen. 'Volkin heeft de Domna geadviseerd vanaf het moment dat hij zich zogenaamd uit de grupperovkawereld had teruggetrokken. Ik zal je een geheim vertellen: in feite was het de Domna die hem het idee aangepraat had om zich terug te trekken. Wie weet hoeveel geld de Domna hem betaalde om naar hen over te stappen?'

Boris zat op zijn hurken en overdacht de implicaties van wat Cherkesov net verteld had.

Cherkesov bespeurde een opening en ging door. 'Boris, luister naar me. Ik ben levend van meer nut voor jou dan dood. Jij en ik, wij zijn verwant. Ik vertel je wat de Domna van plan is en jij gebruikt de macht van de FSB-2 om Beria en zijn mensen ten val te brengen. Daarna kunnen we de FSB-2 en de SVR samenvoegen met jou aan het hoofd en mij in een adviserende rol. Boris, denk aan de mogelijkheden die je hebt als je de leiding hebt over de geheime dienst zowel binnen als buiten Rusland. De hele wereld ligt dan voor ons open.'

'Viktor, je verbaast me,' zei Boris. 'Onder die dikke korst cynisme heb je toch nog iets positiefs.'

Cherkesovs vuist kwam spijkerhard op Boris' kaak terecht, waardoor hij opzij viel, zodat het mes uit Cherkesovs vlees gleed. Cherkesov greep ernaar en sneed zich daarbij behoorlijk in de vinger. Hij gebruikte het bloed dat eruit spoot om Boris te verblinden, rukte het mes weg en joeg het tot het handvat in Boris' buik.

# ACHTENTWINTIG

Bourne stond op en liep door de verduisterde cabine naar de pantry van de eerste klas. Daar trof hij Rebeka. Ze bladerde door de laatste aflevering van *Der Spiegel*, terwijl ze tegen het roestvrijstalen aanrechtblad geleund stond. Ze draaide zich om toen ze hem in de gaten kreeg. Er verscheen een glimlach op haar gezicht.

'Goedenavond, meneer Childress, wat kan ik voor u doen?'

'Een macchiato, alstublieft.'

'Kunt u niet slapen?'

'Nare dromen.'

'Jammer, ik ken dat.' Ze legde het tijdschrift weg. 'Ik breng hem naar uw plaats zodra hij klaar is.'

'Ik blijf liever hier staan,' zei hij. 'Even de benen strekken.'

Ze begon iets te blozen en draaide zich om. 'Natuurlijk.' Ze rook naar rozenparfum. 'Zoals u wilt.' Haar ogen hadden de kleur en de vorm van rijpe olijven en staken onverwacht exotisch af tegen haar mediterrane huid en zwarte haar. Net als een Egyptische uit het oude Alexandrië had zij een Romeinse neus en sierlijke jukbeenderen, en ze oogde zelfs op haar platte schoenen vrij groot. Misschien dat ze als kind aan ballet gedaan had.

Bourne keek toe hoe zij behendig de macchiato maakte. 'Is Madrid je thuisbasis?'

'O, nee. Damascus.' Ze pakte een klein kopje en zette dat op het petieterige schoteltje. 'Ik woon daar al zes jaar.'

'En bevalt dat?'

'Het is moeilijk om er vrienden te maken.' Ze haalde haar schouders op. 'Maar het is voor mij lucratief om daar te wonen. Ik krijg een jaarlijkse bonus.'

'Ik ben al een tijdje niet in Damascus geweest,' zei hij naar waarheid. 'Ik neem aan dat er in de tussentijd veel veranderd is.'

Ze pakte de espresso en schoof hem over het aanrecht naar hem toe. Er zat precies de juiste hoeveelheid schuim op. 'Ja en nee. De moderne delen zijn verschrikkelijk verstopt. Het verkeer is een nachtmerrie en de vervuilde lucht is verstikkend, maar in de oude stad zijn nog steeds de betoverende, overdekte arcades, de lommerrijke pleinen en natuurlijk de ruimte rond de grote moskeeën.' Ze keek bezorgd. 'Maar er zijn zorgwekkende ontwikkelingen.'

'Bijvoorbeeld het feit dat de staat de Hezbollah financiert.'

Ze knikte somber. 'De laatste tijd groeit het conservatieve deel van de bevolking dat positief staat ten opzichte van Iran.'

Bourne greep de opening met beide handen aan. 'Dus zal er meer aan beveiliging gedaan worden, te beginnen met de luchthaven.'

Rebeka glimlachte berouwvol. 'Ik ben bang van wel. Zeker op de luchthaven. Gedeeltelijk door druk van het Westen heeft Al-Assad de veiligheidsmaatregelen verscherpt.'

'Er zijn toch geen moeilijkheden te verwachten?'

Ze lachte zacht. 'Niet voor u. Hoe dan ook, er is altijd een senior veiligheidsbeambte aanwezig om de reizigers die aankomen verder te helpen en vragen te beantwoorden.'

Bourne wist nu wat hij wilde weten en sloeg zijn macchiato achterover. Rebeka scheurde een stuk uit het tijdschrift en schreef er iets op. Toen hij zich omdraaide om weg te gaan, schoof ze het naar hem toe.

'Ik ben de komende drie dagen vrij.' Haar vriendelijke glimlach was weer terug op haar gezicht. 'Mijn nummer, in het geval u de weg kwijtraakt.'

In plaats van Boris' buik open te rijten, verdween het lemmet in het handvat. Boris lachte en ramde de muis van zijn hand tegen Cherkesovs neus. Het bloed spatte alle kanten op, het kraakbeen brak en Cherkesov viel achterover op zijn rug.

Boris pakte zijn mes. Hij drukte op een verborgen knopje op het heft en het mes sprong weer tevoorschijn. Hij drukte nogmaals op het knopje waardoor het lemmet niet meer terug kon schieten.

Hij knielde naast Cherkesov. 'Laten we ter zake komen, Viktor.' Hij duwde de punt van het mes in Cherkesovs rechter neusgat. 'Ik weet zeker dat je bereid bent heel veel dingen die waardevol voor je zijn, op te geven, voordat je me vertelt wat ik wil weten.'

Cherkesov keek hem met bloeddoorlopen ogen aan. 'Ik sterf nog liever.'

'Je liegt dat je scheel ziet.'

'Huh?' Cherkesov keek hem aan.

'En weet je wat er met leugenaars gebeurt? Nee? Wil je een gokje wagen? Nee? Oké, die raken hun neus kwijt.'

Met een snelle beweging van zijn pols, sneed hij Cherkesovs toch al bloederige neus open. Cherkesov kromde zich; Boris duwde hem met zijn vlakke hand terug.

'Loop naar de hel!'

'Vergeet het, Viktor, dit is Chinatown.'

'Krijg de klere, klootzak. Ik vertel je niets.'

'Het is geen kwestie van pijn, Viktor, maar dat wist je al.' Boris veegde het lemmet af aan Cherkesovs broekspijp. 'Het is een kwestie van wat je kunt missen in de rest van je leven.' Hij glimlachte bijna minzaam. 'Maak je geen zorgen, ik laat je niet doodgaan. Er is geen ontsnappingsmogelijkheid.' Het mes cirkelde over Cherkesovs gezicht. 'Ik meen wat ik zeg; ik ben een expert en ik heb de hele nacht de tijd.'

Hendricks was in zijn kantoor en bestudeerde het dossier over de drie mannen die dood gevonden waren in kamer 916 van het Lincoln Square Hotel. Geen van drieën was een gast en geen van drieën had een identificatie bij zich. Hun vingerafdrukken hadden niets opgeleverd, en nu zocht men naar hun gebitsgegevens, maar dat zou ook wel niets opleveren. Volgens de FBI, die de zaak had overgenomen van de afdeling moordzaken van de politie, was het gebitswerk absoluut niet Amerikaans. Op dit moment kwamen ze niet verder dan Oost-Europees, maar dat betrof een immens groot gebied.

Hendricks pauzeerde even om wat ijswater te drinken.

Het enige vreemde aan de slachtoffers was de zelfmoordpil – de holle tand die vloeibare cyaankali bevatte, een oud kenmerk van de Russische geheime dienst. Waren deze mannen Russen en als dat zo was, wat waren ze dan verdomme aan het doen in kamer 916 van het Lincoln Square Hotel?

Hendricks sloeg een bladzijde om. Kamer 916 werd langdurig gehuurd door ServicesSolutions, een bedrijf met een schijnhoofdkwartier op de Kaaimaneilanden. Hendricks was er zeker van dat ServicesSolutions een lege onderneming was in naam van God weet wie. Hij wreef over zijn voorhoofd. Degene die ServicesSolutions bezat, had in elk geval verrekt gemene vijanden. Hij belde een collega bij het ministerie van Financiën, vertelde hem wat hij wist over ServicesSolutions en vroeg hem onderzoek te doen naar wie de onderneming feitelijk bezat. Daarna belde hij het hoofd van de eenheid die hij belast had met het opsporen van Peter Marks. Na de aanslag op Peters auto in de Treadstone-garage, was het hele gebouw afgegrendeld. Iedereen die er werkte of recent gewerkt had, was opgespoord en ondervraagd, maar dat had tot dusverre niets opgeleverd. Hendricks was buitengewoon opgelucht geweest toen hij hoorde dat er in de auto geen menselijke resten gevonden waren. Van de andere kant maakte hem dat bezorgd omdat Sal getuigd had dat hij en Peter enkele minuten voor de explosie nog samen in de lift hadden gestaan. De nachtwaker was op de lobbyverdieping uitgestapt, en hij wist zeker dat Peter naar de garage was gegaan. Dus het was zeer waarschijnlijk dat Peter in de garage was geweest toen de autobom afging. Maar hij had niet in de auto gezeten. Wat was er gebeurd? Waar was hij? Was hij ondergedoken? Dat zou een aannemelijke verklaring zijn.

Hendricks stond op en liep door het kantoor om meer ijs te halen om in de waterkan te doen. Hij bleef stokstijf staan toen hem plotseling iets te binnen schoot. Wat als Peter gewond was geraakt? Weer achter zijn bureau vroeg hij aan een van zijn assistenten om elk ziekenhuis in het gebied in en om D.C. te bellen, te beginnen met het ziekenhuis dat het dichtst bij het Treadstone-gebouw in de buurt lag. Toen hem nog iets te binnen schoot, zei hij tegen de assistent ook alle EMS- en particuliere ambulancediensten te bellen.

'Zet alle beschikbare personen in,' besloot hij.

Hij ging zitten, draaide zijn stoel om en keek uit het raam. Het was een regenachtige, winderige dag. Regendruppels liepen over de ramen, en buiten liepen mensen in glimmende regenjassen gekromd tegen de wind in. Hun paraplu's klapperden als bladeren in de wind terwijl zij van of naar hun werk zwoegden.

Toen hij de intercom hoorde, draaide hij zich om.

'Wat?' In zijn hoofd warrelden duizenden mogelijkheden.

'Er is net een pakketje voor u afgeleverd, sir. Het is door de beveiliging onderzocht.'

'Wat zit erin?'

'Een dvd, sir.'

Hendricks keek verbaasd. 'Breng het hier.'

Even later legde een van zijn assistenten de dvd op zijn bureau. Hendricks keek op. 'Is dat het? Geen briefje?'

'Helemaal niets, sir. Maar het was aan u geadresseerd en er zat een stempel op met Persoonlijk en Vertrouwelijk.'

Hendricks gebaarde dat de assistent weg kon gaan, legde de dvd terzijde, en richtte zich weer op de zaak van de drie dode mannen in kamer 916. Hij bestudeerde de foto's van de plaats delict en van de gezichten en lichamen van de slachtoffers. Het viel hem op dat ze geen tatoeages hadden, wat de Russische maffia uitsloot. Dus wie waren die losers? Ze waren gewapend, maar dat kon van alles betekenen. Het gaf in elk geval geen aanwijzing over hun land van herkomst, laat staan over hun organisatie. De FBI had echter geconcludeerd dat het om een moordcommando ging. Betekende dat dat hun doel meerdere personen waren? En waar was die persoon of waren die personen nu? Hij bladerde door. De FBI had iedereen die in het hotel werkte, en ook alle gasten die op de negende verdieping verbleven, verhoord. Niemand had iets gezien of gehoord. Misschien dat iemand loog, maar volgens het FBI-rapport was dat niet waarschijnlijk. Dat liet de andere mogelijkheid open: degene die in de kamer geweest was, wist hoe je zonder op te vallen een publiek gebouw in en uit moest komen. Dit waren allemaal interessante speculaties, maar Hendricks zag niet hoe dit zou kunnen helpen bij het uitvinden van wie deze mensen waren en wat hun doel was. Het was noodzakelijk dat hij de antwoorden op deze vragen zo spoedig mogelijk zou vinden. De dreiging van terrorisme lag er als een deken overheen.

Hij had iets nodig om zijn dag goed te maken. Hij belde een van zijn contacten bij de CI.

'Hoe gaat het met de plannen met betrekking tot de beveiliging van Indigo Ridge?'

'Het loopt daar helemaal uit de hand.' De afkeer in zijn stem was duidelijk te horen. 'Dit is niet ons ding en niemand weet hoe we het het beste aan kunnen pakken.' Hij haalde diep adem. 'We zouden uw hulp goed kunnen gebruiken, sir.'

'Als je hulp wilt, moet je bij directeur Danziger zijn,' zei Hendricks met een venijnig lachje. 'Hij heeft het voor het zeggen.'

Zijn contact grinnikte. 'U wordt zo nog onze dood, sir.'

'Niet ik.'

'Tussen haakjes, er doet hier een gerucht de ronde met betrekking tot uw nieuwe mededirecteur van Treadstone, Peter Marks.'

Hendricks hield zijn adem in. 'Wat is er met hem?'

'Het gerucht gaat dat hij vermist wordt.'

Hendricks zei niets.

'Peter heeft hier nog steeds veel vrienden, sir. Als er iets is wat we kunnen doen.'

'Dank je, ik zal eraan denken,' zei Hendricks voordat hij de verbinding verbrak.

Hij dacht eraan dat Maggie meer dan gelijk had gehad met haar suggestie hoe hij met Danziger moest omgaan. Met zijn telefoontje aan de beveiligingseenheid van Indigo Ridge liet hij weten dat ze paraat moesten staan. Hij kon Danziger de zaak niet veel verder laten verkloten. Indigo Ridge moest beveiligd worden. Maar zijn plezier dat hij de zaak zou redden was kortstondig, omdat de aanslag op Peters leven, Peters vermissing en de drievoudige moord in het Lincoln Square Hotel als een zwaard van Damocles boven zijn hoofd hingen. Toen ging zijn telefoon.

'De ziekenhuizen hebben niets opgeleverd,' zei zijn assistent, 'en we hebben helemaal tot in Virginia en Maryland gebeld. Datzelfde geldt voor de EMS.'

Hendricks sloot zijn ogen. Achter zijn linkeroog begon een stekende hoofdpijn. 'Heb je ook nog goed nieuws?'

'Nou, dat hangt ervan af. Een van de particuliere ambulancebedrijven heeft afgelopen nacht gemeld dat een van hun ziekenwagens is gestolen.'

'Is die gevonden?'

'Nee, sir.'

'Verdomme, zorg dan dat je dat kloteding vindt.'

Hij gooide de hoorn zo hard neer dat de dvd opsprong van het bureau. Hij keek ernaar en pakte hem op. Hij opende de lade van zijn computer, legde de dvd erin en deed de lade weer dicht. Hij hoorde het mechanisme draaien, daarna verscheen op het scherm het beeld van zijn videoprogramma en de dvd werd afgespeeld. Op het zwarte scherm verscheen Maggies gezicht als een visioen in een mistige nacht.

'Christopher, als je dit ziet ben ik allang verdwenen. Probeer me alsjeblieft niet te vinden.'

Ze stopte even, alsof ze wist dat Hendricks zijn mobiel zou pakken, wat hij inderdaad deed. Hij voelde zijn vingers trillen terwijl hij het lichte apparaat in zijn hand hield alsof hij haar nek vasthield.

'Mijn naam is niet Margaret Penrod en ik ben geen landschapsarchitect. Nagenoeg niets van wat ik je verteld heb is waar, hoewel de waarheid mijns ondanks nu toch aan het licht komt.'

Haar ogen glansden. Hoewel Hendricks voelde hoe een duivel furieus zijn darmen in de mangel nam, bleef hij weerloos naar haar beeld kijken, dat als zonlicht op water op zijn computerscherm flikkerde.

'Je zult me nu wel haten, wat onvermijdelijk is. Maar voordat je een oordeel over me velt, wil ik dat je iets probeert te begrijpen.'

Haar uitdrukking veranderde en Hendricks dacht dat ze iets probeerde te pakken – het bleek een afstandbediening te zijn. Het beeld zoomde uit van haar gezicht, waardoor haar naakte lichaam zichtbaar werd. Het zat onder het bloed.

Hendricks boog zich naar voren en ging op de rand van zijn stoel zitten. 'Maggie, verdomme?' Toen realiseerde hij zich dat de vrouw die hij nu zag, de vrouw met wie hij de liefde bedreven had en aan wie hij misschien wel zijn hart gegeven had, Maggie niet was. 'Wie ben je?' fluisterde hij.

De camera zoomde nog verder uit totdat Hendricks kon zien dat zij in een hotelkamer stond. Op dat moment dacht hij dat hij door de bliksem getroffen werd. Hij voelde zijn maaginhoud omhoogkomen. Toen de camera de vloer achter zijn minnares in beeld nam, kroop hij bijna in het scherm.

Daar waren ze. Hendricks kreunde. De drie leden van het doodseskader, allemaal dood. Door haar hand? Zijn hoofd leek uit elkaar te barsten. Hoe was dat mogelijk? Alsof zij zijn vraag wilde beantwoorden, ging zijn minnares verder: 'Deze mannen waren gestuurd om mij te vermoorden omdat ik jou beschermde. En nu moet ik weg uit kamer 916, weg uit D.C. en weg uit Amerika. Ik begin aan mijn laatste reis.' De camera zwenkte weer naar haar en zoomde in op haar gezicht. 'Ik had je hiernaartoe mee moeten nemen, Christopher. Kamer 916 zou ons geheime liefdesnestje moeten worden waar al onze bewegingen en al onze gesprekken opgenomen zouden worden om vervolgens doorgespeeld te worden aan de media. Om jou kapot te maken. Ik kon dat niet laten gebeuren. En nu is kamer 916 geen liefdesnestje geworden, maar een knekelhuis. Misschien dat het op deze manier een passend einde voor ons is. Ik weet het niet meer.' Haar gezicht werd even aan het zicht onttrokken omdat ze een paar haarslierten uit haar ogen veegde. 'Het enige wat ik weet is dat jij mij te lief bent om pijn te doen. Als ik nu niet ga, zal dat jou in groot gevaar brengen.'

Ze glimlachte bijna verdrietig. 'Ik zal niet zeggen dat ik van je hou, omdat dat in jouw oren onoprecht en als een holle frase zal klinken. Het klinkt dwaas, zelfs stompzinnig. Hoe kan ik van je houden als we elkaar slechts enkele dagen kennen? Hoe kan ik van je houden als liegen het enige is wat ik naar jou toe gedaan heb? Hoe kan het dat de aarde de derde planeet is vanaf de zon? Niemand weet dat; niemand kan dat weten. Sommige dingen zijn gewoon zo, verborgen in hun eigen mysterie.'

Hendricks bestudeerde haar gezicht, terwijl zijn hart in zijn keel bonsde. Hij zag dat ze niet met haar ogen knipperde en dat haar blik niet wegdraaide, twee belangrijke kenmerken van een leugenaar. Ze loog niet, of zij was erg, erg goed, beter dan alle leugenaars die hij ooit ontmoet had. Hij keek in die ogen en was verloren.

'Behalve van mijn vader heb ik voor jou nooit van iemand anders gehouden, en mijn liefde voor hem verschilt totaal van die voor jou. Toen wij elkaar ontmoetten, gebeurde er iets, een mysterieus gevoel stroomde door me heen en veranderde me. Ik kan er geen betere verklaring voor vinden. Dit is wat ik weet.'

Plotseling boog ze zich naar voren. Haar gezicht vervaagde terwijl ze haar lippen op de lens drukte. 'Ik heet Skara. Vaarwel, Christopher. Als je me niet kunt vergeven, denk dan aan me. Denk aan mij als je Indigo Ridge beschermt.'

Ze duwde de lens opzij, waardoor er een duizelingwekkende vermenging van kleuren en bewegingen ontstond. Daarna keek Hendricks in een zwart gat. Hij hoorde nog slechts het geluid van de computer en voelde de pijnlijke galop van zijn hart.

Het begon licht te worden en Cherkesov was aan het eind van

zijn Latijn. Boris had hem niet meer schade toegebracht dan hij nodig achtte. Cherkesov was als de dood dat hij blind zou worden. Een jaap van het mes net onder zijn rechteroog was de druppel geweest om zijn weerstand te breken. Hij gaf Boris datgene wat hij vanuit de Moskee in München meegenomen had.

'Het is een sleutel,' zei hij tegen Boris met dikke, bloederige lippen.

'Wat opent die?'

'Dat weet Semid Abdul-Qahhar alleen.'

Boris keek verbaasd. Heeft Semid Abdul-Qahhar jou de sleutel niet gegeven om hiernaartoe te brengen?'

'Semid Abdul Qahhar is hier, niet in München. Ik moest de sleutel persoonlijk aan hem geven.'

'Hoe?' zei Boris. 'Waar?'

'Hij heeft hier een residentie.' Cherkesov produceerde een karikatuur van een glimlach. 'Je zult dit leuk vinden, Boris Illyich. Zijn residentie is in de oude stad, in de voormalige Joodse wijk, in de laatst overgebleven synagoge. Hij heeft jaren leeggestaan, vanaf het moment dat de Syrische Joden naar Amerika zijn gevlucht.'

'Dus heeft Semid Abdul-Qahhar hem ingepikt, omdat hij ervan uitging dat zijn vijanden hem daar nooit zouden zoeken.'

Cherkesov knikte en kreunde. 'Ik moet gaan liggen. Ik heb slaap nodig.'

'Nog niet.' Boris greep hem bij de doorweekte voorkant van zijn shirt toen hij achteroverleunde. 'Zeg me de tijd van het rendez-vous en het protocol.'

Uit een hoek van Cherkesovs mond liep een roze straaltje spuug. 'Hij verwacht mij. Je maakt totaal geen kans.'

'Laat dat maar aan mij over,' zei Boris.

Cherkesov begon te lachen totdat hij bloed spuwde. Daarna keek hij Boris aan. 'Kijk naar mij. Kijk naar wat je met me hebt gedaan.'

'Het is voor jou een trieste dag, Viktor. Dat ben ik met je eens, maar ik kan er niet mee zitten.' Boris schudde zijn vroegere baas door elkaar totdat zijn tanden begonnen te klapperen.

'Kom op, hufter, vertel me de bijzonderheden, en daarna kun je jezelf in slaap huilen.'

Soraya stond bewegingloos. Door El-Arians aanraking leek het net alsof hij haar blootstelde aan polonium-210, en dat ze van binnenuit, zwak en weerloos, wegrotte.

'Wie bent u, mademoiselle?'

Soraya gaf geen antwoord en staarde recht voor zich uit. Het gebons in haar hoofd maakte het moeilijk om haar verdediging te organiseren.

'Het lijkt erop dat we voor elkaar een raadsel zijn, monsieur El-Arian.'

Hij draaide haar pols, om wat haar naar adem deed snakken. 'Laten we het er maar op houden dat we elkaars vijanden zijn.'

'Heeft Marchand Laurents dood verordonneerd, of hebt u dat gedaan?'

'Marchand was een bureaucraat.' El-Arians stem klonk als schuurpapier. 'Hij hield zich bezig met onbetekenende zaken. Hij miste de visie om te zien dat de verrader dood moest.'

Ze keek hem aan en maakte daarmee een afschuwelijke fout. Ze stond als aan de grond genageld. Ze had nooit geloofd in de gedachte van Goed en Kwaad, maar zijn hypnotiserende ogen waren net vensters naar een ondraaglijk kwaad.

Ze pakte de presse-papier en sloeg ermee tegen El-Arians slaap. Hij liet haar los terwijl hij achterover op zijn stoel viel. Die tolde van hem weg waardoor hij op de vloer viel. Soraya draaide zich om en rende het kantoor uit en de hal door. Zij hoorde een alarm afgaan – El-Arian had waarschijnlijk een noodknop ingedrukt. Een bewaker dook op terwijl hij een pistool uit een zwart leren holster trok. Ze stormde op hem af en ramde haar elleboog tegen zijn keel, waardoor hij tegen de vlakte ging. Ze bukte zich om zijn wapen te pakken, maar hij greep haar vast. Ze trapte hem in het gezicht om zichzelf te bevrijden. Ze passeerde de lift. Daarin zou ze in een dodelijke val zitten. Ze sprintte door de gang, passeerde open deuren en geschrokken gezichten en bereikte een van de trappen die naar de benedenverdieping leidden. Achter zich hoorde zij El-Arian haar vervloeken.

Ze nam de trap met twee treden tegelijk. Ze struikelde af en toe door het onophoudelijke bonzen in haar hoofd, maar ze wist overeind te blijven door met een hand de houten leuning vast te houden. Maar ze was nog niet halverwege de trap toen twee bewakers van verschillende kanten aan kwamen snellen en met hun dienstpistool in de aanslag de trap opstormden.

Soraya draaide zich om, maar El-Arian vloog min of meer op haar af. Hij had een pistool in zijn hand. Hij stak zijn hand uit, en terwijl zij voor hem probeerde weg te duiken, nam hij haar in een wurgende greep.

# Negenentwintig

Bourne glimlachte terug naar Rebeka toen hij het vliegtuig verliet. Hij had haar subtiele rozengeur nog een hele tijd in zijn neus. Hij zag de beveiligingsfunctionaris staan, precies zoals zij het beschreven had.

'Pardon,' zei Bourne in het Arabisch. 'Dit is mijn eerste bezoek aan Damascus. Kunt u mij een goed hotel aanbevelen?'

De functionaris staarde hem aan alsof hij een insect was en gromde. Bourne botste tegen hem aan toen hij opzij stapte voor een vrouw in een rolstoel. Bourne verontschuldigde zich. De beveiligingsfunctionaris haalde zijn schouders op terwijl hij zijn suggestie op een papiertje schreef. Bourne bedankte hem en liep door met de identiteitskaart van de functionaris in zijn hand.

Hij liep al helemaal achter aan de groep uitstappende passagiers, maar liet zich nu nog verder afzakken. Toen zag hij waar hij naar op zoek was: een deur met daarop: GEEN TOEGANG, ALLEEN PERSONEEL. Naast de deur hing een scanapparaat. Hij haalde de gestolen kaart erdoorheen en duwde de deur open. Hij had geen idee wie de binnenkomende passagiers in de gaten hield, maar hij wist wel dat hij niet wilde dat iemand, en zeker Severus Domna niet, zou zien dat hij in Damascus was aangekomen.

Hij liep door de achterafhallen van de luchthaven. Hij wist niet zeker waar hij uit zou komen, totdat hij een plattegrond zag die tegen de muur was geschroefd. In een paar seconden had hij de plattegrond in zijn hoofd geprent en de route bepaald die hij wilde nemen.

Soraya voelde hoe ze naar achteren getrokken werd. Het koude staal van de pistoolloop werd tegen de zijkant van haar hoofd gedrukt. Het feit dat de bewakers aarzelden, verwarde haar. Werkten deze mensen niet voor El-Arian? Toen stapten ze opzij en zag ze Aaron, Jacques Robbinet en een jonge man die ze niet herkende en haar met de koele ogen van een dokter nauwkeurig in zich opnam. Iedereen op de begane grond was geëvacueerd.

'Laat je wapen zakken,' zei Aaron. Hij had een SIG in zijn hand. Aaron liep tussen de twee bewakers door. 'Laat zakken, laat de vrouw gaan, en we zullen dit vreedzaam afhandelen.'

'Er is geen kans op vrede,' zei El-Arian, 'hier niet en nergens.'

'Er is geen uitweg,' zei Aaron, terwijl hij een stap vooruit deed. 'Dit kan goed, maar ook slecht aflopen.'

'Voor haar zal het zeker slecht aflopen,' zei El-Arian, terwijl hij de loop van het pistool zo hard tegen haar hoofd drukte dat ze kreunde. 'Tenzij jullie opzij gaan en ons ongehinderd laten gaan.'

'Als je de vrouw laat gaan, zullen we erover praten,' zei Robbinet.

El-Arians lip krulde omhoog. 'Ik zal maar niet de moeite nemen om op dat voorstel te reageren,' zei hij. 'Ik ben niet bang om te sterven.' Hij streek met zijn wang langs Soraya's haar. 'Hetzelfde kan niet van uw agent gezegd worden.'

'Zij is geen agent van ons,' zei Aaron.

'Ik ben het luisteren naar jullie leugens helemaal zat.' El-Arian sleurde Soraya met zich mee de trap af. 'Zij en ik lopen door de hal, en verder door naar buiten. We verdwijnen en daarmee eindigt het.'

Toen hij bijna beneden was, gaf Robbinet de bewakers het bevel om zich terug te trekken. El-Arian glimlachte. Aaron zocht Soraya's blik. *Wat probeert hij me te vertellen?* vroeg ze zich af.

El-Arian had de blik klaarblijkelijk ook gezien, want hij zei tegen Aaron: 'Als je mij doodt, dan dood je haar ook. Als zij sterft ben jij daar verantwoordelijk voor. Ben je een gokker? Ben je bereid die last te dragen?'

Terwijl hij sprak, liep El-Arian door de hal. De echo van hun voetstappen in de enorme ruimte waar haar laatste uur waarschijnlijk geslagen had. Ze wist dat Aaron haar een teken had gegeven. Als ze helder had kunnen denken, als niet elke martelende bons in haar hoofd haar had doen huiveren, dan wist ze wat hij van haar tijdens het eindspel verwachtte, want ze twijfelde er niet aan dat Aaron een eindspel in gedachte had. Dat zou zij in elk geval wel hebben, als zij in zijn positie zat.

Ze waren nu bijna bij de ingang. Aaron en Robbinet volgden hen op de voet. Ze voelde zich hulpeloos, zoals ieder meisje in nood in elke actiefilm ooit gemaakt, en dit ergerde haar zo erg dat ze de pijn wegstopte in een donkere hoek en op afstand hield terwijl ze probeerde te bedenken...

Positie! Dat was het! Aaron probeerde in positie te komen voor een ultiem schot. Hij zou schieten op het moment dat El-Arian de ingang bereikte – tenminste, dan zou zij het doen. Ze zag dat Aaron in positie probeerde te komen, ongeveer vijfenveertig graden achter El-Arians rechterschouder. Dat was de kwetsbare plek – het hoofdschot.

Maar ze had in de ogen van haar overweldiger gekeken en zij kende zijn hart, ze wist dat hij niet zo snel neer zou gaan, dat zijn eerste instinct zou zijn om op Aaron te schieten, en niet op haar. Dat was de reflex van een soldaat – terugvuren op zijn aanvaller –, een reflex waar El-Arian geen controle over had. Misschien dat hij Aaron en daarna haar zou weten te treffen, voordat hij neer zou gaan, maar het was hoe dan ook duidelijk dat Aaron in dodelijk gevaar verkeerde. Een man om wie ze gaf, was al dood door haar. Ze zou niet toestaan dat een ander datzelfde lot zou ondergaan.

Deze beslissing drukte de pijn in haar hoofd nog verder naar de achtergrond. De adrenaline joeg door haar lichaam. Het onmiskenbare verlangen om dit laatste ding te doen, zou haar een gevoel van rechtvaardiging en voltooiing van haar leven geven – en haar dood – en deze zin geven. Net als El-Arian was zij niet blij om te sterven. Toen ze koos voor dit werk had zij het als een onvermijdelijke bijkomstigheid beschouwd. Maar ze was geen martelaar; ze hield van het leven, en ze voelde een droefheid in zich toen zij en El-Arian de ingang bereikten. Toen ze Aarons SIG omhoog zag komen, toen ze met haar achterhoofd tegen El-Arian sloeg, toen ze een elleboog in zijn nierstreek ramde, toen zij zijn aanvaller werd, en niet Aaron.

Ze hoorde Aaron schreeuwen en voelde de lucht uit El-Arian stromen. Toen zat ze in het oog van een monsterlijke donderstorm die haar wegblies. Ze proefde haar eigen bloed, ze viel, de pijn in haar hoofd verdween.

Daarna werd alles vervangen door een absolute stilte.

Damascus strekte zich voor Bourne uit, toen hij een taxi vanaf het vliegveld nam. De zonovergoten morgen kaatste terug van de voorruit en zette de motorkap in lichterlaaie toen ze door de straten rammelden. Hij liet zich een aantal blokken voor de Avenue Choukry Kouatly afzetten. De rest van de afstand liep hij. Hij liet zich meevoeren door de voetgangersstroom. Toen hij verdekt een snelle inspectieronde om El-Gabals geometrische moderne gebouw maakte, ontdekte hij drie ingangen, die alle drie bewaakt werden. Bij de hoofdingang, helemaal gemaakt van glas en gedreven staal, was de bewaking niet openlijk aanwezig, maar het was maar goed dat hij even de tijd nam, want met tussenperioden van precies drie minuten passeerden twee geüniformeerde bewakers de glazen deuren. Aan de westkant van het gebouw was een nooduitgang. De metalen deur zag er solide en onneembaar uit, maar Bourne wist uit ervaring dat geen enkele deur onneembaar was. Aan de achterkant lag een groot laadgedeelte, maar dat was op het moment leeg. Achter dat deel waren vier brede deuren die alle vier dicht waren. Een geüniformeerde bewaker zat te roken en praatte in zijn mobiel. Af en toe keek hij met samengeknepen ogen naar de straat, en spiedde naar alle kanten om te zien of hij iets verdachts zag. In tegenstelling tot de bewakers in de lobby, die alleen pistolen bij zich droegen, had deze man een AK-47 op zijn rug hangen. Op elke hoek keek Bourne omhoog en bestudeerde de daklijst en de mogelijkheden om erop te klimmen. Er stonden geen bomen of telefoonpalen, maar het gebouw zelf zag er beklimbaar uit.

Hij stond op het punt om weg te gaan, toen hij een truck hoorde aankomen. De bewaker hoorde het ook, aangezien hij zijn gesprek afbrak en op een zoemer drukte die links naast de meest linker deur zat. Bijna meteen gingen alle vier de deuren omhoog. Een verweerde man gluurde naar buiten. De bewaker zei iets tegen hem, waarna hij knikte en weer in het duistere binnenste van het gebouw verdween.

Toen de truck rammelend gedraaid was en achteruit naar de laadruimte gereden was, verschenen twee mannen. Ze droegen revolvers op de heup. De chauffeur stapte uit, liep naar de laadruimte en opende de deur met een sleutel. Hij schoof de deur omhoog en deed een stap achteruit toen de twee mannen de laadbak van de truck binnenstapten. De bewaker had zijn AK-47 van zijn rug gehaald en hield hem nu in de aanslag. Hij was jong en zag er enigszins zenuwachtig uit. Hij spiedde de straat af.

Bourne veranderde op tijd van positie om te zien dat de twee mannen het eerste van de houten kratten met de gemanipuleerde wapens die hij in het pakhuis in Cadiz gezien had, uitlaadde. Hij herkende ze zowel aan de vorm als aan de opvallende groene kleur van het hout.

Hij moest binnen zien te komen zodat hij de simkaarten zou kunnen plaatsen, maar dat zou moeten wachten totdat het donker was. Hij trok zich terug en ging op zoek naar de dingen die hij dacht nodig te hebben. Hij kocht voor zichzelf Syrische kleren, waardoor hij minder zou opvallen, een glassnijder, een flink mes met breed lemmet, een stuk elektriciteitsdraad, twee rollen touw van verschillende lengte en een pikhouweel. Tot slot kocht hij een sporttas, waar hij al zijn aankopen in deed. Daarna nam hij een taxi naar het treinstation, waar hij de tas in een bagagekluis opborg.

Hij ging op zoek naar een hotel, wat nog aardig moeilijk bleek te zijn. In de lobby's van de eerste drie stonden beveiligers.

Het zou kunnen dat ze bij het hotel hoorden, maar hij dacht van niet. Hij ging wat verder uit het centrum kijken en vond in een zuidelijke buitenwijk een vervallen hotel. Op twee stoffige leunstoelen, enkele net zo stoffige palmbomen en een gebochelde receptionist na, was de lobby verlaten. Bourne nam een kamer op de bovenste verdieping en betaalde contant. De receptionist bekeek zijn paspoort zonder veel interesse, schreef naam, nationaliteit en nummer op en gaf het terug samen met de kamersleutel.

Bourne nam een protesterende lift naar de zesde verdieping, en liep door een lege, stinkende, betonnen gang naar zijn kamer. Dat was een spartaans hok met daarin een bed, een kast, een smerige spiegel, een kleine wc die door kakkerlakken bewoond werd, en een versleten tapijt. Een raam keek op het westen uit. Achter het rooster van de brandtrap lag de drukke straat. Het onafgebroken straattumult drong door de ruit naar binnen. De badkamer, als je die zo zou willen noemen, was in de gang.

De omgeving was armzalig, maar Bourne was op nog veel beroerdere plekken geweest. Hij ging liggen en sloot zijn ogen. Het leek dagen geleden dat hij geslapen had.

*Boris, waar ben je?* vroeg hij zich af. *Wanneer duik je op om me te grazen te nemen?*

Hij was kennelijk even weggedommeld, want het volgende waar hij zich bewust van was, was dat de zon voller was en schuin laag door het raam naar binnen viel. Het was laat in de middag en het begon al schemerig te worden. Hij bleef verdoofd op bed liggen. Hij voelde zich groggy, wat betekende dat hij voortijdig uit een diepe remslaap wakker geworden was. Hij luisterde en hoorde bijna onmiddellijk gescharrel voor zijn deur. Het zou van een knaagdier kunnen zijn, maar hij dacht van niet.

Zonder geluid te maken stond hij op en liep naar de muur waar de deur naartoe open zou slaan. Hij keek hoe het slot langzaam vanuit de gang opengedraaid werd. De deurklink ging omlaag en hij wachtte gespannen op wie er ook binnenkwam.

Op dat moment zag hij vanuit een ooghoek een schaduw,

vlak voordat twee mannen het raam verbrijzelden toen ze naar binnen sprongen.

Christopher Hendricks zat zeker een uur beweginggloos en zonder iets te zeggen achter zijn bureau. Op een bepaald moment kwam zijn secretaresse binnen, bezorgd omdat hij niet op de intercom reageerde, maar een blik op zijn asgrauwe gezicht was genoeg om haar schielijk te laten verdwijnen.

Alleen achter zijn bureau, met Skara's gezicht bevroren op het scherm voor zich, voelde hij hoe hij bevangen werd door een allesoverheersende kilte. Maggie: haar gezicht was nu niet meer dan een verzameling gekleurde pixels, gevormd door rijtjes nulletjes en eentjes. Dit was Maggie, een hersenschim, een droom, een elektronische fantasie. Maar wie was dan Skara? Hoe had zij de beveiliging zo succesvol om de tuin kunnen leiden? Hoe had ze zijn pantser weten te doorbreken, hoe had ze zijn hart weten te veroveren? Zelfs nu nog, terwijl de schok van haar openbaringen hem nog steeds beheerste, sloeg zijn hart op haar ritme.

*'Ik heb voor jou nooit van iemand anders gehouden.'*

Hij wist niet of hij moest geloven wat zij op de dvd gezegd had.

'Toen wij elkaar ontmoetten, gebeurde er iets, een mysterieus gevoel stroomde door me heen en veranderde me.'

Had ze hem op het laatst de waarheid verteld, of was de wens hier de vader van de gedachte? Was haar laatste boodschap een nieuwe leugen om te zorgen dat hij zijn mensen niet achter haar aan zou sturen?

*'Ik begin aan mijn laatste reis.'* Wat bedoelde ze daar verdomme mee? De woorden tolden in zijn hoofd als begrafenisklokken en bezorgden hem een koude rilling.

Hij had hoofdpijn, zijn gedachten wervelden door zijn hoofd en leidden nergens naartoe. Hij wist waarheid en fictie niet meer uit elkaar te houden, omdat hij wilde dat wat zij zei de waarheid was, hij wilde dat zo graag dat het hem een metalige smaak van bloed in zijn mond bezorgde.

Ze was een agent, dat was duidelijk, en een duivelachtig slimme ook. Maar voor wie werkte zij, en hoe wist zij van Indigo Ridge? In zijn hoofd zag hij als een film hun korte maar intense tijd samen terug. Hij dacht aan hun picknick, aan wat hij haar verteld had – verdomd veel minder dan zij al van hem wist, naar nu bleek. Dat hij de beveiliging van Indigo Ridge aan Danziger zou overlaten, was haar idee geweest, maar hij had haar natuurlijk geen namen of plaatsen verteld.

Waarom had zij hem dat advies gegeven? Hij hield een hand voor zijn ogen, maar trok hem plotseling weg. Hij voelde zich gehypnotiseerd door haar ogen en werd aangetrokken door haar afbeelding op het scherm. Hij wilde zo graag bij haar zijn en haar aanraken – nee, niet alleen aanraken, hij wilde haar vasthouden.

Ze had hem beschermd, had ze gezegd. Wat betekende dat? *'Denk aan mij als je Indigo Ridge beschermt.'*

En toen begreep hij het. Ze had geprobeerd hem te beschermen door hem Indigo Ridge af te laten stoten. Maar hoe had ze geweten dat hij daarmee te maken had? Wat zij allemaal wist en de accuraatheid ervan gingen zijn verstand te boven. Geen wonder dat zij de beveiliging om de tuin had weten te leiden. Hij moest niet vergeten om het hele beveiligingssysteem door te laten lichten.

Doorgestoken kaart. De dvd die in kamer 916 van hem gemaakt en door haar in de openbaarheid gebracht zou worden, had hem ten val moeten brengen. Te schande gemaakt, zou hij terstond van Indigo Ridge gehaald zijn en de beveiliging zou in elk geval voor een tijdje ontregeld zijn.

Op dat moment zouden de personen voor wie zij werkte, in de aanval gaan!

Hij pakte de telefoon en drukte op de rode knop.

*'Denk aan mij als je Indigo Ridge beschermt.'*

*Dat zal ik doen*, dacht hij terwijl hij wachtte tot de president aan de lijn kwam. *Ik zweer je dat ik dat zal doen.*

De twee mannen hadden zich al op Bourne gestort, nog voordat hij zich had kunnen omdraaien. De derde man kwam door de deur. De drie mannen bedreigden hem van drie kanten. Het waren grote, behaarde mannen die naar bier en geroosterde maiskolven stonken.

Ze konden dan wel groot zijn, maar ze waren ook bijzonder ongedisciplineerd – straatvechters, rauw en ongecoördineerd. Ze waren er verzot op om met koperen boksbeugels en stiletto's uit te halen. Bourne greep de spiegel van de wand en ving met de rand ervan zo'n koperen boksbeugel op. De spiegel sloeg kapot in een tiental scherven. Bourne graaide een van de grootste van de vloer. Hij negeerde het feit dat deze in de palm van zijn hand sneed en ramde de punt ervan in een oog van een van de mannen. De man tuimelde achteruit tegen een van zijn kompanen aan.

De derde man stormde met het mes vooruit op Bourne af. Hij verwachtte dat Bourne achteruit zou deinzen. Maar in plaats daarvan ging Bourne in de aanval. Hij greep de arm met het mes, trok hem naar zich toe en beukte de scherf in de keel van de man. Het bloed spoot alle kanten op toen de man achteruitwankelde. Bourne pakte hem bij de voorkant van zijn shirt vast en duwde hem voor de twee aanvallers die op hem afkwamen. Een van hen gebruikte zijn boksbeugel om zijn dode maat opzij te zwiepen, terwijl de ander een ijspriem tevoorschijn toverde en naar hem uithaalde. Bourne dook in elkaar en ontweek de aanval. Drie rechtse directen lieten de IJspriem door zijn knieën gaan. Bourne schopte hem in het gezicht, en hij kieperde op zijn zij.

De derde man, de grootste van de drie, besprong Bourne en sloeg zijn hoofd tegen de muur. Bourne zakte in elkaar en Boksbeugel liet zich op hem vallen. Hij molenwiekte met de boksbeugel en raakte Bourne bijzonder pijnlijk op zijn linkerschouder. Bourne trapte naar hem, draaide zich om en stootte zijn elleboog in het middenrif van Boksbeugel. Bourne duwde Boksbeugel van zich af, dook ineen en beukte tegen hem aan. Ze sloegen tegen de muur, waarna Bourne zijn armen als een bankschroef om zijn nek sloeg en die brak.

Nadat Boksbeugel op de grond in elkaar gezakt was, nam Bourne even de tijd om te kijken of zijn intuïtie klopte. Hij onderzocht de zakken van de mannen en vond Colombiaanse paspoorten. Dit was een doodseskader van Roberto Corellos, die zijn plechtige belofte om wraak te nemen kennelijk nog niet vergeten was. Hoe ze hem hier in Damascus op het spoor waren gekomen, was een raadsel. Hoe dan ook, hij had geen tijd om het antwoord op die vraag te vinden – dat moest nog maar even wachten.

Hij stond op het punt om via het verbrijzelde raam weg te gaan, toen hij zich omdraaide en de ijspriem van de grond pakte. Daarna zocht hij zijn weg tussen de lichamen en het versplinterde glas, klom het raam uit en ging via de brandtrap de schemering tegemoet.

De Joodse wijk in Damascus, een wirwar van smalle, oude straatjes, aangetast door tijd en geweld, stond vol verlaten huizen die afgeschermd werden door grote hekken met koperen hangsloten. Er heerste hier een duidelijke sfeer van verdriet en lijden, twee zaken waar Boris goed mee bekend was.

De ontmoeting met Semid Abdul-Qahhar was pas om tien uur 's avonds, maar Boris wilde de situatie alvast in ogenschouw nemen voordat hij het onmogelijke zou proberen, zoals wijlen de weinig betreurde Viktor Cherkesov dat omschreven had. Toen hij door de straten rond de oude synagoge wandelde, dacht hij terug aan het open terrein waar hij afgelopen nacht geweest was. Hij had zijn vroegere baas, nadat deze al zijn geheimen had opgehoest, levend kunnen achterlaten, maar dat zou dom geweest zijn – sterker nog, het zou het toppunt van sentimentaliteit geweest zijn. Als iemand met zijn werk sentimenteel werd, was het tijd om ermee op te houden. Maar toch hielden maar weinigen er echt mee op. Ivan was daarvan het laatste voorbeeld. Boris dacht, terwijl hij een hoek omsloeg, dat het echt verbazingwekkend was hoe hij iedereen, inclusief Boris zelf, had laten denken dat hij zich teruggetrokken had. Maar goed, Ivans oprechtheid was altijd al een van zijn meest bewonderde eigenschappen. Daardoor werd hij door alle grupperovkafamilies vertrouwd. En hij had dat vertrouwen nooit beschaamd. Maar nu leek het pijnlijk duidelijk dat hij het vertrouwen van Severus Domna beschaamd had.

Boris schudde zijn hoofd. Al zou hij zo oud als Methusalem worden, dan nog kon hij niet begrijpen wat Ivan en Cherkesov ertoe gebracht zou kunnen hebben om zich van het vaderland af te keren.

Hij had de straten rond de oude synagoge waar Semid Abdul-Qahhar zich bevond nu driemaal doorkruist en had het stratenplan van de Joodse wijk stevig in zijn hoofd. Hoewel zijn maag behoorlijk tekeerging, voelde hij zich zo smerig dat hij naar het badhuis Nureddine in Souk el-Bzouriyeh, in een andere wijk van Medina, ging.

Hij betaalde en hing zijn kleren in een houten locker. Hij bekeek nog even de sleutel die Cherkesov in de Moskee in München had gekregen en die hij over drie uur op Semid Abdul-Qahhars gore, kleine hand zou leggen. Hij was goudkleurig, klein en had een rare vorm. Hij zag er oud uit, maar als hij er met zijn nagel over kraste ging er een dun laagje patina vanaf. Hij bestudeerde zijn nagel. Niet alleen het patina had losgelaten, maar ook de goudkleur zelf.

Hij bekeek de sleutel nu op een geheel andere manier. Goud was een zacht metaal, dus was het niet verwonderlijk dat de sleutel van een harder metaal gemaakt was. Boris speculeerde erop dat de sleutel van ijzer gemaakt was met een dun laagje goud aan de buitenkant. Hij bekeek de sleutel van alle kanten. De vorm kwam hem vagelijk bekend voor. Het was niet erg waarschijnlijk dat hij hem eerder gezien had, maar toch zou hij erop zweren dat dat wel het geval was.

Terwijl hij voor zijn locker stond, naakt op de handdoek om zijn middel na, dacht hij erover na waar dat dan geweest kon zijn – misschien in een boek, in een tijdschriftartikel, of zelfs in een inlichtingenrapport van de FSB-2. Er borrelde niets op.

Hij deed zijn locker met een ouderwetse sleutel dicht. De sleutel hing aan een rode, katoenen polsarmband. Aan de kleur kon je zien dat hij betaald had voor het hele programma. Hij liep naar de eerste van de vele douche-, stoom- en massagekamers. Wat kon deze mysterieuze sleutel openen, en wat maakte hem zo waardevol dat Cherkesov hem persoonlijk moest afleveren? En waarom Cherkesov? De Domna en Semid Abdul-Qahhar hadden toch zeker betrouwbare agenten genoeg om deze taak tot een goed einde te brengen.

Deze vragen wervelden als een school vissen door zijn hoofd, terwijl hij douchte, door iemand geschrobd werd en naar een van de grote, betegelde stoomkamers geleid werd. Hij zat voorovergebogen met zijn onderarmen op zijn dijen en met een handdoek over zijn lendenen en probeerde zijn geest vrij te krijgen van vragen, twijfels en de ontelbare verantwoordelijkheden die hem te wachten stonden. Zijn hoofd hing, zijn blik vertroebelde en zijn spieren ontspanden zich langzaam. Hij voelde de uitputting samen met het zweet uit zich stromen. Zijn rondtollende gedachten kwamen eindelijk tot rust.

Zijn hoofd schoot plotseling omhoog, hij opende zijn linkerhand en staarde naar de sleutel die in de palm van zijn hand lag. Een lach borrelde op. Hij lachte zo hard dat hij er tranen van in zijn ogen kreeg. Hij begreep opeens waarom Cherkesov gekozen was om naar de Moskee in München te gaan, zelfs hoewel hij moslims verachtte.

Twintig minuten later lag hij met zijn gezicht naar beneden op een massagetafel terwijl zijn spieren gereduceerd werden tot een trillende massa. Hij sloot zijn ogen, luisterde naar het geluid van de handen van de masseur op zijn rug en neuriede in zichzelf terwijl zijn rechterhand speelde met de dikke, houten pin onder het hoofdeinde die de delen van de tafel bij elkaar hield.

Er viel een schaduw over zijn gezicht. Hij opende zijn ogen, keek op en zag Zachek. Zijn gezicht was aan één kant gezwollen en zag er rauw en rood uit als een lap vlees bij de slager. Vanaf zijn hoofd was zijn lichaam wit als melk. Zijn lichaam was geheel vrij van littekens. Boris herinnerde zich dat zijn lichaam er ooit ook zo uit had gezien.

'Leuk om je hier te ontmoeten, Boris.' Zacheks glimlach was

warm en beminnelijk. 'Ik heb gezien wat je met Cherkesov gedaan hebt.' Hij klakte met zijn tong. 'Een jammerlijk eind voor zo'n machtig man. Maar ja, macht is eindig en het leven is kort, niet?'

'Je ziet er als een verdomde bureaucraat uit, Zachek. Ga naar huis.'

Zacheks glimlach was verwrongen, alsof hij door een slechte kleermaker in elkaar genaaid was. 'Wat heeft Cherkesov je verteld?'

'Niets,' zei Boris, 'hij had meer ballen dan ik gedacht had.'

De glimlach bevroor. 'Ik geloof je niet, Boris.'

'Dat verbaast me niet. Dit gaat je boven de pet.'

Zacheks ogen vernauwden zich. 'Zijn we nu opeens geen partners meer?'

Boris legde zijn wang op zijn gevouwen armen. Hij kreeg pijn in zijn nek van het opkijken. 'Je wordt verondersteld in Moskou te zijn en je bezig te houden met jouw deel van de deal.'

'Om eerlijk te zijn vertrouwde ik er niet op dat jij je aan jouw deel van de afspraak zou houden.'

'Maar dat heb ik wel gedaan.'

'Verbazingwekkend, echt.' Zachek tikte tegen de sleutel die aan Boris' rechterpols hing. 'Wat deed Cherkesov in München? Waarom is hij hiernaartoe gegaan?'

'Ik heb je verteld...'

Zachek boog naar voren. 'Hij was een koerier, of niet soms? Hij heeft iets hier mee naartoe genomen. Was het dat?'

'Ik heb geen idee.'

Zachek deed een greep naar de sleutel van de locker. Toen Boris van de tafel wilde, hield de masseur hem op zijn plaats.

'Wat is dit, verdomme?' zei Boris.

'Dat weet je best.' Zachek leunde over hem heen en sneed het polsbandje los en hield de sleutel omhoog. 'Laten we eens zien wat er in je locker zit.'

Toen Zachek wegslenterde, probeerde Boris opnieuw overeind te komen, maar de masseur hield hem nu met zijn imposante, gespierde massa nog steviger op zijn plaats.

Hij was niet lang alleen met de masseur. Een andere man kwam het vertrek binnen. Hij had een driehoekig, sluw gezicht. Zijn donkere ogen schoten heen en weer. Hij was niet groot, maar kwam toch imposant over. Zijn lichaam was geblokt en breed, zijn borst en schouders waren dik behaard als de huid van een beer. Ondanks het feit dat hij geen uniform aanhad, herkende Boris hem gelijk.

Toen de man op hem afliep, dwong hij zijn gezicht in een glimlach. 'Konstantin Lavrenty Beria, eindelijk ontmoeten we elkaar.'

# Dertig

In de langgerekte schemering van Damascus liep Bourne door Straight Street, de verkeersslagader van Bab Touma, het oudste deel van Medina. Hij wist niet waar het voor hem veilig zou zijn, dus dolf hij het stukje papier op dat Rebeka hem gegeven had, en belde haar op. Hij hoorde de blije verrassing in haar stem toen hij zich bekendmaakte.

'Ik woon in een straatje in de buurt van Haret Al-Azzarieh,' had Rebeka gezegd. 'Het is in de buurt van de oude Joodse synagoge, direct om de hoek om preciezer te zijn. Ik kom je wel halen, want het is de eerste keer verrekte moeilijk te vinden.'

Bourne had haar gezegd dat hij dat een goed idee vond. Hij zag haar staan op de hoek van Haret Al-Azzarieh. Ze leunde tegen een afbrokkelende muur die misschien wel duizend jaar oud was. Ze had sandalen aan van gevlochten leer, een lange, wijdvallende katoenen jurk en een felkleurig shirt met lange mouwen en in Syrische stijl. Ze leek helemaal op haar gemak.

'Heb je honger?' vroeg ze, alsof ze al heel lang vrienden waren. 'Ik weet een eethuisje waar je prima kunt eten en dat hier niet ver vandaan ligt.'

Bourne knikte en ze liepen door vervallen steegjes en smalle straatjes. In elke stad in het Midden-Oosten hing een doordringende geur. In Tunis was dat de geur van jasmijn, in Fez was dat komijn; Hier in Damascus hing een koffiegeur vermengd met kardemom.

'Wat is er met je hotelreservering aan de hand?'

'De kamer was onacceptabel.'

'In Damascus zijn genoeg hotels.'

'Maar geen ervan is zo moeilijk te lokaliseren als jouw appartement.'

Ze glimlachte alsof ze wist dat hij niet de waarheid vertelde. Misschien geloofde ze dat hij gewoon op haar viel; als dat zo was dan had hij er geen behoefte aan om haar wijzer te maken. Van de andere kant was hij ook nieuwsgierig naar haar. Zij leek hem geen typische stewardess: enigszins verveeld, gereserveerd, en alleen in haar passagiers geïnteresseerd zolang ze in haar vliegtuig zaten.

Het lopen door de straten van Medina was net alsof je een pak adventskaarten bekeek. Achter elk raam, in elke deuropening waren kunstenaars bezig met glas, zijde, aardewerk en stoffering. Er waren bakkers en halalslagers, bloemschikkers en kleermakers, mandvlechters en stoffenververs. Op straat zelf boden verkopers alles aan van walmende koppen Turkse koffie tot kardemomijs met amandelen. Ook waren er de flamboyante waterverkopers die gekleed waren in de sierlijke Ottomaanse stijl van het Umayyadkalifaat. De Umayyadkaliefen hadden zich in Syrië gevestigd, zelfs terwijl hun krachtige legers hun rijk uitbreidden naar het oosten richting Bagdad en naar het noorden over de Middellandse Zee tot in het Spaanse Andalusië.

Toen Bourne een opmerking maakte over de Iraakse tongval die hij overal om zich heen hoorde, zei Rebeka: 'Een tijdlang ging Medina qua populatie achteruit. Irakezen – zowel soennieten als christenen – die op de vlucht waren voor de oorlog, veranderden dat. Nu is de oude stad overbevolkt.'

Het restaurant waar zij hem mee naartoe nam, was weggestopt in een patio. Het was er propvol en er hingen heerlijke geuren. Tegen de muren groeiden druivenranken en filigreinlampen van ijzer en koper wierpen lichtbundels op de tafels en de betegelde vloer. In de nissen in de zwarte en okerkleurige muren waren felgekleurde mozaïeken van Ottomaanse sultans en Umayyadaanse strijders.

De dikke kok kwam uit de keuken. '*Marhaba*,' zei hij.

‘*Marhabtayn*,’ antwoordde Rebeka.

Hij schudde Bourne de hand en zei iets wat Bourne door het geroezemoes om hem heen niet kon verstaan.

Nadat ze waren gaan zitten, zei ze: ‘Geen menu’s. Baltasar zal enkele speciale gerechten voor ons maken, waarschijnlijk *farooj*, omdat hij weet dat dat een van mijn favoriete gerechten is. Weet je wat dat is?’

‘Kip met pepers en uien,’ zei Bourne.

Ze kregen een bord met gevulde druivenbladeren. Rebeka bestelde *mate*, een Argentijns drankje dat sinds kort een favoriet drankje van veel Syriërs was geworden.

‘Waarom woon je in Bab Touma?’ zei Bourne, terwijl ze aten.

Rebeka likte olijfolie van de vingertoppen van haar rechterhand. ‘De geschiedenis van de Joden ligt hier. Natuurlijk stikt het in Medina van de historie, maar de geschiedenis van de Joden is het indringendst – treurig maar onverschrokken.’

‘Je zult het triest vinden dat ze bijna verdwenen is.’

‘Dat is zo.’

De mate werd gebracht en een kelner schonk hun beiden een kom in. Bourne liet hem staan omdat hij hem even af wilde laten koelen, maar Rebeka dronk hem heet door een zilverkleurig rietje.

‘Het is triest om al die ruïnes te zien,’ zei Bourne, ‘de verlaten gebouwen, afgesloten en donker. Met name de synagoge.’

‘O, maar de synagoge staat niet meer leeg. Hij is kortgeleden gerenoveerd.’

‘En zijn de erediensten weer begonnen?’

‘Er woont nu een Arabier, niet de hele tijd, maar toch...’ Ze schudde haar hoofd. ‘Ongelofelijk, hè?’

‘Vaak betekent dat het einde van dingen,’ zei Bourne. ‘Triest en ironisch.’

Ze schonk zich nog eens in en schudde haar hoofd opnieuw. ‘Zo zou het niet moeten gaan. Dat mag gewoonweg niet.’

Het lege bord werd weggehaald en vervangen door een bord met falafel.

‘Vertel verder over de synagoge. Wie woont er nu?’

Rebeka keek nadenkend. 'Dat weet eigenlijk niemand. Althans, niemand zegt dat hij het weet. Maar ja, deze stad leeft op geheimen.'

'Je woont vlakbij. Je moet de Arabieren toch in en uit zien gaan.'

Ze glimlachte en hief haar hoofd, waardoor haar ogen het licht opvingen. 'Waarom ben je zo geïnteresseerd in de synagoge?'

'Ik heb wat zaken te regelen met de Arabier die daar woont.'

Ze zette haar kom neer. 'Ken je zijn naam?'

'Ja.'

'Hoe heet hij?'

Hij stopte een falafelballetje in zijn mond. 'Waarom ben je zo in hem geïnteresseerd?'

Ze lachte poeslief. 'Jij en ik hebben een gemeenschappelijke belangstelling.'

'Daar lijkt het inderdaad op.' Bourne nam een slok van de mate. 'Zijn naam is Semid Abdul-Qahhar.'

'Echt? Hij is behoorlijk beroemd, of niet?'

'In bepaalde kringen wel, ja.'

Ze keken elkaar aan, en Bourne zag in haar ogen dat ze meer wist dan ze had laten merken. De farooj werd stomend opgediend. Het zag er heerlijk uit. Het geroezemoes om hen heen werd langzaam sterker, waardoor zij zich naar elkaar toe moesten buigen om zich verstaanbaar te maken.

'Semid Abdul-Qahhar is een terrorist,' zei Rebeka, 'hoewel hij zich graag anders voordoet.'

'Hoe weet je dat?'

'Ik ben Joods,' zei Rebeka.

Dat verklaarde veel, zo niet alles over haar belangstelling voor de Arabier die de synagoge bezoedeld had.

'Hij zal in mijn locker niets van belang vinden,' zei Boris.

'Dat maakt Zachek zelf wel uit.'

'Ik ben wel enigszins verrast om u buiten uw Moskouse bunker tegen te komen,' zei Boris.

‘Sommige zaken zijn belangrijk genoeg om jezelf mee bezig te houden,’ zei Beria. ‘Hoe krijg je anders je bevrediging?’

‘Ik zou Zachek niet zo gauw vertrouwen, als ik u was.’

‘Dat hebt u zeker aan den lijve ondervonden.’ Beria deed zijn armen over elkaar. ‘Weet u wat uw probleem is, generaal, u bent te goed van vertrouwen. Ik snap niet hoe u het zo lang vol hebt kunnen houden.’

‘Gedijen,’ zei Boris. ‘U moet wel de correcte term gebruiken.’

Beria keek nadenkend. ‘U toont in elk geval geen angst. Daar zullen we snel wat aan gaan doen.’ Hij glimlachte opgeruimd. ‘Echt, generaal, niemand gelooft dat u Cherkesov zou laten sterven voordat hij u alles verteld had wat u wilde weten.’

Boris keek op naar Beria. Hij wenkte de SVR-directeur met zijn wijsvinger om dichterbij te komen. Beria keek om zich heen alsof hij een valstrik verwachtte, leunde vervolgens voorover en bracht zijn gezicht vlak bij dat van Boris. Boris rook Beria’s dure geurtje.

‘Wist u dat Stalin ook altijd een geurtje op had?’ Boris klakte met zijn tong. ‘Mannen die geurtjes op hebben...’ Hij haalde zijn schouders op, voor zover het gewicht van de masseur op zijn rug dat toeliet. ‘Wat zal ik zeggen?’

Beria toonde een pijnlijke glimlach. ‘Zachek komt zo terug en dan zal alles er voor u anders uitzien. Als hij niets vindt...’

‘Geloof me, hij zal niets vinden.’

‘Als hij niets vindt,’ zei Beria nogmaals terwijl hij elk woord met nadruk uitsprak, ‘dan brengen we u over naar ons *safehouse*. Daar zijn mannen die experts zijn op hun gebied.’

‘Ik ken hen waarschijnlijk wel van naam of op grond van hun reputatie,’ zei Boris.

Beria keek hem vragend aan. ‘Ik begrijp u niet, generaal.’

‘Zoals de meesten.’ Boris vouwde zijn linkerhand open en keek hoe Beria naar de sleutel staarde.

Beria pakte de sleutel. ‘Is dit het?’

‘Cherkesov moest dit afleveren aan Semid Abdul-Qahhar.’

Beria keek Boris met zijn donkere, woeste blik doordringend aan. ‘Is die terrorist hier?’

‘Volgens Cherkesov wel,’ zei Boris. ‘Hij huist in de oude synagoge in Bab Touma. Gesteld dat ik nu al ongeveer een uur in dit badhuis ben, dan is de ontmoeting over twee uur.’

Beria zag er triomfantelijk uit, maar toch was er een sprankje argwaan zichtbaar. ‘Waarom vertelt u me dit, generaal?’

‘Ik weet wanneer mijn rol is uitgespeeld. En ik heb geen zin om naar een safehouse gebracht te worden dat tot de nok toe gevuld is met martelwerktuigen.’

Beria zuchtte op het moment dat Zachek terugkeerde, de sleutel van de locker op de grond gooide en met zijn hoofd schudde. ‘Mijn beste generaal, ik dank u voor uw bereidwillige medewerking,’ zei Beria, ‘maar ik ben bang dat ik u hier niet kan achterlaten. U bent een los eindje, en daar hou ik niet van.’

Hij keek naar de masseur en knikte. Deze nam Boris meteen in een stevige greep. Beria draaide zich om en was niet langer in Boris geïnteresseerd. Hij hield de sleutel omhoog en Zachek knikte. Toen de twee naar buiten liepen, wierp Zachek een laatste blik op Boris, die alles kon betekenen. Boris lette er niet op; zijn aandacht was helemaal gefocust op wat hem te doen stond.

De masseur leunde over de tafel. Hij drukte met zijn linkeronderarm op Boris’ nek en met zijn rechterknie op Boris’ onderrug. Boris’ rechterhand vond de houten pin onder de tafel en trok er met dezelfde kracht aan waarmee hij ooit de pin uit een handgranaat trok.

Nu de pin verwijderd was, stortte de tafel in elkaar. De masseur verloor zijn evenwicht, waardoor de druk op Boris’ bovenlichaam verdween. Boris wurmde zich onder de masseur vandaan. Terwijl de masseur probeerde op te staan, sloeg Boris hem tegen de zijkant van zijn hoofd. Toen dit weinig effect bleek te hebben, ramde hij zijn knie op dezelfde plek. De masseur zakte als een plumpudding in elkaar.

Boris pakte de sleutel van de locker en liep behoedzaam terug naar de plek waar hij zijn kleren had achtergelaten, omdat hij geen zin had om Beria en zijn schoothondje tegen te komen. Als hij vanaf nu nooit meer een SVR-agent tegen zou komen, dan zou hij als een gelukkige Rus sterven. Maar hij wist dat dat waarschijnlijk te veel gevraagd was.

'Mijn hoofd doet pijn.' Soraya hoorde gerinkel in haar rechteroor en dat had niets te maken met het verband dat de helft van haar hoofd bedekte.

Aarons gezicht verscheen in haar blikveld. 'Dat weet ik.'

'Ik meen het, het doet echt pijn.'

'Wees blij dat je niet dood bent. Na dat stuntje...'

'El-Arian?'

Hij reageerde op de ongerustheid in haar stem. 'Doodgeschoten.'

'Weet je dat zeker?'

'Drie kogels in zijn borst en een in het hoofd.' Hij glimlachte flauwtjes. 'Ja, ik weet het zeker.'

Soraya ontspande zichtbaar en bevochtigde met haar tong haar lippen. 'Ik heb dorst.'

Aaron pakte een plastic bekertje van een blad, schonk het vol water en deed er een rietje in. Hij verstelde het bed zodat Soraya makkelijker kon drinken.

Ze begon het water op te zuigen.

'Waar ben ik?'

'In het ziekenhuis.' Aaron glimlachte wat aarzelend. Hij zette het bekertje terug op het blad. Toen hij zich weer omdraaide, kruisten hun blikken elkaar. 'Je had bijna het loodje gelegd.'

'Bijna telt niet.' Toen hij niet lachte, zei ze: 'Dank u.'

'Ik sta bij je in het krijt, Soraya.'

Ze wendde haar blik af. 'Je bent me niets verschuldigd.'

Hij zuchtte, haakte zijn schoen achter een spijl van de stoel en trok hem naar zich toe zodat hij naast haar kon zitten. 'Waarom ben je weggelopen?'

'Ik haat ziekenhuizen.'

Hij keek opgelucht. 'Ik dacht omdat je mij haatte.'

'Mannen,' zei ze.

Hij keek naar zijn handen. 'Het spijt me van Chalthoum.'

Soraya kreeg tranen in haar ogen en Aaron sprong op en depte met een tissue haar ooghoeken. Soraya duwde hem van zich af.

'Ga weg!'

Hij deinsde achteruit. Zijn gezicht was bleek en vertrokken. Hij draaide zich om en liep naar de deur. Ze wachtte totdat hij de klink naar beneden deed, en zei: 'Kom terug.'

Hij aarzelde en draaide zich om. Ze kon in de blik in zijn ogen zien dat hij niet wist wat hij moest doen. Ze voelde dat ze macht over hem had en dat gaf haar een duister gevoel. Maar dat gevoel verdween even snel als het opgekomen was en ze voelde zich leeg en onzeker.

'Zeg het maar, Soraya.'

'Aaron, alsjeblieft.'

Hij deed een stap in haar richting en ging behoedzaam op het puntje van de stoel zitten, alsof hij elk moment op wilde staan. Ze keek hem aan. Alle vechtlust was uit haar verdwenen. Ze voelde zich alsof ze blootgesteld was geweest aan een verschrikkelijk vuur, waardoor liefdes en behoeftes tot as waren verbrand en zij naakt maar niet langer kwetsbaar achterbleef. Ze voelde dat haar kracht weer terugkwam, maar het was een ander soort kracht, een kracht die tijd vereiste om te onderzoeken.

Haar ogen vielen even dicht.

'Soraya?'

Ze hoorde de ongerustheid in zijn stem en keek hem aan. 'Hoe ben ik eraan toe?'

'Beter dan waar je eigenlijk zou moeten zijn.' Hij leek opgelucht dat ze praatten over een onderwerp dat controleerbaar was. 'Toen we je hier binnenbrachten, was de dokter erg somber. Eerlijk gezegd denk ik dat ze je weinig kans gaven. Maar de wond zag er erger uit dan hij was. De kogel uit El-Arians pistool schampte je schedel hoog genoeg waardoor je ogen gespaard zijn. En ze hebben ons verzekerd dat je gehoor met de tijd helemaal zal herstellen.'

'Ben ik nergens verlamd?'

'Nee, maar de hersenschudding waarmee je rondgelopen

hebt, heeft tijd nodig, anders loop je de kans dat het neurologisch gezien fout loopt. Dus niet hardlopen.'

'Of van trappen vallen.'

Hij glimlachte. 'Die gewoonte kun je inderdaad beter afleren.'

'Dat beloof ik.' Ze trok aan het laken alsof ze niet kon wachten om het van zich af te werpen. 'Ik veronderstel dat je me naar een veiligere plaats moet brengen.'

Zijn blik werd serieus. 'Soraya, ik beloof je dat ik je hier zo snel mogelijk weghaal. Nog een dag of wat zodat ze de tests kunnen afmaken, en daarna zal ik Robbinets invloed aanwenden, aangenomen dat hij nog steeds met me wil praten.'

'Wat is er tussen jullie gebeurd?'

'Ik was jou kwijt. Hij zou mijn carrière om zeep hebben geholpen als we jou niet levend en wel zouden vinden.'

'Ik zal wel met hem praten.'

'Eindelijk heb ik iemand die voor me opkomt.'

Hij lachte en ze deed mee, ook al deed dat pijn. Dat vond ze niet erg. De pijn herinnerde haar eraan dat ze nog leefde, en dat voelde goed.

'Maar je moet eerst beter worden,' zei Aaron. 'Je moet eerst alle tijd nemen om te rusten.'

'Maak je geen zorgen. Ik heb nu een heilig ontzag voor hersenschuddingen.' Ze grijnsde. 'Gelukkig dat ik die hotelkamer heb, niet?'

'Hij knikte. 'Maar nu moet je eerst rusten.'

'Zo meteen. Wil je me even mijn mobieltje geven?'

Hij keek haar strak aan, maar deed wat hem gevraagd werd en rommelde in het kastje. Toen hij haar de telefoon bracht, zette zij hem aan en zag dat ze vier boodschappen van Hendricks had, maar geen van Peter. Ze keek Aaron aan. 'Oké, opkrassen nu.'

Hij keek verbaasd. 'Wat betekent dat?'

'Dat je me nu alleen moet laten.'

Hij knikte. 'Ik wacht buiten.'

'Moet je niet ergens anders zijn?'

'Eigenlijk wel.' Hij liep naar de deur en opende hem. Hij grijnsde. 'Maar ik leer om te delegeren.'

Door het lawaai in het restaurant hoorde Bourne zijn telefoon bijna niet. Hij was bezig om Rebeka informatie over de indeling van de synagoge te ontfutselen en overwoog even of hij het telefoontje zou negeren. Toen hij echter zag dat het van Soraya was, nam hij aan. Maar hij kon geen woord verstaan van wat zij zei, dus excuseerde hij zich, liep naar buiten en ging een paar honderd meter verderop in een steegje staan en leunde tegen een vervallen gebouw dat met een hangslot afgesloten was.

'Waar ben je?' Haar stem klonk afgemeten en gespannen.

'Damascus.' Bourne hield zijn ogen op de passerende menigte. Hij zat klem tussen Boris en Corellos en moest daarom bedacht zijn op doodseskaders en alleen opererende huurmoordenaars. 'Gaat het goed met jou?'

'Ja, het gaat goed. Ik zit in Parijs. Ik probeer Peter te bellen, maar hij neemt zijn mobiel niet op en dat is erg vreemd. Niemand heeft hem gezien of heeft iets van hem gehoord.'

'Neem contact op met Tyrone. Als hij niets weet, dan weet hij wel een manier om iets te weten te komen.'

'Goed idee.' Ze vertelde hem alles wat ze wist over de Monition Club, de connectie met Arabische terroristen en het spoor dat naar de Nymphenburg Landesbank in München leidde. Ze noemde Amun niet; ze wilde zijn naam niet noemen, laat staan dat ze uitingen van medelijden wilde aanhoren, hoe oprecht ze wellicht ook waren. Ze eindigde met de dood van Benjamin El-Arian, maar verzweeg haar verwondingen.

Bourne verwerkte de informatie onmiddellijk. 'Wat me interesseert is dat de financiën van de Domna behartigd worden door een bank uit München en dat Semid Abdul-Qahhar, het hoofd van de Moskee in München, hier ook in dezelfde stad is waar Severus Domna zijn hoofdkwartier en werkterrein heeft.'

'Werkterrein voor wat?'

'Dat weet ik niet zeker, maar ik denk dat het om een ophanden zijnde aanval op Amerikaans grondgebied gaat.'

'Doel?'

'Ik weet het niet...' Bourne brak het gesprek af. Hij had iemand gezien, een flits van een gezicht in de langsdeinende massa. Hij sloeg zijn telefoon dicht en zette de achtervolging in. Toen hij naderbij kwam, herkende hij het bekende loopje. Zonder dat hij het gezicht van de man gezien had, wist hij dat het Boris was.

Bourne baande zich een weg door de menigte in de nauwe straten. Na een paar minuten kreeg hij het gevoel dat Boris op weg was naar de synagoge. Wat was hij van plan? Als hij Bourne hiernaartoe gevolgd was dan was het duidelijk dat hij de weg kwijt was. Maar Boris wekte niet de indruk dat hij iemand kwijt was. Integendeel, hij wist verdomd goed waarnaar hij op weg was; hij was een man met een missie.

De ingang van de synagoge was in een nauw, onopvallend steegje dat uitliep op een met keien bestraat binnenplein met een olijfboom in het midden. Toen hij een plek bereikt had vanwaar hij het steegje in de gaten kon houden, trok hij zich terug in de schaduw. Hij kruiste zijn armen voor zijn borst als een Egyptische mummie en bleef absoluut beweginloos staan wachten.

Bourne wachtte. Er gebeurde niets. Niemand betrad of verliet het steegje dat naar de synagoge leidde. Het stukje zichtbare hemel was bont gekleurd, de avond kleurde blauw door de lichten boven op de minaretten.

Bourne pakte zijn mobieltje en belde Boris' nummer. In de schaduw bewoog Boris en haalde zijn telefoon tevoorschijn. Terwijl hij dat deed stapte Bourne de schaduw in en ging naast hem staan.

'Hallo, Boris,' zei hij. 'Ik begrijp dat je erop uitgestuurd bent om mij te doden.'

# Eenendertig

'Jason, wat doe jij hier in godsnaam?'

'Ik kan jou hetzelfde vragen, Boris.' Bourne bekeek zijn vriend in het donker. 'De vraag is of een van ons de waarheid zal vertellen.'

'Wanneer hebben we ooit tegen elkaar gelogen?'

'Wie zal het zeggen, Boris? Jij weet veel meer over onze relatie dan ik. Voor zover ik het kan beoordelen is op dit moment niets wat het lijkt.'

'Ik ben het helemaal met je eens. Ik ben de afgelopen dagen door zoveel mensen belazerd dat mijn hoofd tolt.'

'Vriendschap is een kwestie van vertrouwen.'

'Ook nu ben ik het helemaal met je eens, maar als je erover nadenkt, moet je tot de conclusie komen dat vertrouwen niet bestaat.'

De bittere ondertoon in Boris' stem verwarde Bourne. 'Waar draait het nu eigenlijk om in deze zaak, Boris?'

'Ik ben net uit München aangekomen. Een van mijn oudste vrienden heeft geprobeerd om me daar te vermoorden. Trouwens, je kent hem. Ivan Volkin heeft zich nooit teruggetrokken. Hij werkt al jaren voor Severus Domna.'

'Gecondoleerd.'

'Je lijkt niet echt verrast.'

'Het enige verrassende was dat jullie vrienden waren.'

'Nou, dat zijn we niet.' Boris draaide zijn hoofd weg en gluurde door de straat. 'Het ziet ernaar uit dat we dat ook nooit geweest zijn.'

Bourne hield even zijn mond uit respect voor Boris' verdriet. 'Ben je hier om mij op jouw speciale manier te begroeten,' zei hij uiteindelijk, 'of Semid Abdul-Qahhar?'

'Je weet echt alles, hè? Waarom verrast me dat niet?' Boris lachte zonder vreugde. 'Laat me je dit vertellen, mijn vriend, verscheidene uren geleden stond de man die mij dwong om te kiezen tussen mijn carrière en het vermoorden van jou, aan de andere kant van mijn speciale manier van hallo zeggen.'

'Dus je hebt de noodzaak om mij te doden geliquideerd.'

'Die noodzaak is er nooit geweest, Jason. Als ik gedaan had wat Viktor Cherkesov me opgedragen had, dan zou er weinig van mij over zijn voor een carrière.' Hij gromde. 'Trouwens, hoe weet jij dat die klootzak van een Semid Abdul-Qahhar hier woont?'

'Hoe weet jij dat?'

De twee mannen lachten.

Boris gaf Bourne een klap op de schouders. 'Verdomme, Jason, wat is het goed om je weer te zien! We moeten toosten op ons weerzien, maar eerst verwacht ik dat Konstantin Beria, het hoofd van de SVR, en zijn kleine slippendrager, Zachek, hier zo opduiken.'

'Hoe weet je dat?'

Boris vertelde hem over de sleutel die Cherkesov in opdracht van de Domna naar Semid Abdul-Qahhar moest brengen.

'Heb je Beria die sleutel laten houden?' zei Bourne.

Boris lachte. 'Wat hij er ook aan mag hebben. Het is geen echte sleutel, hij kan niets openen. Hij is gemaakt naar het voorbeeld van de sleutels in een videogame.' Toen hij de blik van Bourne zag, voegde hij eraan toe: 'Het is moeilijk te geloven, maar iemand binnen de Domna heeft gevoel voor humor.'

'Wat moeilijk te geloven is, is dat jij verstand hebt van videogames.'

'Ik moet een beetje bij de tijd blijven, Jason, anders word ik overlopen door jonge technocraten die de macht over willen nemen. Die gebruiken videogames om hun vaardigheden op peil te houden en de geur van bloed in hun neusgaten.'

'Jij en ik zijn mannen van de praktijk.'

'Die nieuwen zijn waardeloos als het op de praktijk aankomt. Zij zijn altijd op zoek naar makkelijke oplossingen.'

'Naar sleutels om op het volgende niveau te kunnen komen.'

'Dat klopt. Ze denken niet zelf.'

Een koele bries voerde een geur van kruiden met zich mee. De muezzins begonnen met hun gebed. De elektronisch versterkte oproep tot gebed verdrong alle andere geluiden. Het werd steeds drukker op straat.

'De sleutel was een test,' zei Bourne.

Boris knikte. 'Om te zien of Cherkesov betrouwbaar en gehoorzaam was.'

'Hij heeft gefaald.'

'Faliekant. Maar Semid Abdul-Qahhar weet dat nog niet. En Beria weet niet dat ik hem opwacht.' Boris legde een arm op Bournes borst. 'Wacht 's even. Ze komen eraan.'

Bourne zag twee mannen naderen. Ze droegen lange jassen die bijna tot op hun schoenen vielen, een duidelijke aanwijzing dat ze geweren met een lange loop bij zich hadden. De oudere man was klein en had een woeste blik in de ogen, de ander was jonger en groter, en hij had een gezicht dat eruitzag of het door een gehaktmolen was gehaald. Bourne glimlachte bij de gedachte hoe Boris het gezicht van de technocraat zou toetakelen.

'Ik wil die verdomde klootzakken,' zei Boris. 'Ze hebben geprobeerd me te vermoorden.'

'Het lijkt erop dat ze zware wapens bij zich hebben,' zei Bourne.

'Inderdaad.'

Bourne bereidde zich voor toen hij vanuit een ooghoek zag hoe iemand in een zwart gewaad en hijab van de andere kant de straat in kwam lopen. Het was Rebeka.

Toen de beveiliging van Indigo Ridge weer op orde was, deed Hendricks precies wat Skara gezegd had dat hij niet moest doen: hij ging naar haar op zoek. Hij probeerde haar eerst op haar mobiel te bereiken, maar hij kreeg een Chinees aan de lijn die hem in het Chinees uitkafferde. Daarna had hij een privégesprek met Jonathan Brey, het hoofd van de FBI. Hij en Brey kenden elkaar al heel lang; ze hielpen elkaar af en toe.

'Zeg maar wat je wil, Chris,' zei Brey, 'dan zal ik zien wat ik voor je kan doen.'

'Ik ben op zoek naar iemand die verdwenen is,' zei Hendricks, vol schaamte, vernedering en pijn van een afgewezen minnaar. 'Het kan best zijn dat ze het land al uit is.' Hij pauzeerde even. 'Ze is binnengekomen onder de naam Margaret Penrod, een alias, maar ik twijfel er niet aan dat ze nu een andere valse naam gebruikt.'

'Heb je enig idee welke naam?'

Weer stroomden die nare gevoelens door hem heen. 'Ik heb geen idee.'

'Foto?'

'Ik zal je er een sturen.' De screeningsinstantie van de regering moet er een hebben, dacht Hendricks, zo niet dan sta ik er wederom gekleurd op. 'Op dit moment heb ik twee van je beste onderzoekers nodig.'

'Komt voor elkaar,' zei Brey.

Hendricks ontmoette de agenten in Skara's appartement. Toen er niemand reageerde op de deurbel, sloegen ze met hun elleboog een raam in, hoewel Hendricks nog zei dat dat niet nodig was. 'Procedure,' zeiden ze eendrachtig. Nadat ze de vertrekken onderzocht hadden, kwamen ze als een stelletje hijgende, aangelijnde waakhonden terug in de hal.

Hendricks liep in zijn eentje door het kleine appartement. De woonkamer was deprimerend kaal en ademde de muffe lucht van verlatenheid. Niets wees erop dat zij hier geweest was. Datzelfde gold voor de kleine badkamer; er lag alleen wat verbandpluksel op de plankjes van het medicijnkastje. In het toiletreservoir zat alleen water. Het bad was schoongemaakt. Er waren geen zeeprestjes of haren.

Hij ging de slaapkamer binnen en rook onmiddellijk haar geur. Hij keek in de laden. Die waren allemaal leeg. Hij trok ze eruit en draaide ze om en keek of er iets aan de onderkant was geplakt. In de kast hingen allemaal verschillende hangertjes. In de la van het nachtkastje vond hij twee paperclips, een visitekaartje voor haar nepbedrijf en de dop van een pen.

Met een diepe zucht ging hij op bed zitten. Het gaf net zo mee als haar lichaam onder zijn gewicht. Met de polsen op zijn knieën boog hij voorover en staarde naar de grond. Hij miste haar, dat viel niet te ontkennen. Hij voelde een gapend gat in zichzelf, een gevoel waarvan hij dacht dat hij dat nooit meer zou voelen. Zijn blik dwaalde weg, zijn gedachten kolkten als water in een afvoer. Op dat moment zoemde zijn telefoon.

'Hendricks.'

'Minister, u spreekt met CI-agent Tyrone Elkins.'

De woorden drongen slechts langzaam tot hem door. 'Hoe kom je aan mijn nummer, jongen?'

'Ik heb een boodschap voor u van Peter Marks.'

Hendricks wenkbrauwen schoten omhoog en hij voelde zijn schouders en armen gespannen worden. 'Waar is Peter?'

'Hij is veilig, sir. Hij werd aangevallen. Hij wil met u praten.'

'Nou, geef hem dan.' Er was even een pauze. 'Peter?'

'Ja, sir.'

'Gaat het goed met je?'

'Ja, sir.'

'Wat is er in vredesnaam met je gebeurd?'

Peter vertelde dat hij door het oog van de naald was gekropen met de autobom en over zijn ontsnapping uit de ziekenwagen met zijn bedrieglijke bemanning. 'Het was puur geluk dat Tyrone achter ons reed,' eindigde Peter.

'Maar waar ben je nu? Ik stuur mensen om...'

'Met alle respect, sir, maar na de gaten in de beveiliging waar u me voor gewaarschuwd hebt, en het gat in de beveiliging in het Treadstone-gebouw, wil ik liever niet dat iemand weet waar ik ben. Soraya heeft me via Bourne gevonden.'

'Bourne?'

'Zowel Soraya als Bourne kent Tyrone, sir. Dat is het enige wat ik op dit moment kan zeggen.'

‘En Soraya?’

‘Die is nog steeds in Parijs. Ze heeft ontdekt wie de opdracht heeft gegeven voor de moord op haar contact. Benjamin El-Arian. Hij is dood.’ Hij vertelde zijn baas verder over de informatie die hij had gevonden, waarvan de aanvallen op hem het gevolg waren. ‘U moet een team sturen om Roy FitzWilliams terug naar D.C. te brengen om hem zo spoedig mogelijk te ondervragen. FitzWilliams werkte voor het Syrische mijnbouwbedrijf El-Gabal, en heeft nagelaten om dat te melden.’

Nog een misser van de screeningsinstantie, dacht Hendricks. Het was een wonder dat deze regering nog in het zadel zat.

Peter zei: ‘We hebben te maken met een ophanden zijnde aanval op Amerikaans grondgebied.’

*‘Denk aan mij als je Indigo Ridge beschermt,’* had Skara gezegd.

‘Indigo Ridge,’ verzuchtte Hendricks.

‘Dat is ook mijn gedachte.’

‘Goed werk, Peter.’

‘Sir, het spijt me dat ik het voor u lastig maak. U had gelijk dat u mij op die indirecte manier op Indigo Ridge gewezen hebt.’

‘Ik ben alleen maar blij dat mijn beslissing niet tot jouw dood geleid heeft.’

‘Uw werk is geen peulenschil,’ zei Peter. ‘Maar u brengt het er goed van af.’

‘Dank je.’ Hendricks dacht even na. ‘Laat Tyrone mij elke dag om twaalf uur ’s middags bellen om de veiligheid te waarborgen totdat we de situatie onder controle hebben. Zodra Fitz-Williams opgepakt is, laat ik jou dat weten. Je verdient het bij de ondervraging te zijn.’

Hij verbrak de verbinding en belde zijn directeur van Indigo Ridge, die al voortdurend berichtjes van Danziger kreeg.

‘Vergeet hem,’ zei Hendricks. ‘Ik wil dat je met een eenheid op pad gaat om Roy FitzWilliams aan te houden.’

‘Sir?’

‘Je hebt gehoord wat ik zei. Laat je beste man hem zo spoedig mogelijk terug naar D.C. begeleiden. Ik zorg dat er een vliegtuig van de luchtmacht voor je klaarstaat. Ik wil dat hij direct bij mij gebracht wordt, is dat duidelijk?'

'Helder als glas, sir. Het komt voor elkaar.'

Hendricks belde een luchtmachtgeneraal die hij kende, en vroeg hem of hij ervoor wilde zorgen dat er een vliegtuig klaarstond. Toen hij zijn telefoon wegstopte, viel zijn oog op Skara's visitekaartje dat in de la van het nachtkastje lag.

'*Uw werk is geen peulenschil*,' had Peter gezegd.

Hij dacht aan Skara en aan hoe zij op de dag dat ze elkaar voor het eerst ontmoet hadden, neerknielde in het bloembed om zijn rozen te verzorgen.

Hij pakte het visitekaartje. In het midden ervan stond de afbeelding van een roos. Hij sprong op en met bonzend hart rende hij het appartement uit. De verbijsterde FBI-agenten konden hem met moeite volgen.

Rebeka zag er niet langer uit als een stewardess; ze straalde een bepaalde kracht, scherpte en doelgerichtheid uit. Haar ogen waren vurig, haar wangen rood van opwinding, alsof ze op het punt stond haar noodlot tegemoet te snellen. Ze was veranderd in een wraakengel. Ze had nu andere kleren aan dan in het restaurant, wat bevestigde wat hij al dacht: zij had haar eigen agenda met betrekking tot de bewoners van de synagoge. Wat ze tot nu toe niet gehad had was een aanleiding, en die had hij haar gegeven toen hij haar de identiteit van de Arabier openbaarde, de Arabier die het Joodse gebedshuis ontheiligd had in de buurt waar zij besloten had te wonen. Hij dacht nu dat zij lid was van de Mossad, maar eigenlijk deed dat er nu niet meer toe. Ze probeerde de synagoge binnen te dringen om Semid Abdul-Qahhar te vermoorden. Het probleem was echter dat zij niet wist dat zij midden in een kruisvuur tussen mannen van Semid Abdul-Qahhar en de SVR zou belanden. Hij moest haar tegenhouden.

Hij stond op het punt om haar te onderscheppen, toen zij afboog. Ze was toch niet op weg naar het steegje dat naar de synagoge leidde. Maar terugdenkend aan hun niet afgemaakte gesprek over de indeling van de synagoge, wist hij waar ze naartoe ging.

Hij trok Boris mee en ging achter haar aan.

Boris hield in. 'Ben je gek geworden? Zo verpest je alles.'

Bourne draaide zich naar hem om. 'Het is een kwestie van vertrouwen, Boris.'

Boris aarzelde even, maar knikte toen. Hij volgde Bourne terwijl hij links een steegje insloeg dat min of meer parallel liep aan het steegje dat naar de synagoge leidde.

Bourne zag dat Rebeka ergens links in het niets verdween. Hij versnelde zijn pas, Boris volgde hem op de voet. Toen hij de plek bereikte waar Rebeka verdwenen was, zag hij een doorgang die schouderbreed was. Hij dook erin en probeerde zich de indeling van de oude synagoge voor de geest te halen zoals Rebeka hem die beschreven had.

Plotseling waren ze aan het eind van de doorgang. Ze stonden voor een blinde muur.

'Verdomme, Jason, wat is dit?' fluisterde Boris.

'We volgen een Mossad-agent die weet hoe je op een andere manier in de synagoge kunt komen.'

'Hoe dan? Kan ze door massieve muren breken?'

Ze waren omgeven door duisternis. Bourne dacht opnieuw na over wat hij van Rebeka over de synagoge gehoord had. Hij wist waar de synagoge lag ten opzichte van de doorgang. Hij draaide zich naar links en tastte langs de muur op zoek naar een hendel of hefboom. Niets! Daarna deed hij een stap achteruit en botste bijna tegen Boris op. Zijn rechtervoet schraapte over een metalen rooster.

Beide mannen stapten zo ver achteruit dat Bourne genoeg ruimte kreeg om te knielen en met zijn vingers in het rond te tasten. Het rooster was vierkant en groot genoeg voor iemand om erdoorheen te kruipen. Hij haakte zijn vingers in de gaten van het rooster en begon te trekken. Het rooster gaf makkelijk mee en hij zette het op zijn kant tegen een muur. Daarna ging hij met zijn benen vooruit het gat in. Zijn schoenen stootten op iets.

'Er is een ladder,' zei hij tegen Boris, die op zijn hurken naast hem had gezeten.

De twee mannen klommen naar beneden. De ladder was van ijzer. Door hun aanrakingen vielen er allemaal schilfers af, wat een aanwijzing was van zijn ouderdom. Ze bereikten een lager niveau, dat in het steen was uitgehakt. Links zag Bourne een zacht schijnsel. Ze volgden het totdat Bourne er zeker van was dat ze onder de synagoge waren. Enkele stenen treden leidden naar boven en Bourne en Boris beklommen ze uitermate behoedzaam.

Boven aan de trap was een smalle deur die gemaakt was van handgeschaafde planken die beslagen waren met bronzen stroken. Voorzichtig drukte Bourne de ijzeren klink omlaag en duwde tegen de deur. Ze stapten over de drempel en kwamen in een deel van de synagoge dat nog in de renovatiefase was. Platen gestreept marmer en zwarte stenen lagen opgestapeld tegen een muur of op slordig gemaakte zaagbokken om op maat gezaagd te worden. Dit deel werd afgescheiden door gordijnen van ongebleekt katoen, om te voorkomen dat het stof elders zou terechtkomen.

Ze slopen naar de gordijnen. Bourne luisterde of hij geluiden hoorde van een worsteling, maar hij hoorde alleen gedempte voetstappen op tapijten, en een paar willekeurige Arabische woorden die zacht en zonder nadruk uitgesproken werden.

Ze glipten tussen de gordijnen door en kwamen in het centrale deel, dat in Arabische stijl gerenoveerd was.

'Deze Mossad-agent gaat hier zijn dood tegemoet,' fluisterde Boris.

'Zij,' zei Bourne. 'Ze heet Rebeka.'

'Misschien hebben we geluk en maken de SVR en Semid Abdul-Qahhar elkaar af,' mompelde Boris terwijl hij om zich heen keek.

Bourne kon aan zijn stem horen dat hij er weinig geloof in had. In hun wereld ging niets van een leien dakje. Woede en emoties speelden een te grote rol. Er was al te veel bloed gevloeid en er zou nog veel meer bloed vloeien.

Ze gingen verder. De grote ruimtes die de oude architecten van de synagoge hadden ontworpen, waren nu opgesplitst in kleinere ruimtes die allemaal sierlijk geschilderd en ingericht waren als in het paleis van een sultan. Er was niets te ontdekken van de sobere fijngevoeligheid van de woestijn-Arabieren. De gebedskleedjes waren weelderig, geweven van de fijnste zijdewol en met ingewikkelde, opvallende patronen.

'Waar blijft Beria met zijn hulpje?' fluisterde Boris.

Bourne vroeg zich sowieso af waar iedereen was. Hij had geen idee hoeveel mannen Semid Abdul-Qahhar bij zich had en hoe zwaar ze bewapend waren. Hij keek om zich heen en ontdekte een veilige manier om dat uit te vinden. De vertrekken waren gebouwd met dikke, handgemaakte balken van geurend cederhout die tot zo'n drie meter hoog kwamen en ver onder de hoogte bleven van de originele structuur. Er was geen plafond, alleen maar dwarsbalken om de verticale balken op hun plaats te houden. Tussen de balken hingen stroken doek.

Hij gebaarde Boris dat hij door moest lopen. Zelf klom hij in een van de balken en maakte daarbij gebruik van de uitsparingen in het ruwe hout. De balken waren ongeveer vijftien bij vijftien centimeter waarover hij van kamer naar kamer kon kruipen. Door het doek kon hij makkelijk figuren onderscheiden, waar ze zich in de kamer bevonden en wat ze deden. Hij zag drie van Semid Abdul-Qahhars mannen zich ieder in een kamer op het gebed voorbereiden, maar er was geen spoor van zowel Rebeka als Semid zelf. Hij wist dat ze net zo op Semid gefocust was als hij; de mannen waren slechts een tijdelijk oponthoud. Pas in de vijfde kamer zag hij haar. Ze was met Semid, maar niets van wat hij zag, stond hem aan.

Boris sloop verder op poezenpootjes, zoals het in het gedicht ging, een gedicht dat hij uit zijn hoofd geleerd had toen hij nog een jongen was. Hij had het elke nacht voor het slapengaan als een soort gebed opgezegd. Maar vanavond voelde hij zich bloeddorstig; hij kon alleen maar denken aan Zachek en Beria. Het kwam hem nu voor dat zijn werk een aaneenschakeling was van hoon en vergelding. Je kon niets anders doen dan bidden dat je alles zou overleven... op poezenpootjes.

Hij ging een kamer binnen waar een man met zijn hoofd richting Mekka op een gebedskleedje knielde. Naast hem lag een geweer met korte loop. Boris kon hem zijn gebed horen prevelen, de woorden vielen als regendruppels uit de mond van de Arabier toen hij overeind kwam en weer boog. Boris wachtte totdat zijn voorhoofd op het gebedskleedje rustte. Toen liep hij stil naar hem toe en trapte met al zijn kracht op de achterkant van de nek van de man. Hij hoorde een aantal scherpe kraakgeluiden alsof iemand bubbelplastic kapotdrukte, en de man zakte in elkaar.

Boris pakte het geweer op, stapte over het lichaam heen en ging verder.

Achter Rebeka stonden twee mannen. Bourne had geen idee of zij hen in de gaten had, dus liet hij zich vanaf zijn hoge positie vallen, tuimelde door het doek en landde op zijn hurken. De mannen draaiden zich om. Hij schopte en raakte een van hen in de knieholtes. De man zakte in elkaar en Bourne stortte zich op hem en bewerkte hem met beide vuisten.

Rebeka raakte de tweede man tegen de zijkant van zijn hoofd. Hij wankelde achteruit, maar het lukte hem om zijn geweer op te tillen en een salvo af te geven. Ze viel voor zijn voeten neer en hij hief de kolf van het wapen om haar ermee op haar hoofd te slaan, maar voordat hij dat kon doen, ramde ze haar vuist al in zijn kruis. Terwijl hij dubbelsloeg, trok zij een dun mes vanonder haar zwarte jas en sneed zijn buik van de ene naar de andere kant open.

Zijn ogen sperden zich open. Op hetzelfde moment sprong ze over hem heen en probeerde de zoom van Semid Abdul-Qahhars mantel te grijpen. Hij struikelde, maar gebruikte een dolk met breed lemmet om dat deel van zijn mantel af te snijden en zich daardoor te bevrijden. Hij rende weg uit de kamer.

Bourne stond op en sprintte achter Rebeka aan, die Semid achtervolgde door de haremverblijven naar het echte synagogedeel.

Toen Boris de salvo's hoorde, begon hij te rennen. Beria en Zachek stonden met hun AK-74's wijdbeens naast elkaar en maaiden meedogenloos zes van Semid Abdul-Qahhars mannen neer.

Zachek kreeg Boris in de gaten toen hij naar de hal liep en draaide zich om en vuurde in het wilde weg. Boris trok zich terug achter de deuropening waardoor hij binnengekomen was. Het vuren was zo vernietigend dat hij met bonzend hart gehurkt bleef wachten voordat hij een nieuwe poging waagde. Tegen die tijd lagen alleen de lichamen van de zes mannen nog in het vertrek. Ze lagen in allerlei bochten en bloedden uit verschillende wonden. Beria en Zachek waren verdwenen.

Hij hield zijn woede en frustratie in bedwang en controleerde kamer na kamer, luisterend zowel als kijkend. Toen hoorde hij weer een salvo, waardoor hij naar links afboog. Hij werd geraakt in zijn rechterkuit toen hij over de drempel stapte. Hij viel neer. Zijn linkerbeen kwam onder hem terecht, maar hij viel op zijn rechterschouder, rolde door, en hees zich op totdat hij op een knie zat en beantwoordde het vuur. Hij schoot bijna Zacheks hoofd van zijn romp, maar de lulhannes trok het net op tijd in.

Boris zette zich in beweging, hoewel hij verrekte van de pijn en zijn linkerenkel bijna doorknikte. Het was maar goed ook dat Boris van plaats veranderd was, aangezien Zachek omhoogkwam en op de plek vuurde waar Boris net nog geweest was. Boris zwiepte met zijn geweer om zich heen en nam de hoek van de muur waarachter Zachek zich verschool op de korrel. Houtsplinters en pleisterwerk spoten alle kanten op, en Boris verplaatste zich opnieuw, maar nu in de tegenovergestelde richting, en toen Zachek weer opdook en op de plek vuurde waar Boris geweest zou zijn als hij verder gelopen was, joeg Boris een kogel door Zacheks linkerschouder.

Terwijl Zachek achteroversloeg, sprintte Boris naar hem toe. Hij vuurde niet totdat hij Zachek in de smiezen kreeg. Zachek haalde de trekker over van zijn AK-74, waardoor Boris tijdelijk door de rondvliegende houtsplinters en het rondvliegende pleisterwerk niets kon zien. Toch liep hij verder omdat hij wist dat het fataal zou zijn als hij bleef staan.

Toen zijn blik weer helder was, zag hij Zachek op de vloer. Hij lag met zijn rug tegen de muur en uit de wond in zijn verbrijzelde linkerschouder stroomde bloed. Hij probeerde wanhopig zijn geweer te herladen.

Toen hij Boris in de gaten kreeg, keek hij op en ontblootte zijn tanden als een dolle hond. Hij begon te grijnzen, wierp het geweer van zich af en spreidde zijn armen.

'Ik geef me over, generaal. Niet schieten. Ik ben ongewapend.'

Boris zag de kleine Derringer half verscholen in Zacheks rechterhand. Maar Boris wist dat zelfs als de kleine etter ongewapend was geweest dat niets uitgemaakt had. Hij haalde de trekker over en Zachek schokte even als een marionet waarvan de touwen doorgesneden waren. Hij gleed opzij in een plas bloed en zijn ogen braken.

Er moet iets belangrijks gebeurd zijn, dacht Boris, want hij zag dat Beria probeerde om uit de synagoge te ontsnappen. Boris vroeg zich af waarom. Hij concludeerde dat Bourne de situatie onherstelbaar veranderd had, en dat Beria pragmatisch genoeg was om ervandoor te gaan nu het nog kon.

Maar dat zou niet gebeuren.

Boris haalde hem in de hal in, waar al zes lichamen lagen. Beria, in volle vaart, koos de kortste weg tussen hem en de voordeur. Deze route liep tussen twee lichamen door. Hij gleed meteen uit in de plas bloed. Boris stortte zich op volle snelheid op hem. Er knapte iets in zijn linkerenkel en een pijnscheut schoot door zijn been omhoog. De kogel was door zijn kuit gegaan en dat was gunstig, maar de wond bloedde hevig. Hij zou eigenlijk met zijn been omhoog moeten liggen en de wond zou verzorgd moeten worden. De pijn overweldigde hem bijna. Beria, die zich enigszins herstelde van de aanval, stootte de kolf van zijn AK-74 tegen Boris' kin, waardoor deze tegen de vlakte ging.

Beria richtte het geweer en stond op het punt om de trekker over te halen toen hij plotseling angstaanjagende stemmen hoorde weerkaatsen. Hij wilde zijn positie niet verraden door te schieten. Daarom draaide hij zich om en vluchtte de synagoge uit zo snel als zijn benen hem konden dragen.

Bourne zag hoe Semid Abdul-Qahhar met zijn dolk naar Rebeka uithaalde. Ze weerde hem af met haar mes en gaf hem een jaap over zijn linkerwang die liep vanaf zijn oog tot de hoek van zijn mond. Hij opende zijn mond maar er kwam geen geluid uit. Hij ramde zijn vuist in haar zij en trapte haar meedogenloos hard in haar ribben, waardoor ze tegen de muur sloeg.

Hij stormde achter haar aan met zijn dolk in de ene hand terwijl hij met zijn andere hand onder zijn kleren tastte. Rebeka verweerde zich tegen de dolksteek. Ze ontweek de aanval makkelijk, maar dat kwam omdat die slechts een afleidingsmanoeuvre was.

Bourne zag voordat zij het in de gaten had, dat Semid in zijn andere hand nu een Mauser had. Hij sprong op Semid af, sloeg hem, waardoor hij achteruittuimelde, en ontfutselde hem de Mauser. Terwijl Semid zich Bourne van het lijf probeerde te houden, sloeg Rebeka met een minachtend gebaar de dolk opzij en stak toe met haar eigen mes. Het lemmet drong het lichaam vlak onder het borstbeen binnen en met een bijna chirurgische precisie draaide ze het omhoog en vervolgens naar rechts en doorboorde een long en daarna het hart.

Bloed borrelde uit Semids mond terwijl hij zijn stinkende laatste adem uitblies. Ze keek hem strak in de ogen terwijl ze hem overeind hield met haar mes en haar gespannen arm.

'Rebeka,' zei Bourne.

Ze bestudeerde Semid alsof hij een specimen was dat op een onderzoekstafel vastgepind zat.

'Rebeka,' herhaalde Bourne, deze keer op een zachtere toon.

Ze blies haar adem uit en op hetzelfde moment trok ze het mes terug, waardoor het lichaam op de vloer viel. Bourne verwachtte een uitdrukking van triomf, maar toen ze zich naar hem omdraaide zag hij slechts walging.

Ze keek hem lang aan en Bourne kreeg het idee dat hij naar een uitzonderlijk wezen keek: zeer gecontroleerd en aangepast van de buitenkant, maar vanbinnen een ongebreidelde geest met een onstuimig hart.

'Je hebt me laten zitten,' zei ze, terwijl ze het lemmet van haar mes afveegde, 'en nu kom ik je hier weer tegen.'

'Fijn voor jou.' Hij glimlachte. 'Zeg me nu niet dat je verrast bent.'

In haar ogen brandde een koud vuur. 'Dit is mijn terrein.'

'Dat is nu onbelangrijk,' zei hij vlak in een poging om haar woede te temperen. 'Semid Abdul-Qahhar is dood.'

Ze trapte tegen het lichaam, waardoor het op zijn rug kwam te liggen. 'Wie dit ook mag zijn,' zei ze, 'het is in elk geval niet Semid Abdul-Qahhar.'

# Tweeëndertig

Er waren momenten – en dit was er een van – dat Hendricks baalde van de beveiligingseenheid die hem als een schaduw volgde. Hij baalde van het feit dat zij ongetwijfeld speculeerden over waarom hij midden op een werkdag in vliegende vaart naar huis reed. Erger nog, ze keken toe vanachter hun geblindeerde ramen hoe hij zich naar het rozenbed haastte, op zijn knieën viel en in de aarde begon te wroeten.

Een van hen, hij dacht dat hij Richards heette, stapte uit de auto en liep naar de plek waar hij neergeknield was.

'Sir, is alles goed?'

'Perfect,' zei Hendricks enigszins afwezig.

'Kan ik iets voor u doen?'

'Je kunt teruggaan naar je auto.'

'Ja, sir,' zei Richards na een korte pauze.

Hendricks gluurde over zijn schouder en zag dat Richards zijn schouders ophaalde en naar zijn maten gebaarde dat hij geen idee had wat hun baas bezielde. Hendricks ging verder met zijn werk en probeerde rustig te worden, maar tot zijn ontzetting merkte hij dat zijn handen oncontroleerbaar trilden. Toen hij Skara's visitekaartje gepakt had en de roos zag die erop geprint was, was hij er zeker van dat zij het voor hem daar achtergelaten had. Alleen hij zou de betekenis van de roos begrijpen.

'*Ik begin aan mijn laatste reis.*'

Hij was verschrikkelijk bang dat Skara iets onomkeerbaars zou doen. Hij kon zich niet voorstellen dat ze zelfmoord zou plegen, maar eigenlijk wist hij zo weinig van haar. En toch had hij het vreemde gevoel dat hij haar al zijn hele leven kende. Het was een compleet raadsel voor hem hoe iemand zo snel een onderdeel van zijn leven kon worden. Ze was hem onder zijn huid gekropen en had zich daar genesteld en weigerde om weg te gaan. Haar plotselinge verdwijning had hem alleen maar meer bewust gemaakt van de indruk die zij op hem gemaakt had.

'*Ik begin aan mijn laatste reis.*'

Was ze van plan iets verschrikkelijks te doen, een of andere laatste actie die haar hoe dan ook het leven zou kosten? Dat was het scenario dat hem beangstigde.

'*Ik begin aan mijn laatste reis.*'

Hij had zichzelf overtuigd dat ze voor hem een of andere aanwijzing had achtergelaten over wat ze van plan was, dat ze wilde dat hij haar tegen zou houden, dat hij de enige persoon was die dat kon doen. Hij wilde maar al te graag geloven dat zij hetzelfde voor hem voelde als hij voor haar. Had ze niet zoiets op de dvd gezegd? Maar hij koesterde de verdenking dat dat niet meer dan een toneelstukje was, dat ze niet haar echte gevoelens had blootgegeven, en dat hij die nu nooit meer te weten zou kunnen komen, omdat haar leven binnen dagen, of zelfs binnen uren als een kaars uitgeblazen zou worden.

Zijn trillende handen waren bedekt met zand en zijn nagels waren donker van de aarde. Hij werkte methodisch van links naar rechts. Hij groef tussen de wortels van elke plant en hoopte dat hij zo datgene zou vinden wat zij voor hem had achtergelaten. Hij was bij de laatste roos, groef en vond niets.

Hij zat op zijn hurken, met zijn polsen op zijn knieën, terwijl hij naar het rozenbed keek. Hij hield van zijn rozen, hun kleuren en geuren, maar het enige wat hij nu zag waren hun doornen. Misschien was deze keer een roos niet meer dan een roos. Hij wilde dat niet geloven, maar hij moest wel, want er was niets anders om in te geloven.

Bittere tranen welden op in zijn ogen en beschaamd en wanhopig bedekte hij zijn gezicht met zijn smerige handen.

Boris was nergens te bekennen. Bourne onderzocht snel de doden en stervenden. Boris was er niet bij en daar was hij oprecht dankbaar voor. Ook was er geen spoor van Konstantin Beria, het hoofd van de SVR. Hij vroeg zich even af waar ze waren, maar hij had zijn eigen zaken waar hij zich mee bezig moest houden.

'Ik zit al drie jaar achter Semid Abdul-Qahhar aan,' zei Rebeka terwijl ze de synagoge verlieten via de weg waarlangs ze allebei gekomen waren. 'Hij heeft een vijftal dubbelgangers in dienst die eruitzien en praten zoals hij. Meestentijds verschijnen die dubbelgangers in het openbaar. Semid Abdul-Qahhar is te zien op de periodieke tapes die zijn mensen naar Al Jazeera sturen. Ik heb die tapes nauwgezet bestudeerd. Ik weet precies hoe de echte Semid Abdul-Qahhar eruitziet. Bijna niemand buiten zijn cirkel vertrouwelingen weet dat.'

Dat er dubbelgangers waren, veranderde Bournes plannen radicaal. Boris had hem verteld dat Semid Abdul-Qahhar in Damascus was. Hij bevroedde nu dat de synagoge een list was. En als dat zo was, dan wist hij dat de leider van de Moskee bij El-Gabal moest zijn. Dit had veel gevolgen. Een van de belangrijkste was dat de ontwerpfase van de terroristenaanval voorbij was en dat de uitvoeringsfase begonnen was. Bourne had nog maar weinig tijd om in El-Gabal te infiltreren, de gekloonde simkaarten te plaatsen en de ladingen in de kratten met FN SCAR-M, MK. 20-geweren die Don Fernando aangebracht had, op scherp te zetten.

Hij wilde El-Gabal eigenlijk alleen binnendringen, maar hij realiseerde zich dat Rebeka's aanwezigheid wel eens vitaal zou kunnen zijn. Alleen zij zou Semid Abdul-Qahhar kunnen herkennen. Als het hem lukte in het gebouw te komen, was Bourne niet van plan de kans hem te doden te laten schieten. Semid was het echte gevaar. Nu El-Arian dood was, was hij het hart en de ziel van Severus Domna; zonder hem zou de organisatie zo verzwakt zijn dat Soraya, Peter en hun team er korte metten mee zouden kunnen maken. Maar als Semid de dans zou ontspringen, dan zou zijn greep op de Domna een wurggreep worden, en met zijn leden op belangrijke posities in de zakenwereld en de politiek, zouden Semids mogelijkheden om terroristische aanvallen uit te voeren exponentieel groeien. Bourne kon dat niet laten gebeuren.

Toen ze de straat bereikten, vertelde Bourne Rebeka over El-Gabal en over wat hij van plan was. 'Ik denk dat Semid Abdul-Qahhar daar is. Ik weet hoe ik binnen moet komen, net zoals jij wist hoe je de synagoge binnen moest komen zonder op te vallen.' Hij eindigde met: 'Of je doet met me mee, of onze wegen scheiden zich hier.'

Het pleitte voor haar dat ze geen moment aarzelde. Ze namen een taxi naar het treinstation, waar hij de locker opende en de sporttas met de spullen die hij eerder gekocht had tevoorschijn haalde. Rebeka bekeek hem met een flauwe glimlach.

'Wat is er zo grappig?' zei Bourne toen ze de stationshal uit liepen.

'Eigenlijk niets.' Ze haalde haar schouders op. 'Het is alleen dat ik gelijk had en mijn superieuren niet.' Haar glimlach werd breder. 'Het was niet toevallig dat ik tijdens jouw vlucht van Madrid werkte.'

'Zat de Mossad achter me aan?'

'Denk je dat ik van de Mossad ben?'

Hij antwoordde niet en leidde haar door de brede straten die naar de Avenue Choukry Kouatly liepen. Ze droegen allebei Syrische kleren, dus niemand keek nauwkeuriger. Rebeka's hoofd werd helemaal bedekt door haar hijab.

'Ik heb je gevolgd,' zei ze. 'Toen ik eenmaal de connectie tussen Semid Abdul-Qahhar en Severus Domna had vastgesteld, wist ik dat onze paden zich vroeg of laat zouden kruisen. Ik trapte niet in jouw valse naam; ik had een foto van jou gezien en die matchte met de foto die wij in ons dossier hadden.'

'Dus het maakte je niet uit dat ik je liet zitten.'

'Eerlijk gezegd had ik dat wel verwacht.'

'Ik moet je de rekening nog terugbetalen.'

Ze grinnikte. 'Dat hoeft niet.'

'Dat is zeker omdat ik je met me meeneem.'

Ze lachte zachtjes. 'Mijn superieuren hebben allemaal verkeerde gedachten over jou.'

'Laten we dat maar zo houden,' zei hij.

Binnen twintig minuten waren ze in het gebied rond het El-Gabal complex. Alle lichten binnen in het gebouw brandden, hoewel het al na tweeën 's nachts was. Bourne hurkte in de schaduw en observeerde zowel de activiteiten als de bewaking. Rond het laadgedeelte en in de omliggende omgeving krioelde het van de bewapende mannen. Er stonden nog geen trucks, maar de eerste kwamen al door de straat aanrijden. Hij had minder tijd dan hij gedacht had, maximaal een uur, maar waarschijnlijk minder.

Rebeka hurkte naast hem en zei: 'Weet je zeker dat je ons binnen kunt krijgen? Het gebouw zit tjokvol bewapende mannen.'

Bourne ritste de sporttas open. 'Let op,' zei hij.

Boris zat in een café dat de hele nacht open was met zijn linkerbeen op een stoel. De dokter die hij uit bed gebeld had om zijn wond schoon te maken en te verbinden had hem een immens bedrag afgetroggeld, ondanks het feit dat hij Boris van eerdere bezoekjes kende. Boris had geen keus.

Nadat hij de synagoge had verlaten, had hij een duizelingwekkend halfuur lang zonder succes het doolhof aan straatjes in Bab Touma afgezocht naar Beria. Zijn hart was een zwart gat waarin hij de SVR-directeur wilde begraven. Maar opeens, alsof er een knop omgezet werd, veranderde er iets. Misschien kwam het door de pijn die zo hevig was geworden dat hij bijna niet meer op zijn linkerbeen kon staan, en omdat de adrenaline langzaam uit hem stroomde, werd hij overvallen door een volslagen uitputting. Beria kon wachten; hij moest voor zichzelf zorgen.

Hij zat nu met een kop drabbige Turkse koffie met een snufje kardemom en een klein bord met plakkerige zoetigheden voor zich en stopte pillen in zijn mond – een pijnstiller en een antibioticum – die hij met een grimas zonder water doorslikte. Hij nipte aan zijn koffie, die zijn hart en ziel verwarmde, en keek naar de voorbijgangers op straat.

Na enige overweging dacht hij dat het stoppen met de achtervolging weinig te maken had gehad met pijn, hij had vaak veel meer pijn gehad en was toen wel doorgegaan. Hij bevroedde dat het feit dat hij van gedachten was veranderd te maken had met zijn ontmoeting met Jason Bourne. De korte ontmoeting had hem duidelijk gemaakt dat zijn leven – zijn en Jasons – niet alleen maar gebaseerd was op een aaneenschakeling van hoon en vergelding. Er kon ook sprake zijn van een menselijk element, en per slot van rekening waren het vrienden als Jason, zelfs als Jason de enige was, die dit leven dragelijk maakten. Hij dacht even aan Jason en vroeg zich af waar hij was. Het maakte niet uit; Boris was hem nu in zijn conditie van weinig nut. Trouwens, Jason was op zijn best als hij alleen werkte.

Boris zuchtte en nam een hapje van een van de zoetigheden. Hij hield het in zijn mond terwijl de papierdunne laagjes deeg in zijn mond oplosten en de honing op zijn tong smolt. Hij wilde niet veranderen in een moderne Ahab. Het was waar dat hij zichzelf dingen had beloofd, maar de invulling ervan kon wachten op een ander moment, een andere plek.

Was wraak niet een gerecht dat je het beste koud kon serveren?

Bourne haalde de touwen, het stuk elektriciteitsdraad en de pikhouweel uit de sporttas, en knoopte het langste touw aan het handvat. Hij stond op en ging enkele passen bij Rebeka vandaan staan. Ze stonden allebei in de halfschaduw van een groepje palmbomen. Ze keken uit op de westkant van het El-Gabal-gebouw. De palmen stonden achter hen en daarachter torende een bankgebouw, donker en dreigend. Op alle hoeken van El-Gabal schenen bewakingslichten, maar in het midden van het gebouw was een streep schaduw.

Toen Bourne het touw met de pikhouweel begon rond te slingeren, zag Rebeka wat de bedoeling was. ‘Op het dak kunnen bewakers staan,’ zei ze.

Toen Bourne zei: 'Daar reken ik op', keek ze hem verbaasd aan.

Bourne wachtte op het moment dat het gebrul van de trucks op zijn hevigst was, slingerde de pikhouweel boven zijn hoofd en liet hem los. Hij verdween in het donker en belandde op het dak. Eventuele geluiden werden overstemd door het gebrom van de trucks. Hij trok aan het touw totdat de pikhouweel ergens achter haakte. Hij slingerde de sporttas over zijn schouder en zonder nog wat tegen Rebeka te zeggen begon hij aan de klim.

Toen hij halverwege was, pakte zij het touw en begon achter hem aan te klimmen. Het geluid van de trucks was minder geworden, zodat ze nu helemaal moesten voorkomen dat ze lawaai maakten. Bourne bereikte de dakrand, pakte hem vast en trok zich net genoeg op om over de rand te kunnen kijken. Hij zag twee bewakers. Een van hen stond in het midden van iets wat leek op een kolossale schietschijf die op het platte dak geschilderd was. Om de cirkelrand te accentueren waren er kleine blauwe ledlampjes geïnstalleerd die erg helder schenen. De tweede bewaker stond aan de andere kant van het dak en leunde met zijn armen op de dakrand. Hij keek naar beneden naar de toenemende activiteit bij het laadgedeelte.

Bourne trok zich over de dakrand en hurkte op het dak. Even later voegde Rebeka zich bij hem.

'Ze hebben hier een heliplatform,' fluisterde zij in zijn oor. 'De lichtjes zijn aan dus verwachten ze waarschijnlijk een helikopter.'

Hij knikte. 'Het ziet ernaar uit dat de echte Semid Abdul-Qahhar op deze manier gaat vertrekken.'

Aan een kant van het heliplatform was een glazen luik dat groot genoeg was voor zowel mannen als materiaal om van het gebouw naar de helikopter te kunnen en vice versa. Het was een prima oplossing om snel in en uit het gebouw te komen. Bourne gebaarde naar Rebeka dat zij de bewaker aan de andere kant van het dak moest nemen, terwijl hij zich met die op het heliplatform zou bezighouden.

Het dak was bedekt met een soort grind en er stonden watertanks, ontluchtingspijpen en lift- en ventilatiebehuizingen. Hij bewoog zich van de ene naar de andere beschutting. Dit was het makkelijke deel omdat hij in de schaduw van die bouwsels kon blijven. De lichtcirkel was echter een heel ander verhaal. Toen hij achter de liftkoker stond, pakte hij wat grind en gooide het tegen de zijkant van een watertank op zo'n tien meter rechts van hem.

De bewaker draaide zijn hoofd met een ruk om, gespte zijn AK-74 los en liep behoedzaam naar de plek waar het grind de tank geraakt had. Hij liep rond de tank. Toen hij met zijn rug naar Bourne stond, sprintte Bourne naar hem toe en sprong op zijn rug. Hij sloeg zijn arm rond de nek van de bewaker en brak hem. Hij legde het slappe lichaam op de grond en pakte het automatische wapen uit zijn krachteloze handen.

Hij snelde om de watertank heen en rende naar de andere kant van het dak. Hij zag dat de tweede bewaker met de armen en benen wijduit op het grind lag. Boven hem torende Rebeka, maar ze was niet alleen. Een derde bewaker, die ze geen van beiden gezien hadden, besloop haar van achteren. Hij wilde zijn wapen niet afvuren, dus rende hij naar haar toe, maar op het moment dat de derde bewaker binnen armlengte was, draaide ze zich om, sloeg de loop van zijn AK-74 weg, sloeg met haar vuist keihard in zijn maag en greep hem bij zijn strot. De bewaker sloeg achteruit en probeerde zijn wapen af te schieten om de bewakers bij het laadgedeelte te alarmeren. Rebeka moest zijn keel loslaten om te voorkomen dat hij zijn wapen kon gebruiken. Toen het op het dak viel, flitste er iets in de hand waarmee hij uithaalde. Rebeka nam zijn arm in een greep, draaide plotseling en brak zijn elleboog. De bewaker kreunde. Zijn knieën begaven het, en zij sloeg met de muis van haar hand tegen zijn neuswortel. Hij viel en was al dood nog voordat zijn lichaam het grind raakte.

Bourne stond naast Rebeka. Ze keek hem grijnzend aan, daarna draaiden haar ogen weg en gleed ze in zijn armen. Haar hoofd hing achterover, haar gezicht was op de sterrenhemel gericht. Hij zag de glibberige zwartheid, voelde het warme bloed dat uit de meswond in haar zij stroomde. Ze hijgde, haar lippen gingen van elkaar.

Hij legde haar neer en begon haar kleren los te maken om de ernst van haar verwonding te kunnen bekijken.

'Doe geen moeite,' zei ze. 'Je hebt een deadline te halen. Ik wil niet de reden zijn waarom je die niet haalt.'

'Hou op.' Bournes vingers onderzochten de wond snel en vakkundig. Het was een diepe wond, maar hij kon niets vinden wat erop wees dat er ook organen beschadigd waren. Dat was natuurlijk goed, maar ze verloor nog steeds heel veel bloed. Als hij niet onmiddellijk wat deed zou ze doodbloeden. Hij scheurde haar mantel aan repen en verbond daarmee de wond zo strak mogelijk. De bloedstroom stopte even, maar al snel lekte het bloed weer door de stof heen.

'Luister,' zei ze met dwingende stem, 'de echte Semid Abdul-Qahhar heeft een tic in de uiterste hoek van zijn rechteroog. Je ziet daar een heel lichte spiertrekking. Dat is iets wat zijn dubbelgangers moeilijk na kunnen doen.'

Bourne knikte, terwijl hij een nieuwe strook aanbracht. Meer kon hij niet doen.

'Laat me maar.' zei ze.

Toch aarzelde hij nog.

'Ga nu maar.' Ze schonk hem een flauwe glimlach. 'Ik kan wel voor mezelf zorgen. Ik ben van de Mossad.'

'Ik kom terug.'

Haar glimlach veranderde in een verwrongen grijns. 'Nee, dat doe je niet, maar evengoed bedankt.'

Hij stond op en keek over de dakrand. De deuren van het laadgedeelte waren opengegooid. Hij moest bij de kratten met wapens zien te komen voordat ze in de trucks geladen werden. Hij had geen tijd om met haar te redetwisten.

Zonder om te kijken, rende hij naar het luik dat toegang tot het gebouw gaf. Hij kleedde zich uit en trok het uniform aan van de bewaker die hij gedood had. Daarna keek hij door het luik. Hij zag een opslagruimte die op dat moment nog donker en leeg was. Op de vloer stond een ladder die bij het luik uitkwam. Het verbaasde hem niet dat er een alarmdraad langs de rand liep. Hij begreep meteen dat de glassnijder nutteloos was als hij geen zuignappen had om het glas op zijn plaats te houden. Hij zette de sporttas neer en haalde het mes met breed lemmet tevoorschijn. Hij stak de punt van het mes in de onderkant van het luik waar het het grind raakte. De punt brak af, waardoor het mes als schroevendraaier te gebruiken was.

De scharnieren van het luik bevonden zich aan de andere kant dan waar de ladder tegenaan stond. Met het afgebroken mes wist hij de schroeven zover los te krijgen dat hij het luik op kon lichten. Hij vond de alarmdraad en gebruikte het mes om de isolatie op twee plaatsen door te snijden. Daarna verbond hij de ontblote einden van de elektriciteitsdraad met de ontblote stukken waardoor het circuit intact bleef terwijl de lengte van de alarmdraad verlengd werd. Daarna tilde hij het luik ver genoeg op zodat hij naar binnen kon glippen. Hij klom naar beneden naar de vloer van de opslagruimte, vond de deur en stapte in een gang die naar links en rechts wegliep. Hij zag voor zich een halfhoge muur. Toen hij naar beneden keek, zag hij hoe het hele pakhuis zich onder hem uitstrekte. Hij keek rond of hij de twaalf kratten ergens zag en spotte ze vrijwel meteen. Ze stonden aan de rechterkant. Links waren de open deuren die naar het laadgedeelte gingen. De eerste kratten werden naar buiten gebracht om in de trucks geladen te worden. Hij nam even de tijd om zich de indeling van het pakhuis voor de geest te halen, daarna vond hij de trap die het meest dichtbij was en daalde razendsnel af.

De bovenste verdiepingen waren geen probleem – iedereen was op de begane grond om toezicht te houden op het inladen van al het oorlogsmaterieel. Toch was er nog geen spoor van Semid Abdul-Qahhar, maar Bourne was er zeker van dat hij niet ver uit de buurt was. Deze zending was veel te waardevol voor hem om het transport aan ondergeschikten over te laten.

Hij kwam de eerste bewaker op een trap boven de begane grond tegen. De bewaker knikte naar hem, maar toen Bourne hem rakelings passeerde, greep hij Bourne bij zijn linkerarm.

'Waar heb je je wapen?' zei hij.

'Hier,' zei hij, terwijl hij het hoofd van de bewaker tegen de muur sloeg. De ogen van de bewaker tolden in zijn hoofd toen hij in elkaar zakte. Bourne pakte de AK-74 en daalde verder af. Gelet op de snelheid van laden, berekende hij dat hij minder dan tien minuten had om de simkaarten te plaatsen en uit het gebouw te komen, voordat hij het elektrische signaal zou geven waardoor alles en iedereen de lucht in geblazen zou worden.

De tweede bewaker stond onderaan naast de trap. Hij knikte ongeïnteresseerd toen Bourne de laatste trap afdaalde. Bourne passeerde hem, draaide zich om en begroef de kolf van de AK-74 in de maag van de bewaker. Hij sloeg dubbel en Bourne ramde de kolf op de achterkant van zijn nek. Nadat hij het lichaam in de schaduw gelegd had, liep hij zo rechtstreeks mogelijk naar de twee stapels kratten met FN SCAR-M, MK. 20's.

Hij mengde zich een kostbare minuut in een groepje mannen dat bij een stapel houten kratten stond aan de andere kant van de betonnen vloer. Hij had twaalf gekloonde simkaarten, een voor elk krat. Don Fernando had heel specifiek aangegeven aan welke kant van elk krat de kaarten geplaatst moesten worden. De kleine kaarten hadden plakstrips aan de achterkant. Het enige wat Bourne hoefde te doen was de afdekstrip eraf te halen en de kaarten op de juiste plaats te plakken. Hij had er zes geplakt toen iemand op commandotoon riep: 'Hé, jij daar! Wat ben je aan het doen?'

Bourne draaide zich om en zag een man die op Semid Abdul-Qahhar leek. Hij was tevoorschijn gekomen van achter een muur van kratten die die nacht overduidelijk niet verzonden zouden worden.

Semids ogen versmalden zich en hij wenkte Bourne dat hij moest komen. 'Je komt me niet bekend voor.'

'Ik heb vanmorgen pas gehoord dat ik hier moest komen.'

Semid knikte naar twee mannen die achter Bourne waren gaan staan. Zij drukten de loop van hun AK-74's in zijn rug en duwden hem achter de muur van kratten.

'Niemand heeft vanmorgen opdracht gekregen om naar El-

Gabal te komen,' zei Semid, 'of op welke dag van deze week ook.' Hij kwam dichterbij terwijl een van de mannen Bourne zijn wapen afpakte. 'Wie ben je? En wat nog belangrijker is, hoe ben je dit gebouw binnengekomen?' Bourne reageerde niet. Hij glimlachte. 'Oké, als het inladen klaar is, zullen we ons met jou bezighouden.'

Op dat moment greep Bourne de bewaker rechts van hem bij de arm, draaide zich in zijn lichaam en gooide hem op de grond. Daarna schopte hij de andere bewaker tegen zijn pols, waardoor de hand die hij aan de trekker hield, gevoelloos raakte. Bourne griste de AK-74 uit zijn hand en sloeg hem ermee op zijn hoofd. De eerste bewaker, die ondertussen weer opgestaan was, kwam met het hoofd vooruit op hem afgestormd. Bourne ving hem op met zijn rechterknie en raakte hem vol in zijn gezicht. Er kraakte iets en hij zakte in elkaar.

Bourne draaide zich om en keek recht in de loop van een Makarov, die Semid tegen zijn tanden duwde. Bourne stond dicht genoeg bij om de lichte spiertrekking in de hoek van zijn rechteroog te zien.

'Beweeg je niet,' zei Semid zacht maar wel met nadruk, 'of ik schiet je hersens naar buiten.' Hij fouilleerde Bourne nauwgezet en vakkundig. 'Handen naast je.' Toen hij niets vond kwam hij met zijn gezicht dicht bij dat van Bourne. 'Je hebt hier niets meer te doen. Over vijf minuten zal dit gebouw verlaten zijn, op de doden na, en daar zul jij er een van zijn.'

Hij had bijna geen tijd meer. Het was nu of nooit. Bourne lachte, en glipte met een hand in zijn zak.

'Wat doe je? Haal je hand uit je zak.' Semid Abdul-Qahhar zwaaide met de Makarov voor Bournes gezicht. 'Langzaam.'

Bourne deed wat hem gevraagd werd.

'Doe je hand open.'

Dat deed Bourne. Toen Semid Abdul-Qahhar zijn hand pakte, kwam hij iets dichterbij om beter te kunnen kijken. De Makarov bewoog een beetje en Bourne drukte een van de valse tanden die hij bij zich had, tussen Semids tanden. Meteen daarna sloeg hij met zijn vlakke hand tegen de onderkant van Semids kin waardoor zijn tanden op elkaar klapten. De valse tand knapte kapot en de vloeibare cyaankali liep in Semid Abdul-Qahhars mond. Semid slikte krampachtig om niet te stikken. Zijn ogen verwijdden zich en hij probeerde zijn Makarov te richten. Bourne was daarop voorbereid en sloeg het pistool weg. Semid probeerde zich aan Bournes uniform vast te grijpen om nog enig houvast te hebben, maar hij zakte op zijn knieën. Bourne trok zich los. In Semids mondhoeken verscheen schuim. Hij maakte geluiden, maar zei niets: nachtmerriegeluiden. Toen kreeg hij een waas voor zijn ogen, en Bourne schopte hem, en sleurde hem in een nis in de muur.

Hij kwam achter de muur van kratten tevoorschijn en plakte de laatste zes kaarten op hun plek. Een groepje van vier mannen kwam op hem af. Bourne toetste 6-6-6 op de mobiel. Het zou nog drie minuten duren voordat het gebouw en alles wat erin was aan gruzelementen geblazen zou worden.

'Deze moeten in de truck geladen worden,' zei Bourne tegen de mannen.

De voorste man keek verbaasd. 'Ik dacht dat deze hier moesten blijven.'

'De plannen zijn veranderd,' zei Bourne met een autoriteit die soldaten automatisch gehoorzamen. 'Opdracht van Semid Abdul-Qahhar persoonlijk.'

De man haalde zijn schouders op en wenkte zijn mannen. Ze passeerden Don Fernando's kratten en begonnen met de kratten die erachter stonden. Bourne moest nu een cruciale beslissing nemen. Als hij naar het laadgedeelte zou lopen, langs de bewakers, en de straat op, dan zou hij Rebeka achterlaten, en dat kon hij niet doen.

Zodra de mannen met het eerste krat bezig waren, draaide Bourne zich om en keerde hij op zijn schreden terug, naar de trap, omhoog naar de halfopen hal die naar de opslagruimte leidde waar de trap naar het dak stond. Het was de langere, maar verkieslijke weg naar veiligheid.

Hij opende de deur, stapte het vertrek binnen en keek recht in de loop van een kleine met zilver beslagen .22 Beretta. Hij leek precies op het wapen dat Viveka Norén in Frequencies, de Stockholmse disco, jaren geleden op hem richtte. Het pistool werd vastgehouden door een prachtige vrouw met blond haar en Viveka's lichte ogen. Ze leek als twee druppels water op Kaja, maar door haar angstwekkende uitdrukking en haar houding wist hij dat zij Kaja niet kon zijn. Het was haar tweelingzus, de gevaarlijke, meervoudige persoonlijkheid Skara.

# Drieëndertig

Door het dakraam viel gebroken licht, dat als dolksteken de schaduwen doorboorde en delen van haar gezicht verlichtte – wang, neus, een driehoek op haar voorhoofd.

'Skara.'

Ze keek verbaasd. 'Wie ben je?'

'Ik ken je zuster,' zei Bourne. 'Kaja.'

'Kaja.' Ze streek met haar tong langs haar ovaalvormige lippen alsof ze de naam wilde proeven. 'Is ze niet dood?'

Nog twee minuten. 'Skara, we moeten hier weg.'

'Ik ga hier weg. Abdul-Qahhar en ik samen, en we laten dit duivelse land ver achter ons.'

Ze hield haar hoofd scheef. 'Hoor je dat?' Vanboven klonk geraas. Lichten wervelden over haar gezicht. Haar ogen glinsterden. 'Het is het geluid van een helikopter die landt.' Ze ontblootte haar tanden en lachte gemeen. 'Het is ook het geluid van je naderende dood.'

Een harde bons boven hun hoofden leidde haar af, en Bourne sprong op haar af. Ze schoot en hij voelde een vlammende pijn in zijn linkerschouder. Toen had hij haar vast. Hij probeerde de .22 te pakken te krijgen, maar zij was sneller en hardnekkiger dan hij verwacht had, en zij verstevigde haar greep op het pistool en probeerde het op zijn borst te richten. Hij duwde haar achteruit en hij gebruikte zijn surplus aan gewicht en kracht zodat het pistool bekneld raakte tussen hun lichamen. Ze haakte met haar kuiten achter een kist en tuimelde achteruit. Hij probeerde opnieuw om de Beretta te pakken te krijgen.

Terwijl ze vochten om de Beretta vlamden haar ogen in het halfduister. Ze waren anders en kwamen hem bekend voor. 'Dood me,' schreeuwde ze. 'Dood me nu en maak hier een eind aan.'

Hij probeerde de .22 uit haar hand te rukken, maar zij liet niet los. De Beretta draaide en zij haalde de trekker twee keer snel achter elkaar over. Bloed spoot uit haar. De kogels verscheurden slagaders, waaronder de aorta.

'Skara,' riep Bourne, terwijl hij haar naar zich toe trok, maar zij hoorde niets meer.

De glanzend zwarte Sikorsky S-76C++-helikopter stond met draaiende rotors midden op het heliplatform en zorgde voor een gigantische luchtstroom. Bourne zag de piloot, maar er zat verder niemand in de helikopter. Hij rende naar de plek waar Rebeka met haar rug tegen de dakrand zat. Ze had haar ogen gesloten en even dacht hij dat ze dood was, maar toen hij haar in zijn armen nam, knipperde ze met haar ogen.

Ze beefde. 'Je bent teruggekomen.' Haar woorden verwaaiden bijna door het geraas van de helikopter. Haar tanden klapperden.

Bourne rende gebogen en beschermde haar met zijn bovenlichaam. Het leek erop dat ze niet veel bloed meer verloren had. De piloot opende de deur, maar toen hij zag dat zij niet zijn verwachte passagiers waren, trok hij zijn pistool. Voordat hij het kon richten, schoot Bourne hem met Viveka Noréns .22 tussen de ogen.

Nadat hij Rebeka op de passagiersstoel had gezet, wikkelde hij een kasjmieren deken die hij achterin had gevonden om haar heen. Hij rende naar de andere kant en opende de deur, trok de piloot van zijn plaats, klom erin en sloeg de deur achter zich dicht. Op dat moment kwamen allemaal bewakers door het luik heen. Ze moesten ofwel Semid ofwel een van de dode bewakers gevonden hebben. De mannen begonnen op de helikopter te vuren.

Bourne deed alle checks en vertrok richting het westen. Er stroomde nog genoeg adrenaline door hem heen zodat hij de pijn in zijn linkerschouder nog niet voelde.

Hoog in de lucht draaide hij en zag een vuurbal tot ontwikkeling komen waardoor de gebouwen erachter aan het zicht onttrokken werden. Het hele El-Gabal-complex werd de lucht in geblazen. De schokgolf was duidelijk voelbaar in de Sikorsky, die heen en weer geslingerd werd, maar Bourne wist hem in bedwang te houden. Hij vloog zo laag mogelijk. Hij wist dat Syrische gevechtsvliegtuigen binnen enkele minuten op de explosie af zouden komen, samen met de brandweer, politie, het leger en allerlei hulpdiensten.

Rebeka bewoog en zei iets wat hij door het geraas van de helikopter niet kon horen. Hij klemde de stuurknuppel tussen zijn benen, boog zich naar haar toe en zette een koptelefoon op haar hoofd en deed de microfoon voor haar mond. Nu konden ze met elkaar praten.

'Is Semid dood?' Ondanks de pijn en ondanks het feit dat ze aanzienlijk verzwakt was door het bloedverlies, dacht ze maar aan één ding.

'Ja.'

'Weet je zeker dat hij het was?'

'Ik zag de spiertrekking.'

Ze zuchtte van tevredenheid.

Boven zijn hoofd zag hij het vluchtplan en hield zich eraan tot het allerlaatst, en toen boog hij af en vloog pal naar het westen.

Ze bewoog naast hem. 'Waar gaan we heen?'

'Libanon.'

Ze kwam in beweging. 'Drieëndertig, tweeëndertig, vijfenvijftig, vierenzestig noord bij zesendertig, o-twee, o-vier, vijftig oost.'

Zij gaf hem de precieze coördinaten. Hij voerde ze in en de helikopter boog af naar links en vloog rechtdoor.

'Radar,' zei ze. Haar stem was zwak en piepend.

'Ik vlieg zo laag mogelijk,' zei Bourne. In het parelkleurige ochtendlicht kon hij de kronkelende prikkeldraadlijn zien met hier en daar de waarschuwingsborden voor landmijnen. 'We zijn er bijna.'

Boven zich zag hij een glinstering. Het vliegtuig vloog te hoog. Hij kon niet zien of het een commerciële vlucht was of een Syrisch gevechtsvliegtuig. Hij vloog door. Nog een paar kilometer. De glinstering werd duidelijker toen het vliegtuig aan een duikvlucht begon. Het was een Syrisch gevechtsvliegtuig.

Nog zelfs voordat hij de eerste mitrailleursalvo's hoorde, was hij al begonnen aan een serie doldrieste manoeuvres. Het Syrische vliegtuig naderde razendsnel, maar de prikkeldraadversperringen van de grens waren al onder hem. Het vliegtuig vuurde een laatste salvo af in de hoop dat het een van de landmijnen zou raken, en toen was hij over de grens. Het vliegtuig veranderde van koers, klom steil en verdween in het licht van de opkomende zon.

'We zijn in Libanon.' Bourne keek naar haar. Haar hoofd hing op haar borst.

'Rebeka?'

Ze opende haar ogen en haalde diep, huiverend adem. 'Ik ben moe.'

'Rebeka, we zijn de grens gepasseerd.'

Haar lippen plooiden zich in een sfinxachtige glimlach. 'De Rode Zee is uiteengeweken.' Ze leefde even op en keek door het perspex raampje naar het dorre landschap onder haar, dat een bijna koperen glans had. 'Vlieg naar het zuidwesten. Richting Dahr El Ahmar.' Ze gaf hem de nieuwe coördinaten.

Bourne zag dat er weer bloed door de deken sijpelde. Dat moest haast wel veroorzaakt zijn door zijn doldrieste capriolen. 'Hou vol,' zei hij, terwijl hij zijn koers aanpaste. 'Ik zorg dat je zo snel mogelijk beneden bent.'

Ze begon te lachen en toen Bourne haar aankeek zei ze: 'Je komt aan het eind van je leven en met wie ben je, een vreemde die jouw opdracht heeft volbracht.' Ze hoestte dik slijm op, waardoor ze bijna stikte. 'Vind je dat niet grappig?'

'Je gaat niet dood, Rebeka.'

'Weet God dat ook?'

'Ik ben ervaren genoeg om dat zeker te weten. Je hebt bloed nodig en een goede chirurg.'

'In Dahr kun je beide vinden. We hebben daar een veldeenheid. Jouw schouder zal weer zo goed als nieuw worden.'

Het verraste hem dat ze nog de tegenwoordigheid van geest had om dat op te merken. 'Met mijn schouder gaat het goed.'

'Maar toch...'

'Toch wat?'

'Ik voel het als mijn plicht om erop toe te zien dat je weer helemaal herstelt.'

'Dat gevoel is wederzijds.'

Haar sfinxachtige glimlach gloorde weer rond haar mond en flakkerde als een druipende kaars.

Ze vlogen verder. Bourne kon de eerste gebouwen van Dahr El Ahmar zien. In het licht van de opkomende zon zagen ze eruit als suikerklontjes. Ze vlogen over groepjes palmbomen en varens die door de luchtzuiging van de helikopter heen en weer golfden. Ze zouden snel aan de grond staan. Zijn schouder brandde als de hel.

'El-Gabal.' Rebeka huiverde. 'Dat voelde als het einde van de wereld.'

Bourne legde zijn hand over die van haar. 'We hebben het overleefd.'

Haar ogen waren half dicht en ze zag er erg bleek uit. Haar vochtige, donkere haar plakte op haar wangen. 'In de lange geschiedenis van mijn volk is dat het belangrijkste.'

'Dat is waar alles om draait,' zei hij.

# EPILOOG

Het sneeuwde in Stockholm, net zoals de laatste keer dat hij hier was. Bourne trotseerde met opgetrokken schouders de sneeuwjacht en stak Sturepan over, het drukke plein dat het centrum was van Stockholms nachtleven.

Hij was die ochtend met het vliegtuig in Stockholm aangekomen als reactie op een kort maar veelzeggend sms'je dat hij drie dagen geleden gekregen had: `Thuis na 13jr @ Frequencies elke avond va 9 td je komt. Kaja.`

Het pakketje dat hij vooruitgestuurd had, lag voor hem klaar toen hij incheckte in het kleine familiehotel in Gamla Stan, het eiland tussen Stockholm en Södermalm. Hij had de inhoud van het pakje in de binnenzak van zijn met bont gevoerde overjas gedaan. Hij stak de drukke straat over en stapte de hal van Frequencies binnen. De elektronische muziek sloeg hem met de kracht van een pneumatische boor in het gezicht. Lichten wervelden over het plafond. De dansvloer was afgeladen met lichamen die bijna als in trance bewogen op de beat van de muziek die uit de grond omhoog leek te komen. De lucht was zwaar van de geur van zweet en parfum.

Aan de schaars verlichte bar stond het drie, vier rijen dik met jongens die probeerden te scoren en keurende meisjes. Het was een raadsel dat Bourne haar in die kolkende massa ontdekte, maar daar was ze, het evenbeeld van haar moeder. Haar haar had een natuurlijk blonde kleur en haar bruine kleur was helemaal verdwenen. Ze stond met een glas in haar hand aan het eind van de bar, iets afgezonderd van de menigte. Toen Bourne naar haar toe liep, vroeg iemand haar net ten dans, maar ze weigerde. Zij had Bourne nu ook in de gaten, gaf het glas aan de verbaasde jongen en liep naar Bourne. Ze had donkerbruine kleren aan: sneeuwlaarzen, een driekwart leren rok en een wollen coltrui met kabelmotief.

Ze ontmoetten elkaar op een relatief rustige plek midden in een kolkende menigte. Het had geen zin om te proberen in het oorverdovende kabaal met elkaar te praten. Ze pakte zijn hand en leidde hem langs de rand naar de toiletten. In de damestoiletten keek niemand op toen zij met hem over de tegelvloer liep. De jonge vrouwen waren te druk bezig met het snuiven van coke en met het vertellen van sterke verhalen over de kerels op de dansvloer.

Ze opende een van de toiletdeuren en ze gingen naar binnen. Ze trok de deur achter hen dicht.

'Kaja,' zei hij, 'ik heb iets voor jou.' Hij haalde de .22 met zilverbeslag tevoorschijn, het pistool dat van haar moeder geweest was, en gaf het haar.

Ze keek er even naar en keek toen naar hem. Er was iets anders aan haar, iets subtiels, maar misschien was het haar blonde haar of de opvallende gelijkenis met Viveka Norén. Of het had misschien te maken met de plek waar ze waren, met de Beretta tussen hen in.

'Ik begrijp het niet,' zei ze. 'Waarom geef je dit aan mij?'

'Hij was van je moeder, Kaja. Ze heeft mij ermee proberen neer te schieten.'

'Ik ben Kaja niet,' zei ze. 'Ik ben Skara.'

Even leek de tijd stil te staan, het kabaal van buiten leek te vervagen en Bournes gedachten kolkten in zijn hoofd. 'Jij moet Kaja wel zijn,' zei hij. 'Skara was in Damascus met Semid Abdul-Qahhar.'

'Kaja stierf tijdens de vernietiging van El-Gabal,' zei de vrouw. 'Het was mijn zuster Kaja die je daar hebt gezien.'

Kaja. Skara. Een van hen loog, maar wie? 'Skara had een dissociatieve persoonlijkheidsstoornis,' zei hij, 'wat past bij de zuster die ik in Damascus ontmoet heb.'

'Nou, dat verklaart alles, of niet soms? Kaja was degene met de dissociatieve persoonlijkheidsstoornis.'

Bourne voelde zich alsof de grond onder hem wegzakte.

Alsof ze zijn verwarring aanvoelde, zei ze: 'Laten we ergens naartoe gaan waar het wat minder beladen is.'

Ze nam hem mee naar een klein café in Gamla Stan. Het was gevuld met tieners en twintigers, waar zij nog onder viel, als Bournes schatting goed was. De twee overgebleven zussen waren toen ze vijftien waren uit Stockholm gevlucht. Ze waren dertien jaar weg geweest. Dat betekende dat de vrouw die tegenover hem zat, achtentwintig was.

'Mijn zus vond het schitterend om iedereen te vertellen dat ik degene was die aan een dissociatieve persoonlijkheidsstoornis leed. Dat was onderdeel van haar probleem.'

De koffie en de cake die ze besteld hadden, werden gebracht, en zij nam de tijd om suiker en room in haar koffie te doen. 'Kaja was een geweldige leugenaar,' zei ze nadat ze een slok van haar koffie genomen had. 'Ze moest zich goed voelen, wilde ze voorkomen dat haar geest alle kanten uit vloog. Elke persoonlijkheid die ze aannam, was authentiek en een leugen.' Ze zette haar kopje neer en schonk hem een bedroefde glimlach. 'Ik zie dat je me niet gelooft. Dat maakt niet uit. Je bent niet de enige. Kaja bedonderde iedereen.'

'Zelfs Don Fernando Hererra?'

'Ze was er een meester in. Ik ben er vrijwel zeker van dat ze zelfs een leugendetector te slim af zou zijn.'

'Omdat ze in haar eigen leugens geloofde.'

'Ja, absoluut.'

Bourne nam even de tijd om alles te overdenken. Nu hij een tijdje met deze vrouw praatte, begon hij verschillen te ontdekken met de Kaja die hij gekend had – of, om preciezer te zijn, die hij niet gekend had. Hij begon er meer en meer van overtuigd te raken dat de vrouw die tegenover hem zat inderdaad Skara was. Hij dacht terug aan de laatste ontmoeting in de opslagruimte van El-Gabal. Er was iets geweest in de ogen van die vrouw, iets pijnlijk bekends. '*Dood me*,' had ze geschreeuwd. '*Dood me nu en maak hier een eind aan.*'

Was de vrouw vlak voor het einde weer in de huid van Kaja gekropen?

Er was maar één manier om daar absolute zekerheid over te krijgen.

Bourne boog zich naar haar toe. 'Laat me je nek zien.'

'Wat zeg je?' Ze keek hem vragend aan.

'Kaja was aangevallen door een margay. Zij heeft littekens aan de zijkanten van haar nek.'

'Oké.' Ze trok haar col naar beneden en ontblootte een lange, schitterende nek met een heldere roze kleur, en er was geen oneffenheid te zien. 'Doorsta ik de test?'

Bourne ontspande, maar vanbinnen voelde hij zich bedroefd. '*Dood me nu en maak hier een eind aan.*' Arme Kaja, gekweld door de nachtmerrie van persoonlijkheden waar ze geen controle over had.

'Wat deed Kaja bij Semid Abdul-Qahhar,' zei hij uiteindelijk.

Skara zuchtte terwijl ze haar col weer goed deed. 'Een van haar persoonlijkheden haatte onze vader. Ze wilde wraak nemen op hem voor het feit dat hij ons in de steek had gelaten.'

'Dus daar heeft ze de waarheid over verteld.'

Skara keek hem een moment aan. 'Ten eerste, de beste leugens zijn altijd ingebed in de waarheid, ten tweede, de waarheid die ze jou vertelde was niet compleet.'

Bourne kreeg een beklemmend gevoel. Hij pakte zijn kopje en nam een slok koffie, zwart, bitter, maar verkwikkend. 'Vertel verder.'

Ze staarde even naar de koffiedrab in haar kopje. 'Liever niet.'

'Nee?' Bourne voelde woede opkomen. Het gevoel om gemanipuleerd te worden, kende hij maar al te goed.

'Het is niet aan mij om je het te vertellen.' Ze glimlachte. 'Wees alsjeblieft geduldig, tot morgenochtend.' Ze pakte een klein, leren notitieboekje uit haar handtas, schreef een adres op, scheurde het blaadje eruit en gaf het hem. 'Tien uur morgenochtend.' Ze wenkte de serveerster om bij te schenken.

Haar blik ging naar zijn linkerschouder. 'Je bent in Damascus gewond geraakt.'

'Niets aan de hand,' zei Bourne. Hij wilde haar vragen hoe ze aan die informatie kwam over hem en over wat er in Damascus gebeurd was, maar hij besloot om dat niet te doen. Hij dacht dat hij dat toch wel snel te weten zou komen.

'Vertel me over de Beretta.' Ze keek vragend. 'Ik had geen idee dat mijn moeder een pistool in bezit had, laat staan dat ze bewapend was toen ze doodgeschoten werd. Heb jij het van haar afgepakt?'

'Je zuster had het,' zei hij. Ik heb geen idee hoe zij er aankwam.'

Skara knikte alsof wat hij zei voor zichzelf sprak. 'Zij moet het wel aan Viveka gegeven hebben. Dat zou echt iets voor Kaja geweest zijn.'

'Op haar vijftiende?'

'Nadat mijn vader vertrokken was, waren we allemaal bang. Ik kan me voorstellen dat moeder het zonder er goed over na te denken aangenomen heeft.'

'Maar er zit nog meer achter, of niet?'

Skara glimlachte flauwtjes. 'Jammer genoeg voor ons allemaal, is dat altijd het geval.'

In de loop van de nacht was het opgehouden met sneeuwen. In de loop van de nacht belde Bourne Rebeka, die vermoeid klonk maar wel blij was om van hem te horen. In het donker van de hotelkamer voelde hun geprevelde conversatie als een droom. Na afloop van het gesprek werd hij in slaap gesust door de diepe, zware geluiden van de slaperige stad. In zijn droom reed een truck eenzaam en verloren over een verlaten snelweg.

Toen hij 's ochtends buiten zijn hotel in een wachtende taxi stapte was de lucht helderblauw. De zon scheen intens alsof hij versterkt werd door de tintelend frisse lucht. Hij stapte uit voor een modern gebouw aan Birger Jarlsgatan. Aan de overkant van de straat was Goldman Sachs International.

Skara stond buiten het gebouw op hem te wachten. Ze gaf hem een arm en liep met hem naar binnen. De hele begane grond werd in beslag genomen door de Nymphenburg Landesbank uit München. De bewakers knikten naar haar toen ze hem over de geruite marmeren vloer naar de lift leidde, die hen snel naar een van de bovenste verdiepingen vervoerde. Nadat ze uitgestapt waren, liepen ze langs een groot aantal kantoren waar secretaresses en assistent-managers aan het werk waren, door een deur waar een bordje op hing waarop stond: MARTIN SIGISMOND, PRESIDENT, een enorm kantoor in met een adembenemend uitzicht op de stad Stockholm. Het zonlicht glinsterde op de rivier.

Sigismond, een lange, knappe man, slank en erg fit, met blond haar en blauwe ogen, stond op hen te wachten. Hij droeg een marineblauw pak met een vlammend rode stropdas. Naast hem stond Don Fernando Hererra, die een wollen plooibroek droeg en, vreemd genoeg, ook een huisjasje.

'Ah, meneer Bourne, het is mij een groot genoegen u te ontmoeten,' zei Sigismond, terwijl hij zijn hand uitstak. 'Don Fernando spreekt vol lof over u.'

'O, alsjeblieft.' Skara stond op het punt om in lachen uit te barsten. 'Meneer Bourne, ik wil u graag voorstellen aan Christien Norén, mijn vader.'

Na een korte aarzeling schudde Bourne hem de hand. 'U hebt een stevige handdruk voor iemand die dood is.'

Christien glimlachte. 'Ik ben weer opgestaan uit de dood en het heeft me geen kwaad gedaan.'

De vier zaten samen op tegenover elkaar staande sofa's in een hoek van het kantoor.

'Ik ben in alle opzichten Martin Sigismond,' zei Christien Norén, 'en dat ben ik al vele jaren.'

'Zoals je je wel kunt voorstellen,' zei Don Fernando, 'heeft Almaz alle identiteitspapieren geregeld die Christien nodig had.'

'Almaz zit achter dit hele plan.' zei Bourne.

'Het spijt me, maar ik kan je niet alles vertellen,' zei Don Fernando. 'We wilden dat je je concentreerde op de relatie tussen Severus Domna en Semid Abdul-Qahhar. Nog specifieker wilden we dat je naar Damascus zou gaan en hen vleugellam zou maken.'

'Semid Abdul-Qahhar was bezig met de voorbereiding van een aanval op Indigo Ridge, een Rare Earth-mijn in Californië,' zei Christien. 'Hij had binnen Indigo Ridge een mannetje, Roy FitzWilliams, die hij al jaren daarvoor gerekruteerd had.'

'Daar moest al het materieel naartoe,' zei Bourne.

Don Fernando knikte. 'Samen met een uitgelezen eenheid terroristen. Ik vind het jammer om te zeggen, maar het waren allemaal Amerikaanse moslims.'

Het was even stil, waarna Skara zei: 'Papa?'

Christien gaf zijn dochter een teken dat hij het begrepen had. 'Meneer Bourne, Don Fernando en ik zijn u een geweldige hoeveelheid dank verschuldigd.'

'Wat jullie mij schuldig zijn,' zei Bourne, 'is een volledige verklaring.'

'En die krijgt u ook.' Hij keek opeens berouwvol. 'Ik heb in mijn leven veel fouten gemaakt, meneer Bourne, maar de ergste was wel dat ik mijn gezin in de steek heb gelaten. Mijn vrouw is dood en ook twee van mijn kinderen. Feit is dat ik alles volkomen verkeerd heb ingeschat.'

'Nee, pa,' zei Skara enigszins fel, 'u bent ook voorgelogen.'

Christien leek niet van zins om zijn verantwoordelijkheid van zich af te schuiven. 'Ik had me al verbonden aan de Domna. Benjamin El-Arian begon argwanend te worden, daarom gaf hij mij de opdracht om Alex Conklin te vermoorden. Dat was een test.'

'We hebben allebei fouten gemaakt,' zei Don Fernando met een zucht. 'Ik wilde Conklin rekruteren voor Almaz en ik dacht dat Christiens missie de perfecte gelegenheid daartoe was.'

'Op de een of andere manier is El-Arian daarachter gekomen,' zei Christien. 'Ik zette mijn dood in scène zodat hij geen reden had om achter mijn gezin aan te gaan. Dat was een verschrikkelijke fout.'

Bourne schudde zijn hoofd. 'Maar waarom heeft Conklin mij er dan op uitgestuurd om Viveka te vermoorden?'

'Nog een fout, niets anders dan dat. Hij dacht dat zij een spionne was.'

'Nee,' zei Skara, 'Kaja is daar de oorzaak van.'

Bourne en Don Fernando keken haar verbaasd aan. Christien keek alleen maar triest.

'Ik begreep echt niet waarom Bourne mij dit gaf.' Ze haalde de .22 met zilverbeslag tevoorschijn. 'Mama had dit bij zich toen ze gedood werd. Zij schoot op Bourne, klopt dat?'

'Dat klopt,' zei Bourne.

'Kaja heeft dit pistool aan mama gegeven,' zei Skara. 'In de persoon van een van haar persoonlijkheden haatte ze jou, pap, in een andere verachtte ze mama.'

Christien vouwde zijn handen alsof hij bad. 'Kaja werd een bezoeking.' De uitdrukking op zijn gezicht was de weerslag van de emotionele dreun die hij had moeten incasseren. 'Zij had het voordeel dat zij er drie of vier jaar ouder uitzag dan ze was. Ze was vroeg wijs en op een bepaalde manier briljant. Ik heb niemand over haar verteld – zelfs u niet, Don Fernando. Dat kwam vooral omdat ik me schaamde en omdat ik ontsteld was over het feit dat zij in mijn voetstappen probeerde te treden. Maar ook omdat ik dacht dat ik haar kon controleren. Dat was mijn grootste fout.' Hij staarde naar zijn schoenen. 'Niemand had controle over Kaja.'

'Ze gebruikte haar lichaam, maar ook haar verwrongen geest,' zei Skara.

Christien huiverde. 'Je hebt ongetwijfeld gelijk.' Hij haalde zijn schouders op. 'Hoe dan ook, Conklin kwam erachter dat ik op pad gestuurd was om hem te doden. Daardoor mislukte de missie. Maar zelfs nadat hij hoorde dat ik dood was, stuurde hij u, meneer Bourne.'

Skara ging naar voren zitten. 'Op grond van Kaja's afschuwelijke leugen.' Zij gaf de .22 terug.

'In elk geval heeft de Beretta veel goedgemaakt,' zei Bourne. 'Hij heeft in Damascus mijn leven gered.'

'En daarvoor danken we God op onze blote knieën,' zei Don Fernando vurig.

Er viel weer een stilte. Het leek erop dat ze allemaal uitgeput waren. Toen Christien opstond, deden de anderen dat ook. Bourne schudde hem de hand; er viel niets meer te doen.

'Skara,' zei Christien, 'waarom neem je vandaag niet vrij en laat meneer Bourne de bezienswaardigheden zien die hij tijdens zijn vorige bezoek heeft gemist.'

Don Fernando omhelsde Bourne en kuste hem op beide wangen. 'Tot kijk, Jason,' zei hij, 'maar niet vaarwel.'

Toen Bourne en Skara weg waren, draaide Christien zich om naar Don Fernando. 'Denk je dat hij iets vermoedt?'

'Geen moment,' zei Don Fernando. 'Maar ik twijfel er niet aan dat hij, zodra hij terug is in Washington en met Peter Marks heeft gesproken, de puzzelstukjes in elkaar past.'

Christien keek bezorgd. 'Weet je zeker dat dat geen probleem wordt?'

'Dit is wat we willen.' Don Fernando glimlachte. 'Je hebt genoeg aandelen in NeoDyme gekocht zodat we een meerderheidsbelang in Indigo Ridge hebben. Je kunt je niet voorstellen hoe rijk we worden.' Hij keek zijn vriend kritisch aan. 'Ik vergeef het je dat je me niet alles over Kaja verteld hebt. Jouw plan om de aanval van de Domna op Indigo Ridge als afleiding te gebruiken, werkte perfect. De hoge omes in de Amerikaanse regering waren zo druk met het ontrafelen van de plannen van de Domna dat ze vergaten om de bedrijven te onderzoeken die wij gebruikten om ons pakket aandelen van NeoDyme te vergroten.'

Christien liep naar het raam. Hij keek naar beneden en zag Bourne en zijn dochter het gebouw uit komen en de straat oversteken. 'Wat zal Bourne doen als hij erachter komt?'

Don Fernando ging naast hem bij het raam staan. De lucht was dichtgetrokken. Er was meer sneeuw op komst. 'Met

Bourne is het altijd moeilijk om voorspellingen te doen. Ik hoop dat hij hier terugkomt om met ons te praten.'

'We hebben hem nodig, hè?'

'Ja,' zei Don Fernando somber. 'Hij is de enige die we kunnen vertrouwen.'